DEMOCRACIA EN AMÉRICA LATINA:
Entre el ideal utópico y las realidades políticas

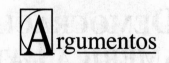

Argumentos

Colección dirigida por

Juan de Dios González Ibarra

347

DEMOCRACIA EN AMÉRICA LATINA:
Entre el ideal utópico y las realidades políticas

Alex Ricardo Caldera Ortega
Armando Chaguaceda Noriega
(Coordinadores)

Primera edición: 2016

©Alex Ricardo Caldera Ortega, Armando Chaguaceda Noriega *et al.*
©Distribuciones Fontamara, S. A.
Av. Hidalgo No. 47-b, Colonia Del Carmen
Deleg. Coyoacán, 04100, México, D. F.
Tels. 5659-7117 y 5659-7978 Fax 5658-4282
Email: coedicion@fontamara.com.mx
www.coedicion.com
www.fontamara.com.mx
ISBN 978-607-736-264-7

Impreso y hecho en México
Printed and made in Mexico

PRESENTACIÓN DE LA SERIE

Este libro es parte de una colección de cinco tomos producto del Seminario Cambio y dinámicas sociales emergentes en América Latina, organizado por la comunidad de la División de Ciencias Sociales y Humanidades (DCSyH) de la Universidad de Guanajuato (UG), campus León en su edición 2014-2016. Su principal interés ha sido construir un espacio de reflexión en torno a los principales retos que enfrenta México y la región subcontinental en tres grandes esferas: la construcción de la ciudadanía, la reivindicación de las identidades locales en un mundo global y la construcción democrática de una acción pública que impacte en el desarrollo local.

La idea de construir un seminario permanente tuvo su inspiración en el trabajo académico realizado por profesores de esta unidad académica, los cuales presentaron la iniciativa ante el Programa Institucional de Cátedras de Excelencia de la UG para que se convirtiera en una piedra de toque impulsora de la presencia de las ciencias sociales realizadas desde el Bajío mexicano con una proyección no sólo regional o nacional, sino incluso internacional.

El seminario se organizó bajo la lógica de las siguientes temáticas, las cuales corresponden a muchas de las líneas de investigación desarrolladas en nuestra División:

Eje 1 Gobernabilidad-Ciudadanía	Eje 2 Ciudadanía-Desarrollo económico sustentable	Eje 3 Desarrollo económico sustentable-Gobernabilidad
Capacidad del gobierno local	Asociativismo y activismo empresarial	Economía ecológica
Identidad y patrimonio local	Género y grupos vulnerables	Fomento a la innovación y tecnología
Violencia y seguridad ciudadana		
Construcción de la ciudadanía	Trabajo y organización de la producción	Ordenación del territorio y planificación

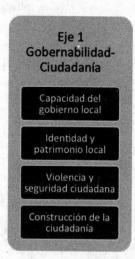
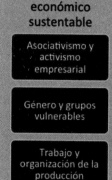
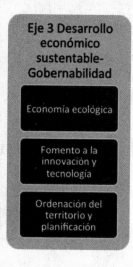

En esta iniciativa se incluyó la participación de los tres departamentos (Estudios Sociales, Estudios Culturales y Gestión Pública y Desarrollo) de la DCSyH, y por lo menos tres de los Cuerpos Académicos de la División y otros grupos de investigación. Particularmente se trata del CA Transformaciones Sociales y Dinámicas Territoriales, CA Actores y Dinámicas Emergentes, CA Sociedad, Cultura y Política y el Grupo de Investigación de Estudios sobre Cultura.

Este seminario se concibe como una estrategia de fortalecimiento académico no sólo entre los investigadores participantes, sino la oportunidad de enriquecer los programas educativos de pregrado y posgrado de la DCSyH, además de un medio de vinculación con el sector social y gubernamental de la región, a través de los cuales se ha pretendido influir en una visión diagnóstica sobre los principales retos sociales del desarrollo local, fortalecimiento del proceso de democratización y entendimiento de las dinámicas socioculturales de la región.

Los cinco tomos incluyen textos tanto de profesores de la División, como de profesores visitantes que nos acompañaron en el ciclo de diez semanas temáticas, la primera edición de la Escuela de Verano y la Segunda Bienal Internacional "Territorios en Movimiento", todos ellos eventos realizados entre septiembre de 2014 y julio de 2015.

8

El trabajo y cada uno de los productos del seminario fueron posibles con el esfuerzo de varios profesores, administrativos, así como de varios estudiantes que se desempeñaron como becarios de este proyecto. Gracias a todos ellos por el compromiso mostrado, pues los aprendizajes fueron para todos los que participamos en esta gran experiencia académica.

Primavera de 2016, León, Guanajuato.

DR. LUIS FERNANDO MACÍAS GARCÍA
Responsable técnico del Seminario,
Director de la DCSyH UG León

DR. ALEX RICARDO CALDERA ORTEGA
Coordinador académico del Seminario,
profesor del Departamento de Gestión Pública y Desarrollo de la DCSyH UG León.

Introducción: Diversas miradas sobre el proceso de democratización en América Latina

La ciencia política latinoamericana tiene como uno de sus centros de gravitación el cambio de la relación entre las instituciones del Estado y la propia sociedad. La globalización y la democratización son dos procesos que han sido motores del cambio de esta relación, que aún en la segunda década del siglo XXI, mantiene al campo politológico atento no sólo de la interacción entre actores que intentan legitimar su lucha por el poder político, sino de las estructuras que incentivan y restringen la propia acción, así como los resultados sociales, económicos y políticos de esta dinámica.

A pesar de la apertura y de reformas estructurales en lo económico, pobreza y desigualdad persisten, y a pesar de regímenes políticos más competitivos en lo electoral, la desafección con la democracia representativa crece entre la población. Quizás efectivamente se antoje difícil una regresión autoritaria, pero la exigencia radica en no permanecer inertes ante la desigualdad, la falta de oportunidades de empleo y desarrollo humano, o incluso violaciones a los derechos humanos. Tampoco se trata de permanecer de brazos cruzados ante una élite política, que si bien más plural, permanece ensimismada y cada vez más alejada de los reclamos sociales.

En la región se habla de calidad de la democracia en dos sentidos: Primero, tenemos la perspectiva que apegada a los valores de libertad, igual política y control institucional sobre los hacedores de políticas públicas. Esta perspectiva, concentrada en hablar de calidad en tanto cumplimiento de las ocho dimensiones de Robert Dahl sobre las

11

poliarquías, dirige su mirada en los procedimientos (imperio de la ley, participación, competición y responsabilización vertical y horizontal del poder público) y sus resultados sustantivos en tanto políticas (leyes, estructuras organizacionales, programas y gasto público) que en efecto corresponden con las preferencias ciudadanas.

Mientras que la segunda perspectiva enfatiza en una profundización democrática tanto por parte del Estado como de la sociedad, que la lleve al centro de la esfera pública a partir de una movilización y participación activa, espacios de interacción institucionalizada ampliada entre agentes estatales y sociales, donde se estimulen debates y deliberaciones sobre las opciones nacionales o comunitarias, y que protejan derechos –individuales y colectivos– de grupos marginales frente al propio poder estatal y de lo que ahora se da en llamar los poderes fácticos (el capital financiero, las transnacionales, los grandes capitales nacionales, la iglesia, los medios de comunicación y el crimen organizado), promoviendo en todo momento la justicia social (Alcántara Sáez, 2008: 2).

Pero junto a ese debate, en la década y media pasada ha cobrado fuerza cierta idea que contrapone la democracia participativa –supuestamente identificada con gobiernos de centroizquierda e izquierda radical– a la democracia representativa asociada a los gobiernos y políticas neoliberales, derivados del Consenso de Washington. Semejante perspectiva, además de endeble desde el punto de vista conceptual –pues la democracia, o es integral en sus dimensiones y mecanismos, o no es tal– encubre una problemática política de creciente relevancia y complejidad. Y es el hecho de que estos gobiernos surgidos del clamor popular contra las agendas privatizadoras de los grupos que alcanzan el poder han ido más allá –y en ocasiones en direcciones opuestas– al mandato ciudadano. Han rescatado el rol regulador del Estado, unos para repetir el modelo del viejo Leviatán socialista y desarrollista, controlador insaciable de parcelas de la vida social y otros para repartir beneficios entre los poderes fácticos.

En la región fue recuperada la atención a problemas sociales –ante todo la pobreza– pero privilegiando políticas asistenciales y clientelares por encima de la generación de ciudadanía. Intentaron superar los déficits de representación y la injerencia de poderes facticos, típicos de las poliarquías latinoamericanas; mas lo han hecho reforzando partidos hegemónicos, liderazgos personalistas y acosando a los movimientos y organizaciones sociales que se resisten a convertirse en meras correas de transmisión de las órdenes gubernamentales. Así se sustituyen las formas y modos de la dominación neoliberal por los usos y costumbres del autoritarismo neopopulista.

La perspectiva que sustentan los autores de este libro rebasa, en un doble sentido, los minimalismos y maximalismos excluyentes. No concibe la democracia como simple rotación de élites, elegibles en el mercado de la política; puesto que apuesta por una recuperación de ésta como espacio para la disputa por los bienes y sentidos que definen lo público. Empero tampoco contrabandean con una idea de pueblo vaciada de pluralidad y autonomía, (in)capaz de expresarse en las necesarias mediaciones –ciudadanas, asociativas, partidarias– que dan vida a la política contemporánea. Al apostar por una democracia que sea, a la vez, régimen político, movimiento social, proceso histórico y modo de vida, recuperan las viejas banderas de la modernidad política –igualdad, libertad y fraternidad– llevándolas a los nuevos escenarios del siglo que comienza. Donde la relación entre lo nacional y lo local, entre los viejos actores y las nuevas identidades, y entre formas complejas y dinámicas de la participación, la representación, la deliberación y la redistribución, dibujan el panorama de una Latinoamérica (y un México) en transformación.

Es así que los textos aquí incluidos son parte de una preocupación manifiesta desde la vida académica, de hacer un balance del estado real de nuestras fases de los procesos de democratización en América Latina. La gran mayoría de ellos fueron discutidos en el marco del Seminario Cambios y dinámicas sociales emergentes en América Latina: ciudadanía, gobernabilidad y desarrollo local, el cual fue apoyado como cátedra de excelencia durante 2014 y 2015 por el Programa Institucional para la Excelencia Académica de la Universidad de Guanajuato. Algunas de las participaciones fueron en forma de conferencias magistrales en el Seminario permanente (primer componente de la cátedra), otras presentaciones de paneles de la Segunda Bienal Territorios en Movimiento (segundo componente), en noviembre de 2014 y otras tantas fueron presentadas como conferencias en la Escuela de Verano (tercer componente) en el pasado junio de 2015.

De tal manera que este libro recoge la discusión en la vertiente de gobernabilidad democrática en América Latina de esta cátedra de excelencia. Repasa instituciones, procesos, resultados, comportamiento y expectativas de los actores frente al curso de democratización de la región. En este sentido el libro se organiza en tres secciones. La primera incluye textos con una visión panorámica del estado del proceso de democratización en la región. El primero de ellos es de Alex Ricardo Caldera Ortega, quien –a partir del debate propuesto por la ciencia política en torno a la calidad de la democracia– revisa los principales índices con los que la disciplina ha intentado hacer un balance del desarrollo democrático en América Latina. Se centra en la propuesta del IID-Lat que realiza la Fundación Konrad Adenauer y Polilat.com, y desde ésta se generan reflexiones acerca de los retos que enfrenta esta parte del subcontinente americano respecto del proceso de cambio político.

Continúa el texto de José del Tronco, ubicado también dentro del debate politológico de la calidad de la democracia en América Latina, se concentra en la relación entre representación política y diseño institucional del régimen político. Parte del reconocimiento que las características del régimen político, tales como la participación ciudadana para elegir autoridades y la vigencia de una oposición política efectiva son condiciones necesarias, mas no suficientes para hablar de que nuestros países son democracias de calidad capaces de asegurar libertad civil y derechos políticos y sociales. En su diagnóstico el autor incluye además una representación política en contextos de competencia efectiva, un ejercicio de representación transparente y apegado tanto a la legalidad como a las preferencias de los ciudadanos, así como controlado en términos de su ejercicio.

Enseguida, Pablo Emilio Angarita nos propone una reflexión alternativa, donde el proceso de democratización es más bien una condición transversal a otros tres procesos igualmente trascendentales para el bienestar de la población en toda América Latina. Particularmente se refiere a los proceso de desarrollo, garantía de los derechos humanos y aseguramiento de la seguridad humana. A partir de una revisión panorámica del siglo XX, y lo que va del XXI, en términos de proceso histórico de la relación de Estados Unidos con América Latina, revisa los hechos y las ideas con relación a la evolución de las tres categorías mencionadas. Su diagnóstico, sin duda acucioso y crítico, deriva en la reivindicación de posturas analíticas que privilegien procesos de democratización profunda, centradas en el propio ser humano y su ambiente natural.

Por consiguiente, en la segunda sección reunimos aportes de diversos autores latinoamericanos, expertos en el abordaje de distintos casos nacionales, entre ellos, Francisco Delgado e Iria Puyosa, quienes exponen la experiencia de la llamada Revolución Ciudadana, pasan balance a las dimensiones socioeconómicas y político institucionales del proceso ecuatoriano. Y nos recuerda que el logro de una hegemonía discursiva y práctica por parte del presidente Rafael Correa ha descansado, además de una eficaz estrategia de organización y comunicación políticas, en un rediseño de la estrategia de desarrollo –bajo el mantra del Buen Vivir– y las políticas públicas, ligadas a un aprovechamiento de la renta petrolera.

En similar dirección, María Isabel Puerta R. describe el proceso de crisis del sistema político venezolano, previo a la irrupción de Hugo Chávez, análisis que nos permitirá posteriormente comprender las causas del avance autoritario y la conflictividad política que vive la nación sudamericana. Un nexo virtuoso con aquel trabajo –contextualizador del acontecer venezolano– puede establecerse de la lectura del artículo de Iraida Casique y Armando Chaguaceda, quienes identifican las estrategias, actores e ideas que, desde la política cultural del Estado venezolano y en el campo intelectual de ese país, sostienen una disputa de fenómenos tales como la narrativa de la historia, el rol del intelectual y la democracia como marco para la convivencia social, la producción de saberes y la educación ciudadana.

Por otro lado, el texto de Carlos Durán Migliardi revisa la evolución del proceso político chileno para comprender la actual coyuntura política del país austral. Al dar cuenta de la disminución de los niveles de estabilidad política, Durán identifica en este fenómeno una fractura entre el campo político y las demandas sociales, situación que el sistema político concertacionista erigido tras el fin de la dictadura no ha sido capaz de procesar de forma eficaz.

Al final de esta sección, Aquiles Omar Ávila Quijas revisa los antecedentes de lo que él llama un "despertar ciudadano" en Guatemala, que en este momento exige justicia ante los crímenes del pasado autoritario y la consolidación de un Estado de derecho que configure un nuevo escenario de gobernabilidad democrática con plena ciudadanía. Se trata del análisis de un historiador que se remite a un proceso que se extiende al momento de la naciente Guatemala decimonónica, pero que se desarrolla durante todo el siglo XX y desemboca en una coyuntura democratizadora en la que parecen emerger nuevas formas de hacer política y reestructurar las relaciones de poder. Por último, la tercera sección se concentra en México. Se trata de un conjunto de siete trabajos que revisan, desde varios aspectos, diferentes aristas de la democratización mexicana. El texto que abre la sección es el aporte de Alberto J. Olvera, quien desde una visión panorámica de lo nacional, realiza un diagnóstico actual del estado de madurez y capacidad de acción de la sociedad civil mexicana en un contexto político en el que persisten enclaves y prácticas no democráticas. Al resaltar la heterogeneidad de la sociedad civil frente a un Estado en "cuyo funcionamiento y capacidades pesan aún dosis de atraso institucional y legal, un legado cultural autoritario y una ineficacia operativa mayúscula", la caracteriza con grandes debilidades estructurales y con escasas posibilidades de contribuir a un proceso de democratización más profundo.

En la misma línea teórica y argumentativa, Lisandro Martín Devoto revisa el conjunto de relaciones de la sociedad civil con el Estado, en contextos de cambio y continuidad política en el orden subnacional. Precisamente, comparando un caso emblema de la alternancia partidista en México, como es el de Guanajuato donde el Partido Acción Nacional conquistó la gubernatura en 1991, frente a otro de continuidad, como lo es Veracruz, donde hasta la fecha no ha perdido la gubernatura el Partido Revolucionario Institucional. Aunque con tendencias similares en la diversificación del sector asociativo las diferencias persisten, pues las condiciones político-estructurales destacan relaciones sociedad civil-Estado distintas, lo que configura roles diversos en cuanto a un proceso de democratización también desigual.

Por su parte, Carlos Luis Sánchez y Sánchez se centra en la dimensión de *responsiveness* del concepto de calidad de la democracia, es decir, a la reciprocidad entre las decisiones políticas del gobierno respecto a los deseos de los ciudadanos. Para esto, el autor propone retomar el concepto de identificación partidaria como una medida de reciprocidad con las preferencias ciudadanas (o satisfacción ciudadana). El caso empírico propuesto para hacer observable esta relación es la Ciudad de México en el periodo 2000-2006, en el que el perredismo creció de manera contundente. Por esta razón, lo que se pretende comprobar es el planteamiento clásico politológico de que los niveles de partidismo constituyen un indicador confiable del grado de vinculación con un determinado tipo de políticas o desempeño gubernamental. Sánchez y Sánchez aporta elementos para reflexionar si la construcción del partidismo se conecta a la instauración de enlaces programáticos (Gobierno de Partido Responsable), o se trata de formas más apropiadas a una dinámica de desempeño clientelar o de intercambio particularizado en una democracia de baja calidad.

También Carlos A. Montes de Oca, desde un enfoque de la psicología social, investiga las representaciones sociales de la democracia (RSD) de un grupo de élite en León, Guanajuato. Los referentes de este subgrupo, ligado al mundo de los negocios y el ejercicio del poder político desde el gobierno local, se identifican limitados por una concepción de democracia mínima, fincada en el proceso electoral como piedra angular del proceso político y fincándole un rol marginal de la sociedad civil en el proceso de democratización, y donde el empresariado local le corresponde participar activamente en el gobierno y en la conducción de los asuntos públicos.

José Raymundo Sandoval Bautista y Mariana del Carmen González Piña, desde un enfoque de género y movimientos sociales, muestran en su escrito la difícil lucha que enfrentan los grupos defensores de derechos humanos en contextos conservadores. Es en el estado de Guanajuato donde se narran y analizan las vicisitudes de un grupo de activistas en pro de los derechos de las mujeres, en un lugar en el que persisten valores y comportamientos político-sociales tradicionales, y además es evidente que se está aún lejos de lograr una igualdad sustantiva entre hombres y mujeres.

También desde una perspectiva sociocéntrica está el texto de Salvador Sánchez Pérez. Este autor, desde una perspectiva habermasiana ligada al entendimiento de la configuración del espacio público y los movimientos sociales, narra el caso de grupos de la sociedad civil que se apropian de dicho espacio por una necesidad de movilidad y esparcimiento mediante el uso de la bicicleta, esto es en la comarca lagunera, región conocida por su dinamismo económico, pero que recientemente se ha visto afectada por la inseguridad y violencia ligada al crimen organizado. A pesar de ese escenario, el grupo de ciclistas se ha apropiado del espacio público e incide en la acción gubernamental para el aseguramiento del ejercicio de sus libertades.

Por último, el texto de Rubén Ibarra Reyes hace una reflexión de coyuntura del proceso electoral federal intermedio de 2015, donde se renovó la Cámara de Diputados federal y autoridades locales en algunas entidades estatales del país, y sus efectos en términos de representación política. Su estudio lo centra en los fenómenos emergentes como el de las candidaturas independientes que resultaron una innovación democrática exitosa.

En cierto modo, la información que comprende este libro trata de hacer un balance propio sobre el proceso de democratización, se exponen datos y evidencias sobre una realidad que se impone ante nuestros ojos, desde lo local hasta algunos países latinoamericanos. No obstante, lo que intentamos aquí no supone un informe exhaustivo sobre el estado de la democracia en la región, sino simplemente el inicio de un diálogo permanente que queremos continuar desde el Bajío mexicano de cara a toda América Latina.

ALEX RICARDO CALDERA ORTEGA
ARMANDO CHAGUACEDA NORIEGA
León, Guanajuato, verano de 2015

PRIMERA SECCIÓN

MIRADAS PANORÁMICAS
DE AMÉRICA LATINA

EL ESTUDIO EMPÍRICO DE LA CALIDAD DE LA DEMOCRACIA. EL CASO DEL IID-LAT

Alex Ricardo Caldera Ortega

Introducción

Este trabajo aborda la discusión politológica en torno a la calidad de la democracia en América Latina. A partir de la revisión al concepto de calidad, se hace un recuento de varios índices que se plantean como alternativa para el estudio empírico a este tema de primer orden en la región. Enseguida se hace una revisión del Índice de Desarrollo Democrático (IDD-Lat), en su edición 2014, como ejemplo de perspectiva analítica integral para un balance del proceso político tendiente a la democratización a nivel país en el subcontinente americano.

La discusión en torno a la calidad de la democracia

América Latina, junto con varios países de Europa del Este, África y Asia, se ubica como un laboratorio que permite la identificación de factores, condiciones y resultados de procesos de cambio político tendientes a la democratización (Morlino, 2007). En el debate, desde la ciencia política se pasó de los estudios clasificatorios entre regímenes democráticos y autoritarios (totalitarios, dictatoriales o simplemente nuevos autoritarismos como llamó Guillermo O'Donnell a las dictaduras del cono sur latinoamericano), a los estudios sobre las transiciones a la democracia dentro del marco de la llamada "tercera ola de democratizaciones en el mundo" (O'Donnell, Schmitter y Whitehead,

1986), pasando por la idea de consolidación lo que llevó a pensar los déficits y retos del fortalecimiento institucional en clave democrática (Lesgart, 2000).[1]

Sin embargo, la idea de consolidación se quedó en la noción de democracia procedimental ligada al planteamiento poliárquico (imperio de la ley, participación, competición y responsabilización vertical y horizontal del poder público), pero poco útil para la identificación de las razones de la persistencia de ciertos comportamientos y enclaves autoritarios, o identificación de los obstáculos para lograr principios de democracia sustantiva: aseguramiento de derechos humanos, mejor distribución de la renta, igualdad y bienestar social.

Además, el concepto de consolidación democrática origina una indeterminación conceptual ante la imposibilidad de "empatar" el ideal planteado ante la realidad efectiva en donde nuestros países trazan una cotidianidad lejana de prácticas, procedimientos y resultados que nos dejan a todos insatisfechos.[2] En vez de la idea de consolidación, la ciencia política de las dos primeras décadas del siglo XXI ha preferido estacionarse por un momento en el concepto de calidad de la democracia.

Si bien casi toda América Latina, con excepción de Cuba, ha experimentado la instauración de regímenes democráticos, ciertos actores aunque en el discurso dicen compartir el ideal democrático, sus actos y los hechos resultantes dejan ver que la lógica a la que obedecen sigue anclada en el pasado autoritario de privilegios para unos cuantos, o de concentración de poder en figuras personalistas y populistas.

Es por todo esto que la atención de los cientistas políticos es en el funcionamiento de las democracias existentes, de los enclaves autoritarios, con una mirada incluyente tanto de las instituciones, los procedimientos, las prácticas y los resultados del proceso político, y lo mismo concentrados en observar las élites, los grupos de poder y la sociedad

---

[1] Véase Caldera (2014) para una síntesis de este debate.

[2] En el informe de *Latinobarómetro* de 2013, el apoyo a la democracia en América Latina cae dos puntos respecto de 2011 (no hubo informe 2012), de 58 a 56%. Los países sudamericanos que tienen el nivel más alto de apoyo a la democracia son Venezuela con 87%, Argentina con 73% y Uruguay con 71%. En Centroamérica, Costa Rica es quien muestra el mejor apoyo a este régimen político con 53%, pero en general es la región con menor apoyo a la democracia con 49%. Por su parte Honduras, Guatemala y México cuentan con los tres niveles más bajos de apoyo con 44, 41 y 37%, respectivamente (Zovatto, 2013).

en su conjunto (Morlino, 2007). En este sentido, sino podemos hablar de consolidación democrática, sí podemos hablar que hay una persistencia de los procesos de democratización en varios países de América Latina, además podemos decir que en muchos otros casos hay retrocesos evidentes, por lo que se hace necesario identificar las insuficiencias a partir de criterios claros y rigurosos en la observación, pues sin duda la experiencia empírica demuestra que hay democracias de mejor calidad que otras (Rivas Leone, 2015: 4).[3]

El análisis de los "déficits" de la democracia está bien representado por las observaciones sobre la calidad democrática. La idea misma de calidad quizá sí esté concebida desde el contexto de la economía de mercado que de forma hegemónica domina los lugares donde se desarrollan los principales aportes de esta perspectiva analítica de la ciencia política, pues se está refiriendo al cumplimiento de ciertos estándares estructurales del ideal democrático, como si se tratara de un producto que se tiene que vender o posicionar en mercados competitivos (la expectativa de los países de mostrarse ante el mundo como democráticos para atraer inversiones en el proceso de globalización de la economía de mercado), o cumplir con las expectativas con un cliente que exige al consumir (satisfacción del ciudadano con la democracia) (Alcántara Sáez, 2008: 2).

Si bien hay varias perspectivas acerca de lo que es una democracia de calidad, un primer aporte unificado de la perspectiva de la calidad de la democracia es el planteamiento que la democracia como régimen político va más allá de contar con elecciones limpias, equitativas, que garantizan el derecho al voto de los ciudadanos o que derivan en circulación de élites y conformación de gobiernos legítimos, pues se

---

[3] Leonardo Morlino se pregunta: ¿a qué responde el análisis empírico de la calidad de la democracia? Él nos plantea que por lo menos a dos exigencias. La primera, "deriva del desarrollo 'natural', o más bien dicho, obvio del sector de la política comparada que ha dado, al menos cuantitativamente, las mayores contribuciones a la disciplina en las últimas dos décadas". Es decir, se está tratando de abordar el problema en torno a la democracia efectivamente vigente en cada país, una vez transitados desde diferentes formas de autoritarismos a democracias mínimas (básicamente electorales). La segunda exigencia se refiere a la brecha precisamente entre concepciones ideales de democracia y desempeños y estadios democráticos en la realidad. Precisamente, la investigación empírica de la ciencia política necesita contribuir a la segunda cuestión (Morlino, 2007: 3-4). Siguiendo a Giovanni Sartori: "[Hay que] valorizar las referencias ideales, buscando cotejos empíricos a través de un escrupuloso y cuidadoso análisis de qué tanto los ideales y normas éticas han logrado convertirse en una realidad efectiva" (Sartori en Morlino, 2007: 4).

considera que un sistema político democrático abarca la cotidianidad en términos de relaciones continuas entre actores estatales y no estatales a partir de marcos institucionales, formales e informales, que además configuran las propias interacciones y los resultados.[4]

Una primera versión de las perspectivas analíticas sobre calidad de la democracia, apegado a la conceptualización de poliarquía de Robert Dahl, se concentra en la capacidad efectiva y continua en el tiempo del sistema político y de sus instituciones para asegurar la libertad, la igualdad política y el control sobre las políticas públicas.[5]

Una segunda versión se enfatiza en la posibilidad de provocar y estructurar la participación ciudadana, de estimular debates y deliberación sobre las alternativas de políticas que enfrenta una comunidad, así como de proteger los derechos de los individuos o grupos vulnerables ante los grupos poderosos, así como crear justicia social. Ambas avanzan sobre consideraciones de sustancia del proceso democrático (las libertades políticas y los derechos civiles, económicos y sociales de los individuos o las sociedades en su conjunto), así como mecanismos básicos de "responsabilización" (*responsiveness*) ante gobierno y sociedad (correspondencia de las políticas en función de la demanda ciudadana) y de control en el ejercicio del poder político (Alcántara Sáez, 2008: 2).

La primera perspectiva, que Rivas Leone (2015: 5) llama "procedimental", se ha centrado en examinar las condiciones de los procesos electorales, sus resultados, la efectividad del Estado de derecho, y la operatividad de los mecanismos de rendición de cuentas. La segunda perspectiva, concentrada en los contendidos, hace observable el ejercicio de los derechos y libertades políticas en una sociedad deter-

---

[4] De esta perspectiva derivan definiciones alternativas de la propia democracia como la de Philippe Schmitter, para quien "la democracia es un régimen o sistema de gobierno en el que las acciones de los gobernantes son vigiladas por los ciudadanos que actúan indirectamente a través de la competencia y la cooperación de sus representantes" (Schmitter citado en Rivas Leone, 2015: 5).

[5] Recordemos que los estándares mínimos de las poliarquías (democracias posibles) según Robert Dahl incluyen: participación efectiva, igualdad de voto, la posibilidad de un entendimiento informado, el ejercicio del control final sobre la agenda, y la inclusión del universo de adultos del sistema político. Así como un sistema institucional que incluya: representación política, garantía de elecciones libres, limpias y frecuentes, garantía de libertad de expresión, disponibilidad de información alternativa, libertad y la autonomía asociativa, así como reconocimiento de ciudadanía a la totalidad de los adultos (Dahl, 1971).

minada. Una tercera perspectiva que habría que añadir, se interesa en los resultados del proceso político de elaboración de políticas públicas en democracia, en particular a la capacidad de respuesta satisfactoria de los gobernantes frente a las demandas de los gobernados en términos de bienestar social y crecimiento económico (Rivas Leone, 2015: 6).

Morlino sintetiza el aporte de las tres perspectivas proponiendo para el concepto de la calidad de la democracia una interrelación natural entre estos aspectos:

1) la calidad es definida por los aspectos del procedimiento fijados cuidadosamente por cada uno de los productos, es decir, está en el seguir procedimientos constructivos precisos y controlados en los tiempos y en los métodos; el cuidado está en los procedimientos; 2) la calidad consiste en el tener un producto que tenga ciertas características constructivas, esté hecho con ciertos materiales, tenga formas y funcionamiento definidos, junto a otros aspectos del producto precisados en detalle: se pone, entonces, atención en el contenido; 3) la calidad del producto o del servicio deriva indirectamente de la satisfacción expresada por el consumidor, también en el volver a solicitar el producto o el servicio, independientemente de cuáles sean los procedimientos y sin necesidad de considerar directa y explícitamente los contenidos del producto o servicio o los procedimientos usados para tener ese producto o servicio, sino confiando simplemente en el resultado (Morlino, 2007: 5).

Acerca de esta interrelación se puede decir, según Morlino, que "una democracia de calidad es una 'buena' democracia". Sugiere pensar una democracia de calidad que presente una ordenación institucional estable que, mediante instituciones y mecanismos funcionales, materializa la libertad y la igualdad de los ciudadanos (Morlino, 2007: 5). Es decir, se trata en primera instancia de un régimen legitimado, y por lo tanto estable, que cuenta con el respaldo de los ciudadanos a partir de su satisfacción (calidad en tanto resultados). En segundo lugar, dichos ciudadanos, asociaciones o comunidades gozan de principios de libertad e igualdad mínimos (calidad en tanto contenido). Y tercero, los ciudadanos efectivamente controlan y evalúan a partir de reglas vigentes, respetadas y eficaces en su aplicación (*rule of law*) (calidad en cuanto al procedimiento).

En conjunto todas estas perspectivas sobre la calidad de la democracia han dado forma a varios esfuerzos por medir con indicadores cuantitativos los niveles alcanzados por distintos países en torno a varias dimensiones. Muchas de estas mediciones han logrado consolidar un seguimiento de una década o más, por lo que resulta ya un aporte significativo y que explica por sí mismo la utilidad heurística del concepto de calidad de la democracia sobre el de consolidación.[6]

Un repaso a las distintas propuestas de medición de la calidad de la democracia

Quizás el índice más conocido es el desarrollado por Freedom House, organización norteamericana abocada a la defensa de libertades fundamentales, los derechos políticos y civiles. El índice "libertad en el mundo" fue desarrollado por Raymond D. Gastil y está concentrado en medir lo que ellos llaman democracia política, con especial énfasis en las libertades de expresión, participación política, posibilidad de competir por cargos, participar en partidos u organizarse o incidir en las elecciones (Buquet y Traversa, 2009: 4). Por el lado de las libertades civiles la atención está en las libertades de expresión y de creencia, derechos de asociación, estado de derecho y la autonomía personal lejos de interferencias desde el gobierno u otra institución del Estado. No se concentra en el ejercicio del gobierno *per se*, sino en el grado de libertades individuales existentes en un país (Alcántara Sáez, 2008: 4). El índice de libertad en el mundo se publica en un reporte anual desde 1972 y se hace un seguimiento de 195 países. El reporte de 2014 fue elaborado por 60 analistas alrededor de todo el mundo quienes operacionalizaron una serie de base de datos que es llenada con sus propios análisis e interpretaciones que al final son consensadas por el *staff* de investigación de Freedom House.[7]

---

[6] Una crítica al concepto de consolidación democrática de mi parte puede encontrarse en Caldera (2014).

[7] La medición se hace sobre las siguientes dimensiones: proceso electoral, pluralismo y participación política, funcionamiento del gobierno. Las libertades están agrupadas en las siguientes subcategorías: libertad de expresión y confianza, derechos de asociación y organización y estado de derecho, autonomía personal y derechos individuales. Véase página web de Freedom House: <https://freedomhouse.org/>.

Desde el punto de vista académico resalta el trabajo de Monty Marshall, Ted Robert Gurr y Keith Jaggers (Center for Systemic Peace) en el llamado *Polity Project* que en este momento ya va en su quinta versión. El *Polity Proyect* se concentra en las características de los regímenes políticos para clasificarlos entre autocráticos y democráticos. Este esfuerzo es el más ambicioso al crear una base de datos de 167 países que va desde el año 1800, dando énfasis en las condiciones de la estabilidad y el cambio en el propio régimen político. Desde el reconocimiento de autocracias plenamente institucionalizadas, pasa por el concepto de 'anocracias" (regímenes mixtos con cierto grado de concentración de poder en actores o poderes institucionalizados), hasta llegar a la clasificación de democracias plenamente institucionalizadas.[8]

Para el caso de la región resulta el caso de *Latinobarómetro* que realiza su medición desde 1995 para 17 países. Si bien esta medición no podría decirse que su objetivo es la medición de la calidad de la democracia, aporta datos que son retomados por otros estudios sobre América Latina que sí pretenden medir o analizar los saldos del proceso de democratización. El índice de democracia que mide esta corporación se aboca en recoger la opinión anualmente de ciudadanos de estos países en cuanto a su satisfacción, valoración, soporte y confianza a la democracia y sus instituciones, así como su parecer sobre el desempeño de estas instituciones estatales y de otros actores del sistema político en la defensa de derechos humanos y desempeño económico y social.[9]

Existen varios esfuerzos que podemos clasificar como no continuos, pues si bien se aplicaron para un estudio diacrónico de la calidad de la democracia, éstos no han sido actualizados de manera permanente. Entre éstos habría que destacar el proyecto *Polyarchy Dataset* del profesor Tatu Vanhanen de la Universidad de Tampere, Universidad de Helsinki y alojado en la página del Instituto de Investigación sobre la Paz de Oslo, Noruega. Esta base de datos incluye 187 países con una revisión de datos desde 1810 y hasta el 2000. Anclado en el

---

[8] Véase la página del *Polity Project*: <http://www.systemicpeace.org/polityproject.html>

[9] Para la edición 2013 la Corporación Latinobarómetro aplicó 20 204 entrevistas cara a cara en 18 países en el lapso de dos meses, con 1 000-1 200 casos en cada país, con un margen de error de alrededor de 3%. Véase <http://www.latinobarometro.org/documentos/LATBD_INFORME_LB_2013.pdf>

planteamiento de Robert Dahl se concentra en las dimensiones de participación y la competencia. El profesor Vanhanen mide la participación por medio del porcentaje de ésta en la última elección nacional respecto a la población total, y la competencia a través del porcentaje de votos obtenidos por la oposición en cada elección (Buquet y Traversa, 2009: 4).[10]

Entre este tipo de esfuerzos no permanentes, pero que destacan dentro de su interés por regiones con déficits de democratización está el de Daniel Buquet y Federico Traversa (2009) y su Índice de Desarrollo Político (IDEP). Anclado en el paradigma de desarrollo humano, impulsado por el Programa de Naciones Unidas para el Desarrollo (PNUD) e inspirado por los planteamientos de Amartya Sen, se centra en la medición de las libertades políticas a través de la existencia de mecanismos sociales para expandir las libertades individuales (las elecciones y la estabilidad de sus instrumentos) y el uso que se hace de esas libertades (la participación y la valoración de su satisfacción con la democracia). El IDP se aplicó a 17 países de América Latina en un periodo de 1996 a 2006.[11]

El IDD-Lat 2014

De entre todos estos indicadores aquí revisados, el que considero recoge y sintetiza muchos de los aprendizajes del debate politológico expuesto en el primer apartado de este documento es el Índice de Desarrollo Democrático (IDD-Lat) que realiza la Fundación Konrad Adenauer y Polilat.com desde 2002. El IDD-Lat es parte de una serie de esfuerzos por materializar una herramienta analítica que permita evaluar el estado de la democracia en América Latina.

El IDD-Lat "tiene como objetivos destacar los logros y virtudes del proceso de avance hacia una mayor evolución democrática de las instituciones y sociedades de la Región, y exponer sus vicios y falencias, para ayudar a imitar los primeros y eliminar y evitar estos últimos, en

---

[10] Véase la página del *Polyarchy Dataset Project*: <https://www.prio.org/Data/Governance/Vanhanens-index-of-democracy/>.

[11] Véase tanto el texto de Buquet y Traversa (2009) como el de Alcántara Sáez (2008), pues ahí se sintetizan varios esfuerzos más, tanto individuales como institucionales para medir la calidad de la democracia.

el camino hacia el desarrollo regional" (Fundación Konrad Adenauer y Polilat.com, 2014).[12]

El indicador desde 2002 se aplica a 18 países de la región, los cuales estima cumplen las "condiciones de base para ingresar al IDD-Lat", es decir, la presencia de elecciones libres, sufragio universal y participación plena. En este sentido es que se deja afuera de esta medición a Cuba y no se interiorizan dichas variables en el cálculo de índice.[13] Si bien parte de un planteamiento de democracia ideal, lo que se mide son datos para identificar la democracia real a partir de cuatro dimensiones: Legalidad del régimen democrático, Respeto de los derechos políticos y libertades civiles, Calidad institucional y el grado de eficiencia política y el Ejercicio de poder efectivo para gobernar. La última dimisión se subdivide en dos: Capacidad para generar políticas que aseguren bienestar y Capacidad para gestar políticas que aseguren eficiencia económica.[14]

Esquema 1. *Estructura analítica del IDD-Lat 2014*

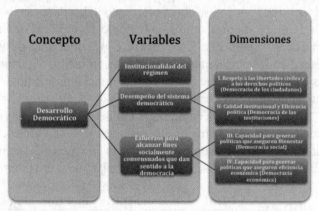

Fuente: Fundación Konrad Adenauer & Polilat.com (2014).

---

[12] Véase la página web del IDD-Lat: <http://www.idd-lat.org/>.

[13] Los países analizados son Argentina, Bolivia, Brasil, Chile, Colombia, Costa Rica, Ecuador, El Salvador, Guatemala, Honduras, México, Nicaragua, Panamá, Paraguay, Perú, República Dominicana, Uruguay, Venezuela. Se deja fuera Haití por la persistencia de inconstancias en sus registros estadísticos y Cuba por lo mencionado arriba. Véase las cuestiones metodológicas en: <http://www.idd-lat.org/2014/cuestiones_metodologicas/n/index.html>.

[14] Véase anexo del informe IDD-Lat 2014 para la identificación de indicadores. En el abordaje que se hace en este trabajo más adelante también se retoman éstos uno a uno.

En términos de cálculo y análisis se agregan los indicadores de la Dimensión I para obtener un subíndice llamado "Respeto de los derechos políticos y libertades civiles" (o subíndice Democracia de los ciudadanos). En la agregación de los índices de la Dimensión II se obtiene un subíndice denominado de "Calidad institucional y eficiencia política" (o subíndice Democracia de las instituciones).

La Dimensión III, titulada "Capacidad para generar políticas que aseguren bienestar (o Democracia social)", se compone de siete indicadores de los que se obtiene un promedio simple que caracteriza el desempeño de cada país, se busca medir la posición relativa de cada uno de éstos respecto a la capacidad promedio que tiene la región para originar políticas que aseguren bienestar. El cálculo se hace desde la diferencia del puntaje del desempeño nacional respecto del promedio regional, se logra así lo que se le conoce como la "Diferencia promedio del componente bienestar".

Por último, la Dimensión IV, o conocida como "Capacidad para generar políticas que aseguren eficiencia económica" (o simplemente democracia económica), se obtiene de cinco indicadores de los que se alcanza también un promedio simple que caracteriza el desempeño nacional de cada país. El cálculo se hace con la diferencia del puntaje del desempeño nacional que corresponde al promedio regional de variables económicas, lo que otorga el "Diferencial promedio del componente eficiencia económica".

El IDD-Lat se presenta como resultado del cociente que es el peso diferencial de las dos primeras dimensiones sumadas a las otras dos restantes. Y la fórmula para calcular el país con mejor desempeño se estandariza a partir de otorgarle el valor de 10 (diez) mil puntos.

$$IDD = \frac{\sum D\ I + D\ II + Dif.\ Prom\ D\ III + Dif.\ Prom.\ D\ IV}{2}$$

Los datos de 2014 arrojan el siguiente resultado para los 18 países estudiados por el IDD-Lat. La lista la encabeza Uruguay, Chile y Costa Rica. Estos tres países se clasifican como de alto desarrollo democrático. Después le sigue un conjunto de países en los que está Argentina, Perú, México y El Salvador, clasificados como de desarrollo democrático medio. Los siguientes ocho países, valorados de bajo desarrollo democrático están Ecuador, Brasil, Bolivia, Colombia, Paraguay y

Nicaragua. Por último están los cuatro países observados de desarrollo democrático mínimo, que corresponden a Venezuela, Honduras, República Dominicana y Guatemala.

Gráfica 1. *IDD-Lat 2014*

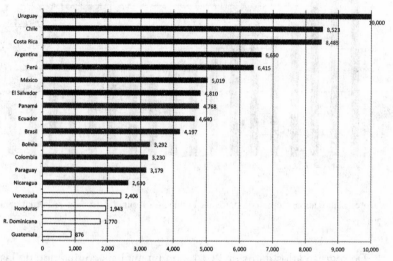

Fuente: Fundación Konrad Adenauer & Polilat.com (2014).

Sin embargo, ésta es simplemente una fotografía al 2014. En este sentido, resulta necesario mostrar los resultados en términos temporales a lo largo del periodo que se ha aplicado este índice en la región. Los mismos tres países encabezan la lista de aquellos con un desarrollo democrático alto, pero es Chile y no Uruguay quien está al frente de los resultados en promedio del periodo 2002-2014. Luego sigue el grupo de países con desarrollo democrático medio donde está Panamá, México, Argentina y el Perú. El resto de las naciones latinoamericanas se han ubicado en lo que el IDD-Lat determina como países con desarrollo democrático bajo. Destaca de estos últimos el caso de Venezuela, el cual se ha ubicado cercano a la clasificación de país con desarrollo democrático mínimo, al tener en cuenta su promedio desde 2002.

Gráfica 2. *Promedio IDD-Lat 2002-2014*

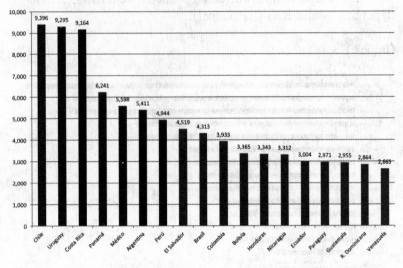

Fuente: Elaboración propia con datos de Fundación Konrad Adenauer & Polilat.com (2014).

De regreso a los datos de 2014, con un análisis comparado de las cuatro dimensiones, se observa que la Dimensión I "Respeto a las libertades civiles y a los derechos políticos" es determinante para el orden de los resultados generales, lo cierto es que la Dimensión II "Calidad institucional y eficiencia política" es la que pone en primer lugar a Uruguay, a pesar de que Chile resulta con mejores resultados en las otras tres dimensiones. Costa Rica y El Salvador también destacan en esta dimensión con puntajes superiores a la media de la región. La Dimensión III "Capacidad para generar políticas que aseguren bienestar" también es consecuente con el orden que finalmente imponen las dos primeras dimensiones, aunque aquí es importante destacar que Uruguay presenta resultados similares a los de Perú (con una posición inferior general de cuatro lugares abajo en la clasificación por país) y subrayo los buenos resultados de Argentina y Panamá. En cuanto a la Dimensión IV "Capacidad para generar políticas que aseguren eficiencia económica" presenta resultados más variables, no necesariamente acordes con el orden general resultante del IID-Lat, donde Chile destaca en primer lugar, siguiéndoles México y el Perú.

Gráfica 3. *Comparativo de las cuatro dimensiones del IDD-Lat 2014*

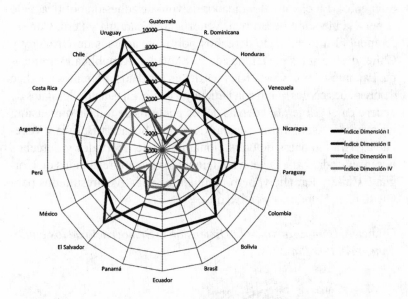

Fuente: Elaboración propia con datos de Fundación Konrad Adenauer & Polilat.com (2014).

Al revisar a detalle los resultados de las cuatro dimensiones podemos decir lo siguiente:

En la Dimensión I, también conocida como "Democracia de los ciudadanos", se incluyen el voto de adhesión política (participación electoral, menos los votos nulos y en blanco), el puntaje del índice de derechos políticos, el puntaje de libertades civiles, los datos de género en el gobierno y el condicionamiento de libertades y derechos por hechos de inseguridad (tasa de homicidios y tasa de secuestro).[15] La gráfica donde represento los resultados de esta dimisión la organizo tomando como referencia los resultados del indicador de adhesión política, lo cual confirma el primer lugar de Uruguay, que incluso presenta buenos resultados en los demás indicadores, pero a la vez nos ayuda a visualizar cómo Chile tiene un bajo puntaje en este indicador, pero muy buenos en los restantes (salvo en los de género en el gobier-

---

[15] Véase los datos de ponderación en página web del IDD-Lat 2014, Fundación Konrad Adenauer & Polilat.com (2014): <http://www.idd-lat.org/2014>.

33

no, no obstante de que una mujer ocupa la presidencia del país en este momento). En cuanto al indicador de voto de adhesión política, vale la pena la mención de Bolivia, Venezuela, Nicaragua y Perú. Con referencia al indicador de derechos políticos, además de Uruguay y Chile, destacan las posiciones de El Salvador, República Dominicana, Panamá y Perú. Costa Rica resalta en los datos referentes a índice de libertades civiles, junto con Uruguay y Chile. En cuanto a los datos de género en el gobierno, además de los punteros de toda la dimensión, los resultados son positivos para Nicaragua, Ecuador, Bolivia y Venezuela. Para los datos de condicionamiento de libertades y derechos por inseguridad vale la pena mencionar los buenos resultados de Uruguay, Chile y Paraguay, pero también los negativos resultados para Guatemala, Honduras y México.

Gráfica 4. *Comparativo de la Dimensión I (Democracia de los ciudadanos) del IDD-Lat 2014.*

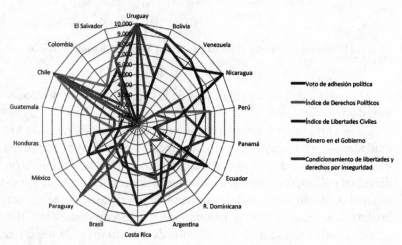

Fuente: Elaboración propia con datos de Fundación Konrad Adenauer & Polilat.com (2014).

La Dimensión II incluye el puntaje del índice de percepción de la corrupción, el dato de Partidos Políticos en el Poder Legislativo (número efectivo de partidos políticos e índice de fragmentación), el *accountability* que contiene un subindicador de *accountability* legal (elección de jueces en la Corte Suprema, actuación del ombudsman y actuación de las entidades de fiscalización superior), otro de *accountability* política (funcionalidad de mecanismos de democracia directa), y uno más de *accountability* social (condiciones para el ejercicio de una prensa libre, mecanismos de acceso a la información pública y existencia de organismos reguladores de este derecho). También suma a la dimensión el indicador llamado Desestabilización de la democracia, que se mide con datos de la existencia de minorías/mayorías organizadas sin representación política, datos de violencia política y presencia de organizaciones armadas. Por último, un factor de anormalidad democrática que se refiere a un castigo (20% a la baja del otorgado a los países sin ningún incidente de este tipo) que se aplica en caso de que en el año en cuestión se hayan presentado eventos de crisis política.[16]

Chile y Uruguay encabezan positivamente el índice de percepción de la corrupción, pero además están muy por encima del resto de los países de la región, pues incluso Costa Rica tiene una baja considerable respecto a los datos de 2013, seguida de Brasil. El resto de los países presentan datos negativos de percepción de la corrupción. En el indicador de Partidos Políticos en el Poder Legislativo (PL), a la cabeza está Costa Rica, seguido de El Salvador, México, Guatemala y Honduras. En el conjunto de *accountability* el país mejor es Uruguay, seguido de El Salvador y Perú (mención a detalle de los subindicadores adelante). El dato de desestabilización política es negativo para casi todos los países, menos para Uruguay, Costa Rica, El Salvador y Perú. El factor corrección por anormalidad democrática en esta edición fue aplicado a seis países: Colombia, Costa Rica, Nicaragua, Panamá, Perú y Venezuela.

---

[16] Véase para la propia explicación y ponderación de cada uno de los indicadores también el Informe en PDF del propio IDD-Lat 2014, igualmente disponible en la página web.

Gráfica 5. *Comparativo de la Dimensión II (Democracia de las instituciones) del IDD-Lat 2014.*

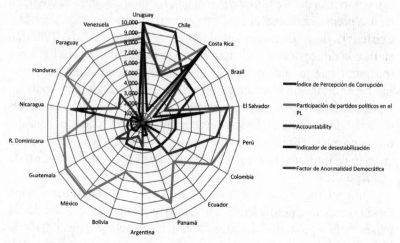

Fuente: Elaboración propia con datos de Fundación Konrad Adenauer & Polilat.com (2014).

Para el caso de los datos del indicador compuesto de *accountability*, se hace necesaria una revisión particular. Primero presento los datos del indicador de *accountability* social, donde la información sobre mecanismos y normas de acceso a la información pública es positiva para 13 de los 18 países estudiados por el IDD-Lat, salvo Costa Rica, Paraguay, Argentina, Bolivia y Venezuela. Por su parte las condiciones para el ejercicio de una prensa libre los mejores datos son para Costa Rica, seguida de Chile, República Dominicana y Uruguay. En cuanto al *accountability* legal, en primera instancia está el dato de independencia para la elección de jueces de la Corte Suprema donde resultan positivos los datos para El Salvador, Chile, Ecuador, Paraguay y Bolivia.

En la información de actuación de las entidades de Fiscalización Superior los mejores resultados se ubican en Argentina, Costa Rica, México y Colombia. El tercer indicador del *accountability* legal es el de actuación del ombudsman, en donde un país destacado es Nicaragua, seguido del Perú, Costa Rica y México. Por último, el indicador de *accountability* política es medido a través de la existencia y funcionalidad de mecanismos de democracia directa, donde Costa Rica es quien destaca indiscutiblemente del conjunto de países de la región.

Gráfica 6. *Comparativo de los subindicadores de accountability (DII) del IDD-Lat 2014.*

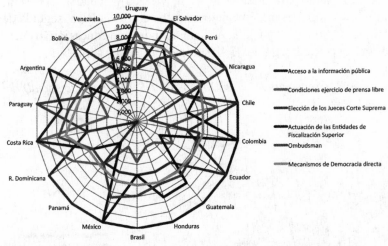

Fuente: Elaboración propia con datos de Fundación Konrad Adenauer & Polilat.com (2014).

Las siguientes dos dimensiones se refieren a los "esfuerzos para alcanzar fines socialmente consensuados que dan sentido a la democracia" (Giovanni Sartori referenciado en Konrad Adenauer & Polilat. com, 2014), los cuales están operacionalizados mediante indicadores significativamente valorados en términos de resultados de las políticas públicas. En primera instancia, la Dimensión III "Capacidad para generar políticas que aseguren bienestar" está compuesta por el indicador de desempeño en salud (que incluye la mortalidad infantil y el gasto en salud como porcentaje del producto interno bruto-PIB), así como resultados en educación (que es observado por medio de la matrícula en secundaria, tasa de egreso del nivel secundaria, así como gasto en educación como porcentaje del PIB) y por el desempleo urbano y la población bajo la línea de pobreza en el país.[17] Como punto de comparación propongo este último dato, donde los datos positivos están dados para el conjunto de países integrado por Argentina, Uruguay, Chile, Perú, Panamá, Brasil y Costa Rica, enseguida un conjunto de países con datos superiores a la media que incluye a Venezuela,

---

[17] *Idem.*

Bolivia, Colombia y Ecuador, y después el resto de países con datos inferiores a la media. Los datos del desempleo urbano son mejores contrariamente para Guatemala, Perú, México y Ecuador. El desempeño en salud presenta los mejores datos en Costa Rica, seguida de Uruguay, Argentina y Chile. Al final, el índice de educación lo encabeza Costa Rica, seguido de Argentina, Uruguay y Chile.

Gráfica 7. *Comparativo de la Dimensión III (Democracia social) del IDD-Lat 2014.*

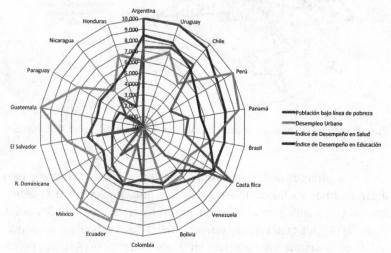

Fuente: Elaboración propia con datos de Fundación Konrad Adenauer & Polilat.com (2014).

La Dimensión IV "Capacidad para generar políticas que aseguren eficiencia económica", está compuesta por el puntaje en el índice de libertad económica,[18] el PIB per cápita (en dólares-PPA precios), la bre-

---

[18] Entendida la libertad económica como el mejoramiento económico en tanto 'eliminación de desequilibrios e inequidades' como uno de los fines de los gobiernos democráticos en América Latina. El índice permite "mesurar los umbrales de la libertad que el individuo puede gozar en materia económica", medidos a través de 10 factores proporcionados por Heritage Fundation: política comercial, carga impositiva del gobierno, la intervención del gobierno en la economía, política monetaria, flujos de capital e inversión extranjera, actividad financiera y bancaria, salarios y precios, derechos de propiedad, regulaciones y mercado negro. Véase los anexos del informe IDD-Lat disponible en la página web (Fundación Konrad Adenauer & Polilat.com, 2014).

cha de ingresos, la inversión bruta fija sobre PIB, y el endeudamiento del país respectivo (referido al porcentaje de la deuda respecto al PIB). Como referencia del lugar obtenido por los países en esta dimensión, tomé el índice de libertad económica. En este indicador, Chile es el único a la cabeza, después se puede dividir los resultados en dos grupos de países. Por un lado 13 países con resultados arriba o muy cercanos a la media, y un conjunto de cuatro países por debajo de la media de forma considerable: Bolivia, Ecuador, Argentina y Venezuela. Sin embargo, el dato del PIB per cápita no sigue la misma lógica y Argentina se le suma al conjunto de países con buenos resultados en este indicador como lo son Chile, Uruguay, México y Panamá. La brecha del ingreso es encabezada con resultados positivos por Uruguay, Venezuela y El Salvador, seguidos de Ecuador, México, Chile y Bolivia. En inversión destacan Perú, Honduras, Nicaragua, Venezuela, Chile, Panamá, Colombia y México. El dato del endeudamiento también es positivo para un conjunto amplio de países como Brasil, Guatemala, Paraguay y Ecuador.

Gráfica 8. *Comparativo de la Dimensión IV (Democracia económica) del IDD-Lat 2014.*

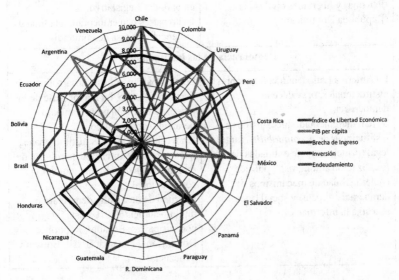

Fuente: Elaboración propia con datos de Fundación Konrad Adenauer & Polilat.com (2014).

A manera de cierre, retomo el análisis de fortalezas y debilidades ubicado en el propio informe IID-Lat 2014, pues a partir de éste se puede tener una mirada panorámica de los retos democráticos en América Latina. No sólo se ubican estos saldos que arrojan los resultados del año del informe, sino que se plantean evaluaciones de los doce años en que la medición se ha llevado a cabo por la Fundación Konrad Adenauer (2002-2104). En el siguiente cuadro se sintetiza el análisis comparado de las cuatro dimensiones componentes del índice de desarrollo democrático.

Cuadro 1. *Fortalezas y debilidades del desarrollo democrático en América Latina a partir de resultados IDD-Lat 2014*

Fortalezas	Debilidades
Democracia de los ciudadanos	
Se incrementa la participación electoral, especialmente en países donde el voto no es obligatorio. Sólo dos países retroceden en el puntaje de respeto de los derechos políticos (Panamá) y libertades civiles (República Dominicana).	Sólo un país avanza en el puntaje de respeto de los derechos políticos y libertades civiles (Nicaragua). 11 países de los 18 analizados no respetan su sistema de cuota de género en el Poder Legislativo. Ocho países han empeorado el clima de violencia y su tasa de homicidio.
Democracia de las instituciones	
En América Latina, aún con zozobras institucionales, prevalece la democracia. Se han incrementado mecanismos e instituciones de *accountability*, tanto legal (principalmente entidades de fiscalización autónomas), política (funcionalidad de mecanismos de democracia directa) y social (mejor acceso a la información).	Sólo un país manifiesta desarrollo democrático alto. La mayor parte de los países de la región presentan bajo desarrollo democrático. Gran cantidad de crisis institucionales, que expresan la intensión manifiesta de manipulación del sistema judicial y constitucional. El grupo de desarrollo democrático mínimo aumentó 50% y está integrado por seis países: Ecuador, República Dominicana, Panamá, Brasil, Bolivia y Venezuela.

Cuadro 1. *(Continuación)*

Fortalezas	Debilidades
Desarrollo social y humano	
El fuerte descenso de la pobreza en la región a partir de 2003 y el aumento del ingreso per cápita: 73 millones de latinoamericanos salieron de la pobreza en los últimos diez años. En los últimos diez años el desempleo ha bajado considerablemente en la región, pasando de un promedio de dos dígitos en el 2000 a 6.3% en el último año. La reducción de la mortalidad infantil continúa con su curva positiva	La dimensión social presenta una nueva caída del promedio regional. La principal caída es en indicadores de desempleo y pobreza.
Desarrollo económico	
La región sigue creciendo, aunque con menor tasa. La deuda pública en América Latina sigue estable. El promedio se mantuvo cercano al 31% del PIB para la región, con proporciones prácticamente iguales de deuda externa e interna. La caída de pago de intereses ha sido significativa en los últimos años en América Latina originando mayor disponibilidad para inversiones y para gasto social.	La dimensión económica presenta nuevamente un retroceso. Persiste la vulnerabilidad de la región a la volatilidad externa. Los países que más se han integrado en la economía global son los más expuestos, pero los que tienen la mayor capacidad de respuesta. Pese a los avances, subsiste una gran desigualdad como asignatura pendiente. Su sostenimiento puede ralentizar el desarrollo económico.

Fuente: Análisis textual del informe idd-Lat 2014, Fundación Konrad Adenauer & Polilat. com (2014: 27, 31, 36, 41).

A manera de conclusión

La medición de los avances democráticos en la región es lo suficientemente sofisticada conceptualmente, robusta metodológicamente y confiable en cuanto a los datos disponibles por parte de fuentes nacionales que igualmente han evolucionado para ofrecer datos precisos. El IDD-Lat, elaborado por Fundación Konrad Adenauer & Polilat. com, parece ser la herramienta analítica más completa e integralmente más cercana a la mayoría de conceptualizaciones y sobre la que hay mayor consenso académico de la noción de calidad a la democracia.

La idea misma de calidad a la democracia ha logrado madurez dentro de la ciencia política, para sintetizar un gran diálogo permanente que primero buscó un puerto de llegada –y que ahora se convierte en puerto de partida– de libertades políticas y civiles, pero ahora se ha transformado en una búsqueda continua y cotidiana de resultados en torno a equidad social y económica, así como garantía de protección de derechos humanos a través de procedimientos e instituciones que posibiliten el control y sanción de los abusos de poder, y concedan la participación amplia de los ciudadanos en la vida política con la posibilidad de vivir de forma efectiva con seguridad.

En general, las herramientas para medir grados de democratización o diferenciales de "calidades democráticas" es un medio heurístico para que ciudadanos y estadistas tengan a la mano una hoja de ruta para incidir en el cambio político, modelar la reforma institucional y la acción política, diseñar políticas públicas y difundir aprendizajes que acrecienten una cultura política cívica y comprometida precisamente con la democracia.

Bibliografía

Alcántara Sáez, Manuel, 2008, "Luces y sombras de la calidad de la democracia en América Latina", *Revista de Derecho Electoral*, (6), pp. 1-15.

Buquet, Daniel y Traversa, Federico, 2009, "La construcción de un Índice de Desarrollo Político en el marco del paradigma del desarrollo humano. Aplicación al caso uruguayo", *Revista Latinoamericana de Desarrollo Humano*, (61), pp. 1-11, en <www.revistadesarrollohumano.org>.

Caldera, Alex Ricardo, 2014,"Un repaso a la idea de democracia en América Latina: transición, consolidación y calidad", en R. Ibarra-Reyes (ed.), *Un mundo convulso. Aproximaciones teóricas a los procesos sociales en el capitalismo contemporáneo*, pp. 75–88, México, Miguel Ángel Porrúa-Universidad Autónoma de Zacatecas.

Dahl, Robert, 1971, *Polyarchy. Participation and Opposition*, Michigan, New Heaven & London, Yale University Press.

Fundación Konrad Adenauer y Polilat.Com, 2014, Informe IDD-Lat 2014, disponible en <http://www.idd-lat.org/2014>, consulta: 24 de mayo de 2015.

Morlino, Leonardo, 2007, "Explicar la calidad de democrática: ¿Qué tan relevantes son las tradiciones autoritarias?" *Revista de Ciencia Política*, 27(2), pp. 3-22.

O'donnell, Guillermo. Philippe Schmitter y L. Whitehead (comp.), 1986, *Transitions from Authoritarian Rule*, vol. 4, Baltimor, The John Hopkins University Press.

Lesgart, Cecilia, 2000, *Entre las experiencias y las expectativas. Producción intelectual de la idea de transición a la democracia, México*, tesis de doctorado en "Investigación con especialización en Ciencia Política", Facultad Latinoamericana de Ciencias Sociales, Sede Académica de México.

Rivas Leone, José Antonio, 2015, *Calidad de la democracia y desarrollo democrático*, núm. 35, Barcelona.

Zovatto, Daniel, 2013, Latinobarómetro 2014, "Escúchame", en *Infolatam*, San José, Costa Rica, 3 de noviembre de 2013. Disponible en <http://www.infolatam.com/2013/11/03/latinobarometro-2013-escuchame/>, consulta: 14 de mayo de 2014.

LA CALIDAD DE LA REPRESENTACIÓN POLÍTICA EN LAS DEMOCRACIAS LATINOAMERICANAS

José del Tronco

Analizando la democracia en América Latina: de la calidad institucional a la calidad de la representación

Diversos estudios han señalado fervorosamente el hecho de que la democracia se ha impuesto de forma prácticamente unánime y casi sin sobresaltos durante el último cuarto de siglo en los países de América Latina. Haciendo hincapié en los aspectos procedimentales de los regímenes políticos, una enorme cantidad de análisis han descrito el "gran avance" de las democracias de la región, hasta ubicarlas entre los países de mayor desarrollo político (Alcántara, 2010: 17, Zovatto, 2010).

Sin embargo, existe una variación significativa en los niveles de calidad institucional de las democracias latinoamericanas (Altman y Pérez Liñán, 2002; Levine y Molina, 2007; Alcántara, 2010; Morlino, 2012), así como del grado de apoyo político de los ciudadanos. Mientras que 2 de cada 3 latinoamericanos considera que la democracia es el mejor régimen de gobierno más allá de sus problemas, sólo un tercio dice estar satisfecho con su funcionamiento, y apenas un cuarto considera que los gobiernos representan los intereses de pueblo por sobre los de una minoría poderosa (*Latinobarómetro*, 2013). Por lo general, esto sucede en democracias con bajos niveles de calidad institucional.

Una forma de entender esta paradoja puede radicar en la necesidad de distinguir "democracia" de "representación". Mientras que el primer término hace referencia al régimen político en general, la representación es una relación social por medio de la cual un conjunto de individuos –los representantes– asumen la responsabilidad de hablar y tomar decisiones en nombres de otros –los representados. Es en la debilidad o distorsión de esta relación que podemos rastrear la distancia entre democracia institucional y descontento político (Torcal, 2006).

En términos políticos, durante los últimos dos siglos, "representación" y "democracia" han estado estrechamente relacionados. La democracia moderna como régimen político sólo ha sido posible a través de un esquema representativo en el cual los ciudadanos "delegan" o "confían" en los mandatarios (legisladores o gobernantes) la responsabilidad de satisfacer sus preferencias y estos últimos se encargan de hacer valer, a través de su actuación, los intereses de sus mandantes. Sin embargo, los estudios sobre la calidad de las democracias concentraron sus esfuerzos, mayoritariamente, en el análisis de las normas e instituciones que regulaban el acceso de los representantes a los puestos de gobierno, pero no el ejercicio efectivo de su labor representativa (Mainwaring y Pérez Liñán, 2008; Schmitter, 2007; Morlino, 2005; Altman y Pérez Liñán 2002).

Por ello, el presente trabajo postula que, en la actualidad, este esquema resulta insuficiente. Las actitudes ciudadanas recopiladas –de forma cada vez más permanente y sofisticada– por diversos estudios (*Latinobarómetro*, 1996-2013; Romero, Parás y Zechmeister, 2015) indican que las dimensiones mediante las cuales se analiza la calidad de la democracia no alcanzan a explicar por qué regímenes con altos niveles de calidad desde el punto de vista institucional, conviven con altos niveles de desafección, cinismo o descontento político. Para ello, es tan necesario analizar las reglas y mecanismos de acceso al poder político, como los métodos con los cuales dicho proceso es ejercido (Mazzuca, 2007). No alcanza ya con conocer quiénes son y por medio de qué mecanismos acceden al poder los mandatarios, sino fundamentalmente de qué manera ejercen dicha representación (Hernández, Del Tronco y Sánchez, 2009).

Aspectos procedimentales como políticos e ideológicos enmarcan esta última cuestión y nos obligan a centrar el análisis un poco más allá de las normas que regulan el proceso de selección de autoridades políticas. Junto con Altman y Pérez Liñán (2002), este trabajo sostiene que *1)* una participación ciudadana amplia e igualitaria en la selección de sus autoridades, y *2)* la vigencia de una oposición política real, son condiciones necesarias pero no suficientes para estar en presencia de regímenes democráticos de calidad, capaces de desplegar todo su potencial a favor de la universalización efectiva de libertades civiles y derechos políticos y sociales. En regímenes representativos, junto con las condiciones institucionales, deben considerarse las características y orientación del proceso de toma de decisiones –esto es, la calidad de la actividad representativa propiamente dicha. En tal sentido, la burocratización de las organizaciones partidistas, el creciente distanciamiento entre los ciudadanos y sus representantes, y el incumplimiento de los mandatos por parte de estos últimos, configuran un déficit de intermediación que excede el análisis institucional, y cuya consideración es relevante para entender el funcionamiento real (y sus consecuencias) de las democracias en la región. Estas dimensiones constituyen el objeto de estudio del presente trabajo.

Democracia y representación

Desde la Grecia clásica hasta ya entrado el siglo XIX, la democracia y el gobierno representativo eran considerados antagónicos. Para los defensores de la democracia directa como Rousseau,[1] la representación suponía la oligarquización de la autoridad política y por tanto la corrupción de los intereses encarnados por la "voluntad general" del pueblo. Rousseau veía una gran diferencia entre un pueblo libre

---

[1] Filósofo ginebrino (1712-1778) cuyas ideas políticas influyeron de manera decisiva en el desarrollo de teorías republicanas y nacionalistas, así como en acontecimientos históricos de gran relevancia como la Revolución francesa (los integrantes de la tendencia política posrevolucionaria más radical eran conocidos como "jacobinos" en alusión al segundo nombre de Rousseau, quien se llamaba Jean-Jacques o Juan Jacobo). Rousseau concebía la democracia como un gobierno directo del pueblo. El sistema que defendía se basaba en que todos los ciudadanos, libres e iguales, pudieran concurrir a manifestar su voluntad para llegar a un acuerdo común, a un contrato social. En *El contrato social* diría que "toda ley que el pueblo no ratifica, es nula y no es ley" y que "la soberanía no puede ser representada por la misma razón que no puede ser enajenada". De acuerdo con Rousseau, "la voluntad general" no puede ser representada, por lo que defendía un sistema de democracia directa que inspiró, hasta cierto punto, la constitución federal suiza de 1848 (<http://es.wikipedia.org/wiki/Jean-Jacques_Rousseau>).

haciendo sus propias leyes y un pueblo eligiendo representantes encargados, ellos, de hacer las leyes para todos (Manin, 1998: 11).

Por su parte, para promotores del gobierno representativo como Edmund Burke[2] o Alexander Hamilton,[3] la "re-presentación" significaba un dique de contención frente a las aspiraciones siempre excesivas, irracionales, de las mayorías desposeídas (Pitkin, 2004). Para ellos, la representación lejos de significar una aproximación *factible* al gobierno del pueblo (dada la imposibilidad física de reunir a todos los ciudadanos a decidir), era, por el contrario, *un sistema político esencialmente diferente y superior* a la democracia de tipo ateniense (Manin, 1998: 12).

Este pensamiento, de tradición conservadora, se fue modificando con la ampliación del sufragio y la aparición progresiva de partidos políticos regulares, diferentes de las asociaciones de notables propias de los regímenes representativos de tipo "censitario". Durante el siglo XX, la democracia de masas transformó los partidos políticos en los principales vehículos de representación de intereses y canalización de demandas desde la sociedad hacia el sistema de toma de decisiones. Fue aquí cuando, en buena medida, la representación dejó de concebirse sólo como autorización o voto de confianza hacia un legislador, y comenzó a percibirse como un mandato o conjunto de instrucciones que los miembros o adherentes de un partido delegaban en aquellos responsables de hablar y actuar en su nombre (Martínez, 2004).

---

[2] Escritor y político británico nacido en Irlanda (1729-1767), que se encarnó como el representante intelectual de las tendencias conservadoras contrarias a la Revolución francesa, a la que consideraba un "extraño caos, donde se mezclan ligereza y ferocidad, revuelta confusión de delitos y locuras". De acuerdo con Burke, las fuerzas ideales del Estado y las económicas han de equilibrarse, pero, "como las fuerzas ideales representan una vivísima y poderosa expresión de actividad, mientras que el principio de la propiedad es un factor por naturaleza inerte y tardo, este último no podría seguramente hacer frente a la violencia de las primeras, sino a base de estar representado en mayoría predominante, por encima de todo criterio proporcional". En tal sentido, el gobierno representativo no sólo es mejor sino que es la única estrategia de gobierno compatible con la "vida civilizada en sociedad", (<http://es.wikipedia.org/wiki/Reflexiones_sobre_la_Revoluci%C3%B3n_francesa>).

[3] Alexander Hamilton es considerado, junto con James Madison y John Jay, uno de los artífices de los Estados Unidos de América, por haber sido los autores de *El Federalista*, texto en el que se basaron los "padres fundadores" para redactar la Constitución política de aquel país.

De acuerdo con Pitkin (1985), la *representación* es un proceso mediante el cual las voces, perspectivas e intereses de determinados actores –ya sean individuales o colectivos– "se hacen nuevamente presentes" (se re-presentan) en el proceso de toma de decisiones. Es durante este momento, que las distorsiones de la voluntad popular ocurren. Tanto la identidad como las formas y los objetivos de quienes hablan en nombre de sus representados, implican una distancia inevitable entre la voluntad originalmente delegada por los ciudadanos y la actividad de aquellos que los representan, y por lo general dicha distorsión afecta negativamente a los primeros, a favor de los segundos. De la magnitud de esa distorsión depende la calidad del proceso representativo.

Concepciones y dimensiones del fenómeno representativo

Desde el trabajo seminal de Hannah Pitkin (1985), la representación política es considerada como un fenómeno multifacético; hay diversas formas de entender, producir y llevar adelante el contrato representativo (Martínez, 2004).

La *representación simbólica* hace referencia a la intención de ocupar un sitial vacío. "Los símbolos representan alguna cosa, cuya ausencia resuelven a través de su misma presencia, aunque de hecho lo representado no está presente de un modo fáctico" (Pitkin, 1985: 101, citado por Martínez, 2004). Lo que dota de sentido a la representación desde esta perspectiva, no es el reemplazo de otro a partir de sus semejanzas sino la *ficción* –conocida y aceptada por los representados– de que la figura representativa es la imagen de la existencia de aquello que se quiere representar (Pitkin, 1985: 111-112).

La *representación como descripción* hace referencia a las características propias de los representantes, y se da cuando los rasgos físicos, ideas, valores o intereses de estos últimos son un reflejo fiel de los predominantes entre los ciudadanos que los elijen. En este caso, "la representatividad depende de las características del representante, de lo que es y de lo que parece ser; reside en el *ser algo* antes que en el *hacer* o *parecer algo*" (Martínez, 2004). La representación se da en términos de "suplencia" o "reemplazo", puesto que el delegado ocupa

49

el lugar del representado en virtud de la semejanza entre ambos (Pitkin, 1985: 67).[4]

A diferencia de la representación simbólica, el logro de una representación descriptiva refiere –indirectamente– a las reglas mediante las cuales los "principales" pueden seleccionar a sus "agentes":[5] *a)* las reglas que definen quiénes son "ungidos" como representantes por medio de la agregación de las voluntades de quienes serán representados, y *b)* las reglas que definen cómo se traducen esas voluntades agregadas (votos) en sitiales (o "escaños") desde los cuales ejercer la representación. Esta forma de entender la representación, es la base de la representación corporativa.[6]

La *representación sustantiva*, por su parte, es aquella que se deriva del ejercicio mismo de la labor representativa. Por lo tanto, reside en la capacidad (y legitimidad) del representante para *hacer algo* en nombre de sus mandantes. La representación sustantiva puede ser de dos tipos, o dicho de otra manera, fundamentarse en dos diferentes criterios: la representación como "mandato" (*delegate*) o la representación como "autorización" o "voto de confianza" (*trustee*) (Redfeld, 2008).

Si bien toda actividad representativa implica una separación y por tanto una distancia entre el portador de las opiniones o perspectivas a defender y el encargado de llevar adelante dicha defensa, la consideración de esta distancia (entre representante y representado) varía si hablamos de un *mandato* o de un *voto de confianza*. En este último caso, la separación es percibida como un fenómeno positivo, debido a que el representante tiene mayores cualidades (capacidades de análisis y criterios de decisión) que su representado para satisfacer las preferencias de este último. El voto de confianza indica que el representante tiene la autonomía suficiente para juzgar y decidir de acuerdo con su propio criterio; está autorizado para hablar en nombre de sus

---

[4] En este caso, la semejanza es una condición necesaria y suficiente para habilitar al representante como tal.

[5] La escuela de la Elección Racional utiliza los términos de "principal" y "agente" para hacer referencia a representantes y representados respectivamente. Su utilización aquí no responde a una predilección por tales conceptos, sino a la generalización que el uso de los mismos ha alcanzado en la disciplina politológica (Boix y Adserá, 2004).

[6] El corporativismo es una forma de ejercer la representación que se apoya en los atributos específicos de los representantes.

representados. Por el contrario, cuando la relación entre "principal" y "agente" es puramente utilitaria (el mandante debe, por razones de asimetría de información, delegar en alguien más la defensa de sus intereses, pero este último puede aprovechar su posición privilegiada para perseguir sus propios intereses), la representación efectiva requiere de precauciones adicionales. El representante se convierte así en un mandatario. Deja de ser un hombre de confianza (*trustee*) en cuyo criterio descansan las expectativas de los representados y se transforma en un delegado (*delegate*); alguien que fue designado para cumplir "al pie de la letra" con las instrucciones de sus mandantes (Manin, Stokes y Przeworski, 1999).

Así, el proceso de representación política en una democracia, abarca dos grandes momentos: *1)* el –ya referido– momento de la selección de representantes y *2)* la fase caracterizada por el ejercicio mismo de la actividad representativa. En el primer momento –acceso al poder–, está en juego qué tan descriptiva es esa representación, es decir qué tanto refleja esa elección la diversidad presente en la sociedad. Para los teóricos de la democracia y los analistas de su calidad, en su mayoría, éste es el elemento a garantizar. Para ellos, unas reglas de acceso al poder que permitan una representación descriptiva (bajo aquellas condiciones), representa una condición suficiente de una democracia representativa de calidad. Bajo este supuesto, la representación sustantiva queda garantizada si las reglas de selección y control del ejercicio del poder funcionan correctamente.[7] Por el contrario, incluir en el análisis la representación propiamente dicha, esto es, "el ejercicio del poder" supone que la calidad de las reglas es una condición necesaria pero no suficiente para garantizar una democracia representativa de calidad.

Por tanto, evaluar la calidad de los regímenes democráticos requiere conocer también las características, contenidos y orientaciones de los procesos de formulación de políticas en los que intervienen los actores políticos en marcos institucionales y condiciones políticas específicas (Bingham Powell, 2007; Morlino, 2005 y 2007). Se trata entonces de analizar las dinámicas e interacciones propias de la relación

---

[7] O, en el peor de los casos, la representación sustantiva resulta irrelevante puesto que cualquier político racional, si quiere mantener el poder, gobernará representando los intereses de sus mandantes (Downs, 1957).

entre gobernantes y gobernados que propician una representación "sustantiva". Dicho de otra forma, al hablar de calidad de la representación, nos interesan tanto las condiciones de acceso como de *ejercicio* del poder político democrático.

Las condiciones de acceso al poder y su calidad en las democracias latinoamericanas. Libertades, competencia, equidad y nivel de participación

La representación política implica, antes que nada, la existencia de una institución mediante la cual los representados transfieren su voto de confianza a determinados individuos que representarán los intereses de los primeros. Tal institución, central en cualquier forma de gobierno representativa, son las elecciones.

Para que las elecciones funcionen, de acuerdo con la teoría democrática, como ese mecanismo que permite la agregación y traducción de voluntades (preferencias) en puestos de representación (y luego en decisiones de gobierno) cumpliendo con los principios de libertad e igualdad, son requeridas diversas condiciones. En primer lugar, la garantía de que las libertades civiles y los derechos políticos puedan ser disfrutados y ejercidos por todos los ciudadanos. Tal como lo postula Beetham (2007), si la gente ha de tener alguna influencia o control sobre la toma de decisiones en asuntos públicos y sobre quienes las toman, tienen que ser libres para comunicarse y asociarse unos con otros para recibir información precisa y expresar opiniones divergentes, así como gozar de libertad de movimiento. Pero las libertades necesarias para la democracia, sin embargo, no pueden preservarse en la práctica a menos que: *a)* sean garantizadas como un conjunto de derechos ciudadanos, explicitados en una carta constitucional (Alston, 1999), y *b)* puedan ser ejercidas a partir de la vigencia efectiva los derechos humanos, en ausencia de toda forma de violencia política (Cingranelli, 2014). En democracia, estos derechos, y las libertades que garantizan, deben distribuirse de forma igualitaria y a título individual, entre los integrantes de la comunidad política.

En segundo lugar, un proceso democrático de acceso al poder requiere de una condición sistémica: una *competencia abierta, equitativa y duradera* entre los partidos políticos (Przeworski, 1995). Independientemente del acuerdo respecto del formato y del sujeto de la representación, la democracia sólo existe como resultado de una competencia real y duradera entre los distintos grupos o partidos.[8] Estos partidos representan intereses –más o menos particulares– y buscan, mediante la lucha electoral, alcanzar el poder político de manera de satisfacerlos.

La competencia es un mecanismo mediante el cual se garantiza que la igualdad democrática originaria sea efectiva. Dado que evidentemente la distribución de los atributos –adscritos y adquiridos– entre los individuos es desigual, sólo una competencia *abierta* (cualquiera puede participar), *libre* (nadie está obligado a hacerlo), imparcial (nadie tiene, de antemano, mayores posibilidades que el resto) y *duradera*[9] (repetida en el tiempo) puede garantizar que ninguna preferencia tenga a priori ventaja sobre las otras (Levine y Molina, 2007: 23). Es, en sentido estricto, la aplicación del criterio liberal de "igualdad de trato" más allá de cualquier diferencia.

Bajo estos dos supuestos (universalidad de los derechos políticos traducidos en la *igualdad del voto* de cada ciudadano, y una *competencia abierta*) cada partido cuenta –en principio– con las mismas oportunidades para competir por los cargos de gobierno y la probabilidad de acceder a ellos está en función de la cantidad (mas no de la calidad) de los apoyos individuales y grupales que se pudieran reunir.

Las condiciones que garantizan un proceso democrático de acceso al poder implican tanto las vinculadas con la probabilidad de participar en la selección de autoridades –ya reseñadas– como también con las normas formales que regulan el proceso de selección de represen-

---

[8] Me remito aquí a la definición etimológica de Sartori (1976) de partidos como "partes" de la sociedad, sin desconocer por ello a los partidos políticos como maquinarias electorales especializadas.

[9] La razón por la cual resulta imprescindible incorporar la condición temporal es que, como toda clase de competencia, la democrática genera ganadores y perdedores. Al asegurar la competencia periódica, el régimen democrático garantiza a su vez, que tales resultados sean transitorios, y supone para todos los partidos competidores, la oportunidad de acceder a sitiales de representación y promover sus intereses en el futuro. Los que hoy ganaron las elecciones pueden ser los derrotados en las próximas y viceversa. Esto último es lo que motiva a los representantes de los distintos intereses a organizarse (como partidos políticos, como grupos de presión o movimientos sociales) y prepararse de la mejor manera para competir. Si los resultados estuviesen predeterminados o fueran completamente indeterminados, tales incentivos no existirían, y el acatamiento de las reglas de juego democráticas no tendría beneficio alguno para los jugadores (Przeworski, 1995; 20).

tantes. Dicho de otra forma, es necesario tomar en cuenta a los mecanismos por medio de los cuales el conjunto de voluntades ciudadanas expresadas en el voto se traduce en escaños o puestos de representación popular.

Partiendo del supuesto de la igualdad de todos los individuos que conforman dicha asociación, la norma más utilizada para traducir un conjunto de voluntades en una sola decisión ha sido la "regla de mayoría"; es decir, la agregación de preferencias individuales a partir de determinadas alternativas de elección. La alternativa que recibe la mayoría de adhesiones es la ganadora.

Si bien de acuerdo con los modelos espaciales de votación, en sociedades culturalmente homogéneas y con estructuras socioeconómicas relativamente igualitarias, la elección social refleja la postura del votante mediano,[10] y por tanto, la democracia se transforma en el gobierno de una mayoría homogénea y moderada[11] (Black, 1958; Downs, 1957; Colomer, 2001), el problema de la representación persiste para sociedades heterogéneas, caracterizadas por la diversidad cultural o la desigualdad social, como las de América Latina. ¿Quién gobernará, y a los intereses de quién responderá el gobierno cuando existan intereses o preferencias altamente divergentes o muy dispersas? ¿Cómo evitar que la decisión social expresada en las elecciones deje sin representación a intereses sociales importantes para la vida de dicha sociedad?

En sociedades fragmentadas territorial o culturalmente (en los cuales la competencia política se da en torno a dos o más), es muy posible que la distribución del electorado no sea normal sino "bimodal", situación en la cual los supuestos del votante mediano dejan de ser válidos (Downs, 1957). En estos casos, una respuesta alternativa "plausible" es que la democracia debe ser el gobierno –ya no de una simple mayoría–, sino del "mayor número de gente posible". Aquí, el régimen democrático pierde su carácter mayoritario y se convierte en

---

[10] El votante mediano es el votante con el *nivel de ingreso mediano*, que divide a la sociedad en dos conjuntos iguales (50%). Dado el supuesto de distribución normal de los ingresos, el votante mediano coincide con el votante típico (el promedio) y con el votante modal o más frecuente.

[11] Las divisiones sociales en este caso se dan en temas muy puntuales, ya que la homogeneidad cultural o social parece favorecer un cierto acuerdo para con los basamentos éticos y políticos de la sociedad.

democracia de minorías,[12] dado que es necesario asegurarles a éstas últimas, un mínimo de representación.[13] Es en este punto, en el que la proporcionalidad como criterio adquiere una mayor relevancia para el diseño de las normas electorales. Se trata, específicamente, de asegurar –para todos y cada uno de los electores– la misma probabilidad de ser elegidos o ver representados sus intereses (Przeworski, 1995).

Los países de la región latinoamericana se caracterizan, justamente, por su altos niveles de desigualdad social (De Ferranti, 2003). En estas condiciones, la calidad de los mecanismos de acceso al poder aumenta en la medida en que la *proporcionalidad de las reglas electorales* (Payne y otros, 2003) es mayor, se promueve la *representación de minorías o grupos en situación de desventaja*, y finalmente los niveles de *turnout* o *participación electoral* son significativos para evitar que unos pocos grupos relevantes elijan a los representantes que "gobernarán a todos" (Levine y Molina, 2007).

Pasar de los conceptos a los indicadores suele ser un desafío. En primer lugar, epistemológico: ¿cómo seleccionar los indicadores más adecuados para "observar" los conceptos empíricamente? En segundo término, el reto es metodológico: ¿cuáles son las fuentes más precisas, de todas las que existen, para recolectar la información para el análisis empírico? Son siempre los datos "duros" más adecuados? ¿Es la opinión de los ciudadanos relevante para evaluar qué tan representativas son los gobiernos, o políticas públicas que estos formulan?

---

[12] En estos casos, caracterizados generalmente por minorías culturales, raciales o religiosas concentradas territorialmente, no parece posible –en términos democráticos– dejar el interés de las mismas fuera de la decisión social. Uno de los arreglos institucionales más utilizados para lidiar con estas cuestiones en regímenes democráticos, especialmente en el caso de minorías nacionales o culturales, es el federalismo, que supone espacios normativos caracterizados tanto por reglas compartidas como específicas entre la Federación y las comunidades políticas que la conforman (Elazar, 1989; Lijphart, 2000).

[13] Tal como señala Nel (2005: 23), en todas las sociedades el votante mediano tiene un ingreso inferior al promedio (todas las sociedades son en alguna medida desiguales), pero en las sociedades con altos niveles de desigualdad, la brecha entre ambos es considerable. Ello hace que el votante mediano no sea necesariamente el más influyente ni el más representativo, y sus supuestos tampoco adquieran la validez que se les atribuye.

Tabla 1: *Dimensiones de la calidad del proceso (político-electoral) de acceso al poder en las democracias latinoamericanas (1990-2013)*

País	Libertades cíciviles y derechos humanos* (2013)	Estabilidad de la competencia (NEP) / (VSP)	Despropor-cionalidad de las reglas electorales (diputados)	Representación de minorías	Financiamiento público de partidos políticos	Turnout (1989-2015)	Puntaje**
Argentina	74.43	0.1436	-6.58	Cuota de género (30%)	Sí, 20% independiente de los votos obtenidos	78.51	
Bolivia	71.02	0.1005	-4.25	Cuota de género (33%)	No	67.36	
Brasil	56.68	0.3962	-3.65	Cuota de género (30%)	Sí, 5% independiente a los votos obtenidos	78.85	
Chile	80.54	0.5009	-7.12	Sin cuota de género	Sí, proporcional a los votos obtenidos	68.04	
Colombia	33.95	0.2048	-3.2	Sin cuota de género	Sí, proporcional a los votos obtenidos	41.09	
Costa Rica	79.97	0.1511	-5.44	Cuota de género (40%)	Sí, proporcional a los votos obtenidos	68.64	
Ecuador	58.10	0.1912	-5.73	Cuota de género (50%)	Sí, proporcional a los votos obtenidos	79	
El Salvador	67.61	0.2174	-4.37	Sin cuota de género	Sí, proporcional a los votos obtenidos	55.94	

País	Libertades cicivles y derechos humanos* (2013)	Estabilidad de la competencia (NEP) / (VSP)	Despropor-cionalidad de las reglas electorales (diputados)	Representación de minorías	Financiamiento público de partidos políticos	Turnout (1989-2015)	Puntaje**
Guatemala	73.01	0.0783	-11.24	Sin cuota de género	Sí, proporcional a los votos obtenidos	41.16	
Honduras	55.97	0.2885	-2.89	Cuota de género (30%)	Sí, proporcional a los votos obtenidos	65.68	
México	47.30	0.1681	-5.33	Cuota de género (50%)	Sí, 30% independiente de los votos obtenidos	62.61	
Nicaragua	62.50	0.1092	-3.77	Sin cuota de género	Sí, proporcional a los votos obtenidos	74.94	
Panamá	83.91	0.1051	-13.49	Cuota de género (30%)	Sí, proporcional a los votos obtenidos	72.02	
Paraguay	70.03	0.1486	-6.88	Cuota de género (20%)	Sí, proporcional a los votos obtenidos	50	
Perú	62.78	0.0804	-6.87	Cuota de género (30%)	No	76.19	
R. Dom.	55.26	0.1124	-6.28	Cuota de género (33%)	Sí, proporcional a los votos obtenidos	64.32	
Uruguay	91.76	0.1940	-0.94	Sin cuota de género	Sí, proporcional a los votos obtenidos	94.77	

País	Libertades cicivles y derechos humanos* (2013)	Estabilidad de la competencia (NEP) / (VSP)	Despropor- cionalidad de las reglas electorales (diputados)	Representación de minorías	Financiamiento público de partidos políticos	Turnout (1989-2015)	Puntaje**
Venezuela	39.06	0.0946	-5.94	Sin cuota de género	No	65.53	

Fuente: Cálculos propios con datos de Borman y Golder (2013), idea (2003 y 2011), pnud (2008).

* Los valores para esta variable se obtuvieron de una transformación de dos dimensiones del Índice de Cingranelli (2013): "Ausencia de Violencia Política" y "Libertades Civiles". Para la agregación de ambas se utiliza el promedio, y el periodo analizado es de

**El puntaje es resultado de la siguiente fórmula [LCDH+(NEP/VSP)*(Prop+Rep.Min.+Pond.FP)+TURNOUT], donde LCDH es "el índice de libertades civiles y derechos humanos de 2003 a 2013"; NEP es el número efectivo de partidos (promedio 2000-2013 ponderado por el desvío estándar) y VSP es la volatilidad electoral, que mide básicamente la inestabilidad en la cantidad de escaños ocupados por los diversos partidos de un período a otro. Aquí la idea de dividir el número de partidos entre la volatilidad (NEP/VSP) es obtener un índice de la estabilidad de la competencia electoral entre los partidos; es decir, ya no solo medir la competencia y la estabilidad por separados, sino combinarlos, puesto que lo que importa no es que un partido permanezca, o que haya muchos partidos, sino que la competencia entre esos partidos —en tanto alternativas electorales- sea duradera. En ese sentido, se penaliza a los sistemas con pocos partidos y alta volatilidad, y se premia a los sistemas con muchos partidos y baja volatilidad. Prop es el índice de proporcionalidad medida por el índice de desproporcionalidad multiplicado por -1 (PNUD, 2008), Rep. Min. es la existencia efectiva de representación de mujeres en el congreso reguladas por ley. Cuando existen leyes de cuotas el país obtiene un 1, y cuando no, un 0, y a los países que sí tienen "cuotas" se les suma el porcentaje estipulado por la ley (IDEA 2011, PNUD, 2008), y Pond.FP es la ponderación del financiamiento a partidos políticos según la cual el país recibe un puntaje de 1 cuando tiene financiamiento público para campañas, y 0 cuando no, y a aquellos países que consideran un % del financiamiento no referido a su fuerza electoral se le suma ese porcentaje como proporción (IDEA, 2011, PNUD, 2008). Finalmente TURNOUT es el promedio del % de votos válidos para elecciones de la cámara baja o única, en relación con la población en edad de votar entre 1990-2015 (IDEA, 2016). En el caso de México, desde 2000 y Venezuela desde 1988.

La tabla 1 muestra las distintas dimensiones de análisis utilizadas para medir la calidad del proceso de acceso al poder político en las democracias latinoamericanas. Este proceso político electoral puede dividirse en cuatro dimensiones: *1)* la *libertad*, representada por el índice de libertades civiles y derechos humanos; *2)* la *competencia*, medida por el índice de estabilidad de la competencia obtenido de dividir el número efectivo de partidos entre la volatilidad en la proporción de bancas ocupadas por cada partido de un período a otro. En este caso, se mide tanto la existencia efectiva de alternativas de selección de candidatos como la durabilidad de dichas alternativas, lo que permite al ciudadano tener información sobre el tipo de opción que va a tomar. En tal sentido, se puede alcanzar un índice de "estabilidad de la competencia" al combinar ambos criterios; *3)* la *equidad*, está dada por la proporcionalidad de las reglas electorales, por la existencia de reglas (cuotas) favorables a la representación de minorías o grupos relevantes en desventaja por cuestiones económicas o culturales, así como por la existencia de financiamiento público para partidos en épocas electorales; y finalmente, *4)* la *participación* que toma en cuenta el porcentaje de ciudadanos del padrón electoral que deciden la suerte de todos a través de su voto.

Si analizamos dimensión por dimensión tenemos la ubicación de los países es la siguiente:

Tabla 2: *Ubicación de los países en cada una de las dimensiones de la calidad de acceso a los puestos de poder*

País	Lib. y D.H.	País	Competencia	País	Equidad	País	Participación
Uruguay	91.8	Chile	0.501	Uruguay	-0.9	Uruguay	94.8
Panamá	83.9	Brasil	0.396	Honduras	-2.6	Ecuador	79.0
Chile	80.5	Honduras	0.289	Colombia	-3.2	Brasil	78.9
Costa Rica	80.0	El Salvador	0.217	Brasil	-3.3	Argentina	78.5
Argentina	74.4	Colombia	0.205	Nicaragua	-3.8	Perú	76.2
Guatemala	73.0	Uruguay	0.194	Bolivia	-4.2	Nicaragua	74.9
Bolivia	71.0	Ecuador	0.191	El Salvador	-4.4	Panamá	72.0
Paraguay	70.0	México	0.168	México	-4.7	Costa Rica	68.6
El Salvador	67.6	Costa Rica	0.151	Costa Rica	-5.0	Chile	68.0
Perú	62.8	Paraguay	0.149	Ecuador	-5.2	Bolivia	67.4
Nicaragua	62.5	Argentina	0.144	Venezuela	-5.9	Honduras	65.7
Ecuador	58.1	Rep. Domin.	0.112	Rep. Domin.	-6.0	Venezuela	65.5
Brasil	56.7	Nicaragua	0.109	Argentina	-6.2	Rep. Domin.	64.3
Honduras	56.0	Panamá	0.105	Paraguay	-6.7	México	62.6
Rep. Domin.	55.3	Bolivia	0.101	Perú	-6.8	El Salvador	55.9
México	47.3	Venezuela	0.095	Chile	-7.1	Paraguay	50.0
Venezuela	39.1	Perú	0.080	Guatemala	-11.2	Guatemala	41.2
Colombia	34.0	Guatemala	0.078	Panamá	-13.2	Colombia	41.1

[a]*Fuente: Cálculos propios con datos de Borman y Golder (2013), IDEA (2003 y 2011), PNUD (2008)*

La tabla 2 presenta la ubicación de los países en las distintas dimensiones de análisis del proceso de acceso al poder. En la dimensión de "libertad y derechos humanos" Uruguay, Panamá, Chile y Costa Rica se ubican en los primeros puestos. Chile se mantiene al tope del *ranking* en términos de la estabilidad de su competencia partidista, pero la calidad del proceso de acceso al poder disminuye cuando analizamos sus niveles de participación electoral, y más dramáticamente al tomar en cuenta la equidad de sus reglas electorales (en términos de proporcionalidad e inclusión de las minorías). Uruguay por su parte sí se mantiene al tope en estas dos últimas dimensiones aunque su puntaje en términos de estabilidad de la competencia es más bajo. Costa Rica, finalmente, tiene niveles más bajos, tanto en términos de equidad y participación como de la estabilidad de su competencia electoral es más baja, cercanos al promedio del total de países.

Entre los países que se ubican en las posiciones más bajas en términos de libertades, sin embargo, Honduras es el que mejor puntaje promedio tiene en las otras tres dimensiones. En este grupo destaca México, fuertemente penalizado por los altos niveles de violencia política, al igual que Colombia, quien también presenta los niveles más bajos de participación electoral, lo que penaliza fuertemente la calidad de sus procesos de acceso a puestos de representación.

Tabla 3: *La distribución de países latinoamericanos según la calidad de sus procesos de acceso a los cargos públicos. Libertad, competencia, equidad y participación*[14]

País	Calidad en el acceso al poder
Uruguay	46.30
Argentina	36.72
Costa Rica	36.50
Panamá	36.31
Chile	36.12

---

[14] La fórmula para el cálculo de este índice es el siguiente: (LCDH*.25)+(NEP/VSP*.25)+((Prop+(Rep.Min.*Pond.FP)*.25)+(TURNOUT*.25)

Bolivia	33.76
Nicaragua	32.82
Perú	32.39
Brasil	32.04
Ecuador	31.97
El Salvador	30.43
Paraguay	29.38
Honduras	29.35
Rep. Dom.	27.98
Guatemala.	27.34
México	25.58
Venezuela	23.36
Colombia	15.42

Fuente: Cálculos propios con datos de Cingranelli (2014), Borman y Golder (2013), IDEA (2016), PNUD (2008).

Lo que podemos observar en la tabla 3 es, en primer lugar, que el paisaje tradicional que encontramos en los índices de calidad de la democracia no se repite. Dada la igual ponderación que se da a las cuatro dimensiones (libertad, competencia, equidad y participación), si un país califica mal en más de una se ve penalizado significativamente. Por otro lado también, no alcanza con una competencia estructurada y una vigencia de las libertades civiles y los derechos humanos, si los niveles de equidad (que refiere la representatividad) y participación (que hace referencia a la legitimidad) son deficientes. Así, Chile –y en menor medida Brasil– presentan niveles de calidad menores a los presentes en la literatura sobre el tema.

Ahora bien, si quisiéramos hacer un paralelo entre esta forma de medir la calidad del acceso al poder, con la propuesta seminal de Dahl, según la cual el análisis de las poliarquías requiere analizar los niveles de "participación" y "contestación" (Munck, 2007; Dahl, 1999), podríamos combinar las cuatro dimensiones y transformarlas en dos. Por un lado, en un *índice de contestación*, o libertad para ejercer la oposición que considere tanto el nivel individual (los niveles de derechos políticos y libertades civiles) como el sistémico (indicado por la estabilidad de una competencia política entre alternativas reales), y por otro lado, en un *índice de participación*, que considere tanto su dimensión cualitativa (equidad) como cuantitativa (*turnout*).

Para estos fines, el índice de oposición fue conformado por las dimensiones "libertad" y "competencia", mientras que el índice de participación se construyó a partir de los puntajes de los países en las dimensiones equidad y participación. Los resultados se muestran en el gráfico 1.[15]

Gráfico 1: *Competencia y participación en las democracias de AL (1990-2013)*

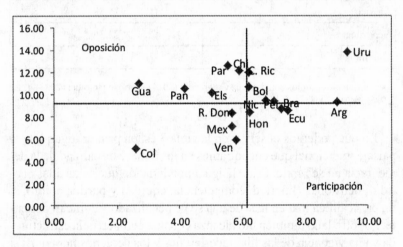

Fuente: Cálculos propios con datos de Borman y Golder (2013), IDEA (2003 y 2011), PNUD (2008).

En el gráfico 1 notamos que países con sistemas de partido institucionalizados presentan niveles más altos de "contestación", mientras que los países con reglas favorables a la representación de minorías y mayores niveles de *turnout* están más a la derecha de la

---

[15] Las fórmulas de agregación para ambos índices fueron: en el caso de la dimensión de "oposición" se sumaron las variables "libertad" y "competencia", y en la dimensión "participación" se reunieron los valores de "equidad" y "participación".

imagen. Uruguay destaca en el extremo más cercano a las "poliarquías", mientras Colombia es la observación más extrema pero en términos negativos, fuertemente penalizada por niveles deficientes de libertades civiles y participación electoral.

El ejercicio del poder. El segundo momento de la representación democrática

Evaluar la calidad del proceso de representación implica ir más allá del proceso de acceso al poder público. Se trata de analizar el ejercicio mismo del poder por parte de sus representantes. A la importancia del Estado de derecho (Imperio igualitario y efectivo de la Ley) que garantice libertades civiles y derechos políticos, de un sistema electoral equilibrado ("efectivo", para generar competencia entre opciones claras y duraderas, y "proporcional" para logar una representación descriptiva de la sociedad), debe sumarse: *a)* un proceso político abierto y transparente en el que la deliberación libre y la negociación efectiva entre los partidos prime sobre la corrupción y los acuerdos interelitistas, o dicho de otra forma, el predominio de procesos de formulación de políticas orientadas a lo público (Stein y Tommassi, 2006) o representativas de las preferencias del votante mediano; *b)* la existencia de mecanismos que favorezcan la responsabilidad de los representantes , especialmente cuando los resultados de las políticas no fueron los esperados. Estos mecanismos son tanto verticales (rendición de cuentas frente a la sociedad) como horizontales (instancias gubernamentales de control orientadas a prevenir a los gobernantes de un uso discrecional de su poder).

Es interesante hacer notar que estas dos dimensiones de la calidad del ejercicio representativo tienden a neutralizarse mutuamente. Si bien es importante que los gobiernos representen los intereses de las mayorías, es importante también que puedan hacerlo a través de un ejercicio responsable y no tiránico de los resortes y mecanismos que les confiere el acceso a puestos de poder. En una palabra gobiernos *responsivos* y *responsables*.

La "responsividad" o representatividad de las decisiones de gobierno

El argumento en torno a la *responsiveness* es más o menos el siguiente. La calidad de un régimen democrático aumenta cuando los ciudadanos son capaces de inducir al gobierno a hacer lo que ellos desean que se haga (Powell, 2004). Es decir, en la medida en que las políticas públicas respondan a las exigencias de los votantes, el régimen democrático es de una mayor calidad, porque los resultados reflejan más claramente esa identidad entre "voluntad general" y decisión social.

Existen tres tipos de problemas en torno a la *responsiveness* que dificultan su adopción como indicador de la calidad de un régimen democrático: un problema conceptual, uno normativo y uno empírico. El *problema conceptual* fue planteado, entre otros, por Riker (1982), de la siguiente manera: Si, de acuerdo con el ya mencionado teorema de Arrow, sabemos que la traducción de preferencias individuales en una decisión social no cumple con las condiciones mínimas de imparcialidad y son objeto de manipulación por parte de algunos grupos, cómo saber en realidad cuáles son las preferencias reales. Dicho de otra forma, si los resultados electorales –de acuerdo con la teoría de la elección social– pueden ser (y excepto sociedades muy homogéneas)[16] son imprecisos, lo que los votantes realmente desean no puede ser conocido.

Por lo tanto, dice Riker –entre otros–, un gobierno que guía sus acciones de acuerdo con las cambiantes preferencias ciudadanas responde a una concepción populista de la democracia. Este tipo de democracia, lejos de representar *the people rule* ("la decisión del pueblo"), se convierte en una intermitente, a menudo azarosa –y aun perversa– legitimación del veto popular" (Riker, 1982; 244). Así, un gobierno que buscara cumplir con lo prometido en su campaña a cualquier costo, podría acabar obteniendo resultados menos desea-

---

[16] Sociedades donde los procesos de elección se dan en torno a una sola dimensión de competencia y por tanto las preferencias de los votantes son *single-peaked* o de un solo pico. Tal como se mencionó en el primer capítulo, este teorema fue elaborado por primera vez por Duncan Black en 1958, y es conocido como el "teorema de Black"

bles que si hubiera cambiado repentinamente sus políticas por otras –
en principio– menos populares (Stokes, 2001).

El *problema normativo* en torno a la *responsiveness* persiste aún
en sociedades donde la votación se da en torno a una dimensión. En
estos casos, si las preferencias ciudadanas se distribuyen normalmente, convergen hacia la posición del votante mediano, e incluso una
democracia mayoritaria puede lidiar bien con el problema. Pero si la
distribución de las preferencias es bimodal (por ejemplo, dos dimensiones de competencia: izquierda-derecha y nacional-regional) la
moda y la mediana ya no coinciden. En estos casos, una política pública que responda a los intereses del votante mediano (que seguirá
siendo la más cercana a ambos conjuntos de preferencias) no acertará
a satisfacer a ninguna de las coaliciones (Congleton, 2002). Aquí, la
democracia "consensual" conduciría a tomar decisiones alternativas
intentando satisfacer ambos conjuntos de preferencias de manera se-
cuencial (Lijphart, 1984). Este criterio consensual puede ser defendido en términos normativos por quienes consideran más eficiente una
distribución más dispersa de las preferencias y por tanto de la *respon-*
siveness, o en términos empíricos por quienes creen que esta clase de
política pública (inclusiva y atenta a los distintos conjuntos de preferencias sociales) es una manera más confiable de acercarse a la posición del votante mediano. El problema, entonces, podría ser resuelto
sólo empíricamente, de acuerdo con el segundo argumento; no en términos normativos (Powell, 2004).

¿Cómo hacerlo? Una solución sería tomar en cuenta los votos
como los indicadores más fehacientes (más que las opiniones) de las
preferencias ciudadanas. De hecho, distintos trabajos sobre las democracias europeas han demostrado que las preferencias de los votantes son un buen predictor de las políticas públicas adoptadas por los
gobiernos, una vez en el poder. Este fenómeno podría llevarnos a pensar
que la calidad de las democracias europeas es superior, por ejemplo,
a la calidad de las democracias latinoamericanas, donde esta dimensión de *responsiveness* está claramente cuestionada por los ciudadanos. Sin embargo, persiste un problema empírico: no existe ninguna
institución que obligue a los gobiernos a asumir su responsabilidad
para con los mandatos populares otorgados junto con el voto (Manin,
1996). Este último dependerá fundamentalmente de tres factores: *1)*
de la información de la que dispongan los votantes (ya sea por su

"movilidad cognitiva" (Dalton, 2005) o por la disponibilidad de información respectiva a asuntos públicos); *2)* del costo de adquirir dicha información (su disposición a pagar para adquirirla), y *3)* de la capacidad de los votantes para sancionar –o hacer sancionar– las conductas oportunistas de los gobiernos (revocatoria de mandatos, votos de censura en el parlamento, cambio de partido en el gobierno durante la siguiente elección).

Todo ello significa que a mayor información y mayor capacidad de sanción por parte de los votantes mayor probabilidad de que los gobiernos "observen" un alto grado de *responsiveness*, y ello requiere tanto de instituciones como de comportamientos individuales. Las instituciones deberían asegurar el acceso a la información pública como ampliar las posibilidades de sanción para los gobernantes que violen flagrantemente los mandatos. En lo que hace a las conductas de los ciudadanos, una mayor movilidad cognitiva aumenta la probabilidad de *responsiveness* por parte de las autoridades. Ante la falta de estos elementos, la única herramienta de sanción de que disponen los ciudadanos para castigar el no cumplimiento de los mandatos será el voto negativo en las próximas elecciones.

De todas formas, los ciudadanos tienen una idea acerca del cumplimiento de sus representantes. Pueden evaluar en qué medida los políticos cumplen con los mandatos que han recibido, ya no en función de sus programas electorales, por más precisos que éstos puedan ser, sino por los resultados de política pública y sus impactos sobre el bienestar social. América Latina ha sido testigo de la formulación de políticas impopulares (ajustes estructurales, liberalización de mercados) que obtuvieron, sin embargo, algunos logros económicos e institucionales socialmente valorados: estabilidad de precios, racionalización del gasto público, incremento del comercio exterior, o mayor disponibilidad de divisas. Ello significa que la *responsiveness* puede analizar no sólo con relación a las políticas implementadas, sino también a sus resultados –al menos de corto plazo. Así, puede ser analizada como una dimensión subjetiva sustentada en la percepción de los ciudadanos acerca de la utilidad de su voto, más que del apego del gobierno a sus promesas electorales (Stokes, 2001).

Derivado de esta discusión, se seleccionó como medida de la capacidad de los gobierno por ejercer el poder de acuerdo con las preferencias ciudadanas, un indicador subjetivo, obtenido del *Latinobaró-*

metro entre 2004 y 2013 que mide "la proporción de ciudadanos de cada país que consideran que el gobierno representa los intereses del pueblo y no los de una minoría poderosa". La tabla 4 muestra cuáles son los gobiernos latinoamericanos más representativos, o mejor ubicados de acuerdo con la percepción de sus ciudadanos en la última década.

Tabla 4. *Proporción de ciudadanos que considera que el gobierno representa los intereses del pueblo por año, país y nombre del jefe de gobierno*[17]

País y año	Gob. Rep. Int. Pueblo	Presidente	Partido político	Orientación ideológica
Ecu2013	62%	R. Correa	Alianza País	Izquierda
Uru2010	59%	J. Mujica	Frente Amplio	Centro-izq
Uru2009	58%	T. Vázquez	Frente Amplio	Centro-izq
Uru2011	54%	J. Mujica	Frente Amplio	Centro-izq
Ven2005	54%	H. Chávez	PSUV	Izquierda
Pan2009	50%	R. Martinelli	Cambio democrático	Centro-der
Uru2005	50%	T. Vázquez	Frente Amplio	Centro-izq
Ven2006	50%	H. Chávez	PSUV	Izquierda
Uru2008	49%	T. Vázquez	Frente Amplio	Centro-izq
Uru2013	49%	J. Mujica	Frente Amplio	Izquierda
Els2009	48%	M. Funes	FMLN	Centro-izq
Ven2007	48%	H. Chávez	PSUV	Izquierda
Nic2013	47%	D. Ortega	FSLN	Izquierda
Bol2009	45%	Evo Morales	MAS	Izquierda
Bra2010	45%	Lula da Silva	PT	Centro-izq
Ecu2010	44%	R. Correa	Alianza País	Izquierda
Uru2006	44%	T. Vázquez	Frente Amplio	Centro-izq
Bol2007	43%	Evo Morales	MAS	Izquierda

[17] Se presentan aquí sólo las primeras 29 observaciones de un total de 162, para dar una idea de quienes fueron y en qué años los mandatarios más populares en términos de representatividad, de acuerdo con la opinión de los ciudadanos latinoamericanos (+ de un desvío estándar de la media de la muestra).

Par2008	43%	F. Lugo	Al. Patriótica para el cambio	Centro-izq
Bol2013	42%	Evo Morales	MAS	Izquierda
Bra2009	42%	Lula da Silva	PT	Centro-izq
Nic2011	42%	D. Ortega	FSLN	Izquierda
Uru2007	42%	T. Vázquez	Frente Amplio	Centro-izq
Ven2004	42%	H. Chávez	PSUV	Izquierda
Ven2009	42%	H. Chávez	PSUV	Izquierda
Ecu2009	40%	R. Correa	Alianza País	Izquierda
Ven2010	40%	H. Chávez	PSUV	Izquierda
Ven2011	39%	H. Chávez	PSUV	Izquierda
Ven2013	39%	N. Maduro	PSUV	Izquierda

Fuente: Cálculos propios a partir de www.latinobarometro.org.

La tabla 4 muestra que de las 29 observaciones con mayor nivel de responsividad de acuerdo con la opinión de los ciudadanos, 28 de ellas fueron gobiernos de izquierda (4 países, 5 presidentes y 17 diferentes años) o de centro-izquierda (4 países, 5 presidentes y 11 años), mientras que sólo 1 tenía una orientación ideológica de centro derecha, específicamente el gobierno de Ricardo Martinelli, en 2009 en Panamá.

El elemento más interesante de esta tabla es que muchos de gobiernos de los mandatarios aquí citados (la Venezuela de Chávez, la Nicaragua de Ortega, el Ecuador de Correa o la Bolivia de Evo Morales) obtienen puntajes relativamente bajos cuando se analizan las condiciones de acceso al poder político en sus países. Sin embargo, esto parece no ser obstáculo para que un porcentaje no despreciable de ciudadanos en sus países, los consideren gobiernos que responsivos, que representan los intereses del pueblo y no los de una minoría poderosa.[18]

---

[18] Si ampliáramos la muestra a las primeras 60 observaciones, veríamos que sólo 14 pertenecen a partidos de derecha o centro derecha. En estos casos, destacan el presidente de Colombia Álvaro Uribe (quien repite en 6 ocasiones), el ya mencionado Ricardo Martinelli de Panamá (en dos ocasiones más a la ya citada), los mandatarios del Partido Liberación Nacional de Costa Rica, Oscar Arias en 2009 (puesto 35) y Laura Chinchilla en 2010 (puesto 45), el presidente salvadoreño Saca González del Partido Arena (en 2004 y 2005), así como el mexicano Vicente Fox del Partido Acción Nacional.

Por tal motivo, el segundo componente de un ejercicio del poder acorde con criterios de calidad, es la capacidad de las instituciones de control de hacer efectiva la rendición de cuentas horizontal. Dicho de otra forma, analizar en qué medida el ejercicio "responsivo" del poder no se realiza por fuera de la ley, de manera discrecional y/o detrimento de los derechos y libertades de otros actores.

Rendición de cuentas horizontal: Una limitación al poder omnímodo de los gobiernos latinoamericanos

Uno de los elementos que distingue a las democracias representativas liberales de otro tipo de regímenes políticos es la combinación de un marco institucional de autorización del poder político con otro orientado a asegurar la correspondencia de sus políticas con las preferencias del electorado; lo que anteriormente denominamos *responsiveness* (Peruzzotti y Smulovitz, 2001: 25). Es decir, se dota a los representantes del poder suficiente para que cumplan con el mandato que les fue conferido en dicho acto. Sin embargo, como existe una brecha insalvable entre la actividad del mandatario (agente) y del mandante (principal), la democracia representativa incluye, adicionalmente, instancias de *accontability* o rendición de cuentas, como un mecanismo mediante el cual los ciudadanos buscan controlar la discrecionalidad de sus delegados; es siguiendo a O'Donnell, "la institucionalización legal de la desconfianza" (O'Donnell, 2003: 35-52).

De acuerdo con estos autores, "una mirada casual es suficiente para reconocer que la democratización electoral en el continente no ha garantizado la *responsividad* de los representantes al deseo ciudadano, ni tampoco el ejercicio efectivo e igualitario de los derechos políticos y civiles" (Moreno, Crisp y Shugart, 2003: 77). Políticas económicas impopulares, crecientes niveles de corrupción, crisis institucionales recurrentes, y problemas de gobernabilidad reflejan de manera inequívoca el distanciamiento entre los políticos y la ciudadanía en América Latina.

Este panorama se presenta sobre un telón de fondo caracterizado por la ausencia de instancias efectivas de rendición de cuentas. Si el voto es un método poco sofisticado, o por lo menos no todo lo permanente como para inducir a los representantes a actuar de manera *responsiva* y responsable, nuevas instancias verticales (sociales) u horizontales (institucionales) de rendición de cuentas resultan indispensables.

Para analizar la dimensión horizontal de la *accountability* en América Latina, se tomarán en cuenta dos indicadores: En primer lugar, el índice de constreñimiento político, elaborado por Witold Henisz de la Universidad de Pennsilvanya,[19] y utilizado por el *Polity Project* de la Universidad de Maryland,[20] que mide la capacidad del gobierno de tomar decisiones sin tomar en cuenta a los actores de veto. En segundo término, el indicador de Estado de derecho o Imperio de la Ley, correspondiente al proyecto global *Quality of Governance*[21] del Banco Mundial, a cargo de Robert Kauffman, que mide seis dimensiones del buen gobierno a nivel mundial. Una de ellas es la extensión del imperio de la ley. Este indicador de rendición de cuentas es útil porque mide si en ese Estado, el gobierno de las leyes está por sobre el gobierno de los hombres, o dicho de otra forma, si existe igualdad de ley, al ser su aplicación independiente a la identidad de quienes deben sujetarse a ella (Barreda, 2010).

---

[19] <http://www-management.wharton.upenn.edu/henisz/_vti_bin/shtml.dll/POLCON/ContactInfo.html>.

[20] <http://www.systemicpeace.org/polity/polity4.htm>.

[21] Por diversos motivos, se consideró inapropiado trabajar con los seis indicadores de *quality of governance*. El más importante es que los seis indicadores tienen índices de correlación superiores a 0.9 por lo que se supone están midiendo un mismo fenómeno, y por lo tanto no constituyen indicadores sólidos de cada uno de las seis dimensiones que pretenden medir: *Accountability*, Estado de derecho, calidad regulatoria, estabilidad política, efectividad del gobierno y corrupción. Para conocer más: <http://info.worldbank.org/governance/wgi/index.asp>.

Gráfica 2: *Los niveles de accountability horizontal en América Latina (1994-2010)*

Constricciones políticas y Estado de Derecho (1994-2008)

Fuente: Elaboración propia con base en Barreda (2010).

Lo que muestra la gráfica 2 es que efectivamente los países donde los poderes ejecutivos están más constreñidos en su accionar son los mejor posicionados mientras que aquellos con mayor capacidad para actuar de forma discrecional o arbitraria (pero también los menos capaces de establecer y hacer cumplir el imperio de la ley) son los que reciben una menor puntuación.

Ahora, si se combinan ambos componentes de la dimensión "ejercicio del poder" (responsividad y responsabilidad) se obtiene la siguiente pintura.

Tabla 5: *Calidad en el ejercicio del poder, o de la representación propiamente dicha*

País	Responsividad*	Responsabilidad**	Índice de calidad en el ejercicio del poder (Responsividad + Responsabilidad)
Chile	15.87	38.80	54.67
Uruguay	28.00	18.40	46.40
Costa Rica	14.47	26.40	40.87
Brasil	18.67	9.60	28.27

71

Tabla 5. (Continuación)

Bolivia	20.00	1.60	21.60
Panamá	14.33	6.80	21.13
Argentina	11.20	7.60	18.80
Nicaragua	17.20	0.80	18.00
Venezuela	25.93	-8.00	17.93
Ecuador	18.27	-4.40	13.87
El Salvador	16.73	-4.80	11.93
México	12.60	-1.60	11.00
Colombia	17.80	-7.60	10.20
Perú	9.40	-4.00	5.40
Paraguay	11.73	-7.20	4.53
Honduras	11.40	-10.00	1.40
Guatemala	13.87	-12.80	1.07

* El índice de responsividad se obtuvo calculando el promedio de ciudadanos que consideran que el gobierno representa los intereses del pueblo en el período 2004-2013, y dándole un peso de .6 en el índice de calidad en el ejercicio de poder (es decir multiplicando el promedio de cada país por .6)

** El índice de responsabilidad se obtuvo ponderando el promedio de los puntajes de los países del índice presentado en el gráfico 2, por .4, dado que se considera que en la medida que el poder está para ser ejercido, de manera de responder a las preferencias de los ciudadanos, el grado de control no puede ser tan restrictivo como para impedir dicho ejercicio.

Fuente: Cálculos propios a partir de www.latinobarometro.org y de Barreda (2010).

La pintura que presenta el índice de calidad en el ejercicio de la representación presenta algunas diferencias interesantes respecto del índice de calidad en el acceso al poder. En primer lugar, destaca el hecho de que países como Bolivia, Venezuela, Nicaragua y en menor medida Ecuador ubican lugares significativamente mejores, gracias a sus altos niveles de responsividad, de acuerdo con el testimonio de sus ciudadanos. En ese sentido, los países que se ven penalizados en esta medición son Paraguay y México que pasan de los lugares octavo y noveno al decimoquinto y duodécimo respectivamente. Entre las confirmaciones positivas, Chile, Uruguay y Costa Rica se mantienen al tope de la tabla, si bien invirtiendo sus lugares.

Tabla 6: *Las dimensiones de la calidad de la representación en América Latina*

Calidad de la representación política en América Latina			
País	**Calidad en el acceso**	**País**	**Calidad en el ejercicio**
Uruguay	46.30	Chile	54.67
Argentina	36.72	Uruguay	46.40
Costa Rica	36.50	Costa Rica	40.87
Panamá	36.31	Brasil	28.27
Chile	36.12	Bolivia	21.60
Bolivia	33.76	Panamá	21.13
Nicaragua	32.82	Argentina	18.80
Perú	32.39	Nicaragua	18.00
Brasil	32.04	Venezuela	17.93
Ecuador	31.97	Ecuador	13.87
El Salvador	30.43	El Salvador	11.93
Paraguay	29.38	México	11.00
Honduras	29.35	Colombia	10.20
Guatemala	27.34	Perú	5.40
México	25.58	Paraguay	4.53
Venezuela	23.36	Honduras	1.40
Colombia	15.42	Guatemala	1.07

Fuente: Cálculos propios.

La próxima y última gráfica despliega la ubicación de los países a lo largo de ambas dimensiones de la representación, tal y como fueron aquí presentadas: la calidad en el proceso de acceso al poder político, y la calidad en el ejercicio de dicho poder. De manera no sorpresiva, una serie de países que se encuentran al tope en los *rankings* de calidad de la democracia –Chile, Uruguay y Costa Rica– son aquí también los países mejor ubicados, con buenas calificaciones en ambas dimensiones.

Gráfica 3: *Calidad en el acceso y ejercicio del poder público en* AL

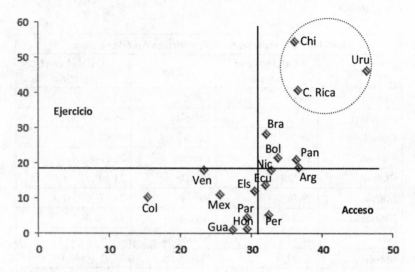

Fuente: Elaboración propia.

Dicho esto, lo más relevante de esta propuesta es que, con pocas excepciones, los países con altos niveles de calidad en el acceso al poder muestran un ejercicio del poder más responsable y responsivo. Una de las posibles paradojas de las que parecía partir este ejercicio no se verifica. En todos los casos, niveles significativos de calidad en la dimensión político electoral están asociados a niveles significativos de calidad en el ejercicio de la representación propiamente dicha, siendo tal vez Argentina y Panamá los dos casos limítrofes de esta afirmación. Digámoslo sin temor, en América Latina las democracias más cercanas a la poliarquía son a su vez democracias cuyos gobiernos tienden a ser más responsivos y a estar más controlados frente a los abusos de poder.

Lo que es más probable, quizá sea lo contrario. Es decir, países que por lo general están en el fondo de la escala "institucional", mejoran su situación al incorporar la dimensión de "ejercicio de la representación", destacando entre ellos el caso de Bolivia y Nicaragua, y en menor medida de Ecuador y Venezuela, países que buena parte de la literatura caracteriza como regímenes populistas.

Finalmente, y como elementos a considerar, encontramos que:

1) Algunos países que tradicionalmente califican de mejor manera cuando solo se analizan ciertas dimensiones de la calidad de las reglas y procesos que permiten el acceso al poder, se vean penalizados cuando ponderamos la competencia y la participación electoral, pero especialmente cuando incorporamos la dimensión de ejercicio del poder político. Allí sus déficits de responsividad y responsabilidad gubernamental tienden a penalizarlos de forma significativamente. Colombia y México en especial, son a la luz de los resultados, los países más afectados por esta estrategia de medición;

2) Hay países cuyos paupérrimos puntajes en ambas dimensiones hacen parecer difícil un cambio significativo a corto plazo. Guatemala, Honduras, Paraguay conforman este grupo (junto con los ya mencionados Colombia y México) de democracias de baja calidad representativa, tanto en términos del acceso como del ejercicio del poder.

3) Brasil parece "meterse" cada vez de forma más inequívoca en el grupo de democracias "consolidadas", tanto por sus niveles de poliarquía como por la capacidad de los gobiernos para detonar políticas orientadas a lo público. En tal sentido, la actual coyuntura crítica que vive el gobierno de la presidenta Dilma Roussef constituye un desafío mayúsculo, de cuya solución quizás dependa el que Brasil se consolide como una democracia representativa en el más amplio sentido de la palabra.

Conclusiones

El análisis aquí presentado parece confirmar que evaluar la calidad del proceso representativo a través del análisis de sus dos dimensiones constitutivas, el acceso *al* y el ejercicio *del* poder por parte de los representantes, es una estrategia fructífera tanto para confirmar realidades una y otra vez verificadas como para echar luz sobre posibles paradojas no siempre bien explicadas por la literatura especializada. En tal sentido, vale la pena recuperar la propuesta de Pitkin (1985), según la cual si la representación democrática es un arreglo institucional destinado a traducir los intereses sociales en decisiones de gobierno, la calidad de la representación puede observarse al analizar en qué medida la representación como proceso amplio (de acceso al y ejercicio del poder) contribuye a estos resultados.

De todas formas, muchos de los retos teóricos y metodológicos aún persisten. ¿Cómo hacer para evaluar la capacidad de ejercicio de la representación de los sistemas políticas a partir de datos duros, y de procesos menos dependientes de los titulares de los poderes ejecutivos? ¿Cómo incorporar a este análisis las realidades político institucionales en los ámbitos subnacionales, sin considerarlas necesariamente un objeto de estudio cualitativamente diferente al de la política nacional? ¿Cómo desarrollar o adaptar categorías conceptuales que puedan navegar transversalmente en distintas formas de estado y niveles de gobierno, sin afectar el proceso mismo de medición, y por tanto la validez de los resultados? ¿Qué tipo de impacto tienen estos resultados sobre las actitudes de los ciudadanos latinoamericanos en torno a la democracia, su legitimidad y funcionamiento?

Como corolario del análisis, es posible afirmar que en términos institucionales, la calidad de la representación aumenta cuando las reglas de elección favorecen la igualdad de la competencia electoral así como un proceso de selección de representantes que refleje, lo más proporcionalmente posible, las cualidades, valores y preferencias presentes en la sociedad, a través de una competencia real y estable entre las alternativas políticas, cuya selección sea el resultado de una participación electoral masiva de la sociedad.

En segundo término, una representación de calidad exige también un determinado ejercicio de la representación, caracterizado principalmente por la legalidad y transparencia de los mecanismos de toma de decisiones así como por la orientación pública de las políticas que de aquellas se derivan. Finalmente, una mejor representación es más probable en presencia de instancias efectivas de control que obligan a los mandatarios, periódicamente, a rendir cuentas frente a sus mandantes.

En términos amplios, y a lo largo del ciclo de políticas públicas, *una representación de mayor calidad requiere que la ley pública sea efectiva y extendida al conjunto de la sociedad* (Przeworski y Maravall, 2003), *que votar sea más fácil, que los cargos de elección popular reflejen cabalmente las preferencias reveladas de los ciudadanos durante la elección, que las minorías tengan representación efectiva, que las políticas públicas aumenten los niveles de bienestar social, y que los representantes sean más accesibles y responsables frente a sus mandantes.*[22] Parafraseando a Madison, Hamilton y Jay (El Federalista #51):

Si los hombres fuesen ángeles, el gobierno no sería necesario. Si los ángeles gobernasen a los hombres, saldrían sobrando las contralorías externas e internas del Estado. Al organizar un gobierno que ha de ser administrado por hombres para los hombres, la gran dificultad estriba en esto: primeramente hay que capacitar al gobierno para mandar sobre los gobernados y luego obligarlo a que se controle a sí mismo. El hecho de depender del pueblo es sin duda alguna el freno primordial indispensable, pero la experiencia ha demostrado que se necesitan precauciones auxiliares.

Bibliografía

Accarino, Bruno, 2003, *Representación: Léxico de la política,* Buenos Aires, Nueva Visión.

Alcántara Sáez, Manuel, 2010,"Calidad de la democracia y retos de la política en América Latina", en Igor, Vivero Ávila, *Democracia y reformas políticas en México y América Latina*, México, Miguel Ángel Porrúa.

Aguilar Villanueva, Luis F., 2007, "Marco para el análisis de las políticas públicas", Conferencia pronunciada en el I Encuentro Presencial de la Maestría en Políticas Públicas Comparadas, enero de 2007, Flacso-México.

Altman, David y Aníbal Pérez Liñán, 2002, "Assesing the quality of Democracy: Freedom, Competitiveness and Participation in Eighteen Latin American Countries", *Democratization*, 9(2), pp. 85-100, Londres, Frank Cass.

Arrow, Kenneth J., 1951, "Alternative approaches to the theory of choice in risk-taking situations", *Econométrica*, núm. 19, pp. 404-437.

---

[22] Es posible suponer que una democracia que garantice estas condiciones generará gobiernos cuyas políticas públicas sean representativas del votante mediano, más allá de los niveles previos de desigualdad social.

Barreda, Mikel, 2010, "Accountability y calidad de la democracia en América Latina: un análisis comparado", trabajo presentado en el Congreso 2010 de la Asociación de Estudios Latinoamericanos, Toronto, del 6 al 9 de octubre de 2010.

Black, Duncan, 1948, "On the Rationale of Group Decision-making", *Journal of Political Economy*, núm. 56, pp. 23-34.

_____, 1958, *The Theory of Committees and Elections*, Cambridge, Cambridge University Press.

Boix, Carles y Adserà A., 2004, "Are you being served?", mimeo.

Borman, Nils y Matt Golder, 2013, "Democratic electoral systems around the world (1946-2011)", *Electoral Studies*.

Bovero, Michelangelo, 2002, *Una gramática de la democracia contra el gobierno de los peores*, Madrid, Trotta.

Buchanan, James y Gordon Tullock, 1980, *El cálculo del consenso*, Madrid, Espasa-Calpe.

Cheresky, Isidoro e Inés Pousadela (comps.), 1999, *Política e instituciones en las nuevas democracias latinoamericanas*, Buenos Aires, Paidós.

Cingranelli, David, David L. Richards y K. Chad Clay, 2014, The CIRI Human Rights Dataset <http://www.humanrightsdata.com>. Versión 04.14.2014.

Congleton, Roger D., 2002, *Policy interests as a source of public agency problems: Some evidence from international environmental treaties*, Working paper. Center for Study of Public Choice, George Mason University.

Coppedge, Michel, 1999, "Thickening Thin Concepts and Theories: Combining Large N and Small in Comparative Politics", *Comparative politics*, 31 (4), pp. 465-76.

Dahl, Robert, 1999, *La democracia y sus críticos*, Madrid, Paidós Ibérica.

Dalton, Russell, 2005, *Citizen Politics*, CQ Press.

Downs, Anthony, 1957, *An Economic Theory of Democracy*, Nueva York, Harper.

Gargarella, Roberto, 2002, *Crisis de representación política*, México, Fontamara, 1ra. Reimp.

Gibbard, Allan, 1973, "Manipulation of Voting Schemes: A General Result (1973)", *Econométrica*, 41, pp. 587-601.

Haggard, Stephan y Robert Kauffman (comps.), 1992, *The Politics of Economic Adjustment*, Princeton, Princeton University Press.

_____, 1995, *The Political Economy of Democratic Transition*, Princeton, Princeton University Press.

Hamilton, Alexander, James Madison y John Jay, 2001, *El Federalista*, México, Fondo de Cultura Económica. Disponible en <http://www.historiayderecho.com.ar/constitucional/hamilton_madison%20el%20federalista.pdf>.

Hernández, Mara, José del Tronco y Gabriela Sánchez (eds.), *Un congreso sin mayorías: Mejores prácticas de negociación y construcción de acuerdos*, México, Flacso.

IDEA International, 2016, disponible en <http://www.idea.int/vt/countryview.cfm?id=236>. Consulta: 7 de febrero de 2016.

Levine, David y José Enrique Molina, 2007, "La calidad de la democracia en América Latina: una visión comparada", *América Latina Hoy*, núm. 45, pp. 17-46.

Lijphart, Arend, 2000, *Modelos de democracia*, Barcelona, Ariel.

Manin, Bernard, 1998, *Los principios del gobierno representativo*, Madrid, Alianza.

Martínez, María Antonia, 2004, "La representación política y la calidad de la democracia", *Revista Mexicana de Sociología*, año 66, núm. 4, octubre-diciembre de 2004, México, pp. 661-710.

Mainwaring, Scott y Aníbal Pérez Liñán, 2008, *Regime legacies and democratization: explaining variance in the level of democracy in Latin America, 1978-2004*, disponible en <http://kellog.nd.edu/publications/workingpapers/WPS/354.pdf>. Consulta: 26 de abril de 2013.

Mazzuca, Sebastián, 2007, "Reconceptualizing democratization: access to power versus exercise of power", en Gerardo Munck, *Regimes and Democracy in Latin America: Theories and Methods*, Nueva York, Oxford University Press.

Moreno, E., B. Crisp y Matthew Shugart, 2003, "The accountability deficit in Latin America", en *Democratic Accountability in Latin America*, Oxford, Oxford University Press.

Norris, P., 1999, *Critical Citizens*, Cambridge, Cambridge.

O'Donnell, Guillermo, 2003, "Horizontal Accountability: The Legal Institutionalization of Mistrust", en Scott Mainwaring y Christopher Welna (eds.) *Democratic Accountability in Latin America*, Nueva York, Oxford University Press.

O'Donnell, Guillermo, Jorge Vargas Cullel, y Osvaldo Iazzetta (eds.), 2004, *The Quality of Democracy: Theory and Applications*, Notre Dame, Notre Dame University Press.

Payne, Mark y otros, 2003, *La política importa*, Washington, Banco Interamericano de Desarrollo.

Peruzzotti, Enrique y Catalina Smulovitz (eds.), 2002, *Controlando la política: ciudadanos y medios en las nuevas democracias latinoamericanas*, Buenos Aires, Tema Grupo Editorial.

Pitkin, Hannah, 1985, *El concepto de representación*, Madrid, Centro de Estudios Constitucionales.

_____, 2004, "Representation and democracy: Un uneasy alliance", *Scandinavian Political Studies*, vol. 27, núm. 3.

PNUD, 2008 *Democracia, Estado, ciudadanía. Hacia un Estado de y para la democracia en América Latina*, vol. II, Lima, Programa de Naciones Unidas para el Desarrollo.

Powell, Bingham G. Jr., 2004, "Calidad de la democracia: reciprocidad y responsabilidad", en César Cansino e Isabel Covarrubias, *Por una democracia de calidad*, México, CEPCOM.

Przeworski, Adam, 1999, *Democracia y mercado*, Cambridge, Cambridge University Press,

Przeworski, Adam y José María Maravall (comps.), 2003, *Democracy and the Rule of Law*, Cambridge, Cambridge University Press.

Rehefeld, Andrew, 2006, "Trustees, Delegates and Gyroscopes: Democratic Justice and the Ethics of Political Representation", presentado en el Annual Meeting of the American Political Science Association, 30 de agosto-3 de septiembre de 2006.

Riker, William 1982, *Liberalism Against Populism: A Confrontation Between the Theory of Democracy and the Theory of Social Choice*, San Francisco, WH Freeman.

Romero, Vidal, Pablo Parás y Elizabeth Zechmeister, 2015, *Cultura política de la democracia en México y en las Américas*, México, ITAM.

Schedler, Andreas, 2007, "¿Qué es la rendición de cuentas?", México, Instituto Federal de Acceso a la Información, *Cuadernos de Transparencia* núm. 3. En Amartya y Prasanta Pattanaik, 1969, "Necessary and sufficient conditions for rational choice under majority decision", *Journal of Economic Theory*, núm. 1.

Shumpeter, Joseph, 1983, *Capitalismo, socialismo y democracia*, Madrid, Espasa.

Stanford Encyclopedia of Philosophy, 2006, *Political Representation*, documento electrónico, disponible en <http://plato.stanford.edu/entries/political-representation/>.

Stein, Ernesto *y otros,* 2006, *La política de las políticas públicas*, Washington DC. Banco Interamericano de Desarrollo.

Stokes, Susan, 2001, *Mandates and Democracy: Neoliberalism by surprise in Latin America*, Cambridge, Cambridge University Press.

Stokes, Susan, Bernard Manin y Adam Przeworski, 1999, *Mandates, Accountability and Representation*, Cambridge, Cambridge University Press.

Torcal, Mariano y José Ramón Montero, 2006, "Political disaffection in comparative perspective", en Mariano Torcal y José Ramón Montero, *Political Disaffection in Contemporary Democracies*, Londres, Routledge.

Zovatto, Daniel, 2010, "La reforma político electoral en América Latina 1978-2007: Evolución, situación actual, tendencias y efectos", en Igor Vivero Ávila, *Democracia y reformas políticas en México y América Latina*, México, Miguel Ángel Porrúa.

DESARROLLO, SEGURIDAD Y DERECHOS HUMANOS. LA REINVENCIÓN DESDE LOS INVISIBLES*

Pablo Emilio Angarita Cañas

In memóriam de los 43 estudiantes de Ayotzinapa

Introducción

El propósito de este artículo es invitar a repensar el sentido que adquieren estos tres conceptos: derechos humanos, desarrollo humano y seguridad humana, a la luz de los nuevos paradigmas contemporáneos, surgidos de los cuestionamientos que se vienen haciendo a los fundamentos del pensamiento moderno basados en una concepción antropocéntrica, cuyos trágicos resultados en el actual contexto de globalización neoliberal evidencian una crisis en los diversos campos del saber y el hacer humanos, en particular en la relación entre los seres humanos y los demás seres de la naturaleza que habitamos este planeta, así como en la esfera de la política.

* Este texto, con correcciones de contenido y forma, corresponde a la conferencia central expuesta en la 2ª Bienal Internacional Territorios en Movimiento. Cambio y dinámicas emergentes en América Latina: Ciudadanía, gobernabilidad y desarrollo local. Universidad de Guanajuato, *campus* León. Realizada en la ciudad de León, Guanajuato, División de Ciencias Sociales y Humanidades del 25 al 28 de noviembre de 2014. El artículo contiene resultados parciales del proyecto de investigación "Metodologías para la construcción de agendas de seguridad a nivel comunitario en Medellín", ejecutado por un equipo conformado por Natalia Cardona, Carolina Sánchez, Temis Angarita y Juan Esteban Jaramillo, coordinado por el autor y que contó con el apoyo del Comité para el Desarrollo de la Investigación CODI (Universidad de Antioquia) y la Corporación Universitaria Remington.

Con el avance del capitalismo en la segunda posguerra europea del siglo XX, las categorías desarrollo, derechos humanos y seguridad adquirieron especial relevancia, las cuales con el devenir de los años y la emergencia de nuevos conflictos continuaron evolucionando en su contenido teórico y en su aplicación práctica.

Derechos humanos

En esta tríada categorial –que responde al título de esta exposición– cronológicamente podríamos situar en primer lugar a los derechos humanos, que en sus inicios históricos representaron la lucha de la burguesía por reivindicar sus derechos civiles y políticos en el contexto de finales de la edad media y en los albores del modo de producción capitalista. Se trató de la reivindicación de las libertades individuales bajo las ideas de la Ilustración y de la mano del pensamiento kantiano que pregonaban al ser humano como fin en sí mismo.

La concepción epistemológica antropocéntrica es anunciada de modo prematuro en la antigua Grecia con la sentencia de Protágoras de Abdera (siglo V a. de C.) *Homo omnium rerum mesura est* (el hombre es la medida de todas las cosas), cuya realización sólo se logra en el renacimiento y en el posterior desarrollo de la ciencia que le quita el poder hegemónico a la religión. Siendo la burguesía la clase económicamente emergente, contra el despotismo feudal demandó la "igualdad de todos frente a la ley" (Rousseau) y por medio de las luchas revolucionarias durante los siglos XVI, XVII y XVIII logró conquistar los derechos políticos, base fundamental para la construcción de los modernos Estado-nación que conocemos hasta el día de hoy.

El asunto del desarrollo

Por el camino de las ciencias aplicadas al desarrollo de las fuerzas productivas y del mercado se impuso la idea del progreso, y aparejado a éste adquirieron singular importancia los asuntos del desarrollo que particularmente en el siglo XX logra un inusitado auge, asumiendo desde diversos apelativos (entre otros "a escala humana", "alternativo") hasta llegar al desarrollo humano que aunque tiene su propia historia se fue ligando al de seguridad humana, la cual a partir de la década de 1990 se intenta llenar de contenidos teóricos.

Desde la "Carta del Atlántico Norte",[1] firmada en agosto de 1941 entre el presidente Franklin D. Roosevelt de Estados Unidos y el primer ministro de Reino Unido Winston Churchill, después ratificada por otros Estados, se evidenciaban los estrechos nexos entre progreso y paz. En esta carta los mandatarios establecen unos principios básicos en los que llaman al mundo a respetar las obligaciones existentes para tener "acceso a condiciones de igualdad al comercio y a las materias primas mundiales que son necesarias para su prosperidad económica". Asimismo, consideran la libertad de comercio de todas las naciones grandes o pequeñas como una necesidad para "asegurar a todos las mejores condiciones de trabajo, el progreso económico y la protección social".

Al fin de la Segunda Guerra Mundial, el presidente de Estados Unidos, Harry Truman, en su discurso inaugural el 20 de enero de 1949, emplea por primera vez la diferenciación entre países desarrollados y subdesarrollados, de lo cual se deriva una política que con el correr de los años se fue llenando de fundamentos teóricos. En el discurso de Truman, también conocido como "el cuarto punto", expresó:

Tenemos que embarcarnos en un programa nuevo y audaz para que nuestros avances científicos y nuestro progreso industrial estén a disposición de la mejora y el crecimiento de las áreas subdesarrolladas. Más de la mitad de la población mundial vive en condiciones próximas a la miseria... Por primera vez en su historia la humanidad posee el conocimiento y la capacidad suficientes para aliviar el sufrimiento de esta gente...[2]

---

[1] Véase historia de la ONU en <http://www.un.org/es/aboutun/history/atlantic_charter. shtml>.

[2] La versión original dice: "Fourth, we must embark on a bold new program for making the benefits of our scientific advances and industrial progress available for the improvement and growth of underdeveloped areas. More than half the people of the world are living in conditions approaching misery. Their food is inadequate. They are victims of disease. Their economic life is primitive and stagnant. Their poverty is a handicap and a threat both to them and to more prosperous areas. For the first time in history, humanity possesses the knowledge and the skill to relieve the suffering of these people". First Inaugural Address (January 20, 1949). <http://adeptushispanustranscriptorum.blogspot. com/2014/08/primer-discurso-inaugural-de-harry-s.html>

El discurso de Truman se convirtió en el referente a partir del cual el mundo político y académico hizo la clasificación, inicialmente entre países desarrollados y subdesarrollados, que con el paso del tiempo se extendió en una taxonomía que diferenciaba los altamente desarrollados, de los en vía de desarrollo y de los directamente subdesarrollados. Toda esta clasificación estaba construida sobre la base de tener como modelo de sociedad y de crecimiento las relaciones económico-sociales construidas en Estados Unidos. El mensaje era claro: todos los países si querían salir del atraso deberían seguir por el sendero y el ejemplo trazado por Estados Unidos, además, esta potencia estaba dispuesta mediante inversiones económicas y programas de estudio, a facilitarle a los países no desarrollados los mecanismos para salir de esa penosa situación.

Con base en esta política, en Estados Unidos y en otros países desarrollados se crean agencias gubernamentales con el propósito de "contribuir" al desarrollo de los países atrasados. Así es como en Estados Unidos se forma la célebre AID (Agencia Internacional para el Desarrollo), actualmente conocida como USAID (Agencia de Estados Unidos para el Desarrollo Internacional), cuyo propósito es "ayudar" a los países a salir de su atraso y encauzarlos para que lleguen a ser desarrollados siguiendo el modelo de los "donantes".

No obstante, la generosidad de los países del norte o precisamente gracias a ello, la experiencia práctica mostró que las diferencias existentes en la década de 1940, entre países desarrollados y los llamados subdesarrollados, era de 1 a 6, y veinte años más tarde, gracias a esa ayuda con inversiones en ciencia y tecnología que facilitó la extracción de recursos naturales como el petróleo, acompañado de la construcción de infraestructura (vías, carreteras), se logró imponer una ideología del desarrollo cuyo resultado en términos económicos fue el ensanchamiento de la brecha entre los países del norte, incrementándose de 1 a 20. Y luego, con el paso del tiempo, finalizado el siglo XX, la distancia entre los países llamados desarrollados y los países no desarrollados continuó incrementándose en una competencia asimétrica sin fin.

En consecuencia las diversas reflexiones críticas de expertos han demostrado la imposibilidad económica para que los países no desarrollados, siguiendo el modelo propuesto desde el norte, algún día alcancen su nivel de crecimiento. En el *Diccionario del desarrollo* se plantea el siguiente cálculo:

Suponiendo que la tasa de crecimiento en el Informe del Desarrollo Mundial permanezca invariable, podemos calcular que los países pobres alcanzarían el nivel de ingresos de 1986 de los países ricos, en 127 años. Ellos alcanzarían a los países ricos en medio milenio, 497 años para ser precisos. El ingreso mundial promedio *per capita* en ese momento sería de 1.049 miles de millones [de dólares]. Aun si asumiéramos lo imposible, una tasa de crecimiento sostenido para todos los países pobres de 5%, ellos podrían alcanzar a los países ricos en 149 años, con un promedio de ingresos *per capita* de poco menos de [US]$400.000 por año. En realidad, la tasa de crecimiento para estos países, excluyendo a India y China, es de sólo 0.5%. Claramente, los países pobres nunca alcanzarán a los ricos (Sachs, 1996: 102).

Así este modelo impulsado desde los países del centro –denominado desarrollista– tenía por eje el crecimiento económico, siguiendo la lógica del capital y desconociendo las múltiples formas de satisfacción de las necesidades que a lo largo de la historia habían construido pueblos y naciones en los diversos lugares del planeta y que, ahora bajo esta política, se pretendía suprimir y uniformar. El impacto de este modelo trascendió lo estrictamente económico y tuvo consecuencias allende el crecimiento. Por ejemplo, el sistema educativo intentó ser acondicionado a los requerimientos y a los pautas establecidss desde Estados Unidos.

Asimismo aprovechando las becas ofrecidas por el gobierno de Estados Unidos y fundaciones privadas como la Kellogg, Rockefeller, Ford y otras, jóvenes cerebros provenientes de países latinoamericanos se prepararon en universidades norteamericanas, en donde aprendieron sus avances en ciencia y tecnología, pero al regresar a sus países con la intención de aplicar esos conocimientos, sin embargo, en no pocos casos vieron frustrados sus esfuerzos, pues como ocurrió con destacados médicos al trabajar en lugares desprovistos de condiciones básicas de tecnología y de aparatos con los cuales se habían capacitado, sus conocimientos tendían a volverse inútiles.

Adicionalmente, en países como los ubicados en la zona tórrida, se presentaban enfermedades tropicales desconocidas en el norte, y casos como diarreas crónicas originadas más por insuficiencias de higiene y alimentación como lo demostraron estudios epidemiológicos, los tratamientos médicos además de costosos resultaban ineficientes. Situaciones similares vivieron ingenieros y profesionales de las ciencias sociales.

La seguridad

Finalizada la Segunda Guerra Mundial, persiste el temor a que se reproduzcan nuevas conflagraciones y la necesidad de prevenirlas. En ese contexto, la paz y la seguridad se convierten en dos objetivos fundamentales de las grandes potencias. Cuando Estados Unidos firmó la carta de las Naciones Unidas en 1945, en el discurso del entonces Secretario de Estado, Edward R. Stettinius, identificó la seguridad con dos componentes fundamentales, estrechamente ligados entre sí:

> La batalla por la paz debe ser librada en dos frentes. El primer frente es el de la seguridad, en el cual vencer significa conquistar la libertad para vivir sin temor, y el segundo es el frente económico y social, en el cual la victoria significa conquistar libertad para vivir sin miseria. Sólo la victoria en ambos frentes puede asegurarle al mundo una paz duradera (PNUD, 2005: 13).

Aún no había cesado la conmoción por los horrores de la guerra cuando se declara la Guerra fría, en la que se desata una fuerte campaña política y económica dentro y fuera de Estados Unidos, en contra de la llamada "amenaza comunista", en la que se ligan los objetivos del desarrollo con la seguridad y la paz. El presidente Truman concibe la importancia de invertir en la promoción del desarrollo en los países pobres como parte de una cruzada anticomunista, con la cual buscaba prevenir que estas naciones fuesen seducidas por las ideas comunistas provenientes de la órbita soviética:

> En la consecución de estos objetivos, Estados Unidos y otras naciones con ideas afines se encuentran directamente opuestos a un régimen con objetivos contrarios y un concepto totalmente diferente de la vida. Ese régimen se adhiere a una falsa filosofía que pretende ofrecer la libertad,

la seguridad y una mayor oportunidad para la humanidad. Engañados por esta filosofía, muchos pueblos han sacrificado sus libertades sólo para aprender a su pesar de que el engaño y la burla, la pobreza y la tiranía, son su recompensa. Esa filosofía falsa es el comunismo (Truman, 1949).[3]

La experiencia de la Guerra fría y los años posteriores, evidenció que las potencias occidentales, pese a los discursos iniciales que concebían la seguridad en su doble componente político y económico, llevados por la dinámica de confrontación países capitalistas/socialistas terminaron de reducir la seguridad a una estrecha visión política que toma en consideración sólo la defensa militar de sus Estados. No obstante, ya desde el mencionado discurso de Stettinius se encontraban las diferentes dimensiones de lo que décadas más tarde se va a conocer como seguridad humana.

En las décadas recientes, con la instauración de la globalización neoliberal que generalizó la exclusión social de millones de seres en el mundo, convertidos en amenaza para el propio sistema, se volvió una necesidad fortalecer los aparatos coercitivos del Estado que resultaron insuficientes para controlar las masas de insubordinados que se levantan por doquier a exigir derechos y no siempre de manera pacífica como se esperaría en un Estado de derecho.

Hemos llegado a una aldea global caracterizada por una sociedad militarizada donde opera la libertad pero del mercado y todo funciona en la lógica y al servicio del mercado, para cuyo funcionamiento se requiere de altísimas medidas de seguridad, porque como consecuencia de este modelo millones de seres humanos desplazados de las posibilidades de acceso al propio mercado, quedan marginados de sus ventajas y de sus ofertas, lo cual termina por convertirse en un factor de alta inseguridad, manifestado en expresiones violentas de atentados a la propiedad privada y a la vida humana, son atraídos por acti-

---

[3] "In the pursuit of these aims, the United States and other like-minded nations find themselves directly opposed by a regime with contrary aims and a totally different concept of life. That regime adheres to a false philosophy which purports to offer freedom, security, and greater opportunity to mankind. Misled by this philosophy, many peoples have sacrificed their liberties only to learn to their sorrow that deceit and mockery, poverty and tyranny, are their reward. That false philosophy is communism".

vidades criminales que les ofrecen las oportunidades que les niega el Estado y la sociedad.

Para la década de 1980, ya era claro que las teorías del desarrollo en sus diversas variantes habían entrado en crisis, pues ese modelo de desarrollo atado a la lógica del capital pretendía arrasar con todas las tradiciones económicas y culturales en su afán de generalizar la economía de mercado y abolir la pervivencia de múltiples formas ancestrales de producción y consumo, como se vio reflejado en asuntos tan sensibles como la coca y otros sustancias psicotrópicas. Por ejemplo, en los países de la región andina, donde para varias culturas indígenas la coca hace parte de sus tradiciones milenarias de consumo, además de valor energético está ligado a prácticas sociales y religiosas, distantes de la mercancía llamada cocaína y sus derivados que responden a la lógica de acumulación de ganancias, aparte de los graves daños a la salud ocasionados por las alteraciones sufridas en el circuito de mercantilización y consumo, de ahí que los indígenas productores de coca insistan en que la coca se diferencia de la cocaína, al mantener una relación similar a la existente entre la uva y el vino.

Otras formas de desarrollo

Frente a la debacle teórica y política del desarrollo, empezaron a emerger otras formas de mirar el desarrollismo, el crecimiento y el denominado progreso. Simultáneo al consenso de Washington, que aplicó el conocido modelo neoliberal, varias críticas contenían alternativas al desarrollismo. A finales del siglo XX, la CEPAL propuso un modelo de medición basado en las llamadas Necesidades Básicas Insatisfechas (NBI). Años más tarde aparece la propuesta del chileno Manfred Max Neef, del desarrollo "a escala humana" (1993), con valiosas críticas al modelo tradicional de desarrollo, centrado en el crecimiento.

La propuesta de Max Neef parte de una visión humano-céntrica que toma en consideración las necesidades básicas de las personas y desde allí construye un complejo sistema de indicadores para comparar el desarrollo de los distintos países, medidos no desde la lógica del crecimiento del PIB (producto interno bruto) sino desde las posibilidades de satisfacer las necesidad básicas, de lo cual proponen medir el desarrollo a partir de un conjunto de satisfactores de necesidades concretada en un Desarrollo a Escala Humana, dado que satisfacer las necesidades humanas, "exige un nuevo modo de interpretar la realidad. Nos obliga a ver y a evaluar el mundo, las personas y sus procesos, de una manera distinta a la convencional. Del mismo modo, una teoría de las necesidades humanas para el desarrollo, debe entenderse justamente en esos términos: como una teoría para el desarrollo" (Max Neef, 1993: 16).

El autor chileno invita a repensar el desarrollo desde un examen holístico en el que se mira cómo se concentra y sustenta la satisfacción de las necesidades humanas fundamentales, la generación de niveles crecientes de autodependencia y la articulación orgánica de seres humanos con la naturaleza y la tecnología, de procesos globales con comportamientos locales, de lo personal con lo social, de la planificación con la autonomía y de la sociedad civil con el Estado (Max-Neef, 1993).

En la década de 1990, por iniciativa del Programa de Naciones Unidas para el Desarrollo, en una comisión encabezada por el profesor Amartya Sen, se emite la propuesta de desarrollo humano estrechamente ligada a la seguridad humana (PNUD, 1994). El profesor Sen plantea garantizar el ambiente necesario para que personas y grupos humanos puedan desarrollar sus potencialidades y así llevar una vida creativa y productiva conforme con sus necesidades e intereses.

Las propuestas críticas al modelo tradicional de desarrollo, con sus diversos matices, unas más novedosas y críticas que otras, sin desconocer las buenas intenciones que las animan, incluidas las motivadas por el deseo de disminuir la pobreza en el mundo y la injusticia social, no obstante, todas ellas tienen en común el basarse en una *concepción antropocéntrica*, apuesta epistémica heredada del pensamiento moderno, que en crítica a la hegemonía religiosa, tomó como centro al ser humano poniéndole la misión de dominar el mundo y la naturaleza a través del desarrollo de la ciencia y la tecnología.

Esta manera de comprender el mundo y las relaciones sociales, vista retrospectivamente puede considerarse un avance ante las ideas oscurantistas del mundo medieval o frente al desarrollismo que guió la lógica del capitalismo temprano y maduro, pero en la actualidad a la luz de la experiencia vivida por los desastres ecológicos y el florecimiento epistémico de pueblos aborígenes que claman por una urgente revisión de los postulados del desarrollo, embisten críticamente a ponerle freno a la destrucción del planeta y hacia la reconfiguración de la convivencia entre humanos y el resto de la naturaleza.

Otras miradas críticas al modelo de desarrollo emergen ya no desde los países del llamado Tercer Mundo, sino en el interior de los propios países desarrollados como ocurre en sociedades europeas y de Norteamérica, en donde, por distintas vías una de ellas el ambientalismo, llama la atención acerca de los exagerados niveles alcanzados por el crecimiento y el desarrollo en el mundo actual que ha conducido al agotamiento de la existencia del planeta. Los seguidores de estas opiniones señalan que de seguir por el camino de crecimiento desbordado que trae el mundo desarrollado, llegaremos rápido a una autodestrucción total.

Diversos estudios de ambientalistas calculan que en el supuesto de que en el planeta se lograse el ideal liberal desarrollista (cada persona con casa, carro, alimentación, vestuario y bienes suntuarios, etcétera), en ese hipotético caso en el que todos los seres humanos hubiésemos alcanzado la meta de satisfacer las necesidades biológicas, sociales y culturales, estaríamos en un punto en el que el nivel de desechos industriales (basuras de todo tipo) para su depósito requerirían contar con un equivalente de alrededor de tres planetas similares a la tierra. Es decir, nos encontraríamos en una situación invivible.

Es cierto que satisfacer las necesidades de todos los millones de seres humanos que actualmente habitamos la Tierra es un propósito que choca con la lógica racional del capital, guiado por el afán insaciable de acumulación de ganancias que produce asimetrías sociales insuperables. Frente a esta realidad, sobre todo en los países del norte, emergen propuestas críticas como la del *decrecimiento*, expresadas en una oposición a continuar con el camino del progreso iniciado en la modernidad y que se entendió como equiparable a más y más crecimiento. Esta perspectiva de "no al crecimiento", para quienes habitamos en el Tercer Mundo, puede parecernos algo exótico dado que en nuestros países estamos rodeados de inmensos sectores que viven en la miseria absoluta y que están lejos de tener resueltas sus necesidades básicas fundamentales. Sin embargo, la alternativa del *decrecimiento* vista a nivel planetario contiene profundos elementos críticos que invitan a la reflexión en lo micro, sobre el estilo de vida que cada uno de nosotros lleva, y en lo macrosocial al replanteamiento de las políticas que en materia de crecimiento y desarrollo económico orientan los Estados y las agencias internacionales.

La consigna de "no más crecimiento", expuesta por sectores críticos alternativos, con su idea de no más desarrollo dado que existe suficiente producción en el planeta y en nuestros países está acompañada a un llamado a hacer una adecuada redistribución de lo existente. Necesitamos proteger no sólo el ambiente sino el planeta en su conjunto y a los seres humanos, de ahí la urgencia de frenar el crecimiento o avanzar hacia un decrecimiento. "La consigna del decrecimiento tiene como meta, sobre todo, insistir fuertemente en abandonar el objetivo del crecimiento por el crecimiento [...] En todo rigor, convendría más hablar de 'acrecimiento', tal como hablamos de 'ateísmo'" (Latouche, 2011).

El decrecimiento es una corriente de pensamiento político, económico y social favorable a la disminución regular controlada de la producción económica con el objetivo de establecer una nueva relación de equilibrio entre el ser humano y la naturaleza, pero también entre los propios seres humanos. Se trata de un movimiento de grupos minoritarios de vanguardia que como suele ocurrir en la historia, es descalificado por la mayoría de la sociedad que en el mejor de los casos los considera idealistas, utópicos y otros calificativos, como ha ocurrido a lo largo de la historia, por ejemplo, con aquellos que en pleno auge de la monarquía defendieron ideas de igualdad y libertad.

Desde otras perspectivas, en otros lugares del planeta, pueblos aborígenes invisibilizados durante siglos, coinciden con buena parte de las críticas del movimiento del decrecimiento. Diversas comunidades indígenas desde su mirada epistémica formulan críticas al discurso de la modernidad y a lo que ha significado el desarrollo capitalista. Recordemos que bajo la concepción filosófica y política de la modernidad se le otorgó al ser humano la misión de dominar la naturaleza, a través de la ciencia y la tecnología, descubrir las leyes que rigen el universo para controlarlo y dominarlo.

Diversas cosmogonías de los pueblos aborígenes, en muchos lugares del mundo, coinciden en pensar al ser humano como parte integrante de la naturaleza en una relación biunívoca de parte y no como seres externos a ella. Por ejemplo los indígenas kogui o Kággabba, que habitan en la vertiente norte de la Sierra Nevada de Santa Marta (Colombia), valoran a la tierra como un ser viviente-la Gran Madre, de ahí que juzgan a los colonos que realizan actividades mineras, de construcción, etcétera, como seres que dañan el ambiente y por tanto enemigos de la tierra.[4] Los hermanos mayores ancestralmente habitan la sierra, son conocedores de los secretos de la Gran Madre con la misión de defenderla de los daños que le ocasionan los "hermanos menores", llamados así por tener un comportamiento similar al de los niños ignorantes que destruyen lo que tienen pese a recibir sus beneficios. La cosmovisión kogui –como toda cultura– es etnocéntrica, desde su misión proteccionista de la naturaleza derivan su rol de educar a las demás culturas en el respeto a la misma. Su etnocentrismo lejos está de pretensiones hegemónicas en tanto no buscan imponer por la fuerza su modelo cultural a otras sociedades.

En la misma sintonía de los kogui, encontramos en la cultura kechua la idea fuerza del *Sumak Kausay*, o buen vivir, el cual, en palabras del ecuatoriano Alberto Acosta, significa: "Oportunidad para construir otra sociedad sustentada en una convivencia ciudadana en diversidad y armonía con la Naturaleza, a partir del reconocimiento de los valores culturales existentes en el país y en el mundo" (Acosta, 2009). Intentando materializar esa idea, por primera vez en el mundo, un país como el Ecuador consagró en su Constitución política los derechos de la naturaleza (Plan Nacional de Desarrollo, 2009).

Decir que la naturaleza tiene derechos es un cambio de paradigma que se aleja radicalmente de la tradicional cultura jurídica de cuño positivista construida en el mundo occidental, pues hace difícil encuadrar esos nuevos derechos en el marco de los tradicionales derechos del sistema democrático liberal. No obstante, en medio de zigzagueantes luchas sociales lentamente abre paso esta nueva filosofía, acorde a un nuevo saber epistémico que concibe a los humanos como

---

[4] Los kogui conciben al mundo como dos pirámides sostenidas sobre una misma base. Internamente, lo conforman nueve mundos, cada uno con su propia tierra y sus propios habitantes. La Tierra está ubicada en el quinto piso. Hacia arriba los mundos están emparentados con la luz y hacia abajo están emparentados con la oscuridad. La sierra es considerada como un cuerpo humano, donde los picos nevados representan la cabeza; las lagunas de los páramos el corazón; los ríos y las quebradas las venas; las capas de tierra los músculos; y los pajonales el cabello. Con esa base toda la geografía de la sierra es un espacio sagrado (Fischer y Presus, 1989).

parte integrante de la naturaleza y no separados de ésta. Así con esta visión, al Ecuador se ha sumado el Estado boliviano.

Sin duda las consagraciones normativas de orden constitucional no necesariamente son indicador de su aplicación práctica, pero contribuyen a marcar derroteros que inciden en transformaciones culturales y sociales en la coyuntura histórica actual en que se debaten alternativas al modelo de desarrollo neoliberal, y se acentúan las demandas de los sectores que reclaman desde concepciones biocéntricas un nuevo estilo de vida, de convivencia social y de interacción con la naturaleza.

Una de las grandes preocupaciones de los líderes de los países triunfantes en la Segunda Guerra Mundial, era cómo prevenir que la humanidad volviese a vivir acontecimientos bélicos tan destructivos como los episodios recién concluidos. Precisamente, la "Carta de San Francisco", documento fundacional de las Naciones Unidas, recoge el espíritu antibelicista y los anhelos de paz y seguridad. En el mismo sentido, el ya mencionado discurso de Truman, reitera la necesidad de tener seguridad como un requisito para lograr la paz y el desarrollo.

Recordemos que, bajo el enfoque y los intereses de Estados Unidos, la seguridad propuesta se entendía como excluyente del nazi-fascismo, pero ante todo como una lucha contra el comunismo internacional, encarnado en la Unión Soviética y China. Truman expone el significado de la democracia defendida por Estados Unidos, en contraposición con los valores antidemocráticos agenciados por la doctrina comunista, que –según su presidente– alimentaba las confrontaciones bélicas. El dirigente norteamericano señala que más de la mitad de los seres humanos del planeta padecen la pobreza, la cual "es un obstáculo y una amenaza tanto para ellos como para las áreas más prósperas" (Truman, 1949), de ahí que sea necesaria la ayuda para el desarrollo.

Y al considerar el comunismo como una amenaza a la paz y la seguridad del mundo propone: "Además, vamos a ofrecer asesoramiento y equipo militar a las naciones libres que cooperen con nosotros en el mantenimiento de la paz y la seguridad" (Truman, 1949).[5] La política de Truman en América Latina se materializó con la creación del TIAR (Tratado Interamericano de Asistencia Recíproca), conocido como el Tratado de Río de Janeiro de 1947 y, posteriormente, en Eu-

---

[5] "In addition, we will provide military advice and equipment to free nations, which will cooperate with us in the maintenance of peace and security".

ropa occidental se concretó mediante el Tratado del Atlántico Norte (OTAN), firmada en Washington en 1949.

Desde la guerra fría, pasando por la caída del muro de Berlín hasta el final del siglo XX los discursos sobre la seguridad fueron predominantes en la política internacional y alimentaron el llamado conflicto Este-Oeste. Al terminar el siglo, se formularon los famosos Objetivos de Desarrollo del Milenio –ODM– en los que se plantean tres pilares fundamentales para la cooperación internacional: un comercio internacional justo, asistencia internacional para el desarrollo y lograr una verdadera seguridad a partir de acabar con los conflictos armados existentes y evitar nuevos conflictos (ONU, 2000).

En los ODM se resalta que 1,200 niños mueren cada hora por motivos de pobreza en el mundo, de ahí reiteran la importancia que los países altamente desarrollados destinen una parte de su PIB, en "ayuda para el desarrollo", lo cual se concretó en el compromiso de estos países de entregar por lo menos el 0.7 de su PIB. Cercanos a cumplir los 15 años de las metas del ODM, el balance es por demás, deplorable, pues ninguno de los países cumplió su compromiso.

En el documento de las metas del ODM se indica que desde 1990, existen menos conflictos armados y menos violencia en el mundo, pero la mayor parte de las violencias se dan en los países más pobres, y en los casos en que los conflictos internos logran acuerdos y pactos éstos rápidamente se incumplen llegando a reproducirse nuevos fenómenos de violencia. Por otro lado se retoma la idea de que una verdadera seguridad sólo es posible si se logra un comercio internacional justo y una ayuda al desarrollo, lo cual es una forma de prevención de los conflictos armados y de la violencia.

Una rápida retrospectiva a ideas filosófico políticas que han fundamentado los discursos y las prácticas de la seguridad las encontramos en los filósofos de la Ilustración, siendo Thomas Hobbes su principal exponente, para quien la razón de existencia de un Estado es garantizar la seguridad de los ciudadanos, de modo que si no logra ese objetivo, el Estado pierde legitimidad, es decir, desaparece su razón de ser, pues para Hobbes la seguridad es el bien fundamental que debe proveer todo Estado, de ahí que éste se funda en el momento en que los ciudadanos celebran dos pactos: el de asociación (*Pactum associationis*) y el de sujeción (*Pactum subjectionis*).

Con el primero, los individuos acuerdan asociarse y, simultáneamente, con el segundo pacto acuerdan renunciar a sus libertades individuales para someterse al soberano (*Leviatán*/Estado) con el fin de obtener su seguridad (Hobbes, 1993). El planteamiento de Hobbes resulta tautológico al señalar que la ley está hecha por el poder soberano y, por tanto, todo lo que éste hace se encuentra legitimado y es justo. Con el advenimiento de la modernidad y el desarrollo de las ideas democrático-liberales la tesis hobbesiana ha sido cuestionada, aunque sus ideas siguen siendo la base fundamental de las doctrinas conservadoras de todos los tiempos, como fue materializada en la Doctrina de la Seguridad Nacional (DNS), liderada por el Pentágono y en la política aplicada por el presidente norteamericano George Bush con motivo de los atentados del 11 de septiembre del 2001.

La independencia de los Estados Unidos de Norteamérica de 1776 y luego la Revolución francesa de 1789, ambas lideradas por la burguesía, tuvieron como banderas de lucha las ideas de libertad e igualdad, y principalmente la defensa de la seguridad y la propiedad. Esas cuatro ideas fueron consagradas normativamente en el artículo segundo de la *Declaración de los Derechos del Hombre y del Ciudadano* que los revolucionarios franceses consideran derechos fundamentales: igualdad, libertad, seguridad y propiedad. De los cuales, la propiedad y la seguridad los gobiernos han puesto todo su empeño en cumplir y en menor medida la libertad, ya que la bandera de la igualdad es una de las promesas incumplidas de la modernidad, al decir de filósofos como el alemán Jürgen Habermas (1988). La libertad que más ha interesado a la burguesía defender es la libertad del mercado, la libertad de los propietarios y la seguridad sobre su propiedad, las cuales quedaron consagradas en constituciones políticas y en los tratados de derechos humanos.

En estrecha relación con las políticas actuales de seguridad está la tesis que hunde sus raíces en la teoría de Carl Schmitt de amigo/enemigo, la cual diferencia los enemigos políticos de los enemigos absolutos. Los primeros, en tanto adversarios políticos son enemigos legítimos, susceptibles de ser derrotados en el terreno de la política, mediante procesos electorales en los que se definen ganadores y perdedores en el acceso al poder, mientras que frente a los enemigos absolutos sólo cabe la guerra (Schmitt, 1991).

Siguiendo las tesis de Schmitt, el jurista alemán Günther Jakobs en el presente siglo diferencia dos tipos de individuos en la sociedad, aquellos que son ciudadanos (personas) y otros valorados enemigos de la sociedad. Para los ciudadanos que infringen la ley cabe aplicarles el Código Penal, pues son susceptibles de reincorporarse a la sociedad, mientras para aquellos individuos declarados enemigos de la sociedad –los terroristas, por ejemplo–, no deberían ser tratados como ciudadanos y frente a ellos es pertinente su eliminación (Jakobs, 2003). De esa manera, sin expresarlo abiertamente, la tesis del profesor Jakobs conduce a construir dos tipos de individuos: los "personas" y los "no personas" o "cuasi-humanos". Críticos de Jakobs, como el español Manuel Cancio Meliá (Jakobs, 2003), ha señalado el riesgo totalitario que conlleva su teoría, además que a la hora de aplicarse no es claro quién establece esa diferenciación de ciudadano y enemigo.

En el mundo actual hemos visto la aplicación práctica de estas teorías, tal ocurrió con los prisioneros acusados de los atentados del 11 de septiembre de 2001 (Guantánamo, Abu Ghraib y otras), cuyo trato les negaba siquiera la condición de combatientes o prisioneros de guerra, consagrada en las normas del derecho de la guerra o derecho internacional humanitario. La tesis del derecho penal de enemigo expresada por el profesor Jakobs, infortunadamente coincide con el pensamiento de cierta gente que en América Latina y en el mundo estiman inútil que el Estado invierta en meter a la cárcel a delincuentes que nunca se van a resocializar, pues según ellos, su vida siempre será delinquir siendo la única solución eliminarlos, ya que "no merecen vivir".

Con esta forma de razonar de algunas personas –que se valoran "gente de bien"–, creen encontrar así la solución a su indignación frente a la problemática social que cada día se incrementa en nuestros países. Estas acciones son *fascismo social*, como lo denomina el profesor lusitano Boaventura de Sousa Santos (2006), para quien ese tipo de fascismo, a diferencia del fascismo ordinario vivido en Europa, se caracteriza por ser promovido más que desde el Estado desde la sociedad que empieza a proponer la eliminación de todos los que piensa indeseables, primero los "terroristas", luego serán los inmigrantes, los opositores, los diferentes y así continuará la lista a discreción del poder de turno.

¿Quién define la frontera entre un opositor político que apela inclusive a la violencia y un terrorista? Y ¿Qué pasa cuando el terrorismo es ejercido desde el propio Estado? En América Latina durante las décadas de los años sesenta y setenta del siglo XX, en buena medida se aplicó esa teoría, encarnada en la Doctrina de la Seguridad Nacional, de la cual desde el Pentágono se promovieron dictaduras en el cono sur del continente, con la trágica consecuencia de desaparecidos, asesinatos, prisioneros políticos torturados, etcétera, además de haberse formado ejércitos golpistas y policías militarizadas a lo largo del continente americano.

Enfoques de seguridad. La seguridad humana[6]

Durante todo el siglo XX y hasta la fecha, en el contexto internacional las políticas de seguridad han aplicado dos enfoques opuestos en permanente disputa: el seguritario o militarista, cuya expresión más significativa en nuestro continente ha sido la DSN, y el otro el de la *seguridad humana*, ligado a la visión integral de los derechos humanos y al desarrollo humano. En la dinámica histórica, política y diplomática, los dos enfoques han convivido perfeccionándose en la fundamentación filosófica y en su aplicación. En ocasiones, la retórica del uno se sobrepone a la del otro, pero no cabe la menor duda de que en la lógica del poder dominante la visión militarista es la que ha terminado por imponerse.

Este enfoque de seguridad llevado a la práctica con algunas oscilaciones ha sido predominante, variando su blanco de ataque a partir de la desaparición de la Unión Soviética, y con los atentados del 11-S encontró en "el terrorismo" otra justificación para su intensificación y expansión y, en América Latina, en el narcotráfico y la inseguridad ciudadana. La más cruda expresión de este enfoque se concreta en la "Doctrina Bush" con su "Estrategia de seguridad nacional", que pretende reemplazar el caro principio del derecho internacional de la "no intervención", por el de la estrategia de "guerra preventiva".

---

[6] Una exposición *in extenso* de este punto puede consultarse en el capítulo II, del libro de mi autoría (Angarita, 2012: 89-141), del cual en este acápite extraigo unos apartes resumidos.

A propósito de esto, el discurso dirigido en el acto de graduación de los estudiantes de la Academia Militar West Point, el presidente George Bush justificó su estrategia de guerra preventiva con el argumento de "llevar la batalla al campo enemigo y confrontar las peores amenazas antes de que éstas emerjan" (Bush, 2002: 4).[7] Si todos los países tomaran este lema como el criterio ético y político de su actuación, ello conduciría a legitimar la guerra de un país contra otros, lo que sería contrario a la intención de los líderes del imperio.[8]

En la arena internacional es ostensible la subordinación que ha tenido el enfoque de la *seguridad humana,* pero en términos pragmáticos, desde el interés de los sectores excluidos y las posturas críticas, la alternativa posible a nivel inmediato es el fortalecimiento de esta visión en las relaciones internacionales y la exigencia de su cumplimiento en el ámbito global y en cada país. Sería iluso pretender que en el actual estado de desarrollo del capitalismo internacional sea posible que los Estados hagan una total aplicación de la *seguridad humana,* sin embargo, creemos que su ideario sigue siendo una bandera legítima de movilización social que, además, pone en evidencia las contradicciones del sistema, dado que contiene fundamentos filosóficos ligados a la visión integral de los derechos humanos y del desarrollo, sirviendo de bandera política a diversos movimientos sociales y propuestas transformadoras con las que se lograrían notorias mejoras normativas en las relaciones intergubernamentales, y aún mantiene latente su ideario aunque sin lograr imponerse.

En el tratamiento de la problemática de la inseguridad, el profesor Alessandro Baratta resalta la diferencia fundamental entre el modelo que denominamos "derecho a la seguridad" y su opuesto, el que toma la seguridad como resultado del cumplimiento de los derechos (2004: 203-204). En el primer caso se trata de un modelo que parte de la ex-

---

[7] Las palabras del presidente Bush en su versión original fueron: "Yet the war on terror will not be won on the defensive. We must take the battle to the enemy, disrupt his plans, and confront the worst threats before they emerge. In the world we have entered, the only path to safety is the path of action. And this nation will act" (Bush, 2002: 4).

[8] Advertidos de las delicadas consecuencias de ello, algunos críticos conservadores como el exsecretario de Estado Henry Kissinger, se vieron obligados a precisar su aprobación a la doctrina con ciertas reservas sobre el estilo y las tácticas, y con una importante condición: no puede ser "un principio universal que esté abierto a todas las naciones". Más bien, el derecho de agresión debe estar reservado a Estados Unidos, tal vez delegado a sus clientes elegidos (Chomsky, 2005: 66).

clusión, como ocurre en la mayoría de las concepciones que inspiran los planes de seguridad realizados bajo el contexto de las políticas neoliberales; mientras que en el segundo modelo, en el de la seguridad de los derechos, se propugna por la inclusión social en tanto se toma como centro el desarrollo económico y humano.

Una de las expresiones que intentan materializar y enriquecer la idea inicial de la *seguridad humana* es la adelantada por diversos sectores desde el Sur, bajo la bandera de la *seguridad humana desde abajo* que, de acuerdo con la profesora Jenny Pearce (2010: 7) y en palabras del equipo del Observatorio de Seguridad Humana de Medellín (OSHM), puede entenderse como el enfoque desde el cual se deben analizar, interpretar y proponer alternativas frente a la inseguridad. Deliberadamente toma partido por los sectores más vulnerables y vulnerados de la ciudad, quienes experimentan la inseguridad de manera cotidiana, y que en momentos de crisis son objeto también de las respuestas coercitivas que el Estado instituye para solucionar las continuas demandas y reducir los índices más visibles de la inseguridad (OSHM, 2010: 12).

En contraste con el enfoque seguritario, la seguridad humana desde abajo promueve el trabajo conjunto entre organizaciones sociales, mujeres y hombres líderes de todos los sectores, con una perspectiva de solidaridad y acción transformadora, con un método altamente participativo e interactivo de las comunidades, buscando que la seguridad objetiva y la subjetiva sean el resultado de su papel protagónico y del proceso de empoderamiento de las comunidades, sin renunciar a exigir del Estado su responsabilidad, en el que la orientación y criterio de validez de toda acción de seguridad sea necesariamente el respeto de los derechos humanos.[9]

---

[9] La *Seguridad Humana desde Abajo* ha venido siendo impulsada por algunas organizaciones sociales del Sur (África y América Latina), dándole un énfasis más crítico que el propuesto por el PNUD. En Colombia estamos intentado llevarla a la práctica en el Observatorio de Seguridad Humana de Medellín.

Conclusiones: Hacia un enfoque biocéntrico de derechos, seguridad y desarrollo

Todo lo expresado hasta ahora en el campo de los derechos humanos, lo más progresista y lo más avanzado, son ideas fundamentadas en la concepción filosófica y política de la modernidad, es decir, son miradas antropocéntricas en las que el ser humano es el centro y medida de todas las cosas. Postura epistémica que, como ya dijimos, en la actualidad ha hecho crisis y ha empezado a ser revalorizada, en especial por parte de movimientos y sectores hasta hace poco invisibles.

A comienzos de este siglo, en el Foro de Barcelona (2004), destacados intelectuales y líderes de movimientos sociales llamaron la atención sobre la imperiosa necesidad de revisar la situación de los derechos humanos, ante los múltiples cambios ocurridos después de la *Declaración de 1948*. En el mundo emergió con inusitado auge la realidad virtual, el internet y la cibernética; diversas invenciones en la ingeniería genética, la robótica, la ingeniería espacial y la nanotecnología. Cambios hasta hace poco considerados increíbles y no previstos para la época en la que se produjo la *Declaración de los derechos humanos*, y en la que hemos entrado en una grave crisis ambiental. Como ya lo expresamos, este planeta en el que estamos viviendo se ha vuelto cada vez más insostenible por la responsabilidad de los seres humanos que lo habitamos, en particular por las prácticas económicas y el tipo de relación que hemos construido con el resto de la naturaleza.

La esfera de la política no ha estado ajena a grandes transformaciones, por ejemplo, los partidos políticos y los Estados-nación durante los últimos siglos fueron considerados el centro alrededor del cual giraban las relaciones de poder político, desde las revoluciones burguesas hasta las propuestas socialistas y comunistas.[10]

En los años recientes resulta más evidente la grave crisis que viven las democracias liberales. Un fenómeno casi universal es el hastío de la gente con los partidos políticos y la política en general, aunque continúen participando en los partidos son poco relevantes las identi-

---

[10] La literatura socialista y comunista es abundante al respecto. Véase, por ejemplo, la teoría leninista basada en un análisis del poder del Estado y el papel protagónico del partido político de vanguardia, en el caso de la Internacional Socialista, el partido político del proletariado.

dades ideológicas de antaño, predomina el interés mezquino o la necesidad y, en todo caso, la política tradicional se hace con alta dosis de desconfianza. En contraste con ello, se han desplegado nuevas formas de participación política por canales no institucionales, incluso a nombre de la antipolítica, con modos diferentes a los practicados tradicionalmente en la modernidad.

A partir de reflexiones como éstas, el Foro de Barcelona emite la Carta de Derechos Humanos Emergentes que invita a repensar los derechos humanos, siendo tal vez el aspecto central el llamamiento a que los seres humanos nos concibamos como parte de la naturaleza y ligados a ella, de donde deviene la formulación de los *derechos de la naturaleza*. Se trata de un nuevo paradigma de tipo biocéntrico que recupera e intenta profundizar la idea del *Sumak Kausay*, buscando una reconciliación con la naturaleza y un nuevo entendimiento de las relaciones entre los seres humanos, cuyas consecuencias trascienden todos los órdenes culturales y materiales de manera aún imprevisible para la cultura occidental.

Pues es un novedoso saber epistémico que incide en el mundo del derecho y su sistema jurídico, en la economía y sus modelos de producción, reproducción, distribución y consumo, en sus concepciones filosóficas, religiosas y culturales, en la teoría y prácticas políticas, como ya se está viendo en diversos lugares del planeta.

En el terreno de la política el nuevo paradigma se abre paso por el camino de la *demodiversidad* (Santos, 2006), en una búsqueda de coexistencia conflictiva y pacífica de diferentes modelos y prácticas democráticas. Su aplicación constituye una verdadera revolución política que, lejos de la vieja consigna de la "toma del poder político", propone construir un nuevo modelo ya no dirigido por el proletariado como postulara el marxismo clásico ni tampoco un "consenso" al estilo hegemónico liberal. Por el contrario, se trata de construir "democracias de conflictos y consensos" en las que conviven distintas visiones y las diferentes prácticas políticas realizadas no sólo por medio de partidos políticos sino donde convergen movimientos sociales, y no nada más en las instituciones estatales, sino en los múltiples y variados espacios de la vida cotidiana y social.

Es en estos nuevos escenarios –existentes actualmente–, que emergen los variados estilos de accionar político y esos seres invisibilizados por el poder hegemónico adquieren vida propia y surgen a la vida política con nuevas ideas y acciones, en una gramática aún indescifrable desde los viejos códigos de la política con los que estamos acostumbrados a leer la realidad. Es ahí en donde las propuestas alternativas adquieren mayor relevancia. Los movimientos de mujeres, de estudiantes, de indígenas, de marginales urbanos, en las zonas barriales, habitantes de calle, en las áreas rurales, en el hogar y en el trabajo, en lo material y en lo virtual, aparecen nuevos protagonismos que hacen política a su manera, distinta a los modelos clásicos que hemos conocido.

Estamos ante el advenimiento de una nueva sociedad. Allí están los gérmenes de lo que puede llegar a ocurrir en las próximas décadas, no sólo en América Latina, pues ocurre también en Europa y Norteamérica, mejor dicho, recorre los cinco continentes. Es la emergencia de los invisibles que claman ser visibilizados pero más allá de la ley con su propia acción.

Lo más interesante del momento histórico que hoy vive la humanidad es que, a diferencia del pasado reciente, las batallas teóricas y políticas ya no son por grandes metarelatos, sino por construir teorías situadas que buscan atender la resolución de problemas específicos y adelantar acciones concretas. Ciudadanos-as de diversas condiciones, en situaciones singulares se movilizan y allí empiezan a entender el mundo de otra manera. Las propuestas y construcciones alternativas no preconizan un modelo único de sociedad ni un camino único y verdadero. Se expresan en el accionar social y político, en asuntos económicos, en reclamos de soberanía alimentaria para pueblos y comunidades, en formas diversas de economías solidarias y de cooperativismo. Se abre una infinita gama de posibilidades que están en experimentación. Por eso, ya no es deseable la consigna "otro mundo es posible", pues estamos reivindicando mundos que en lugar de una unidad exigen identidad en la diversidad. ¡Otros mundos mejores sí son posibles!

Bibliografía

Acosta, Alberto, 2009, "Sólo imaginando otros mundos, se cambiará éste". Reflexiones sobre el Buen Vivir URL <http://www.platafor-

mabuenvivir.com/wp-content/uploads/2012/07/AcostaReflexio-nesBuenVivir.pdf>, consulta: 25 de septiembre de 2014.

Angarita C., Pablo E., 2011, *Seguridad democrática. Lo invisible de un régimen político y económico.* Bogotá, Siglo del Hombre Editores y Facultad de Derecho y Ciencias Políticas de la U. de A.

Baratta, Alessandro, 2004, *Criminología y sistema penal*, Buenos Aires, Editorial IB de F.

Bush, George, 2002, "President Bush Graduation Speech at West Point", en *Office of Press Secretary, june 1.* West Point, Nueva York, disponible en <http://www.whitehouse.gov/news/releases/2002 /06/20020601-3.html>, consulta: 6 de noviembre de 2008.

Chomsky, Noam, 2005, *Recurrir al miedo* (trad. G. Santiago y C. Feijoo), disponible en: <http://www.rebelion.org/noticias/2005/9/19623.pdf>, consulta: el 28 de mayo de 2009.

CSH-Comisión sobre la Seguridad Humana, 2003, *Human Security Now; Final Report* (Nueva York: CSH).

Fischer, Manuela y Konrad Th. Preuss, 1989, *Mitos Kogi*, Quito, Abya-Yala.

Forum Universal de las Culturas, Barcelona (2004). <http://www.barcelona2004.org/www.barcelona2004.org/cat/index.html>

Habermas, Jürguen, 1988, *Modernidad: un proyecto incompleto*, México, Editorial Kairós.

Hobbes, Thomas, 1993 [1646], *El ciudadano*, Madrid, Debate, CSIC, 1ª. edición de Joaquín Rodríguez Feo, 205 pp.

_____, 1994 [1651], *Leviatán. O La materia, forma y poder de una república eclesiástica y civil*, México, Fondo de Cultura Económica, sexta reimpresión de la segunda edición en español.

Jakobs, Günther; Cancio Meliá, Manuel, 2003, *Derecho penal del enemigo*, Madrid, Civitas.

Latouche, Serge y Harpagès, Didier, 2011, *Hora del decrecimiento*, Barcelona, Octaedro.

Max-Neef, Manfred, 1993, *Desarrollo a escala humana*, Montevideo, Editorial Nordan-Comunidad.

ONU-Organización de las Naciones Unidas, "2000 Objetivos de Desarrollo del Milenio", consulta: <http://www.un.org/es/millennium goals/bkgd.shtml>

OSHM-Observatorio de Seguridad Humana de Medellín, 2010, *Repensando la seguridad*: *Percepciones y representaciones en torno a la seguridad humana en Medellín, 2009*, Medellín, U. de A., INER e IPC, Medellín, Litoimpresos y servicios.

Plan Nacional De Desarrollo (Ecuador), 2009, *Plan Nacional Para el Buen Vivir 2009-2013. República del Ecuador*, Quito, disponible en <http://www.ecuadorencifras.gob.ec/wp-content/descargas/%20 Informacion-Legal/Normas-de-Regulacion/Plan-Nacional-para-el-Buen-Vivir/Plan+Nacional+del+Buen+Vivir+2009-2013. pdf>, consulta: 15 de septiembre de 2014.

PNUD-Programa de las Naciones Unidas para el Desarrollo, 1994, Informe sobre desarrollo humano. Las nuevas dimensiones de la Seguridad Humana, Nueva York, ed. Mundi-Prensa Septiembre URL <http://indh.pnud.org.co/redir.plx?d=indh.pnud.org.co/files/ rec&f=nuevasdimensionesSH1994.pdf>, consulta 20 de noviembre de 2009.

_____, 2005, *La cooperación internacional ante una encrucijada: ayuda al desarrollo, comercio y seguridad en un mundo desigual*, disponible en <http://hdr.undp.org/reports/global/2005/espanol/>, consulta: 24 de septiembre de 2009.

Sachs, Wolfgang (editor), 1996*, Diccionario del desarrollo. Una guía del conocimiento como poder*, Perú, PRATEC (primera edición en inglés en 1992).

Santos, Boaventura de S., 2006, "Más allá del pensamiento abismal: de las líneas globales a una ecología de saberes", disponible en <http://biblioteca.clacso.edu.ar/ar/libros/coedicion/olive/05santos. pdf> consulta: 20 de noviembre de 2013.

Schmitt, Carl, 1991, *El concepto de lo político*, Madrid, Alianza.

Truman, Harry, 1949, First Inaugural Address (January 20, 1949), disponible en <http://www.bartteby.com/124/pres53.html>.

UNODC, 2014, Mandato UNODC Colombia, disponible en <http://www. unodc.org/colombia/es/mandato.html>.

SEGUNDA SECCIÓN

REPASO DE CASOS NACIONALES LATINOAMERICANOS

EL DISCURSO DE LA TRANSFORMACIÓN DE LA MATRIZ PRODUCTIVA Y LA LEGITIMACIÓN DE LA REVOLUCIÓN CIUDADANA (ECUADOR)

Francisco Delgado
Iria Puyosa

La campaña permanente por la legitimidad de la Revolución Ciudadana y la gobernabilidad en Ecuador

El fenómeno de las presidencias plebiscitarias ha estado en auge en Latinoamérica en el inicio del siglo XXI y ha sido especialmente evidente en los casos de Hugo Chávez y de Rafael Correa (Conaghan y De la Torre 2008; Cañizalez, 2012; Puyosa, 2013). Ambos mandatarios incorporaron como línea base de su estrategia política la movilización de la opinión pública en torno a proyectos de "refundación" de sus respectivas repúblicas (Conaghan y De la Torre 2008).

De acuerdo con Ornstein y Mann (2000), la estrategia de campaña permanente promueve la política confrontacional desde el gobierno: La oposición política es un enemigo a derrotar, en lo que termina siendo un juego de suma cero. Así, una táctica que en principio apunta a dar estabilidad al gobierno y al presidente en turno, mediante una alta aprobación por parte del electorado, puede alimentar una situación de polarización y de constante tensión política que bloquea coaliciones en torno a políticas públicas de interés nacional y pudiese llegar a afectar la gobernabilidad.

Rafael Correa asumió la presidencia de Ecuador tras una campaña en la cual se presentó bajo la imagen de candidato *maverick*, un *outsi-*

der que prometía acabar con la partidocracia. Su plataforma electoral no fue un partido político tradicional sino el movimiento Patria Altiva i Soberana (Alianza PAIS), que agrupó a académicos, a intelectuales de izquierda y a activistas antineoliberalismo, más se alió con caciques políticos regionales, pragmáticos y sin ideología (De la Torre, 2013). La consigna central de este movimiento político era generar un proceso de "Revolución Ciudadana": una revolución pacífica que eliminara los vestigios de la política neoliberal característica de las décadas de 1980 y 1990. En este sentido la priorización de la inversión social, el distanciamiento de los organismos y gobiernos de línea neoliberal y la promesa de un país industrializado, fueron determinantes en la llegada al poder de Rafael Correa. Durante su gobierno, el apoyo popular a Rafael Correa se ha sustentado en los programas de transferencias directas a las familias más pobres, en la disminución de la pobreza y de la desigualdad, y, en menor grado, en la modernización del aparato institucional del país.

A partir de la reforma constitucional, se ha propiciado un fortalecimiento del Estado como representante de los intereses nacionales, en contraposición con los intereses corporativos de empresarios y del movimiento indígena (que había obtenido mucho poder político en la década previa). La Revolución Ciudadana recupera la idea rousseauniana de voluntad general, que entra en contradicción directa con la noción de democracia participativa y deliberativa (Domínguez y Caria, 2014). En consonancia con esa idea, el presidente Rafael Correa expresa la voluntad del pueblo y el Estado articula el interés nacional. De esta línea política del correísmo se deriva la paradoja de un proyecto político que incorpora a sectores previamente excluidos, en un proceso notable de democratización del Ecuador y, paralelamente, choca con las organizaciones autónomas de la sociedad civil y enfrenta como enemigos ideológicos a movimientos sociales populares, indigenistas y ecologistas. Los electores son convocados a procesos plebiscitarios (referendas y elecciones) que giran en torno al liderazgo del Mashi Correa, mas ni se requiere ni se facilita el debate público o la participación ciudadana en procesos de deliberación (De la Torre, 2013; Domínguez y Caria, 2014).

La "refundación" propuesta por la Revolución Ciudadana en Ecuador se basa en el "socialismo del *Sumak kawsay*" (Ramírez, 2010), que se formula como política pública a partir del Plan Nacional del Buen

Vivir. La elaboración de las políticas públicas para alcanzar el *Sumak kawsay* está a cargo de la SENPLADES (Secretaría Nacional de Planificación y Desarrollo), organismo liderado por académicos y tecnócratas posneoliberales que proponen modelos heterodoxos de desarrollo, basados en ideas neokeyneseanas, bioeconomía y la crítica poscolonial a la epistemología occidental (De la Torre, 2013).

Veremos en este artículo cómo el gobierno de Rafael Correa ha usado la estrategia de campaña permanente y cómo ha maniobrado para darle impulso a la política del cambio de la matriz productiva, en un contexto polarizado, pero en el cual se ha logrado mantener la gobernabilidad. Ese logro de la estabilidad política en los últimos ocho años es destacable considerando que desde 1996, ningún presidente de la República electo en Ecuador había podido culminar su periodo de mandato.[1] Rafael Correa obtuvo en su primer año de mandato presidencial una aprobación de gestión de 74% y en su peor año obtuvo 58% de aprobación,[2] mientras que su predecesor Lucio Gutierrez no llegó a superar 27% de aprobación (véase figura 1. Aprobación de Gestión del presidente de Ecuador-*Latinobarómetro* 2002-2013).

Figura 1. *Aprobación de gestión del presidente de Ecuador-Latinobarómetro 2002-2013*

	2002	2003	2004	2005	2006	2007	2008	2009	2010	2011	2013
Ecuador											
Aprobación de la gestión del gobierno que encabeza el Presidente											
Aprueba	30%	27%	20%	24%	22%	74%	66%	59%	58%	64%	73%
No aprueba	64%	69%	78%	67%	72%	24%	28%	36%	33%	29%	22%
No contesta	6%	5%	3%	9%	5%	2%	6%	4%	9%	-	5%
No sabe o No responde	-	-	-	-	-	-	-	-	-	6%	-
(N)	1.200	1.200	1.200	1.200	1.200	1.200	1.200	1.200	1.200	1.200	1.200

Fuente: *Latinobarómetro 2013*. <http://www.latinobarometro.org/latOnline.jsp>.

---

[1] Abdalá Bucaram fue destituido por el Congreso bajo el alegato de incapacidad mental (1997); Jamil Mahual fue derrocado en medio de la crisis financiera que generó la movilización de la Confederación de las Nacionalidades Indígenas (CONAIE) y el pronunciamiento en su contra de las Fuerzas Armadas que forzaron al Congreso a declarar abandono del poder (2000); Lucio Gutiérrez tuvo que abandonar el Palacio de Gobierno en un helicóptero en medio de la llamada Rebelión de los Forajidos y fue destituido por el Congreso por abandono del cargo (2005).

[2] Año de la insubordinación policial, conocida como #30S.

El *Sumak Kawsay* y la transformación de la matriz productiva como ejes del proyecto de la Revolución Ciudadana

A lo largo de este periodo de gobierno, el presidente Correa ha ejecutado cambios políticos significativos que tuvieron asidero en una fase refundacional, a partir de la creación de una Asamblea Constituyente de plenos poderes. El eje orientador de este proceso sería la construcción del Buen Vivir, una idea que da paso al Plan Nacional vigente desde 2013, cuyo espíritu supone brindar un marco institucional que permita alcanzar el desarrollo del país.

El concepto del *Sumak Kawsay*, ligado a la cosmovisión indígena de vivir a plenitud mediante una simbiosis armónica entre el ser humano y su entorno (natural y social), ha sido el catalizador de una serie de políticas públicas que han logrado aplicarse gracias a la aceptación popular sostenida. En buena medida, el apoyo popular es propiciado por un discurso político que estructura una clara diferencia entre "el pueblo" y los grupos económicos, políticos y mediáticos que el mandatario ha calificado como "poderes fácticos" (Delgado, 2015).

El actual gobierno del Ecuador ha priorizado la transformación de la matriz productiva como eje fundamental para el desarrollo, que busca elevar el potencial económico del país de su situación dependiente de la producción de materia prima hacia un país que avance hacia la industrialización, con capacidades para competir en el mercado internacional, teniendo como propulsores primordiales el conocimiento y el talento humano. Esto representa un abandono de los esquemas de producción tradicionales, por lo que se hace necesario que la industria se modernice y se tejan complejas redes de producción para dar valor agregado a los productos realizados en el Ecuador.

Para entender este proceso, es necesario explicar el concepto del Buen Vivir propuesto en la Constitución, la cual supone, finalmente, el marco orientador de las políticas públicas de desarrollo social y económico:

(...) el Buen Vivir es una apuesta de cambio que se construye continuamente desde esas reivindicaciones por reforzar la necesidad de una visión más amplia, la cual supere los estrechos márgenes cuantitativos del economicismo, que permita la aplicación de un nuevo modelo económico cuyo fin no se concentre en los procesos de acumulación material, mecanicista e interminable de bienes, sino que promueva un modelo económico incluyente; es decir, que incorpore a los procesos de acumulación y re-distribución, a los actores que históricamente han sido excluidos de las lógicas del mercado capitalista, así como a aquellas formas de producción y reproducción que se fundamentan en principios diferentes a dicha lógica de mercado.

Asimismo, el Buen Vivir, se construye desde las posiciones que reivindican la revisión y reinterpretación de la relación entre la naturaleza y los seres humanos, es decir, desde el tránsito del actual antropocentrismo al biopluralismo (Guimaraes en Acosta, 2009), en tanto la actividad humana realiza un uso de los recursos naturales adaptado a la generación (regeneración) natural de los mismos.

Finalmente, el Buen Vivir se construye también desde las reivindicaciones por la igualdad, y la justicia social (productiva y distributiva), y desde el reconocimiento y la valoración de los pueblos y de sus culturas, saberes y modos de vida (SENPLADES, 2013: 2).

El Plan del Buen Vivir como eje orientador de la transformación de la matriz productiva

El Plan Nacional del Buen Vivir (PNBV) es el documento que delinea las políticas públicas que sustentan las acciones estatales en el periodo 2013-2017. Una de estas políticas es la que se refiere a la consecución del objetivo número 10 del PNBV referente a la transformación de la matriz productiva, y que resulta el eje orientador sobre el cual confluyen los esfuerzos gubernamentales. Este objetivo propone "Impulsar la transformación de la matriz productiva" (SENPLADES, 2013: 291), lo que permitirá que el país logre incorporar al sector productivo industrias tales como la metalmecánica, la biotecnología, la energía renovable, la industria farmacéutica y la petroquímica.[3]

Para la consecución de tal objetivo, el Estado debe desarrollar las condiciones necesarias en infraestructura y capacidades que suponen "facilitar el componente logístico y de infraestructura: carreteras de primer orden, mayor acceso a telecomunicaciones de vanguardia, cons-

---

[3] Son industrias consideradas dentro del Plan Nacional del Buen Vivir como sectores estratégicos e industrias priorizadas.

trucción de grandes proyectos hidroeléctricos [...]" (Ayala Sarmiento, 2013: s/n). Asimismo, se ha construido el andamiaje jurídico que posibilita esta transformación con la expedición de leyes específicas.[4] La ejecución efectiva de esta política en el sector productivo tiene como foco de atención a los actores sociales detrás de los emprendimientos en materia de innovación tecnológica, fortalecimiento del talento humano, minería, industria farmacéutica y petroquímica, entre otros (véase figura 2. Industrias priorizadas y estratégicas en la transformación de la matriz productiva). El sector agropecuario no entra en el grupo de las industrias estratégicas pero sí es una industria priorizada, por la importancia de la producción de alimentos frescos y procesados. En este ámbito se han aplicado restricciones de importación de productos agrícolas que pueden producirse en el país, con el fin de que se abastezca el mercado interno con la misma producción local en un intento de incentivar la producción nacional. Asimismo, se han fijado precios mínimos que deben ser pagados por el exportador al productor, estableciéndose un margen de ganancia para el productor que puede vender directamente su producto sin necesidad de un intermediario. No obstante, poco se ha indagado sobre uno de los sectores fundamentales para la economía ecuatoriana, como es el sector agropecuario, que representa la primera fuente de ingresos no petroleros para el país; y consecuentemente el segundo en importancia para los ingresos estatales.

Si bien es cierto que en el Ecuador, el movimiento indígena ha sido el más representativo exponente de la participación ciudadana en los últimos años, el sector campesino también es un segmento de la población, que como miembros de "la sociedad civil, pueden emerger como agentes de cambio"[5] (Collins, 2000: 59). Además, es necesario

---

[4] Estas leyes son la Ley Orgánica de Educación Superior, el Código Orgánico de la Producción, Comercio e Inversiones y Ley Orgánica de Regulación y Control del Poder del Mercado.

[5] Según Jennifer Collins los procesos de democratización y su consolidación no dependen de la élite sino de la sociedad civil y sus maneras de organizarse dependiendo el papel que juegue en la coyuntura política. Además sostiene que cuando existen condiciones de pobreza, subdesarrollo y desigualdad social es extremadamente difícil que la democracia permanezca. Una de las ideas relevantes manifiesta que "se necesita que la organización colectiva promueva programas que busquen cambios estructurales en la sociedad y la economía y no solamente distribución de excedentes de riqueza entre sectores particulares. Esto es necesario para superar la tendencia de sectores del electorado a responder a estímulos clientelares" (Collins, 2000: 64).

considerar que buena parte de la población económicamente activa del país[6] se beneficia directamente del sector agropecuario. Éste además de contratar mano de obra directa en las zonas rurales, incide en la creación de "miles de empleos en la agroindustria, comercialización, transporte, venta de insumos, etcétera" (Chiriboga, 2006: 1). Para apreciar la dimensión del impacto que tiene este sector productivo en la economía ecuatoriana se debe tener en cuenta que existen aproximadamente 1 550 000 productores agropecuarios, quienes dan empleo directo a cerca de 875 000 personas representando aproximadamente al 15% de la población actual del Ecuador.[7] Todos estos elementos ponen de manifiesto la relevancia social que tiene este sector agrícola en la sociedad ecuatoriana.

En la actualidad, el Estado ecuatoriano se ha volcado hacia el cambio de la matriz productiva, dotando al país de servicios de infraestructura de vialidad, electricidad y telecomunicaciones. En el sector agrícola (en donde se focalizará nuestro análisis), las políticas se han centrado en la concesión de créditos para rubros prioritarios, la provisión de semillas para garantizar una mayor productividad por hectárea, subsidios a los insumos (fertilizantes y químicos para combatir plagas), etcétera (SENPLADES, 2012).[8] Tal como funciona en la actualidad la matriz productiva, el sector agropecuario realiza actividades de tipo extensivo y su productividad se enfoca hacia el sector agroexportador y agroindustrial pero, paradójicamente, sin que se haya aumentado el rendimiento por hectárea en los productos de exportación.

En efecto, a partir de 2012 la Revolución Ciudadana se ha enrumbado en un "proyecto de modernización" basado en el petróleo. La base ideológica de la legitimación de la Revolución Ciudadana se ha desplazado de la noción del Buen Vivir hacia el cambio de matriz productiva como objetivo prioritario de la transición al socialismo del Sumak

---

[6] De acuerdo con datos del Instituto Nacional de Estadísticas y Censos estimaba que en diciembre de 2006, el volumen de empleo en las áreas rurales del Ecuador era de 2 311 000, de los que 1 650 000 se dedicaban al sector agropecuario (71.3%).

[7] En junio de 2014 los habitantes del Ecuador son 14 483 499 millones de acuerdo con el censo 2010 del Instituto Nacional de Estadísticas y Censos del Ecuador.

[8] En el documento "5 años de Revolución Ciudadana" publicado por SENPLADES (2012), se presenta un informe de cifras que respaldan las acciones llevadas a cabo por el gobierno de Rafael Correa respecto de mejoramiento vial, concesión de créditos, cobertura de servicio eléctrico, agua potable, telecomunicaciones y otros aspectos que han logrado mejorar la calidad de vida de los ecuatorianos.

Kawsay (Domínguez y Caria, 2014). Bajo esta orientación se ha iniciado con el cambio de las prioridades educativas en el sector superior, enfocándose hacia especializaciones científicas y tecnológicas y estableciendo incentivos para la investigación y la innovación técnica.

La meta es que en un plazo de 10 años, Ecuador pueda contar con investigadores nacionales que desarrollen innovaciones tecnológicas adaptadas a la realidad del país. Otro de los puntos importantes en cuanto a educación es el establecimiento de programas de intercambio de conocimiento con investigadores y profesionales de países como Corea del Sur, Francia, España, Australia, Costa Rica, Estados Unidos, Malasia, Reino Unido, Holanda, Bélgica, Alemania, etcétera (Senescyt [Secretaría de Educación Superior, Ciencia, Tecnología e Innovación], 2014).

Figura 2. *Industrias priorizadas y estratégicas en la transformación de la matriz productiva*

INDUSTRIAS PRIORIZADAS		INDUSTRIAS ESTRATÉGICAS		
Sector	Industria	Industria	Posibles bienes o servicios	Proyectos
Bienes	1) Alimentos frescos y procesados	Refinería	Metano, butano, propano, gasolina, queroseno, gasoil	Refinería del Pacífico
	2) Biotecnología (bioquímica y biomedicina)			
	3) Confecciones y calzado			
	4) Energías renovables	Astillero	Construcción y reparación de barcos, servicios asociados	Proyecto de implementación de astillero en Posorja
	5) Industria farmacéutica			
	6) Metalmecánica			
	7) Petroquímica	Petroquímica	Urea, pesticidas, herbicidas, fertilizantes, foliares, plásticos, fibras sintéticas, resinas	Estudios para la producción de urea y fertilizantes nitrogenada Planta Petroquímica Básica
	8) Productos forestales de madera			
INDUSTRIAS PRIORIZADAS				
Sector	Industria			
Servicios	9) Servicios ambientales	Metalurgia (cobre)	Cables eléctricos, tubos, laminación	Sistema para la automatización de actividades de catastro seguimiento y control minero, seguimiento control y fiscalización de labores a gran escala.
	10) Tecnología (software, hardware y servicios informáticos)			
	11) Vehículos, automotores, carrocerías y partes			
	12) Construcción			
	13) Transporte y logística	Siderúrgica	Planos, largos	Mapeo geológico a nivel nacional
	14) Turismo			

Fuente. Dueñas (2013: 188).

El discurso político del Buen Vivir y las comunicaciones del gobierno de Rafael Correa

Durante su mandato, Rafael Correa prácticamente ha asumido un rol de propagandista de su gobierno, utilizando los medios de masas, los contactos directos con actores regionales en todo el territorio de Ecuador y la diplomacia pública vía foros internacionales y vía uso de la web social. En su rol de líder discursivo, Correa presenta algunas de las características del liderazgo carismático descrito por Weber (1997, org. 1922): *a)* Unión emotiva con sus seguidores por medio de la creencia y la coincidencia común de ideas, valores y sentimientos; *b)* Discurso reivindicativo; *c)* Utilización de las fiestas y las concentraciones populares para que el líder se muestre victorioso y le dé seguridad a sus seguidores; *d)* Legitimación del liderazgo con los procedimientos de la democracia plebiscitaria.

Como líder populista, Correa apela al discurso maniqueo que polariza la sociedad en dos campos antagónicos: el pueblo *vs.* la oligarquía (De la Torre, 2013). Sin embargo, en lo que se refiere a temas económicos, Correa apela a la figura de *autoritas*, basada en el conocimiento técnico o la razón tecnocrática. No se presenta como el típico redentor social de los populismos latinoamericanos sino como el experto que posee el conocimiento científico para transformar la sociedad en beneficio del bien común (De la Torre, 2013).

Las comunicaciones del gobierno de la Revolución Ciudadana utilizan frecuentemente los significantes *soberanía, dignidad* y *patria* (Delgado, 2015). Las cadenas nacionales y el *Enlace Sabatino* reproducen el discurso del patriotismo, con la recurrente mención del lema "¡La patria ya es de todos!" El lema "Avanzamos Patria" se ha mantenido como uno de los más utilizados desde 2012. La noción de patria se instaló en el discurso cotidiano del ecuatoriano, impulsada por su uso constante por el presidente Correa, quien representa la encarnación del nacionalismo (De la Torre, 2013), frente a sus adversarios "vendepatria" (Delgado, 2015). Los mensajes gubernamentales son difundidos masivamente por los medios públicos, los medios incautados[9] y los medios privados, que reciben una pauta de publicidad cuya

---

[9] Medios anteriormente privados, que fueron incautados como cobro de deudas de sus propietarios con el Estado ecuatoriano.

magnitud ha hecho que el gobierno sea el principal anunciante en Ecuador.

En ese marco de nacionalismo y patriotismo se inserta la idea del Buen Vivir, como eje del proyecto político de la Revolución Ciudadana. Mas a partir de 2013, el énfasis del discurso gubernamental pasa a centrarse en el cambio de la matriz productiva, conjugando la idea del bienestar del pueblo con el progreso económico de Ecuador. La comunicación gubernamental sobre el cambio de la matriz productiva se ha enfocado a destacar los aspectos positivos del desarrollo, el crecimiento económico y la industrialización del país, que permitirían salir de la pobreza a los ecuatorianos. Asimismo, subyace en el discurso que oponerse a la política pública del cambio de la matriz productiva constituye también oposición al progreso del país y al bienestar del pueblo. Los críticos a la política de la transformación de la matriz productiva son calificados como "politiqueros", "odiadores" y "vendepatrias" (Delgado, 2015).

Las comunicaciones de gobierno sobre el cambio recurren a la imagen del presidente Rafael Correa como un trabajador incansable que se preocupa del bienestar común y que está suficientemente capacitado para decidir lo que es más beneficioso para la población del país. Esa imagen presidencial dual es reproducida en el *Enlace Sabatino,* en donde el presidente Correa, armado con láminas de *powerpoint*, dicta cátedra sobre sus políticas de gobierno a una audiencia cautiva y aquiescente. En contraste con ese lado didáctico del presidente-catedrático, otros segmentos del *Enlace Sabatino* son dedicados a resignificar la agenda de los medios, a descalificar a sus oponentes políticos y a retar a los funcionarios de su propio gobierno para que mejoren su desempeño en el cumplimiento de los objetivos de la Revolución Ciudadana.

La imagen dual de Rafael Correa como representante del pueblo y experto economista coadyuva a facilitar la adhesión de sus simpatizantes con la política pública de la transformación de la matriz productiva, obviando los procesos de debate público. No obstante, invisible a la audiencia mediática está el trabajo de fortalecimiento de redes de apoyo con actores políticos y económicos regionales, que se gestan en torno a los gabinetes itinerantes que también se realizan semanalmente.

Es usual que en la comunicación de gobierno se utilicen los aparatos comunicacionales para afectar los procesos de construcción de la realidad de una sociedad de acuerdo con los intereses políticos del sector en el poder. En el caso del gobierno de Rafael Correa, se ha estructurado la comunicación gubernamental como una línea transversal que persigue obtener el máximo grado de aquiescencia de la población respecto a las políticas públicas de la Revolución Ciudadana. En el caso de la transformación de la matriz productiva, la comunicación gubernamental ha socializado un proyecto económico diseñado con una visión tecnocrática, en el marco de las sencillas aspiraciones de progreso para el futuro de la mayoría de la población.

Marcos interpretativos del Buen Vivir y el cambio de la matriz productiva[10]

En la fase inicial para la ejecución de la política del cambio de matriz productiva se requiere articular expectativas, percepciones y, en definitiva, marcos de interpretación de los distintos actores (Delgado, 2015). Con relación a los postulados de Berger y Luckmann (1996) es posible entender que los pequeños y medianos productores agropecuarios ecuatorianos tienen una construcción social[11] sobre la política pública del cambio de matriz productiva, que se expresa en su discurso. Estas construcciones desarrollan una comprensión de las perspectivas y opiniones de este sector socioeconómico sobre la política en cuestión (Delgado, 2015).

Basados en datos de entrevistas a productores agropecuarios, analizaremos cómo se ha construido la legitimidad de esta política pública central del Plan Nacional del Buen Vivir, dentro de un discurso político que combina elementos reivindicativos populistas con elementos tecnocráticos. Al hacer el análisis del discurso presente en las opiniones, criterios, expectativas, etcétera, de los pequeños y medianos pro-

---

[10] En esta sección y en la siguiente referiremos ampliamente al trabajo de maestría en Comunicación Política de Francisco Delgado, "La construcción social del cambio de la matriz productiva por parte de los pequeños y medianos productores del sector agropecuario ecuatoriano", que tuvo como asesora de tesis a Iria Puyosa.

[11] El concepto de construcción social propuesto por Berger y Luckmann (1966) habla de que la realidad es una construcción constante determinada por la interacción social.

ductores del sector agropecuario ecuatoriano, se pretende encontrar estos marcos interpretativos, en definitiva, esta construcción social que dichos actores elaboran desde la información recibida sobre la transformación de la matriz productiva (Delgado, 2015).

El concepto de los marcos interpretativos

La teoría de los marcos interpretativos nace en el contexto del paradigma constructivista y se usan en la sociología y en la psicología, mas también como método de análisis de los discursos sociales y políticos (Cuvardic García, 2002: 83).

La noción "marco interpretativo" constituye una herramienta de análisis que sintetiza la idea de que los sujetos construyen los problemas sociales a los que se acercan (Rein y Schön, 1993: 145). A partir de un mismo "cuerpo de evidencias" pueden aparecer tantas representaciones interpretaciones, visiones como actores/as estén en juego, apareciendo así ideas en competencia en torno a cuál es el problema, quién es responsable del mismo, cuáles son sus causas y efectos, y cuáles podrían ser sus soluciones (Verloo, 2005: 20). En efecto, todo marco interpretativo es inherentemente evaluativo y alberga en su seno los cursos de acción que se deberían seguir, y lleva implícito una solución al problema en cuestión (López Rodríguez, 2011: 15-16).

El uso del lenguaje es importante para delimitar los problemas públicos y también para explicar la manera en la que dichos problemas se construyen por medio de representaciones discursivas de grupos o individuos. Cobra esta importancia debido a que el lenguaje influye en la creación de representaciones distintas de un mismo acontecimiento. En este caso se habla del giro lingüístico del discurso[12] (Edelman, 1988; Rorty, 1989) o de giro argumentativo (Fischer y Forester, 1993) como medio efectivo para la construcción social y política. Por lo tanto, se puede relacionar con los efectos concretos del lenguaje en el

---

[12] De este tema también habla Anthony Giddens, quien expresa que el giro lingüístico es una parte fundamental de la explicación de la vida social concedida al lenguaje y a las facultades cognitivas (Giddens, 1984)

discurso, que se refieren a que "las palabras, ya sea en la forma de discursos o textos, hacen algo más que simplemente nombrar cosas o ideas" sino que pueden producir efectos reales que se expresen como acciones sociales (López Rodríguez, 2011).

Se supone entonces que quien proponga una determinada presentación de un problema público, entonces lo defenderá y presentará los argumentos necesarios para que tal representación discursiva sea lógica y coherente (Potter, 1996; Edelman, 1988: 109). "Hablando en el lenguaje propuesto por Potter, son razones que aportan legitimidad a las representaciones discursivas a las que se puede aplicar un análisis de marcos interpretativos" (López Rodríguez, 2011: 19). Gregory Bateson, fundador de la Escuela de Palo Alto, es quien conceptualizó a los marcos interpretativos o *frames* como los "instrumentos de la mente con los que se ahonda en las diferencias que encontramos en las cosas" (Bateson, 1972: 53). Profundizando en las ideas de Bateson, se encuentra que lo fundamental es que mientras para una persona una representación discursiva tiene ciertos aspectos relevantes –de acuerdo con su propia realidad y categorías mentales– fija su atención en éstos y desatiende a los otros aspectos del discurso.

En este ejercicio los receptores reciben la información –representación de la realidad– y entra en juego el nivel de interés que despierta, dependiendo de la mayor o menor sintonía generada entre ambos, o de las estrategias utilizadas por el comunicador, para desvelar [sic] situaciones importantes que no habían sido percibidas por las audiencias. Cuando se capta la atención de la audiencia y se hace seguimiento […], se genera opinión pública, así […] no haya partido de un interés común de la audiencia (Canel, 2014: 1).

La ideología coincidiría con lo que Lakoff (2008) denomina "marcos profundos", esto es, estructuras mentales profundamente arraigadas mediante repeticiones de palabras clave que configuran nuestra comprensión del mundo. Para Lakoff y Johnson (1980), el sistema conceptual humano en términos del cual pensamos y actuamos, es fundamentalmente de naturaleza metafórica. Los marcos interpretativos se basan en metáforas, pueden crear realidades sociales, inhiben los marcos opuestos y pueden convertirse así en una guía para la acción acorde a la ideología legitimada.

Puesto que la comunicación se basa en el mismo sistema conceptual que usamos al pensar y actuar, el lenguaje es una importante fuente de evidencias acerca de cómo es ese sistema. [...] hemos descubierto que la mayor parte de nuestro sistema conceptual ordinario es de naturaleza metafórica (Lakoff y Johnson, 2011: 40).

El marco detrás de la transformación de la matriz productiva

En el caso del discurso que tienen los pequeños y medianos productores del sector agrupecuario del Ecuador, el marco referencial que se utiliza para la construcción social sobre el cambio de matriz productiva se asienta sobre el bagaje acerca de la relación dicotómica entre explotador-explotado, exportador-productor, quienes, lejos de trabajar de forma articulada buscaban mejorar su propia condición en desmedro del otro (Delgado, 2015). Este tipo de dicotomías se integran fácilmente a los discursos políticos populistas, tal como son utilizados por Rafael Correa. El discurso de los productores entrevistados apunta al hecho de ya no querer seguir igual (que muestra la ruptura con la idea de que el tiempo pasado fue mejor).

Los productores, toman lo que consideran más relevante en su construcción del cambio de la matriz productiva: el progreso, el desarrollo, el salir de la pobreza, el convertirse en exportador (Delgado, 2015). "Estas orientaciones metafóricas no son arbitrarias, tienen una base en nuestra experiencia física y cultural" (Lakoff y Johnson, 1980: 50). Así, al ser las metáforas una representación de la experiencia están dotadas de coherencia cultural, que en el caso del discurso de los pequeños y medianos productores del sector agropecuario ecuatoriano se circunscriben a la vivencia cotidiana de su actividad, de su acceso a la tecnología, de la atención que han recibido de gobiernos anteriores y de todas aquellas comparaciones posibles que surjan de lo que tenían "antes", en contraste con lo que tienen "hoy"; incluyendo la noción que existe del "futuro" que traerá la transformación de la matriz productiva (Delgado, 2015).

Los *marcos discursivos* delinean los aspectos que deben ser abordados en el discurso sobre asuntos públicos, debido a que determinan la jerarquización de los elementos discursivos para que sean efectivamente aceptados por los públicos. El uso de los *marcos discursivos* es evidente en el caso de las comunicaciones sobre la transformación de la matriz productiva. Es así que en la línea discursiva del gobierno prevalecen los supuestos positivos ante los factores negativos que puedan presentarse. Por ejemplo, este gobierno ha atravesado varios escándalos[13] que en otras épocas hubieran desencadenado graves crisis políticas, no obstante se ha buscado hacer énfasis en los aspectos positivos referidos a la estabilidad económica, a la importancia regional del Ecuador, etcétera.

La construcción social del cambio de la matriz productiva por parte de los productores agrícolas de Ecuador

Para este estudio se seleccionó una muestra de los pequeños y medianos productores del sector agropecuario ecuatoriano, consultada acerca de la política pública de la transformación de la matriz productiva durante enero de 2014 en las provincias de Carchi, Santo Domingo de los Tsáchilas, Cotopaxi, Chimborazo, Bolívar, Loja, Sucumbíos, Napo, Zamora Chinchipe, Morona Santiago, Orellana, Manabí y El Oro, por ser estas provincias las de mayor extensión en Unidades Productivas Agropecuarias (UPA).[14] Los actores pertenecen a una clase social media, con un nivel de escolaridad medio o técnico, mayoritariamente masculinos y con experiencia en el campo de la producción agropecuaria.[15]

Estos sujetos fueron seleccionados para ser entrevistados desde una base de datos compuesta por 100 personas de clase social media

---

[13] Han existido varios inconvenientes protagonizados por personajes públicos en los cuales han resultado salpicados funcionarios del gobierno, inclusive en algunos casos se han judicializado. De la misma manera, a nivel de organizaciones sociales y gremiales se ha denunciado persecución por disentir con el gobierno, en la cual varios dirigentes han sido enjuiciados penalmente.

[14] Según datos del Ministerio de Agricultura, Ganadería, Acuacultura y Pesca de acuerdo con el III Censo Nacional Agropecuario, constantes en el Sistema de Información Nacional de Agricultura, Ganadería, Acuacultura y Pesca publicado en <http://sinagap. agricultura.gob.ec/censo-nacional-agropecuario>.

[15] Es importante mencionar que se escogió este tipo de escolaridad y clase social debido a que para este trabajo de investigación se hace necesario tener una aproximación al discurso en el que se evidencien los constructos sociales que elaboran las personas con un cierto grado de conocimientos, experiencias previas y vivencias que una persona con una mayor rusticidad tendría dificultades para exponer claramente.

y escolaridad de nivel bachillerato o técnico, identificadas como pequeños y medianos productores agropecuarios, participantes en un evento de socialización de la política pública de transformación de la matriz productiva para el sector agropecuario desarrollado en diciembre de 2013.[16] La técnica para la recolección de datos utilizada fue la entrevista, mediante la cual se pudieron obtener testimonios sobre el problema de estudio, sondeando motivos y razones para acercarse lo más posible a las creencias e ideas del entrevistado. El cuestionario guía consta de 21 preguntas sobre los siguientes temas: cadenas productivas, entorno competitivo y de inversión, recursos y experiencias, finalmente mandatos y expectativas.[17]

Hallazgos en el corpus de entrevistas

La transformación de la matriz productiva supone un cambio gradual y permanente de los métodos de producción para el agro ecuatoriano, sin embargo los entrevistados no conocen a profundidad acerca de todos los sentidos que esta transformación supone.

Esto del cambio de la matriz productiva yo lo he escuchado en la televisión, no hemos tenido la oportunidad de tener un taller con los socios para indicar y manifestar este tema para poder entenderlo mucho mejor (Entrevistado 10, 2014).

Hablando del cambio de matriz productiva yo solamente lo había escuchado en la televisión y en la prensa, de ahí nadie nos ha informado del cambio de matriz y no ha habido socialización. [...] me interesó el tema porque inclusive estaba pensando en reunirme con los compañeros para reclamar qué está pasando con el cambio de matriz productiva en el sector agropecuario porque no se ve nada. Entonces respondiendo su

---

[16] El evento se llevó a cabo en Quito el 18 de diciembre de 2013 organizado por la Cámara de Agricultura I Zona y el Ministro Coordinador de Producción, Empleo y Competitividad, denominado "Taller de Aplicación del Cambio de la Matriz Productiva en el Sector Agropecuario".

[17] Este es el trabajo de campo para la tesis de maestría en Comunicación Política de Francisco Delgado (2015), "La construcción social del cambio de la matriz productiva por parte de los pequeños y medianos productores del sector agropecuario ecuatoriano", que tuvo como asesora de tesis a Iria Puyosa.

pregunta, nosotros desconocemos cuáles son los objetivos del cambio de la matriz productiva porque no ha habido socialización con nosotros [...] (Entrevistado 12, 2014).

En el periodo 2007-2014, la mayoría del pueblo ecuatoriano ha mostrado respaldo al proyecto político representado por el presidente Correa. Esto implica que se le conceda al mandatario el poder necesario para que su gobierno transcurra con tranquilidad, sin el temor de ser defenestrado, como había ocurrido con sus antecesores. Este apoyo a la gestión del gobierno se sustenta en un discurso que ha buscado identificarse con las bases sociales y hacerles sentir que el presidente está de su lado y busca su bienestar: "No recuerdo que ningún otro Gobierno haya hecho esto, todos los intereses se manejaban en grupos de poder y nada más, ahora ya no, nosotros los pequeños también contamos [...]" (Entrevistado 01, 2014).

[...] en un comienzo yo personalmente no creía en la forma de llevar del gobierno, todavía me opongo a muchas cosas, pero sí tengo que reconocer que no tiene nada que ver con Venezuela, todo mundo creía que íbamos a ser como Venezuela y de hecho Venezuela es un desastre ahorita, pero no tiene nada que ver (Entrevistado 11, 2014).

En las entrevistas se pueden encontrar metáforas que se refieren a la idea del futuro, que consideran será mejor para ellos mismos y por extensión para la sociedad en general. La capacidad de los ciudadanos para hacer planes en un futuro o "soñar" es un aspecto subjetivo, está implícito en el discurso de los entrevistados. La mayoría de ellos señala que ahora se nota una planificación desde el gobierno con el fin de construir el país que se quiere. Esta planificación ha incluido reformas y cambios en el ámbito educativo, en la infraestructura, en la dotación de servicios básicos, todo lo cual hace que las personas se planteen la posibilidad real de tener un mejor futuro, de tener unas expectativas que puedan ser cumplidas. La visión del futuro del Ecuador está ligada directamente con el estado de ánimo optimista que predomina en el sector consultado. Dicho optimismo coadyuva para que el sector agropecuario se oriente a avanzar hacia el logro de los objetivos de país transmitidos a través de la comunicación de gobierno.

El Ecuador del futuro es fácil cualquier persona le puede decir hasta un niño lo diría, primero el Ecuador está bien situado y lo que está siendo gobierno de mejorar la educación está excelente, todo con el mejoramiento de vías por ejemplo vías de penetración, programas de comunicación están mejorando [...] (Entrevistado 03, 2014).

Asimismo se encontró una interesante comparación entre el capitalismo y el canibalismo, en donde se trata de explicar que la acción de comerse a otro ser humano es una actitud típica de quien busca su propio enriquecimiento en desmedro del beneficio común: "Dejar el canibalismo económico, es decir pisotear al otro para llenarme los bolsillos" (Entrevistado 01, 2014). Por otro lado, se observa la percepción de la riqueza natural que posee el país en contraste con la desigualdad social que todavía subsiste: "[...] creo que vivimos en un banco de oro y con las manos extendidas pidiendo caridad" (Entrevistado 07, 2014).[18]

Los pequeños y medianos productores agropecuarios ecuatorianos expresan en su discurso ideas relacionadas con sus vivencias, sus creencias, sus perspectivas y sus expectativas referentes a la transformación de la matriz productiva. En algunos casos son construcciones positivas, cuando se refieren a la labor desempeñada por el Gobierno Central como dotador de servicios básicos o cuando hablan de las calidades y ventajas de sus propios productos. Pero también expresan percepciones negativas cuando se refieren al virtual ostracismo en que ha estado la actividad agropecuaria, lo que ha llevado a consecuencias que van desde falta de atención y servicios hasta la carencia de capacidades ténicas para desarrollar dicho sector.

En las campañas comunicacionales emprendidas por el gobierno a lo largo de estos siete años, se ha mantenido vigente el ofrecimiento de librar a los ecuatorianos de la pobreza y el subdesarrollo al que aparentemente estaban condenados. Este ofrecimiento se basó en concretar mediante planes de gobierno el impulso a la industria nacional y a las exportaciones. Esto viene determinado también por la idea de ser un país soberano y digno que no está sujeto a las imposi-

---

[18] Información detallada sobre la muestra y transcripciones de las entrevistas, así como el guión de éstas, pueden ser localizadas en Delgado, F. (2015) "La construcción social del cambio de la matriz productiva por parte de los pequeños...", trabajo de grado para obtener el título de maestría en Comunicación Política, Quito, Flacso.

ciones de terceros. En virtud de ello, es posible que la industria se desarrolle alcanzando el progreso que se desea para la sociedad.

La agroindustria, si alguna vez se nos terminara el petróleo, pero todo lo que podemos, Ecuador produce materias primas en abundancia, Costa, Sierra, Oriente pero el mal está en venderla así, no la transformamos y ahí está el cambio y la solución. El valor agregado significa empleo (Entrevistado 01, 2014).

En el discurso de los pequeños y medianos productores se observan evidencias de la internalización del discurso público, sobre todo cuando hablan acerca de los beneficios o afectaciones que generará la transformación de la matriz productiva en el sector agropecuario.

En el caso nuestro que sí nos ha afectado mucho sí es un poco más complicado los países como Colombia que tienen un poquito más de desarrollo tecnológico en lo que tiene que ver con esto aquí simplemente a 20 minutos usted va y ve industrias más tecnificadas tienen más utilidades comprar un producto mucho más barato y se dan el lujo de escoger la leche entonces estamos un poco más presionados por ese lado (Entrevistado 03, 2014).

De la información recolectada puede tomarse como institucionalización de las pautas de comportamiento que describen la complejidad de las relaciones que establecen en su sociedad, cuando los interlocutores describen las prácticas sociales relacionadas con su sector en particular: la asociatividad, el abandono gubernamental, el cambio generacional y la visibilización de problemas como el clima, la falta de crédito oportuno, logística, etcétera.

[...] viendo desde el plano comercial e industrial nos van a dar reparos, no nos afiliamos a una Cámara, nos debemos a la gente buscando un interés común. [...] existe demasiada presión de parte de las autoridades para que se cumplan normativas de lo cual lugares como el nuestro no estaban acostumbrados. (Entrevistado 01, 2014).

De acuerdo con el criterio expresado por los entrevistados, el crecimiento nacional requiere dejar los intereses particulares a un lado, buscando la tecnologización de las industrias y capacitando adecuadamente a las personas para que existan estas carreras las universidades del Ecuador.

En el caso de las universidades se debería crear más carreras técnicas al menos para nuestro caso; aquí hay muchas ingenieras comerciales o administradores de empresas que pueden haber sido excelentes alumnos pero definitivamente están como asistentes contables o como secretarias porque hay demasiados profesionales de ese tipo y se necesitan profesionales de carreras más técnicas por ejemplo en nuestro caso no hay nada referente a refrigeración industrial, técnicos eléctricos, electrónicos; por ejemplo en maricultura no hay nadie y de hecho tengo entendido que la Espol va a abrir dentro de la carrera de biología marina una cátedra para capacitar en este tema (Entrevistado 11, 2014).

La legitimación ocurre cuando los valores y roles de una sociedad se transmiten entre todos los individuos que la conforman mediante ideas y lenguaje que validan este comportamiento. Esta legitimación otorga una comprensión acerca del papel que cada uno desempeña como parte de la sociedad y en la cual se destacan las directrices que deben seguir de acuerdo con pautas preestablecidas. En las entrevistas se observa la legitimación en la aceptación del rol que tienen como actores, parte de la política del cambio de matriz productiva, especificando acerca del comportamiento que se espera de ellos, de los logros que se supone deben alcanzar, cómo deben apoyar o criticar el proceso, etcétera.

Complicado es, no podemos saber qué puede pasar pero si me habla del presente respecto al pasado estamos mejor en cuanto a lo social; en cuanto a lo político y económico diría que estamos mucho mejor que en el pasado, parece que hay más iniciativas y se tiene una meta clara en cuanto a una matriz productiva, tenemos un horizonte económico pero a futuro no sé, pero los entes y actores necesitamos poner un apoyo para no dejar a los organismos gubernamentales con todo. (Entrevistado 04, 2014).

Tienen la esperanza de que sus anhelos se cumplan debido a que han observados obras tangibles que permiten pensar que el cambio es inminente: "[...] yo creo que no debería perderse el producto campesino, que si nosotros mandamos para afuera, también que los mercados locales no pasen desabastecidos. (Entrevistado 18, 2014).

Al Ecuador del futuro, si seguimos dependiendo del petróleo, lo veo mal, porque se acaba el petróleo y se acabó el ingreso económico y nos vamos a morir de hambre, pero si damos la vuelta el naipe o apuntamos a otro norte y apoyamos al sector agropecuario, educamos para que la gente deje de pensar mal que si es agricultor es la última rueda del coche, yo le vería un Ecuador muy fructífero porque la tierra, el clima y la situación geográfica en que estamos situados a nivel del globo terráqueo es muy buenísima, tenemos muy buenos suelos para producir gran cantidad de alimentos. Eso sería una oportunidad para cambiar la matriz productiva [...] (Entrevistado 19, 2014).

Todos los entrevistados proyectan convertirse en exportadores. No obstante, de acuerdo con el PNBV, la meta en el sector agrícola no es exportar en grandes cantidades sino abastecer adecuadamente al consumo interno y que se exporten productos de categoría *gourmet* o con algún tipo de valor agregado. Es claro que la mayoría de los pequeños y medianos productores agrícolas ecuatorianos no tienen ni la capacidad productiva ni financiera para llegar a este objetivo. Sin embargo, predomina la construcción social de que la transformación de la matriz productiva los convertirá a todos en exportadores *premium*, cuando lo cierto es que se busca abastecer la demanda interna y finalmente establecer cadenas productivas basadas en la asociatividad que posibiliten que un producto sea reconocido internacionalmente como "marca ecuatoriana". En la práctica, los productores entrevistados se están orientando a buscar la certificación de "producto orgánico" la cual eleva su valor en el mercado internacional.

Pienso que hay que trabajar el tema de sensibilización, estamos dentro del comercio justo y producto orgánico, a veces la gente ve el precio, y no la calidad y procedencia. Nosotros queremos entrar al mercado nacional, tenemos un punto de venta en Quito, hacemos promoción, tenemos nuestra página web, participamos en ferias y explicamos el proceso que tenemos. Claro que hay competencia de productos que no son orgánicos, que es un aroma sintético, entonces para mí es un tema de sensibilización y que la gente valore lo nuestro. No podemos compararnos nuestros productos cosméticos con otra de tipo mundial, con monopolio (Entrevistada 15, 2014).

Pese al estado de ánimo positivo detectado en las entrevistas se aprecia también que hay preocupaciones sobre algunos aspectos que, a criterio de los entrevistados, hacen falta corregir para poder obtener los resultados esperados de esta transformación de la matriz productiva.

En el discurso de los pequeños y medianos productores agropecuarios ecuatorianos se revelan fisuras en el consenso sobre la conveniencia de las políticas de transformación de la matriz productiva, cuando se expresa la preocupación de estos actores sociales acerca de la lentitud de la aplicación de esta política pública.

> Somos gente que nos hemos puesto la camisa para seguir en esta lucha del cambio del buen vivir y lo estamos intentando pero realmente si nadie en el aporte o la ayuda necesaria, nosotros no vamos a poder seguir adelante. Hoy en día me he puesto una meta: hasta diciembre de 2014, si esta cosa no ha cambiado, yo dejo de ser productor, vendo mis animalitos y me voy a ser comerciante no me queda de otra porque estoy quebrado y he calculado que hasta 2014 yo podría sobrevivir pero me puede transformar en comerciante si no se cambia esta situación, si no se entra a partir de 2014 con el cambio del sector productivo agropecuario (Entrevistado 12, 2014).

Otro punto destacable es el temor o cautela con la que se interpreta la idea de la industrialización, pues varios de los entrevistados opinan que industrializar equivale a automatizar y que esto repercutirá en el eventual desempleo de la mano de obra rural no especializada debido a que sus labores las realizará una máquina.

Por el contrario, se rescata como imprescindible tener una marca con altos estándares de calidad que represente al país en el exterior.

> La innovación es algo clave en las empresas, sino innovamos nos quedamos con paradigmas anteriores y continuamos comercializando lo mismo y a la final vamos a caer, por eso es necesario la innovación para tener algo original, exclusivo, lo que no se ha visto en cuando al marketing, la gente también están interesadas en cosas nuevas, novedosas. (Entrevistado 04, 2014).

Si bien es cierto que existen obras materiales que visualizan el cambio que ha existido en cuanto a infraestructura, se tiene un cierto temor a que las cosas se estanquen y que no se alcancen mejoras estructurales o sustanciales de manera que se siga manteniendo el *status quo*. Consecuencia de los rezagos de administraciones anteriores ha sido el centralizar todo en la capital con el funcionamiento de las sedes administrativas en Quito y Guayaquil, es decir trasladando al ámbito urbano o citadino un aspecto administrativo que debería estar más bien dirigido hacia el nivel local, donde también están presentes las actividades productivas.

Una de las preocupaciones constantes de los entrevistados es que precisamente se requiere que los trámites tributarios, sanitarios, financieros, judiciales, etcétera, deben necesariamente llevarse a cabo en una de las dos ciudades, lo cual representa al pequeño y mediano productor y empresario el tener que desplazarse lejos de su domicilio para cumplir con una serie de formalismos burocráticos que llegan a ser excesivamente lentos.

Dentro de las cuestiones planteadas es que existan organismos que centralicen los trámites, pero que cuenten con oficinas en todo el país de manera que puedan decidir y brindar soluciones con autonomía. "Lo que nosotros necesitamos son políticas claras donde nosotros podamos trabajar y que se puedan aplicar en el territorio que no sean políticas de escritorio" (Entrevistado 12, 2014). "El Ecuador del futuro es cuando cambien las cosas, sea más ágil, no centralizado" (Entrevistado 14, 2014).

No obstante, el clima general de opinión de los pequeños y medianos productores es favorable a la instauración de la política de transformación de la matriz productiva.

Creo que ha cambiado mucho y por eso creemos que esta cuestión de la revolución ciudadana tiene que continuar, para que al final, luego de 10 años más, podremos sentirnos mucho mejor, con todos los servicios básicos quizás, aunque no en un 100% porque las necesidades nunca se terminan, pero de una u otra manera, yo creo que se verá mucho mejor el buen vivir que anhelamos (Entrevistado 18, 2014).

El clima general de opinión de los entrevistados es optimista. La comunicación de gobierno ha logrado persuadir a los ecuatorianos de las bondades de la Revolución Ciudadana y de sus avances en procura de la modernización y el desarrollo. Así, el cambio de la matriz productiva está asociado a valores patrióticos y al "bien común".

Conclusiones

El gobierno de la Revolución Ciudadana ha usado con éxito la estrategia de campaña permanente, sacando provecho del liderazgo, con algunos visos carismáticos, de Rafael Correa. Éste llega al poder con un discurso populista y antipartidos, más los pronósticos sobre su permanencia en el poder estaban en contra. Aunque el estilo discursivo confrontacional de Correa ha propiciado un contexto polarizado, sus políticas de inclusión social y la eficaz administración de la bonanza petrolera permitieron generar estabilidad política y mantener la gobernabilidad. Un estratégico tejido de redes de apoyo de grupos políticos y económicos emergentes, una élite académica que se autocalifica como posneoliberal y el apoyo de un pueblo que se siente representado directamente en la voz de su presidente son los puntuales de esta gobernabilidad.

Una sucesión de procesos plebiscitarios ha facilitado al gobierno ecuatoriano avanzar en un proyecto político modernizador y democratizador, en donde se combinan inusualmente políticas populistas y políticas tecnocráticas. La base ideológica de la legitimación de la Revolución Ciudadana es la noción del Buen Vivir. El discurso gubernamental inserta la idea del Buen Vivir en un marco de nacionalismo y patriotismo, que da sentido histórico trascendente al proyecto político de la Revolución Ciudadana. Más a partir de 2012, el correísmo ha resignificado la idea del "socialismo del Sumak Kawsay" para darle impulso a la política desarrollista y modernizadora del cambio de la matriz productiva. La comunicación gubernamental sobre el cambio de la matriz productiva conjuga la idea del bienestar del pueblo con el progreso económico de Ecuador. El uso estratégico de los *marcos discursivos* es evidente en el análisis de las comunicaciones sobre la transformación de la matriz productiva. En el estudio referido en este trabajo, los productores agrícolas construyen el proyecto modernizador con ios elementos de progreso, el desarrollo y superación de la pobreza. Se observa la legitimación de la Revolución Ciudadana en función del optimismo sobre el futuro del país y confianza en que el gobierno de Correa se dirige a alcanzar el "bien común".

No obstante, en el inicio de 2015, se presentan fisuras en esa legitimación discursiva de la Revolución Ciudadana. La caída de los ingresos petroleros pone un freno al crecimiento económico del país y al proceso de transformación de la matriz productiva en el cual se habían puesto las esperanzas. Las salvaguardias a las importaciones están siendo asociadas con el "feriado bancario" de 1999, que un año después llevó a la dolarización de la economía.[19] A esto se suman errores comunicacionales, especialmente en el uso de la web social,[20] que pudiesen afectar negativamente la identificación popular con el liderazgo de Correa. Sin embargo, no hay indicios de que Ecuador pudiese enfrentar en el corto plazo otra crisis de gobernabilidad como la que sacó a los forajidos a las calles de Quito en 2005.

Bibliografía

Acevedo, M. H., 2011, *Notas sobre la noción de frame de Erwing Goffman*, Buenos Aires, Universidad de Buenos Aires.

Acosta, A., Lander, E., y Gudynas, E., 2009, *El buen vivir. Una vía para el desarrollo*, Quito, Abya-Yala.

Ayala Sarmiento, S., 2013, "¿Es hora de la matriz productiva?", en *Revista Líderes* <http://www.revistalideres.ec/informe-semanal/competitividad-produccion-Ecuador-valor_agregado_0_872312778. html>, consulta: 31 de enero de 2014.

Bateson, G., 1972, *Pasos hacia una ecología de la mente*, Nueva York, Ballantine Brooks.

Berger, P., y Luckmann, T., 1996, *La construcción social de la realidad*, Buenos Aires, Amorrortu.

Canel, M. J., 2014, "Implicaciones de las teorías setting, framing y espiral del silencio en la investigación de la comunicación", <https://

---

[19] Aunque económicamente se trata de medidas con orientaciones diferentes, la opinión pública las ha asociado considerando que ambas medidas afectan negativamente el poder adquisitivo de la población y disminuyen el valor real de los ahorros.

[20] El caso del sobredimensionamiento de los memes de Crudo Ecuador en el *Enlace Sabatino* y la campaña en su contra vía Twitter, destacan entre los errores comunicacionales más graves cometidos recientemente por el gobierno de Correa.

procesoscomunicacion.files.wordpress.com/2014/02/bc-3-agendas-setting-framing-umbral-silencio.pdf>, consulta: 1 de febrero de 2014.

Cañizalez, A., 2012, *Chávez: La presidencia mediática*, Caracas, Editorial Alfa.

Collins, J., 2000, "Una transición desde las élites hacia una democracia participativa: apuntes sobre el papel emergente de los movimientos sociales en el Ecuador", en J. Massal y M. Bonilla, *Los movimientos sociales en las democracias andinas*, Quito, Flacso, pp. 55-71.

Conaghan, C., y De la Torre, C., 2008, "The permanent campaign of Rafael Correa: Making Ecuador's plebiscitary presidency", en *The International Journal of Press/Politics*, vol. 13, núm. 3, pp. 267-284.

Cuvardic García, D., 2002, "Los marcos interpretativos textuales: herramienta metodológica para el análisis del discurso", en *Revista de Ciencias Sociales Costa Rica*, <http://www.redalyc.org/pdf/153 /15309607.pdf>, consulta: 10 de febrero de 2014.

De La Torre, C., 2010, "¿Más allá de la democracia representativa procedimental?", en *Ecuador Debate*, vol. 80, pp. 45-72.

_____, 2013, "El tecnopopulismo de Rafael Correa: ¿Es compatible el carisma con la tecnocracia?," en *Latin American Research Review*, vol. 48, núm. 1, pp. 24-43.

Delgado, F., 2015, "La construcción social del cambio de la matriz productiva por parte de los pequeños y medianos productores del sector agropecuario ecuatoriano", en trabajo de grado para obtener el título de maestría en Comunicación Política (asesora de tesis: Iria Puyosa), Quito, Flacso-Ecuador.

Domínguez, R., y Caria, S., 2014, "La ideología del buen vivir: la metamorfosis de una 'alternativa al desarrollo'", en *Desarrollo de toda la vida*.

Dueñas, R., 2013, "Matriz productiva: el momento ideal es ahora", en *Revista EKOS*, vol. 186, p. 200.

Edelman, M., 1988, *Constructing the political spectacle*, Chicago, The University of Chicago Press.

Fischer, F., y Forester, J., 1993, *The argumentative turn in policy analisys and planning*, Duke, Duke University Press.

Giddens, A., 1984, *The constitution of society*, University of California Press.

Lakoff, G., y Johnson, M., 1980, *Metáforas de la vida cotidiana*, C. G. Marín, traductor, Madrid, Anaya-Cátedra.

López Rodríguez, S., 2011, "¿Cuáles son los marcos interpretativos? Un análisis constructivista", en *Revista Española de Ciencias Políticas*, <http://www.recp.es/index.php/recp/article/viewFile/119/66>, consulta: 25 de febrero de 2014.

Manosalvas, M., 2014, "Buen vivir o sumak kawsay, en busca de nuevos referenciales para la acción pública en Ecuador", en *Revista Íconos*, pp. 110-141.

Moncayo, P., 2010, "Una democracia de rostro populista", en *Ecuador Debate*, vol. 80, pp. 121-134.

Ornstein, Norman J. y Mann Thomas E., 2000, *The permanent campaign and its future*, Washington, D.C., American Enterprise Institute for Public Policy Research.

Potter, J., 1996, *La representación de la realidad. Discurso, retórica y construcción social*, Barcelona, Paidós, temas de psicología.

Puyosa, I., 2013, "Polarización: Un cuento de dos países", en *Temas de Comunicación*, vol. 25, Caracas, UCAB.

Ramírez, René, 2010, "Socialismo del sumak kawsay o biosocialismo republicano", en *Documento de trabajo*, núm. 2, Quito, Secretaría Nacional de Planificación y Desarrollo.

Rein, M. y Donald, S., 1993, "Reframing policy discourse", en Frank Fischer y John Forester, *The argumentative turn in policy analisys and planning*, Duke, Duke University Press.

Rorty, R., 1989, *Contingency, irony and solidarity*, Cambridge University Press.

Verloo, M., 2004, "Mainstreaming gender equality in Europe. A frame analysis approach", Conference of the Europeanist, Chicago, 11-13 de marzo de 2004.

Weber, M., 1997 [org. 1922], *Economía y sociedad*, Santafé de Bogotá, Fondo de Cultura Económica.

Leyes y otros documentos

Constitución del Ecuador (2008), Quito: Corporación de Estudios y Publicaciones.

Código Orgánico de la Producción, Comercio e Inversiones (2010), Quito, Corporación de Estudios y Publicaciones.

Ley Orgánica de Educación Superior (2010), Quito, Corporación de Estudios y Publicaciones.

Ley Orgánica de Regulación y Control del Poder del Mercado (2011), Quito, Corporación de Estudios y Publicaciones.

SENPLADES (2012), *Transformación de la matriz productiva*, Quito, SENPLADES.

SENPLADES (2013), *Plan Nacional del Buen Vivir 2013-201*, Quito, SENPLADES.

LA GOBERNABILIDAD DEMOCRÁTICA EN VENEZUELA: TRAYECTORIAS Y ACTUALIDAD

María Isabel Puerta R.

Antecedentes históricos: 1958-1998, consolidación de la democracia, crisis de representación, crisis del bipartidismo.
Ruptura del Estado de partidos

Las circunstancias que condujeron a la coyuntura histórica de 1958 serían determinantes en la consolidación del proyecto democrático –interrumpido por una década– y que sólo sería alcanzado con la suma de esfuerzos y principalmente de intereses. De las razones que llevaron al fracaso de la democracia en Venezuela, surgieron las lecciones para la dirigencia política venezolana, forzándola a hacer un solo frente ante la causa común de la consolidación de un régimen democrático con el Pacto de Punto Fijo.[1]

El pacto de Punto Fijo fue el acuerdo suscrito por los principales actores políticos, económicos y sociales del país, que habrían de asumir un rol preponderante en la conducción política de la sociedad venezolana. Las organizaciones políticas Acción Democrática (AD), Comité de Organización Política Electoral Independiente (COPEI) y Unión Republicana Democrática (URD); el principal organismo económico nacional, Federación Venezolana de Cámaras y Asociaciones de Comercio y Producción (FEDECAMARAS); la central obrera, Confedera-

---

[1] El nombre del pacto se debe a la residencia del doctor Rafael Caldera, donde se firmó el acuerdo, llamada Puntofijo (Molina, 2004: 9).

ción de Trabajadores de Venezuela (CTV); las Fuerzas Armadas y la Iglesia católica se comprometieron a actuar solidariamente para preservar la naciente democracia, con lo cual quedó sentado el vínculo entre partidos, grupos económicos y demás instituciones del Estado, para apoyar y vigilar el desarrollo de un proyecto nacional centrado en la construcción de un sistema democrático garante del ejercicio pleno de libertades políticas y la alternabilidad en el poder.

Considerando que el proyecto político venezolano había tomado las banderas de la modernización de la sociedad, bajo la figura de un modelo democrático, representativo y pluralista, en su lugar éste se tradujo en estatismo, centralismo, presidencialismo, partidismo y populismo, rasgos que han caracterizado al Estado venezolano en su etapa democrática (Granier-Gil, 1987: 30).

El *estatismo* expresado en el intervencionismo en las actividades de desarrollo económico y social, contribuyendo a un crecimiento desproporcionado del aparato burocrático, bajo dominio de los partidos políticos a los que se les atribuye su ineficiencia y elevados niveles de corrupción, una condición que influyó negativamente en los niveles de participación política, pues el modelo populista de repartición de la renta petrolera facilitó crear una cultura de dependencia en la distribución del gasto público improductivo, que lejos de fomentar la creación de riqueza, sometió a la población a una relación pasiva y sumisa frente al Estado.

El *centralismo* reflejado en la concentración del poder en el Ejecutivo, que tanto en la Constitución de 1961, como en la de 1999, le reconoce al presidente de la República importantes atribuciones y competencias en los ámbitos político, financiero y administrativo, a pesar de tratarse de un Estado federal en su forma de organización, permitiéndole tener decisión en las áreas políticas y económicas fundamentales, dado que combina la jefatura de Estado con la de gobierno, además de ser responsable de la Administración y la Hacienda Pública, para lo cual cuenta con un aparato burocrático controlado por los partidos políticos como garantes de los intereses de la clase política.

El *presidencialismo* representado en la preeminencia que tiene en el sistema político venezolano el Poder Ejecutivo, por encima de las otras ramas del poder público, fortalecido en la Constitución de 1999, aun cuando se argumente la búsqueda de un sistema presidencial flexible. En estas condiciones, el Ejecutivo participa de todas las decisiones importantes no sólo en materia política, sino también económica, social, cultural e institucional.

El *partidismo* mostrado en la influencia decisiva de las organizaciones políticas sobre las instituciones, ha sido el rasgo más distintivo del sistema político venezolano, en donde los partidos políticos han sido aparatos de mediatización de la participación política, abarcando todas las formas de organización social conocidas: gremios, instituciones, administración pública, además de otras más recientes. Los partidos en lugar de articular las demandas de la población, las condicionan de modo que tanto su expresión como el mismo conflicto social son canalizados por medio de la organización política, manifestándose tanto en el aparato burocrático como en el resto de la institucionalidad política.

El *populismo*, enfermedad por excelencia de los países latinoamericanos, radica en el desarrollo de políticas proteccionistas y paternalistas en las que se incentiva una cultura de dependencia absoluta del Estado como benefactor y sus reparticiones periódicas, limitando la creación de riqueza de manera autónoma para mantenerla atada al proyecto de la clase política en el poder.

Los primeros gobiernos democráticos (Betancourt, Leoni y Caldera) fueron claves en el proceso de consolidación de la democracia representativa. Estos tres periodos estuvieron marcados por la inestabilidad representada en la incursión guerrillera inspirada en la Revolución Cubana de 1959, que llevó al Partido Comunista de Venezuela y al Movimiento de Izquierda Revolucionaria (una escisión de AD) a tomar las armas para desplazar del poder a la élite dominante. Con el gobierno de Leoni se dio el acuerdo de *Ancha Base*, al invitar a otros actores políticos a formar una coalición política que no logró sostenerse durante todo el quinquenio, siendo finalmente en el primer periodo de Caldera cuando se consigue la pacificación del país.

El comienzo de la crisis del Estado venezolano está ligado a los efectos de la bonanza petrolera a raíz del aumento de los precios del petróleo en el periodo 1974-75. La abundancia de recursos, aun cuando de forma coyuntural facilitó al Estado la posibilidad de controlar a los sectores populares, haciéndolos parte de la "Gran Venezuela", en ese entonces representado por el primer gobierno de Carlos Andrés Pérez (1974-1979), acostumbrando rápidamente al país a una enorme riqueza, sin contar con una orientación del gasto asociada a una visión de futuro, desarrollando un patrón de vida inconveniente para una sociedad con déficit de condiciones estructurales que le facultaran superar el modelo de dependencia petrolera. Sin embargo, las clases política y económicamente dominantes pasaron por alto el costo político a futuro, conduciendo al país a una situación financiera precaria por el derroche de los recursos.

Con la caída de los precios del petróleo, a principios de la década de 1980, estalla la crisis económica del país alcanzando grandes proporciones, considerando la debilidad estructural existente además de la poca disposición de la clase política para controlar los excesos y la negativa de la clase económica de sacrificar sus beneficios y privilegios. Por otra parte, la deuda externa, privada y pública, continuaba en ascenso para cubrir el déficit presupuestario, producto del elevado gasto social del Estado, en buena medida, un gasto social ineficiente.

Mientras fue posible financiar al país con la renta petrolera, el control de las clases populares fue efectivo y el consenso de las élites operaba dentro de los términos establecidos por el acuerdo político vigente. La crisis económica que se profundiza durante el gobierno de Luis Herrera Campins (1979-1984), creó las bases del descontento social que tendría repercusiones inevitables a mediano plazo.

La plataforma sobre la cual se construyó el sistema político venezolano fue débil, si se tiene en cuenta que el equilibrio en un Estado depende en buena medida de la estabilidad democrática, la equidad social y el desarrollo económico, que como Kornblith (1996) argumenta es el origen de la crisis del modelo rentista venezolano, en el que el petróleo ha sido la principal actividad productiva y fuente de ingresos, afianzando un Estado hiperactivo (Estado de bienestar) que subsidiaba, intervenía, protegía y regulaba mediante mecanismos utilitarios que estimularan la adhesión de la sociedad al sistema, con la promesa –incumplida– de trascender el modelo creando fórmulas menos dependientes.

Es posible que un segundo gobierno de Carlos A. Pérez haya generado expectativas del retorno de la bonanza en la economía pero, por el contrario, a un mes de haber asumido la presidencia –27 de febrero de 1989– el anuncio del Programa de Ajustes Económicos que contemplaba una serie de medidas de emergencia (juzgadas de naturaleza neoliberal por sus críticos), comenzando por el aumento del precio de la gasolina, desencadenó una protesta pública espontánea que fue escalando rápidamente, dejando como saldo numerosas víctimas,[2] a manos de la represión del Ejército que fue desplegado para contener los saqueos. El *Caracazo*, como se conoce en la historia política contemporánea, fue la consecuencia más dolorosa del paquete económico aplicado, tratándose de una nueva cuota de sacrificio dirigida a los sectores populares, como dijo el expresidente Rafael Caldera (Caldera, 1992: 28).

El 4 de febrero de 1992 se produjo el primero de dos intentos de golpes de Estado que sucedieron ese año. Un sector de la oficialidad de las F.F.A.A. de baja y media graduación se rebeló frente al poder político al que acusaban de estar atentando contra la institucionalidad, sopesando su incapacidad para cumplir con la función de representar y defender los intereses de sociedad. Ese mismo año, el 27 de noviembre, un grupo de oficiales de alta graduación conspiró argumentando básicamente las mismas razones del primer grupo. Con esta segunda intentona golpista quedó en evidencia el resquebrajamiento del sistema institucional construido sobre las bases del Pacto de Punto Fijo, agudizando la crisis política. El sistema edificado bajo el compromiso de observar un determinado curso de acción política –la democracia pluralista– fue cuestionado por uno de sus actores fundamentales.

Las intentonas golpistas de febrero y noviembre de 1992, no hicieron sino reflejar un descontento latente y la indiferencia de la población hacia las instituciones, según lo señala una encuesta realizada por UCV-IFEDEC-ULA, donde a la pregunta: ¿qué habría hecho usted el 4F (en relación con los golpistas) de haber podido hacer algo?, cerca de 55% respondió: "nada". (Puerta, 2010: 61). Este quiebre de la institucionalidad, se manifestó en la poca confiabilidad en la democracia como régimen de gobierno, como se evidencia en una encuesta realizada poco antes del 4 de febrero de 1992, en la que 44% de los encuestados opinaba que *el sistema político venezolano creado por la Constitución de 1961, era "regular"* (Njaim y otros, 1988: 22).

En esta correlación de fuerzas, la represión resulta ser la medida más efectiva para replegar cualquier intento por vulnerar el dominio de la clase política, haciendo posible la persistencia del conflicto social. Algunos síntomas de la desconexión se hicieron presentes en el

---

[2] <http://www.cofavic.org/caracazo/>.

comportamiento político, cuando en las elecciones de 1988 se registró un incremento en la abstención electoral histórica.

La relativamente elevada abstención en las elecciones presidenciales y legislativas de diciembre de 1988 fue una de las llamadas de atención acerca del malestar ciudadano: calculada sobre el universo de electores llegó a ser de 25.3%, o sea 13% más que en las elecciones presidenciales de 1983. Este resquebrajamiento inicial del rito electoral democrático fue transformándose en una protesta silenciosa... que encontró su voz el 27 de febrero de 1989 (Sonntag, Maingón, 1992: 66).

El cambio en el esquema de relaciones que refleja la variación tradicional de la abstención por el orden del 7.82% (Francés, 1990: 184) respecto a los 20 años previos, representa una consecuencia de la ausencia de consenso entre el Estado y las fuerzas sociales en pugna para continuar el proyecto político, produciéndose un desequilibrio en las relaciones entre ambos sectores. En estas condiciones resulta indispensable un reacomodo de las fuerzas políticas y sociales que buscan mantener, por una parte, privilegios de clase y por otra parte desplazar del poder a la clase dominante. Así surgen movimientos políticos alternativos, algunos sectores de la Iglesia asumen un rol de vanguardia y se comienza a gestar una matriz de opinión desfavorable para el orden político vigente.

Este hecho fue un alerta, un indicador de la crisis institucional en curso que ya no podía ocultarse. El presidente Pérez hizo esfuerzos por disminuir el daño, pero la fractura institucional fue evidente, el discurso ya no convencía a los sectores populares. Las medidas que fueron tomadas revelan lo inesperado de los sucesos para la clase política, sorprendida por el comportamiento de las clases populares, una consecuencia del modelo político democrático al que Uslar se refiere a continuación:

Mucho de lo que ha ocurrido en Venezuela no puede explicarse sino a la luz de la forma muy peculiar que, debido a las circunstancias, adquirieron las instituciones democráticas a partir de 1958, cuyo resultado ha sido la ineficacia y la falsificación de lo que dichas instituciones hubieran tenido que ser y del juego democrático (Uslar, 1992: 121).

Esa escasa efectividad se mostraba en la crisis de representatividad exhibida como la incapacidad para articular las demandas de la sociedad; el clientelismo sustituyó a la participación y la sociedad quedó excluida de las decisiones públicas, circunstancia que la descentralización incipiente fue incapaz de corregir. Pero más grave aún fue la renuencia a la rectificación por parte de la clase política; la dirigencia y los partidos políticos perdieron una oportunidad de recuperar su liderazgo luego de los sucesos de 1989. La distancia entre la sociedad y la política se había ampliado entre 1984 y 1989 (García Mora, 2002: 24). La crisis económica y su consecuente crisis social no fueron suficientes para lograr cambios en la relación entre la clase política y los sectores populares, convirtiéndose en una seria amenaza para la gobernabilidad democrática, la imposibilidad del sistema institucional para canalizar las demandas y crear mecanismos eficientes para recuperar las bases del modelo consensual.

Esta crisis institucional se manifiesta a través de cuatro indicadores:

1. Crisis de valores: el conjunto de principios morales y éticos que fundamentan el ejercicio político han resultado distorsionados en el modelo de relaciones del sistema político venezolano. Los intereses de la clase política estuvieron por encima de los intereses de las clases populares. La crisis de representatividad tomando cuerpo es la consecuencia de este desencuentro, en el que el sistema perdió credibilidad.
2. Ausencia de liderazgo: El liderazgo en Venezuela está ligado a la naturaleza personalista del ejercicio político, que nace del modelo caudillista que condujo a la organización republicana. Esa influencia no sólo no ha abandonado el perfil del político venezolano, sino que se ha profundizado, por lo que la figura de líder está vinculada al ejercicio personalista del poder.
3. Corrupción: La falta de valores morales se expresa de modo práctico en el comportamiento de la clase política respecto al manejo de los recursos públicos. La cultura del enriquecimiento ilícito quedó al descubierto en innumerables escándalos de corrupción dentro de la administración pública. La noción de riqueza, como consecuencia del negocio petrolero, ejerció notable influencia en las ambiciones de los políticos y factores cercanos al poder. El clientelismo político también encontró una forma

de expresión y los casos de corrupción, como el Sierra Nevada,[3] se convirtieron en los emblemas de las gestiones pasadas.

4. Pérdida de legitimidad: La democracia consensual concedió que el control de la institucionalidad estuviese en manos de la élite política: los partidos políticos, concretamente, las cúpulas partidistas. El aparato del Estado ha sido instrumento de los partidos políticos para resguardar sus intereses, por ello su partidización amplió el campo de acción de la élite política. La penetración política de las instituciones fundamentales de la democracia, hizo que la articulación de intereses de la sociedad estuviese sujeta a formas clientelares. Eso profundizó aún más la brecha entre la clase política y los sectores populares. Los partidos políticos perdieron representatividad y con ello el propio sistema político. La institucionalidad dejó de ser un espacio legítimo, en cuanto a la aceptación de su comportamiento; la justicia, el Congreso eran objeto de permanente crítica de la sociedad. Las garantías democráticas que ofrecía el sistema político fueron sustituidas por la desconfianza y el cuestionamiento hacia las instituciones políticas.

Estas características reflejan el agotamiento de un modelo relacional, en el cual la élite política perdió su capacidad para conducir a la sociedad al haber privilegiado la defensa de sus intereses por encima de los de las clases populares. Las políticas para corregir estos desequilibrios con el tiempo demostrarían ser insuficientes. La elección directa de alcaldes y gobernadores en diciembre de 1989, permitió por primera vez escoger a los mandatarios regionales y locales, una atribución que había pertenecido al mandatario nacional.

Este cambio fue parte de la propuesta de reforma del Estado desarrollada desde la Comisión Presidencial para la reforma integral del Estado (COPRE), que hubo de ser adelantada dada la coyuntura política. En estas elecciones ocurrió un fenómeno indicador de la grave crisis que se avecinaba, la abstención electoral se ubicó por el orden del

---

[3] En el primer gobierno de Carlos Andrés Pérez (1974-1979), fue adquirido el barco *Ragni Berg*, rebautizado como *Sierra Nevada*, con sobreprecio, por el orden de 8 millones de dólares, por lo cual el primer mandatario fue enjuiciado al culminar su primer mandato constitucional, resultando absuelto en su responsabilidad moral y administrativa, pero con una condena política.

55% (Sonntag y Maingón, 1992: 69), reflejando el deterioro de la relación entre la clase política y los sectores populares.

La crisis política continuó agravándose, aún mucho más con la acusación hecha al presidente Pérez de haber obtenido dólares preferenciales, con 250 millones de bolívares provenientes de la partida de gastos de seguridad del Ministerio de Relaciones Interiores, a través de una operación de la oficina del Régimen de Cambios Diferenciales (RECADI). Esta denuncia, efectuada el 12 de marzo por el Fiscal General de la República, doctor Ramón Escovar Salom, desencadenaría una investigación que finalmente el 20 de mayo de 1993, luego de muchas presiones, la Corte Suprema de Justicia aprobó la solicitud de enjuiciamiento al presidente Pérez al hallar méritos suficientes, con una votación de nueve a favor y seis abstenciones.

El presidente Pérez fue sustituido temporalmente por el presidente del Congreso, doctor Octavio Lepage, mientras las fuerzas políticas acordaban quién sería el encargado de finalizar el periodo constitucional, recayendo la responsabilidad en el senador doctor Ramón J. Velásquez, del partido AD, juramentado el 5 de junio de 1993, cuya imagen y trayectoria daban garantías de la integridad necesaria para cerrar ese lamentable capítulo de la historia venezolana. El principal objetivo de Velásquez fue devolverle la tranquilidad y la confianza al país luego de las tensiones vividas desde el comienzo de esa fase presidencial, y que se pudiese conducir pacíficamente a la población a los comicios electorales del 5 de diciembre.

Es en 1993 cuando ocurre un detonante en la crisis del sistema político venezolano, al concretarse la ruptura definitiva del bipartidismo, además de un aumento considerable de la abstención como expresión política, situándose alrededor de 40% (Duhamel y Cepeda, 1997: 307).

Es entonces que con la desaparición del bipartidismo, materializada en la reelección de Rafael Caldera, quien habiendo sido uno de los pilares fundamentales del modelo de Estado de Partidos, rompe con COPEI, para lanzarse a la candidatura presidencial con otra tolda política, CONVERGENCIA, una organización formada por la disidencia socialcristiana, contando con el respaldo de otros partidos de izquierda, como el Movimiento al Socialismo (MAS), obtiene la primera magistratura con 30% de los votos (Duhamel y Cepeda: 307), marcando el final del predominio bipartidista y de la partidocracia como modelo político.

Sin embargo, sumado a ello, las razones de la crisis política venezolana se pueden encontrar en la modificación de las condiciones básicas del orden democrático establecido, que interpretado desde la concepción de Rey (1991: 543), Kornblith (1996: 2) considera se reduce a la crisis del modelo rentista, del modelo de representación y de legitimidad y de los mecanismos de generación de consenso y canalización del conflicto, lo que condujo al deterioro de las expectativas de bienestar colectivo que había garantizado una abundante renta petrolera, que al no tener respaldo en las organizaciones políticas para la articulación y expresión de las demandas, generó serios desajustes en el modelo democrático, que seguía siendo el sistema predominante de acuerdo con el *Latinobarómetro*, al colocarse en 7. 6 en una escala del 1 al 10 (2005: 48).

Las estructura de una economía rentista sostenida mediante pactos sociales, con la presencia fuerte del Poder Ejecutivo y una clara hegemonía de partidos, se vio agotada partir de la crisis económica desatada por el *viernes negro* en 1983, la ruptura social representada por el *Caracazo* en 1989 y las dos intentonas golpistas de 1992, la destitución de Pérez en 1993 y el triunfo de Caldera en 1993: crisis del modelo rentista, crisis del modelo de representación y crisis de legitimidad y de los mecanismos de generación de consenso y canalización del conflicto (Kornblith, 1996).

La aspiración de consolidar un modelo de democracia pluralista fue truncada, entre otras razones por la cultura clientelar estimulada por la partidocracia –el gobierno de los partidos–, quienes en una relación de mediatización de representantes –representados y gobernantes– gobernados, forzaron la sumisión de los electores a los partidos, dándole mayor relevancia a las fracciones parlamentarias en el Poder Legislativo, que a las iniciativas inspiradas en la colectividad, degenerando en el control político de las cúpulas partidistas, sustituyendo el Estado de Partidos, definido como el modelo en el cual se produce una interacción entre el sistema jurídico-político y el sistema sociopolítico (Brewer, 1988: 9).

Fue precisamente la cultura de los pactos lo que comprometió a diversos actores políticos, logrando conformar el tejido social del país que se pervirtió a tal extremo que el resultado fue el de una democracia pactada con una representación limitada de los intereses de los partidos y no de los representados, pues toda demanda debía ser canalizada a través del partido, de manera que para darle curso debía insertarse dentro los intereses de clase que defendían los partidos. En este sentido, resultan pertinentes las palabras de Alain Touraine para definir la representatividad:

El Sistema democrático es débil si el apoyo otorgado a un partido político es lo que determina las posiciones que se toman ante los principales problemas sociales, en tanto que es fuerte si los partidos políticos aportan respuestas a las cuestiones sociales formuladas por los actores mismos y no sólo por los partidos políticos y la clase política (2002:325).

La incapacidad de los partidos políticos tradicionales de canalizar el conflicto y controlar las organizaciones sociales, que en la década de 1980 comienzan a surgir como expresiones al margen de los partidos, se ve reflejada en los niveles de representatividad en el Poder Legislativo, que para 1993 los partidos AD y COPEI reuniendo 46% de los votos parlamentarios, posteriormente en 1998 se sitúan en 36%, que en el 2000 se reduce a 21% (Molina y Álvarez, 2004: 35).

El contexto en el que se fue desarrollando el sistema político venezolano determinó los cimientos de lo que en pocos años ha degenerado en una grave crisis política que, de alguna forma, ha estado en la propia fundación del sistema. Ello tiene que ver con la debilidad de dichas bases fundacionales, pues el equilibrio del Estado depende en buena medida de una democracia política fuerte con equidad social y desarrollo económico, que en Venezuela esos elementos han estado desarticulados durante mucho tiempo.

Un sistema institucional disminuido que depende del estado de la correlación de fuerzas políticas, incide de manera negativa en los niveles de confiabilidad en la democracia como régimen de gobierno. El deterioro fue aumentando porque la sociedad no encontró los canales de participación –encarnados por los partidos políticos– que le permitieran manifestar sus exigencias, resignándose a un papel intermitente en cada elección nacional, regional y local.

Por eso, la elección presidencial de diciembre de 1998 fue un evento determinante en la definición del futuro de la sociedad venezolana, en donde confluyeron la frustración, el hastío, la esperanza y el cambio, en medio de una profunda orfandad institucional y de liderazgo, paradójicamente similar a la que vive el país en la actualidad.

Construcción del chavismo: 1998-2013, transformación del modelo sociopolítico y económico: desinstitucionalización, promoción de una nueva institucionalidad

La figura de Hugo Chávez, como alternativa política frente a la clase tradicional en 1998, fue un síntoma de la crisis terminal del modelo político dominante. Su llegada a la Presidencia de la República plantea una transformación del país desde un nuevo régimen constitucional, iniciado con la Asamblea Nacional Constituyente que diseña la Constitución de la República Bolivariana de Venezuela en 1999.

En su ascenso al poder, Hugo Chávez resume el rechazo del país por un modelo de hacer política que pareciera haber tomado distancia de las necesidades colectivas. Con una participación electoral de 6 988 291 electores, Chávez obtuvo el triunfo con 3 971 239, con una abstención de 36.24% (Molina y Álvarez, 2004: 43).

El agotamiento de ese modelo de Estado le dio espacio a Chávez para cuestionar la Constitución de 1961 y centrar su discurso en la necesidad de desmontar el sistema institucional vigente, y así conducir a la nación por una serie de procesos de cambio que le posibilitaran construir un nuevo entramado institucional: el Referendo Consultivo del 25 de abril de 1999, el Referendo Aprobatorio del 15 de diciembre de 1999 y las Elecciones Presidenciales de 2000, en las que se produjo un ligero aumento de la abstención, ubicándose en 43.5% (Molina y Álvarez, 2004:44).

La llegada de Chávez a la primera magistratura nacional originó amplios temores y expectativas, para algunos fue un castigo y para otros la esperanza de un cambio. En estas circunstancias, los partidos políticos que fueron convertidos en el blanco de las críticas del proyecto revolucionario, se encontraron desarmados frente a su nivel de aceptación. La pérdida de legitimidad de las organizaciones políticas era una consecuencia de su distanciamiento de los intereses colectivos, en lo que el proceso político revolucionario sólo actuó como catalizador.

Ante el desafío planteado, la clase política tradicional intenta retornar a la escena a través de la Coordinadora Democrática, el órgano multirrepresentativo de los intereses políticos de la oposición al gobierno de Chávez, sin embargo su resistencia a renovarse llevó al sistema político venezolano a transitar por los caminos de la desinstitucionalización (Molina y Álvarez, 2004).

En diciembre de 2001, el presidente Chávez recibe de la Asamblea Nacional una ley habilitante que incluye la Ley de Tierras y Desarrollo Rural (Machado: 81), siendo objeto de rechazo por parte del sector productivo, así como el resto de las 49 leyes que incluía la habilitante, lo que suscitó un clima de confrontación severo entre gobierno y sectores adversos a éste.

En este periodo Chávez se centró en el objetivo del control político, y la Ley Habilitante de 2001 precedió a un nuevo modo de hacer frente a esos sectores de la sociedad no alineados con su proyecto, mediante la confrontación. La crisis de abril de 2002 sacó del poder brevemente al presidente Chávez, y lo que siguió fue una serie de eventos cuyo propósito era crear las condiciones para su abandono definitivo del poder. Luego de los sucesivos fracasos de la oposición (huelga general, marchas) en alcanzar ese único objetivo, después de una larga negociación con el apoyo del Centro Carter, oposición y gobierno acuerdan una salida pacífica y democrática a la crisis política con el Referendo Revocatorio de 2004.

Los resultados favorables a la continuación de su mandato fortalecen el liderazgo de Chávez, sumiendo a la oposición en una profunda crisis que la lleva a boicotear las elecciones parlamentarias de 2005, dejando a la Asamblea Nacional con mayoría absoluta a favor del gobierno y el inevitable control político sobre todos los poderes, sin espacio para la disidencia, lo que facilitaría el terreno para un nuevo mandato presidencial en 2006. En 2007 la convocatoria de una reforma constitucional para darle más poder al Ejecutivo, como la reelección indefinida, se convirtió en un importante revés para el gobierno, que luego en 2009 se lograría con el voto favorable en otra convocatoria de reforma constitucional donde además de la reelección indefinida, se redefinió la concepción del Estado y sus medidas de control.

A partir de ese triunfo, el gobierno nacional fue profundizando en las acciones para lograr el control total de la institucionalidad y la centralización del poder, limitando la autonomía de entidades federales, como en el caso del Distrito Capital; traspasando competencias de los estados hacia el poder central como en el caso de puertos y aeropuertos. De forma contradictoria se enunciaban las instancias y los instrumentos para el fortalecimiento de la participación, mientras que paralelamente al ejercicio decisorio se mostraba la profundización en el control por parte del poder central.

La última etapa en el desarrollo de este modelo político fue la propuesta contenida en el llamado Poder Popular, nombre con el que se conoce a un paquete de Leyes Orgánicas sancionadas en diciembre de 2010, una vez que en las elecciones parlamentarias de ese mismo año el gobierno perdiera la mayoría calificada en el Poder Legislativo que requeriría para la aprobación de Leyes Orgánicas. Este conjunto de leyes además de tener un impacto político por su naturaleza ideológica, fue objeto de crítica en virtud de la oportunidad y condiciones de su aprobación, pues no sólo fueron sancionadas por una legislatura saliente, sino que también le fueron otorgados poderes especiales al Ejecutivo Nacional, con una nueva Ley Habilitante por un periodo de 18 meses, sumando una más a las tres anteriores de 1999, 2001 y 2007.[4]

Ésta ha sido una de las características más representativas del chavismo en el poder, la ausencia de equilibrio entre los poderes públicos, pues el Legislativo ha estado condicionado por las exigencias del Ejecutivo Nacional, así como también los Poderes Judicial, Electoral y Ciudadano, a quienes controla y que tan sólo a partir de 2010 es que tiene dificultades para sustituir vacantes (como fue el caso en la oportunidad del fallecimiento del contralor del Estado) o para designar autoridades, por tener el periodo vencido (situación del Consejo Nacional Electoral y el Poder Judicial) al no contar con las tres cuartas partes –mayoría calificada– de la Asamblea Nacional, requerida para dichos nombramientos, propiciando la práctica de transfuguismo al captar legisladores de la oposición para alcanzar la necesaria mayoría calificada.

En diciembre de 2014 fueron designados, en medio de un cuestionado proceso por su parcialidad, los miembros del Poder Judicial y Electoral para cubrir las vacantes existentes, que en el caso del Consejo Nacional Electoral, se trató de la reelección de dos rectoras principales. En consecuencia cómo fue conducido el proceso y la toma de decisión suscitó graves críticas sobre la transparencia y seguimiento de la Constitución, al ignorar los cuestionamientos y exigencias de la oposición en el proceso de asignar los cargos.

---

[4] <http://www.eluniversal.com/nacional-y-politica/120617/con-46-leyes-culmina-hoy-habilitacion-del-presidente>.

Este comportamiento de progresiva desinstitucionalización ha sido clave para que el gobierno nacional no sólo se haya afianzado sin ningún tipo de control, sino que además ha sido fundamental para el ejercicio arbitrario del poder para alcanzar objetivos políticos, concretamente perdurar en el poder. La alternabilidad ha sido sustituida por la persistencia gracias a instituciones movidas por los mismos intereses del Ejecutivo. Así los circuitos electorales fueron modificados para que en las elecciones parlamentarias de 2010, aun cuando la oposición obtuvo una mayor votación, el oficialismo alcanzó mayor número de diputados[5] por una disposición en la Ley Orgánica de Procesos Electorales que le otorga un mayor número de curules a los estados menos poblados, ejemplo claro de la práctica conocida como *gerrymandering* o manipulación de los circuitos electorales, que para las elecciones parlamentarias de 2015, el proyecto de circunscripciones de votación del CNE disminuye el número de diputados a elegir en las zonas con tendencia histórica que favorece a la oposición, aumentando los cargos a elegir en aquellas con tendencia histórica favorable al oficialismo.[6]

En esta etapa de desinstitucionalización es necesario destacar las circunstancias en las que fue desarrollada la elección presidencial de 2012, que hubo de ser adelantada[7] con un Chávez disminuido físicamente debido a sus problemas de salud pero fortalecido precisamente por esa circunstancia, conduciéndolo a una nueva victoria electoral para un cuarto mandato consecutivo que su fallecimiento truncó, iniciando otra etapa en la historia política venezolana.

Un balance los últimos años de gobierno de Hugo Chávez, da cuenta de un significativo deterioro considerando la evaluación de los Indicadores de Gobernabilidad elaborados por el Banco Mundial de acuerdo a la metodología diseñada por Daniel Kaufmann, Aart Kraay y Massimo Mastruzzi,[8] en la que se miden voz y rendición de cuentas, estabilidad política y ausencia de violencia/terrorismo, efectividad

---

[5] <http://www.eluniversal.com/2010/09/27/v2010_ava_ley-hace-que-oposici_27A4 527053.shtml>.

[6] < http://puzkas.com/circunscripciones-opositoras-elegiran-menos-diputados/>.

[7] La elección presidencial en Venezuela históricamente se ha efectuado en las dos primeras semanas de diciembre, sin embargo, en 2012 fue adelantada para octubre presumiblemente por el deterioro en la salud del presidente Chávez.

[8] <http://papers.ssrn.com/sol3/papers.cfm?abstract_id=1682130>.

del gobierno, calidad regulatoria, Estado de derecho (respeto a las leyes) y control de la corrupción.

Es alarmante el retroceso sostenido en el Estado de derecho, la calidad regulatoria, el control de la corrupción y la efectividad del gobierno principalmente, que se explica por los altísimos niveles de impunidad y la ausencia de independencia del Poder Judicial, de acuerdo con organismos internacionales como Human Rights Watch;[9] una calidad regulatoria evaluada por el Índice de Competitividad Global con una puntuación de 3.3 ubicándose de 131 entre 144 países; altos niveles de corrupción con una calificación de 19 sobre 100, situándose de 161 entre 175 países, como lo señala Transparencia Internacional;[10] además de las amenazas a la libertad de expresión y de información que son noticia frecuente en Venezuela en los últimos años, como lo registran Freedom House,[11] Reporteros sin Fronteras[12] y Human Rights Watch.[13]

Gráfica 1. *Worldwide Governance Indicators*

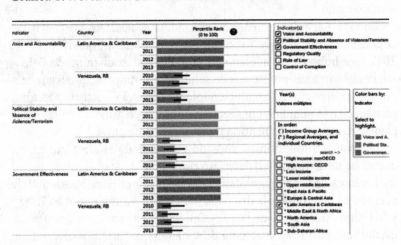

Fuente: Banco Mundial, 2015.

---

[9] <http://www.hrw.org/world-report/2014/country-chapters/venezuela>.

[10] <http://www.transparency.org/country#VEN>.

[11] <https://freedomhouse.org/report/freedom-press/freedom-press-2015#.VUEgMBcWG1k>.

[12] <http://rsf.org/index2014/es-index2014.php>.

[13] <http://www.hrw.org/sites/default/files/reports/venezuela0712webwcover.pdf>.

Gráfica 2. *Worldwide Governance Indicators*

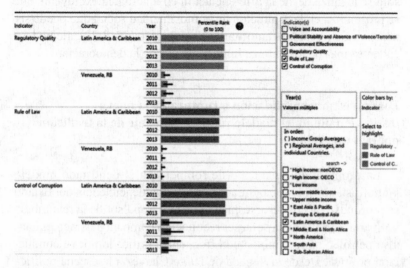

Fuente: Banco Mundial, 2015.

La trayectoria institucional que delata la erosión de la democracia en Venezuela, y su inevitable impacto sobre la gobernabilidad, no hace más que corroborar el desacierto de unas políticas que aunque no lo parezcan han sido intencionales. A este respecto, Coppedge apunta que la democracia venezolana ha sufrido importantes retrocesos,[14] destacando su desinstitucionalización (2005: 290), que frente a la tesis planteada sobre las trayectorias de Estados fuertes en los que la capacidad estatal suele crecer antes de que exista una democratización significativa (Chaguaceda, 2015: 14), el fortalecimiento del Estado ocurre en detrimento del propio proceso democratizador.

A los efectos de una caracterización del régimen venezolano, siguiendo a Gómez Calcaño y Arenas (2013:21), éste constituiría un modelo de populismo autoritario electoral, tomando como base a Linz y su totalitarismo *imperfecto o detenido*, observándolo como una fase pretotalitaria la condición autoritaria de ciertos sistemas políticos (2000: 177), porque si bien el discurso populista apela al espí-

---

[14] De acuerdo con el informe de *Freedom House* en 2015, *Freedom in the world*, Venezuela es considerado como un país parcialmente libre.

ritu democratizador representado en la oferta de inclusión social, ésta sólo se alcanza desde la diferenciación en una lógica excluyente que se profundiza en la aspiración de homogeneidad social que puede ser proclive a expresiones autoritarias de gobierno (2013:22), alejándose cada vez más de los valores fundamentales de la democracia.

Poschavismo: consolidación o ruptura de la nueva institucionalidad, el modelo rentista como eje de la tradición política venezolana

La promesa del chavismo de romper con el denostado modelo puntofijista no sólo fue olvidada, sino que la dependencia del Estado se profundizó al convertirse en el elemento impulsor de la revolución bolivariana. Venezuela solía ser reconocido como un país rico gracias a su petróleo, pero también con frecuencia criticado por su conducción política. Desde la llegada de Hugo Chávez a la escena política venezolana, comenzó a prestarse más atención a Venezuela y al cambio que significaba el ascenso al poder de un verdadero *outsider* de la política tradicional. Las promesas de Chávez fueron desde purgar los restos del antiguo *statu quo* político hasta la construcción de una nueva relación Estado-Sociedad, con un potencial atractivo para los sectores que acumulaban largos años de frustraciones por su exclusión atribuida al modelo del Pacto de Punto Fijo.

La transformación del marco institucional en 1999 y los sucesivos cambios que le garantizaron la conservación por vía constitucional del poder, están teniendo una incidencia decisiva en el desarrollo del poschavismo, un periodo en construcción. La llegada al poder de Nicolás Maduro en 2013, el ungido por Chávez antes de su partida a Cuba –en la que fue su despedida del país– es una consecuencia del control institucional del chavismo aún sin la presencia de su líder fundamental.

Pero son precisamente estas circunstancias las que colocan al chavismo frente a un desafío en el que está en juego la continuidad, no de la obra de Chávez, sino del mito que encierra su figura. Éste ha sido el escenario que le ha correspondido enfrentar a Maduro desde diciembre de 2012 cuando quedó encargado del gobierno, en lo que representa la fase inicial del poschavismo, con un comienzo accidentado al tratar de responder de forma constitucional al vacío de poder por la ausencia del presidente, reanudando un periodo de confrontación entre gobierno y oposición, que se agudizó llegado el momento en que el presidente Chávez tendría que haberse juramentado, el 10 de enero de 2013, teniendo en su lugar qué decidirse si su ausencia era temporal o definitiva, que en este último caso requería que el presidente de la Asamblea Nacional asumiera el cargo de manera interina y convocara de inmediato a una nueva elección presidencial para los siguientes treinta días.

En su lugar, debido a la interpretación del Tribunal Supremo de Justicia, el señor Maduro no sólo prestó juramento [que para ese momento era vicepresidente ejecutivo], sino que también fue designado candidato [como el presidente Chávez había dispuesto en su testamento televisado del 8 de diciembre de 2012] para una nueva elección presidencial a efectuarse el 14 de abril de 2013. Esta cadena de decisiones vislumbraron un periodo conflictivo, de sumisión absoluta de los poderes públicos para garantizar la permanencia en el poder del régimen que por más de una década ha sido el reflejo del resurgimiento del personalismo político, del mesianismo populista latinoamericano, y que como legado de Hugo Chávez, habría de ser defendido desde todos los frentes tanto nacional como internacionalmente.

Los precarios resultados en el manejo de la gestión pública son difíciles de desmentir: un elevado índice delictivo con la segunda tasa de homicidios más alta de la región;[15] una inflación prevista para estar cercana a los tres dígitos[16] en 2015;[17] los niveles de escasez por el orden del cincuenta por ciento; una tasa de cambio paralela que supera en más de diez veces a la oficial y las constantes fallas en el suministro de servicios públicos esenciales como la electricidad y el agua potable. Los elevados niveles de ineficiencia en materia de políticas de seguridad o penitenciaria, se traducen en una crisis de seguridad personal que restringe de hecho el normal desenvolvimiento de la vida de los venezolanos. En materia de salud, el gobierno no exhibe mejo-

---

[15] <http://www.who.int/violence_injury_prevention/violence/status_report/2014/es/>.

[16] <http://www.ft.com/intl/cms/s/0/441d03b6-e30c-11e4-bf4b-00144feab7de.html#axzz3XyNB5lCQ>-<http://www.bloomberg.com/news/articles/2015-04-10/bofa-sees-venezuelan-inflation-spiraling-to-as-much-as-200->.

[17] El FMI estima que la inflación en Venezuela en 2015 estará por el orden de 96.8%: <http://www.imf.org/external/spanish/pubs/ft/weo/2015/01/pdf/texts.pdf>.

res indicadores (aun cuando los registros oficiales dicen lo contrario), el repunte de enfermedades que habían sido erradicadas como mal de chagas, malaria y paludismo aumentaron[18] por la ausencia de políticas de control sanitario.[19] Las deficiencias de atención en centros de salud pública, que la Misión Barrio Adentro[20] no estaba en capacidad de responder, provocó un colapso en el sistema de salud privado, agudizándose la situación por la escasez de divisas[21] y el éxodo de profesionales de la medicina por las difíciles condiciones laborales existentes.[22]

Un nuevo episodio de inseguridad que alarmó al país tuvo lugar en febrero de 2014, un intento de violación en la Universidad de Los Andes en San Cristóbal, provocó la indignación de los estudiantes que llevaron su protesta a la residencia del gobernador del Táchira; la detención de estos estudiantes y su envío a otra prisión (en Coro, estado Falcón a 695 kilómetros de San Cristóbal) provocaron más protestas estudiantiles, que se extendieron rápidamente a las principales ciudades del país: Caracas, Mérida, Valencia, Maracaibo y Barquisimeto. Las protestas ampliaron su motivación cuando Leopoldo López y María Corina Machado proponen "La Salida" como su alternativa frente a la política pasiva de la MUD y del discurso de Capriles con relación a la situación del país. Las razones fueron no sólo la inseguridad sino, como lo propusieron, la necesidad de salir del gobierno de Maduro.

La atmósfera de descontento se agudizó en otras regiones del país con estudiantes detenidos protestando en Caracas y San Cristóbal, sumando los de Valencia, Mérida, Barquisimeto y Maracaibo. Las denuncias de abuso policial se hicieron cada vez más frecuentes, debido a los enfrentamientos diarios entre manifestantes, los paramilitares y la policía antidisturbios, aumentando el número de detenciones. Con

---

[18] <http://globovision.com/el-riesgo-de-una-picada-en-venezuela/>.

[19] <http://es-us.noticias.yahoo.com/denuncian-repunte-enfermedades-end% C3%A9micas-venezuela-165841333.html>.

[20] <http://ceims.mppre.gob.ve/index.php?option=com_content&view=article&id=39 :mision-barrio-adentro-i-ii-iii-iv&catid=23:misiones-bolivarianas>.

[21] <http://www.eluniversal.com/nacional-y-politica/140314/reportan-235-fallecimientos-por-falta-de-material-medico>.

[22] <http://www.ultimasnoticias.com.ve/noticias/ciudad/salud/fmv-reporta-que-13-mil-medicos-venezolanos-han-emi.aspx>.

un saldo de más de mil detenidos[23] y la denuncia de casos de violación y torturas formuladas por las organizaciones no gubernamentales de Derechos Humanos, en representación de las víctimas de la represión sistemática por parte de la Guardia Nacional y del gobierno apoyado en bandas paramilitares conocidas como "Colectivos", este ciclo de violencia dejó un saldo de cerca de cincuenta fallecidos.[24]

Las protestas fueron respondidas cada vez con mayor represión, al extremo que edificios y conjuntos residenciales en los que se identificaban a vecinos golpeando ollas, las conocidas "cacerolas", eran repelidos por las fuerzas de seguridad del Estado, lo que fue duramente criticado por grupos defensores de Derechos Humanos. Por su parte, el gobierno no dio respuesta a los reclamos de la gente en cuanto al aumento de los delitos violentos, la inflación, la escasez y la deficiencia en el servicio eléctrico. No resulta creíble que el gobierno sea incapaz de controlar la delincuencia, cuando utiliza todos los recursos a su alcance para someter las protestas pacíficas de quienes no tienen los medios para enfrentar el apresto bélico del Estado.

Lo que queda claro es que no toda la oposición apoya las tácticas de los sectores radicales –la conocida Guarimba es una de sus expresiones– con la que se intenta (ingenuamente) amenazar al gobierno, pero responder con represión a toda demanda de cambio o rectificación resulta contraproducente si se aspira lograr la paz y la convivencia que se requiere en una crisis de esta dimensión.

La escasa efectividad del presidente Maduro frente a las demandas de la población se ve reflejada en la pobre evaluación de su gobierno con un sesenta y cinco por ciento de rechazo de la población consultada,[25] empeorando esta percepción con las permanentes muestras de intolerancia ante el derecho a la protesta, sin acciones efectivas que garanticen la protección de las víctimas de la violencia de los grupos paramilitares, simplemente porque no apoyan su gestión. Informes de los medios indican que estos grupos actúan en apoyo de su propio partido de Gobierno (PSUV), que en conjunto con las fuerzas de seguridad actúan en contra de la oposición.

---

[23] <http://www.ultimasnoticias.com.ve/noticias/actualidad/politica/infografia-preguntas-sin-responder-a-un-mes-de-los.aspx>.

[24] <http://runrun.es/nacional/187031/28-de-los-44-muertos-en-protestas-de-2014-recibieron-disparos.html>.

[25] <http://lta.reuters.com/article/domesticNews/idLTAKBN0NB2KW20150420?sp=true>.

La situación se torna más confusa cuando es el propio presidente Maduro quien reconoce que el SEBIN (Agencia de Inteligencia del Gobierno) desconoció sus órdenes,[26] levantando serias dudas sobre su autoridad y liderazgo, no nada más entre civiles, sino sobre todo en esta coyuntura entre los propios militares. El respaldo de los mandatarios de Latinoamérica y la omisión de los organismos internacionales como la OEA, no logra ocultar el resquebrajamiento de los valores democráticos, debido a la escalada represiva del Estado venezolano, provocando recientemente el apoyo de expresidentes iberoamericanos a los líderes de la oposición encarcelados por razones políticas. Eso lejos de preocupar al gobierno de Maduro, ha sido utilizado en una contraofensiva que sitúa al propio régimen como víctima de una conspiración mundial.

Es en este contexto que se ha expresado la preocupación de organismos internacionales de derechos humanos,[27] al tratarse de ciudadanos que no cuentan con mecanismos de protección ante la violencia que viene del propio Estado. La creciente inquietud es que a medida que aumenta la represión también el descontento que se expresa en la protesta, que en lugar de ser atendida por el gobierno, es reprimida cada vez con mayor violencia.[28] Es una espiral indetenible que presagia lo peor, por la poca voluntad demostrada por el gobierno para acordar un compromiso de estabilidad nacional.

El proceso sostenido de desinstitucionalización al que el país ha estado sometido, lo ha debilitado para hacerle frente al creciente deterioro de las competencias del Estado, que sumado a una baja capacidad de representación, facilita la sustitución de la legitimidad política por un ejercicio desmedido del poder. El chavismo ha sido duramente criticado por sus políticas poco efectivas, escasa capacidad conciliatoria ante las crisis, ejecución de políticas económicas intervencionistas que condujeron al desempleo, altos índices delictivos, deterioro creciente de los servicios de salud y educación, periodos cíclicos de desabastecimiento y escasez de alimentos, dependencia extrema de las importaciones para la satisfacción de la demanda de productos, que la

---

[26] <http://www.el-nacional.com/politica/Maduro-responsable-excesos-Sebin_0_357564501.html>.

[27] <https://www.amnesty.org/en/documents/amr53/1239/2015/en/>.

[28] <http://www.hrw.org/world-report/2014/publications/125192>.

deficitaria producción nacional no puede cubrir debido a las políticas restrictivas del gobierno, además de ser consecuencia directa de la estrategia de expropiaciones y estatizaciones que incidieron negativamente en el desempeño económico del país.

Para el año 2015, el panorama económico de Venezuela no puede ser más pesimista, el manejo desacertado de una economía en la que el noventa y cinco por ciento de los ingresos provienen de la renta petrolera, con una severa caída en los precios del mercado de hidrocarburos, se produce una situación que limita la capacidad de respuesta gubernamental en un modelo de Estado que ha asumido de forma deficitaria competencias propias y ajenas, al ir absorbiendo aquellos espacios que estaban en manos del sector privado (casos de las empresas del sector eléctrico, metalúrgico, banca, agroindustria, alimentos y otros comercios expropiados), conformando un escenario de caos en el que la inacción gubernamental por la insuficiencia de recursos y, por otra parte, un cada vez más reducido sector privado dependiendo del gobierno para el acceso a divisas debido al régimen de control de cambios vigente, hace complicado un espacio de conciliación entre los actores políticos en conflicto para que puedan unir esfuerzos en hacerle frente a las consecuencias inevitables de esta crisis de gobernabilidad que amenaza a uno de los países que fuera modelo de estabilidad democrática en la región.

Bibliografía

Banco Mundial, 2015, "Indicadores de Gobernabilidad Mundial", en *Banco Mundial* <http://info.worldbank.org/governance/wgi/index.aspx#reports>, consulta: 23 de abril de 2015.

Brewer C., Allan, 1988, *Problemas del estado de partidos*, Caracas, Editorial Jurídica Venezolana.

Caldera, Rafael, 1992, *Caldera: dos discursos*, Caracas, Editorial Arte.

Chaguaceda, Armando, 2015, "Regímenes políticos y procesos desdemocratizadores en Nicaragua y Venezuela", en *Perfiles Latinoamericanos*, Facultad Latinoamericana de Ciencias Sociales, núm. 45, enero-junio, pp. 5-29.

Consejo Nacional Electoral, 2011 "Resultados electorales", en Consejo Nacional Electoral, <http://www.cne.gov.ve/web/estadisticas/index_resultados_elecciones.php>, consulta: 5 de mayo de 2011.

Coppedge, Michael, 2005, "Explaining democratic deterioration in Venezuela through nested inference", in *The third wave of democratization in Latin America*, Scott Mainwaring and Frances Hagopian (ed.), Nueva York, Cambridge University Press, pp. 289-316.

Corporación Latinobarómetro, 2005, Informe Latinobarómetro 2005, Santiago de Chile, mimeo.

Duhamel, Olivier y Cepeda, Manuel, 1997, *Las democracias. Entre el derecho constitucional y la política*, Colombia, Editores Tercer Mundo.

Francés, Antonio, 1990, *Venezuela Posible*, Caracas, Editorial Arte.

Freedom House, 2015, "Freedom in the World", en *Freedom House* <https://freedomhouse.org/report/freedom-world/freedom-world-2015#.VT-JyBcWG1k>, consulta: 28 de enero de 2015.

García Mora, Luis, 2002, "La cabeza de un iceberg", en *Venezuela: la crisis de abril,* Antonio Francés-Carlos Machado Allison (eds.), Caracas, Ediciones IESA, pp. 23-29.

Gómez Calcaño, Luis y Arenas, Nelly, 2013, "El populismo chavista: autoritarismo electoral para amigos y enemigos", en *Cuadernos del CENDES*, CENDES-Universidad Central de Venezuela, vol. 30, núm. 82, enero-abril, pp.17-34.

Granier, Marcel y Gil, José, 1987, *Más y mejor democracia*, Caracas, Grupo Roraima.

Kornblith, Miriam, 1996, "Crisis y transformación del sistema político: nuevas y viejas reglas de juego", en Ángel Álvarez (coord.), *El sistema político venezolano: crisis y transformaciones*, Caracas, Ediciones del Instituto de Estudios Políticos-Facultad de Ciencias Jurídicas y Políticas de la UCV, pp. 1-31.

Linz, Juan, 2000, Totalitarian and authoritarian regimes, Colorado, Lynne Rienner Publishers.

Machado Allison, Carlos, 2002, "La ley de tierras y la crisis de abril", en *Venezuela: la crisis de abril,* Antonio Francés-Carlos Machado Allison (eds.), Caracas, Ediciones IESA, pp. 81-87.

Molina, José E. y Álvarez, Ángel E. (coord.), 2004, *Los partidos políticos venezolanos en el siglo XX*, Caracas, Vadell Hermanos Editores.

Njaim, Humberto, Combellas, Ricardo, y Álvarez, Ángel, 1998, *Opinión política y democracia en Venezuela*, Caracas, Ediciones de la Facultad de Ciencias Jurídicas y Políticas de la UCV.

Puerta, María Isabel, 2010, *El debate entre los modelos de democracia representativa y participativa. Elementos teórico-conceptuales*, Valencia, Asociación de Profesores de la Universidad de Carabobo.

Puerta, María Isabel, 2011, *Instituciones y Estado en Venezuela. Crónicas de la crisis de la institucional venezolana,* Saarbrücken, Editorial Académica Española.

Rey, Juan Carlos, 1991, "La democracia venezolana y la crisis del Sistema Populista de Conciliación", en *Revista de Estudios Políticos*-Nueva Época, Centro de Estudios Políticos y Constitucionales, núm. 74, octubre-diciembre, pp. 533-578.

Sonntag, Heinz y Maingón, Thaís, 1992, *Venezuela: 4-F 1992,* Caracas, Editorial Nueva Sociedad.

Touraine, Alain, 2002, *Crítica de la modernidad*, México, Fondo de Cultura Económica,

Uslar, Arturo, 1992, *Golpe y Estado en Venezuela*, Colombia, Grupo Editorial Norma.

El Estado bolivariano, las políticas culturales y los intelectuales venezolanos. Relaciones difíciles en un contexto polarizado

Iraida Casique y Armando Chaguaceda

> *Existen pocos actores sociales que dependan tanto*
> *como los artistas, y más generalmente los intelectuales,*
> *en lo que son y en la imagen que tienen de sí mismos*
> *de la imagen que los demás tienen de ellos y de lo que los demás son.*
> BOURDIEU

Introducción

El objetivo del presente trabajo es revisar los nexos y conflictos que se (re)producen entre el Estado bolivariano –y sus políticas culturales– y la intelectualidad venezolana –incidente a través de su reflexión y posicionamientos públicos– en el marco del proceso de cambio político que ha vivido Venezuela a lo largo de los últimos 15 años. Partimos de un reconocimiento de la diversidad de posturas existentes dentro del campo intelectual de esa nación, en medio del empeño del Estado bolivariano por expandir su injerencia dentro de la esfera de la cultura, desde una orientación con visibles encargos ideologizadores y pretensiones hegemonizantes, que pretenden excluir la participación autónoma de otros actores en el proceso de creación, difusión y consumo cultural dentro de las políticas orientadas a tal fin. Paralelamente a la revisión del proceso desde su interioridad, se adelantan algunas conclusiones sobre el devenir que esas tensiones

163

y contradicciones imponen a la dinámica social y al proceso político en curso en la Venezuela actual.

Los intelectuales y el proceso bolivariano: una relación difícil

En un país con un nivel de polarización política como el que actualmente experimenta Venezuela, es más que obvia la consecuente conflictividad que supone cualquier intento de establecer mapas sobre los cambios que pudieran estar ocurriendo en lo referente a la valoración y actuación de los sujetos que, en el ambiente cultural nacional, se reconocían tradicionalmente –quizá con bastante ligereza– como "intelectuales". Sujetos y problemas a los que ahora se suman clasificaciones como "oficialistas" u "opositores"; suerte de certificados de validez o cuestionamiento para delimitar lo que los distintos sectores confrontados del país entienden como tal y el espacio de participación que se les reconoce.

En este texto definiremos a la intelectualidad como el segmento poblacional que, en una sociedad y tiempo específicos, engloba a aquellos creadores de significados, capaces de registrar, reformular y difundir los conocimientos del arte y las ciencias así como otros producidos en diversas esferas de la sociedad; que elaboran y transmiten ideas que trascienden el conocimiento especializado para permitir una(s) determinada(s) cosmovisiones que posibilitan la comunicación y fijan parámetros de debate cívico dentro de la esfera pública. Son actores[1] que socializan la producción de saberes y valores a través de las disímiles estructuras, redes sociales y comunicativas que habilitan el intercambio y recepción de cara a una opinión pública y en el seno de colectividades diversas (Illades, 2012).

Esa natural diversidad se convierte, sin embargo, en dramática fuente de conflictos de orden político, cuando sus expresiones quebrantan el particular orden y discurso que las instancias del poder pro-

---

[1] La especificidad de formas de acción de los intelectuales ha sido abordada a partir de la idea de una *política de la cultura* (Bobbio, 1998) distinta a la política ordinaria, que supondría una participación creciente de los intelectuales (a través de manifiestos y otras acciones) en coyunturas políticas específicas, no acotadas a la expectativa de resultados/ beneficios inmediatos y preservando la autonomía de los participantes y, en general, del gremio.

mueven como verdad exclusiva en el seno de una sociedad como la venezolana actual. Comprender el lugar de los intelectuales en la Venezuela actual supone comprender la naturaleza del régimen político que se ha ido configurando, de forma paulatina, conflictiva y accidentada en los últimos 15 años. El proyecto bolivariano, codificado en la Constitución vigente e impulsado por una heterogénea alianza sociopolítica, reunió –alrededor de sus ideas de soberanía, desarrollo y reforma política– a disímiles actores, concepciones y corrientes políticas para desplegar de 1999 a 2006 un conjunto de políticas sociales y participativas francamente innovadoras.

No obstante, debido a diversas dinámicas de lucha y cambio político endógeno, desde 2006 el fenómeno que identificamos como chavismo va cobrando fuerza bajo la idea del "Socialismo del siglo XXI", con el impulso de una nueva Ley Habilitante, la propuesta de reforma constitucional y la creación del Partido Socialista Unido de Venezuela (PSUV). Desde entonces se hacen visibles graves mutaciones en las instituciones del Estado (con la imposición de un modelo centralizado y vertical de participación y administración pública), la gestión económica (con el auge de las estatizaciones) y la esfera pública (hiperideologización, empobrecimiento y polarización del debate y discurso oficiales). Se produce una concentración de poderes en la figura del presidente Hugo Chávez, continuada hoy por su heredero designado Nicolás Maduro.

Todo ello dentro de una estrategia oficial que tiende a desconocer al segmento de la población que le adversa, que vulnera la normatividad vigente –incluida la propia Constitución–, potencia la relación directa líder-masa, induce la confrontación con "el enemigo" (opositores) y propicia, en toda la línea, tanto la politización de la justicia como la judicialización de la política en el tratamiento a dirigentes opositores, líderes sociales (incluidos sindicales y comunitarios), comunicadores independientes y, en general, todo actor social que resista la hegemonía del Estado. Y es precisamente en este segmento disidente donde se ubica el grueso de las figuras intelectuales venezolanas, lo que nos permite entender las tensas relaciones entre la Revolución bolivariana y la intelectualidad.

Esta rápida escisión entre el nuevo poder político queda evidenciada en una entrevista realizada en el 2000, tempranamente en la historia de la Revolución bolivariana, en la que el reconocido erudito Ibsen Martínez señalaba que los intelectuales no formaban parte de los motores fundamentales de la revolución chavista y eran vistos con sospecha o desdén. Esta apreciación de Martínez parece en efecto corroborarse con varios gestos públicos de la Revolución bolivariana: en primer lugar, las escasas apelaciones de Chávez a los intelectuales nacionales como sujetos activos en el proceso. En su programa *Aló Presidente* número 272, pueden rastrearse algunas, en que se refiere a ellos como parte de la población que debe conquistarse para su integración al Partido Socialista Unido de Venezuela, lo que sugiere el reconocimiento implícito de que el grueso de los intelectuales no estaban ganados al proceso.

Lo que en cambio sí fue muy frecuente en el discurso del presidente Chávez, así como en el círculo estrecho de sus colaboradores, y constituye un segundo rasgo a destacar, es la constante y contradictoria referencia despectiva sobre el intelectual, al que se asocia con las clases privilegiadas y el imperialismo norteamericano: "...por aquí estaba leyendo un escrito de un intelectual mexicano, que él quiso ser de izquierda, pero no pudo, y ahora es un francotirador desde esas posiciones, o de esas pretendidas posiciones de grandes intelectuales, como de sábelo todo; yo lo conocí, Jorge Castañeda se llama" (*Aló Presidente*, núm. 274).

Similar línea descalificadora trazan intelectuales vinculados al gobierno como Rigoberto Lanz (expresidente del Celarg), quien denunciaba en un debate cultural publicado en la red en 2006, el "primitivismo intelectual de las élites dominantes" y desprestigiaba por lo tanto al sujeto que cuestiona en función de su grupo social: "tenemos en el país una burguesía ramplona incapaz de aporte intelectual alguno, enteramente vacía respecto a tradiciones de pensamiento, educada en la subcultura de la triquiñuela y con muy pocas posibilidades de articularse a algún debate trascendente" (Lanz, 2006).

La estrategia repetida ha sido cuestionar la posición social que han ocupado u ocupan quienes ejercen el papel de intelectuales críticos al proceso, para condenarlos en el marco de un conflicto de clases propulsado para justificar y consolidar la Revolución. José Sant Roz, académico de la ULA, nos ofrece uno de los ejemplos más elocuentes de ello: a raíz de la publicación el 27 de febrero de 2004 de un manifiesto de intelectuales titulado "Mensaje de escritores, artistas y académicos venezolanos a sus colegas de todo el mundo", arremete contra los firmantes, no desmontando sus ideas sino vinculándolas con supuestas influencias foráneas y trayectorias personales:

> Por allí está corriendo por la red, otro ridículo llamado de estos titanes de la libertad contra Chávez, titulado "Mensaje de escritores, artistas y académicos venezolanos a sus colegas de todo el mundo". Lo suscribe gente[2] que no es ni escritor ni intelectual ni nada. Unos mantenidos por las universidades o el Conac, que viven del cuento [...] El documento es un SOS lanzado a sus colegas (sobre todo de la CIA) para que les ayuden a salir de la fulana "pesadilla" [...] Y ponen por delante la pobreza, unos tipos que en realidad jamás les ha interesado esa plaga creada por ellos mismos, y por los inmensos privilegios que siempre han tenido (Sant Roz, 2004).

Esta cita ilustra la conflictiva pero esclarecedora visión contra la intelectualidad que se alimenta desde el chavismo –permeando paradójicamente la postura de intelectuales afines al proceso– y que podría explicar la escasa participación que los mismos han tenido en la Revolución bolivariana, incluso la de aquellos que aún se sientan en el banquillo del equipo de gobierno. A contrapelo, algunos de los intelectuales afines al chavismo, que han percibido la amenaza sobre su propia condición, procuraron ocasionalmente defender la importancia y especificidad del aporte intelectual dentro del proceso. Néstor Francia (narrador, poeta, asesor de PDVSA, exconductor del programa *La Hojilla*) escribió:

> Me preocupa haber visto, en medio del debate en torno a *La Hojilla*, cierta furia de algunos contra los intelectuales, profesores, académicos. Hay en esa furia una profunda incomprensión del proceso revolucionario venezolano. En Venezuela está planteada, tanto en la Constitución como en el discurso chavista, una alianza de clases revolucionarias para enfrentar a los enemigos históricos de la Patria. Dentro de esa alianza, los intelectuales juegan un importantísimo papel como voceros autoriza-

---

[2] Entre algunas de las firmas de ese manifiesto podemos reconocer a intelectuales de indiscutible trayectoria en el país como Rafael Arráiz Lucca, Leonardo Asparren, Alberto Barrera Tiszka, Demetrio Boersner, Colette Capriles, Rafael Castillo Zapata, Manuel Caballero, Israel Centeno, Armando Coll, Isaac Chocrón, Antonio López Ortega, Alexis Márquez, etcétera.

dos del pensamiento político de la Revolución [...] El odio contra los intelectuales no es más que un acto de resentimiento radicaloide de esta gente que piensa, erróneamente, que podremos avanzar excluyendo a las clases medias y a los sectores ilustrados del país [Francia].

Pero esa preocupación no encontró eco en el gobierno: el líder –Chávez– modelaba el pensamiento revolucionario, asumiendo la exclusividad de selección y uso de las ideas sólo en tanto propulsaran las agendas en curso. Y tal legitimación se complementaba con el aporte de sus círculos de intelectuales. Y es que las mismas bases doctrinarias del chavismo suponen y asumen, de forma clara, la subordinación política y discursiva de todos aquellos intelectuales, militantes y ciudadanos que comulguen con el proceso. Uno de los rasgos notorios de la organización política (el Partido Unido de la Revolución Socialista, PSUV) consiste en el encumbramiento constante del líder, no sólo dentro de la configuración objetiva de las instituciones y procesos políticos sino también en la profusa propaganda y documentos oficiales.

Si exploramos, por ejemplo, los Estatutos del PSUV, vemos como el partido se define como un ente "inspirado en el liderazgo fundamental e ideas revolucionarias del Comandante Hugo Chávez" (artículo 3, Documentos, p. 51), mientras que al militante se le orienta a "defender la Patria, la Revolución y su líder y el PSUV" (artículo 9, Documentos, p. 55). Así, líder, revolución, Estado y patria se fusionan en un mismo cuerpo, al que se debe obediencia incondicional, frente a lo cual no parece quedar espacio para el ejercicio de la autonomía intelectual y moral.

Hace siete años, intelectuales socialistas agrupados en el caraqueño Centro Miranda esbozaron *críticas constructivas* al liderazgo hipercentralizado de Chávez –identificándolo lúcidamente como una debilidad del proceso–, lo que les valió regaños públicos[3] y cierta disminución del apoyo dispensado por el gobierno a las actividades del Centro y su difusión mediática. Las ácidas críticas expresadas por personeros del gobierno –incluido el propio presidente– fueron una manifestación de abierto antiintelectualismo, una distorsión de lo allí discutido

---

[3] Véase <http://www.dailymotion.com/video/x9l3o7_chavez-responde-a-intelectuales-de_news>.

y, sobre todo, un abandono de los estatutos del partido que señalan como "[...] válidos para la solución de las diferencias, el diálogo y el debate, rechazando enérgicamente la descalificación, personal o grupal" (artículo 38, Documentos, p. 77).

Y es que, programáticamente, el PSUV establece el *centralismo democrático* y la *dirección colectiva* como principios organizativos (artículo 4, Documentos, pp. 52-53). Dentro del partido la sanción (máxima) de expulsión es aplicable contra cualquiera que "contravenga públicamente las políticas del Gobierno revolucionario o los lineamientos de la Dirección Política Nacional " (artículo 36, Documentos, p. 72).

Al mismo tiempo, a los militantes se les orienta a "abstenerse de dar declaraciones públicas en contra de dirigentes o en contra del partido que puedan servir para debilitar al mismo, al proceso y sus instituciones", debiendo "aceptar y acatar los lineamientos e instrucciones de las instancias de dirección" y "defender en cualquier escenario, con convicción, argumentos y dignidad, al líder del proceso, a la Revolución y al Partido" (artículo 39, Documentos, p. 77-79). Frente a semejante *Leviatán*, es comprensible que numerosos intelectuales oficialistas, puestos en la disyuntiva de la crítica o el silencio, eligieron el cargo antes que la confrontación con el líder.

La discusión teórica sobre la posibilidad de ser un intelectual crítico simultáneamente a la vinculación con los estratos del poder ha sido ampliamente desarrollada, particularmente de la década de 1960 al presente, con frecuencia para cuestionar la conversión de muchos intelectuales latinoamericanos de izquierda que se acoplaron e integraron a las dinámicas neoliberales de sus países. En este punto podría señalarse que el caso del presente venezolano diversifica la ecuación, en tanto nos referimos a un gobierno que se autodenomina de izquierda y con el que marca distancia el grueso de la intelectualidad venezolana, tanto de pensamiento tradicional como de ideas marxistas.

Pero el tema en cuestión es que, sea cual sea la tendencia ideológica y política de los elementos involucrados, el criterio dominante en la diversidad de pensadores que abordan el problema –Michel Foucault, Norberto Bobbio, Nicolás Casullo, Carlos Altamirano, etcétera– es señalar que la vinculación con el poder establece una relación/tensión riesgosa para la función crítica, inherente al trabajo intelectual. En este margen conflictivo, Carlos Alberto Torres plantea la necesidad de participar en el espacio público con independencia: "me sumo al pensamiento de Jürgen Habermas: los intelectuales críticos pueden formar parte de esa esfera pública, la cual se constituye en una esfera autónoma, fuera del control del Estado y del mercado".[4] Aún reconociendo la importancia y trayectoria previa de algunos de los intelectuales oficialistas venezolanos –Alfredo Chacón, José Balza, Luis Alberto Crespo, Rafael Arvelo, Rigoberto Lanz, etcétera–, el intelectual Ibsen Martínez afirmó que el rol desempeñado por ellos se aproximaba al de funcionarios públicos preocupados por cosas de presupuesto más que por el debate de las ideas. Las ideas –señalaba Martínez en la misma entrevista citada– las discutía públicamente sólo Chávez: "Los intelectuales bolivarianos han abdicado a favor de Chávez su papel de soñadores y pensadores públicos". Aún más peligrosamente, algunos de estos intelectuales se convierten en instrumento fundamental para justificar la anulación de su propia función.

El hecho de que la mayoría de los intelectuales venezolanos, aquellos que defienden el ejercicio crítico como plataforma irrenunciable a su rol, se han ubicado en una posición crítica al chavismo –lógica consecuencia de tanta agresión– ha sido leído por algunos de ellos como una señal de madurez en el interior del campo intelectual. En términos del filósofo y crítico de cine Fernando Rodríguez, implica el resurgir de una cultura de resistencia:

El intelectual venezolano se ha comprometido en la resistencia a este Gobierno. Y es curioso porque esa palabra era abominada hace unos años [...] Se tenía a esta figura del letrado comprometido como un anacronismo. Y resulta que la mayoría de los intelectuales venezolanos están muy comprometidos. Gente que jamás había escrito una línea de política, hoy lo hace, milita de alguna forma, firma documentos, participa en política (Rodríguez, 2004).

Para comprender su optimismo habría que recordar el ostracismo y apatía que, quizá precisamente por una excesiva y cómoda dependencia con las instituciones del Estado, caracterizó a la intelectualidad venezolana en las tres décadas precedentes a la Revolución bolivaria-

---

4 Carlos Alberto Torres, "Entre Ariel y Calibán: intelectuales críticos y poder", *EccoS*, vol. 2, núm. 2, diciembre, 2000, pp. 111-113, São Paulo, Brasil.

na. A pesar de la negación de espacio y participación en el proceso, un sector de la intelectualidad podría estar curiosamente reconociendo un fortalecimiento y recuperación del quehacer del trabajo crítico del intelectual. Paradójica –¿o naturalmente?– se retoma la responsabilidad –diferenciada de "compromiso"– con la que, reseña Elías Díaz, caracterizaba idealmente Noberto Bobbio la labor del intelectual:

> Si yo tuviera que diseñar un modelo ideal de conducta, diría que la conducta del intelectual debería caracterizarse por una fuerte voluntad de participar en las luchas políticas y sociales de su tiempo, voluntad que no le permite alejarse tanto como para no escuchar aquello que Hegel llamaba "el alto estruendo de la historia del mundo", pero al mismo tiempo poner una distancia crítica que le impida identificarse completamente con una parte hasta el punto de estar atado de manos y pies a una palabra de orden. Independencia pero no indiferencia (Díaz, 2005).

Si hasta aquí hemos destacado la conflictiva confrontación e intencional marginación que caracteriza al discurso "bolivariano" respecto a los intelectuales venezolanos, este mapa del proceso estaría demasiado incompleto si no hacemos mención a otro rasgo peculiar de esta dinámica: en contraste con la planificada marginación del sector intelectual venezolano, los discursos de Chávez proliferaban en citas y referencias a intelectuales extranjeros, con Chomsky y Gramsci como últimos añadidos de una larga lista. Este aspecto es una clave importante para terminar de establecer el valor que el chavismo puede otorgar al trabajo intelectual: si en el interior se propicia una actitud de abdicación de su criticidad y de subordinación obediente al poder, con relación al contexto internacional interesa que cumplan la función de consolidar una plataforma de simpatías y solidaridades con la revolución. Replicando la estrategia cubana que en algún momento hizo de los intelectuales sus principales embajadores, que legitimen con sus prestigios y saberes lo que a otros parece una aventura mezquina a la participación y desarrollo intelectual.

Existe un sector de la academia latinoamericana, estadounidense y europea que, durante estos quince años, ha desfilado de forma constante por los cónclaves caraqueños y otorgado aval teórico a cada frase del "Comandante Presidente" y sus herederos.[5] Ciertamente, existen raigales diferencias entre aquellos que reciben honores por una obra teórica puesta al servicio de la emancipación humana (como el filósofo Franz Hinkelammert) o quienes "acompañan" el proceso sin abandonar las críticas (véase la posición de Noam Chomsky frente al caso de la jueza Afiuni) y los simples propagandistas que operan desde la amplia plataforma mediática construida, dentro y fuera de Venezuela, por el chavismo y sus aliados.[6] Esta visión polarizante se traslada al terreno de las políticas culturales, replicando y amplificando las fracturas y conflictos que se observan en el campo de la intelectualidad a toda la dinámica social. Destacar cómo se han interpretado esos cambios desde la problematizada intelectualidad, es lo que intentaremos desarrollar en el siguiente apartado.

Política y modelos culturales: ¿una cultura estatizada como expresión del pueblo?

Quizás el punto de partida para las políticas urbanas
sea no pensar la heterogeneidad como problema
sino como base de la pluralidad democrática
GARCÍA CANCLINI

En marzo de 2010, para iniciar sus actividades en la nueva y reducida sede de Maripérez –luego del controversial desalojo de su sede tradicional– la gente del Ateneo de Caracas organizó un foro titulado "La gestión cultural bolivariana: una década perdida", en el que se expresaron fuertes críticas y preocupaciones sobre la planificación cultural en Venezuela durante el gobierno de la Revolución bolivariana. Abundaron opiniones tajantemente negativas como la del reconocido sociólogo Tulio Hernández: "Más que un modelo de gestión cul-

---

[5] La intelectualidad afín al chavismo reúne a supervivientes de viejas generaciones (Theotonio Dos Santos, Marta Harnecker) con nuevos rostros (Michel Albert, Eva Golinger), reunidos bajo las banderas del antiimperialismo, el progresismo y la defensa de lo "nacional-popular". Para una crítica, véase Uzcátegui (2010).

[6] La carta de Chomsky puede leerse en <http://www.guardian.co.uk/world/2011/dec/21/chomsky-chavez-free-judge-letter>. Puede accederse a las plataformas de grupos internacionales en <http://www.manosfueradevenezuela.org/> y <http://www.manosfueradevenezuela.net/>.

tural y que un programa, presenciamos una gestión hecha a la manera de aquella frase popular 'como vaya viniendo, vamos viendo'", o la de la profesora Sandra Pinardi: "La gestión cultural bolivariana ha sido, no sólo ineficiente sino demoledora en la medida en la que ha logrado destruir las instituciones existentes. Su problema primordial es su ausencia de horizonte y de contenidos, así como una constante improvisación".[7]

El rechazo y conciencia de amenaza que causó la efectiva paralización e incluso desaparición de muchas instituciones y grupos culturales tradicionales, sin duda significativos en el marco simbólico de la vida nacional de las décadas precedentes, y obviamente conscientes, han impedido que un buen sector de la sociedad y en particular gente tradicionalmente ligada al espacio cultural, pueda reconocer en los planes gubernamentales sobre el sector algún beneficio y, menos aún, apoyar algunas iniciativas que podrían tener mucho valor, como el aumento significativo de la inversión gubernamental en la red de librerías del Estado, la edición y distribución de libros o la voluntad de hacer más accesible la experiencia cultural que se expresa en proyectos como la digitalización y acceso abierto de los libros de la Biblioteca Ayacucho o la Editorial El perro y la rana. Sin embargo, hay que decirlo también, estas inversiones están prácticamente detenidas desde 2011 corroborando fallas en la planificación y sustentabilidad de las mismas.

Las acusaciones de ineficiencia surgen desde la angustia por la desaparición de espacios, grupos, proyectos..., que ciertamente no son pocos y explican la dinámica de tensiones que en el campo cultural, como en todos los ámbitos nacionales actuales, produce la imposición de un modelo que paradójicamente trabajando por la inclusión ha estimulado fuertemente la exclusión y la aversión por "el otro". Pero esas posturas de crítica radical, signadas exclusivamente por las ausencias y pérdidas, si bien patentizan la fractura que denuncian, nos colocan en una postura simplificada para la comprensión de la compleja dinámica cultural del presente venezolano.

El rechazo a aceptar el actual quehacer cultural como producto de políticas planificadas ha sido la postura frecuentemente expresada en

---

[7] Las participaciones en el Foro pueden verse en <http://fccabrujas.blogspot.com/2010/03/la-gestion-cultural-de-la-revolucion.html>.

la voz de muchos intelectuales venezolanos que no comulgan con las líneas del gobierno actual, como Alexis Márquez[8] o Fernando Rodríguez.[9] Son afirmaciones algunas veces hechas desde el ofuscamiento político que podríamos considerar imprecisas y "riesgosas" en tanto las implicaciones de los cambios culturales que *sí* se promovieron, podrían suponer transformaciones importantes a mediano plazo en niveles profundos de la estructura social, de los que tendríamos al menos que estar conscientes.

Es cierto que en los primeros años del gobierno de Chávez no eran claras las señales de cambio y desarrollo en el campo cultural, porque la inclusión de este segmento como área estratégica se produjo después del intento de golpe de Estado de 2002, cuando se instauran cambios importantes respecto a las políticas gubernamentales en áreas neurálgicas, incluido el sector cultural. La fuerte impresión de abandono persistía aún en 2004, y no sólo entre los detractores del chavismo, como lo prueba el reclamo público del Colectivo Popular Pueblo Soberano –progobierno– publicado en el portal *Debate Cultural* en abril de ese año:

> La cultura como fenómeno que abarca el mundo simbólico de representación social, requiere de mayor profundización y ese "aislamiento espléndido" en que se encuentra actualmente el espacio institucional, tan decisivo para el cambio, es contraproducente y no se corresponde con el punto de vista de la inversión social y financiera, ni con los resultados de impacto social en los indicadores de desarrollo humano que está obligado a mostrar al país.

Para entender la tensión e impacto que ocasionaba este aparente "estado de abandono" de las instituciones culturales, habría que saber que el modelo de relación entre el Estado y ellas, establecido en Venezuela

---

[8] "¿Qué puede exhibir como realización cultural el gobierno chavista, al cabo de once años de gestión? Como en todo lo demás, no sólo no ha hecho nada en materia de cultura, sino que ha desmejorado lo que se hizo en los cuarenta años anteriores, y hasta ha destruido algunas de aquellas importantes realizaciones. "Política cultural", en *Tal Cual*, 16 de abril de 2010, p. 21.

[9] "Lo único que se me ocurre para explicar la muy flagrante y creciente minusvalía de la cultura gobiernera es que rojillos con o sin cachuchas han caído en cuenta de que para su proyecto autoritario poco o nada cuenta tan complicada y costosa actividad", "Cultura cuesta abajo", en *Tal Cual*, 26 de abril de 2010, p. 19.

desde mediados del siglo XX, era de absoluta dependencia económica (permitido por la bonanza petrolera) pero de marcadas libertades y autonomía en las gestiones, tal como señala Manuel Silva Ferrer:

> El Estado no sólo se hizo cargo de las instituciones patrimoniales [...] sino que el rico Estado petrolero, al que nunca le hizo falta aupar el mecenazgo y la participación privada, se encargó directa o indirectamente de prácticamente todo el conjunto de instituciones de la cultura, incluidas las privadas [...] un modelo que en la década de 1970 era considerado excepcional en América Latina en virtud del desarrollo alcanzado y la relativa autonomía de sus producciones (Silva Ferrer, 2014: 114).

Las primeras modificaciones ocurrían puertas adentro, en el complicadísimo esfuerzo de establecer un marco legal, ideológico y organizativo que las cohesionara, con el objeto de fijar expresamente el paradigma cultural de la nación refundada: República Bolivariana de Venezuela. Delimitar esa base teórica implicó confrontaciones y problemas que aún persisten, acentuadísimas entonces por el confuso perfil ideológico del gobierno chavista.

Un hito en este lento proceso lo marcó la creación en el 2005 del Ministerio de la Cultura,[10] que más tarde agregó a su nombre, como todos los ministerios venezolanos de este periodo, una especie de certificado: "Ministerio del *Poder Popular* para la Cultura", como gesto de investidura simbólica de un carácter y destino popular. Y es ese manejo político de "lo popular" en el campo cultural que descubrimos una marca visible en el conjunto de medidas y planes concretados en el área, así como el punto donde se enredan lo que entendemos como principales conflictos de las políticas culturales bolivarianas.

Por una parte, la adopción de la nomenclatura "popular" se asumió como la autorización y el poder para decidir a nombre del pueblo, que el modelo cultural "popular" –¿en qué sentido?– es el –¿único?– que reproduce la identidad nacional: el Ministerio del Poder Popular establece claramente como su misión coadyuvar "en el cumplimiento de los deberes del Estado Venezolano en materia de preservación, enri-

---

[10] Desde 1975 la actividad cultural había estado coordinada por el CONAC, que en los primeros años de gobierno del presidente Chávez se asoció al gabinete cultural del Ministerio de Educación y Deporte, como dependencia subordinada.

quecimiento y restauración del patrimonio cultural tangible e intangible y la memoria histórica de la nación, *con atención especial a las culturas populares constitutivas de la venezolanidad*".[11]

La función ideológica quedó marcada como fundamental desde el inicio: este nuevo Ministerio de la Cultura se crea, según la presentación oficial, para "dar inicio a un proceso de cambios profundos dentro de algunas instituciones adscritas al naciente despacho, a fin de refundar el sector cultural del país, en donde la *elevación de la conciencia y la capacidad creadora sean su norte*".[12] La reestructuración del espacio cultural apuntaba también claramente a la idea de centralizar —¿controlar?— la actividad de cada uno de los segmentos del quehacer cultural: por ejemplo, hasta ese momento los diferentes museos nacionales tenían un carácter autónomo, y a partir de la creación del ente jurídico-administrativo "Fundación Museos Nacionales", también en el 2005, la actividad de todos los museos del país debía ser planificada y coordinada exclusivamente por este organismo central.

Además de la inquietud que obviamente suscitaba el deseo de "uniformidad" y "control", la *refundación* del sector cultural que inicia como todos los otros ámbitos nacionales bajo la Revolución bolivariana, con la redenominación (Ministerio del *Poder Popular*...) y redefinición de sus objetivos, establece una pauta diferenciadora que bajo la simbólica distancia entre un antes y un después, buscaba oponer las diferentes expresiones culturales que estarían coexistiendo en la sociedad venezolana del momento, en función de su posible vinculación con determinadas clases sociales y modelos político-económicos (capitalismo *vs* socialismo) y, por lo tanto su validez o invalidez. Lo que alimentaba cada vez más el riesgo de que la pluralidad cultural dejara de ser entendida como rica diversidad, para pasar a ser vista en términos de amenaza política.

Con todo, entre el 2000 y el 2006 las señales más visibles de cambio en el campo cultural para el ciudadano común, ajeno a la diatriba partidista interna, eran el progresivo deterioro de los espacios, la destitución de funcionarios "de la IV", el cambio de nombre, uso o para-

---

[11] < http://www.ministeriodelacultura.gob.ve/index.php?option=com_content&task=view&id=15&Itemid=42>.

[12] Portal oficial del Ministerio: <http://www.ministeriodelacultura.gob.ve/> (Misión y visión).

lización de instituciones emblemáticas del sector cultural tales como el antiguo Museo de Arte Contemporáneo Sofía Imbert o el emblemático Complejo Cultural Teresa Carreño, lo que se leía equivocadamente como expresión de la poca importancia que se le confería al sector cultural.

En realidad todos esos supuestos gestos de indiferencia eran señales de un proceso que apuntaba a una "revolución" que se construía *también* en el sector cultural, paralelamente al proceso político; y que a medida que se iba radicalizando dejaba ver claro que el "cambio" presuponía la anulación, eliminación y sustitución del modelo precedente. Será el propio presidente Chávez quien, en el 2008, apele a la grandilocuente etiqueta histórica de "Revolución cultural".[13] Para entonces, el campo cultural venezolano parecía haber sido intensamente intervenido y remodelado, aunque en términos económicos algunos negaran el impacto de la inversión. Según la escritora Ana Teresa Torres, para el 2009 sólo 0.3 % del presupuesto nacional se invierte en el sector cultural.[14]

En todo caso la lista de iniciativas culturales destinadas a los sectores populares es la que domina y en ella pueden destacarse algunos de indiscutible valor –aunque de incompleta efectividad– como la edición de miles de libros a bajo costo, repartidos algunos de ellos de forma gratuita en plazas, escuelas y bibliotecas, para destacar al "pueblo" como beneficiario. Y paralelamente es innegable que muchos de los programas de desarrollo cultural propiciados por el gobierno privilegiaban y estimulaban las expresiones tradicionalmente marginadas de los sectores populares, lo que fue un gesto de "empoderamiento" cultural valioso para aquellos sujetos que no habían tenido posibilidad efectiva de participación cultural.[15]

---

[13] "Es una revolución cultural lo que está en marcha y hoy más que nunca antes jamás en estos diez años de Revolución. Hoy se requiere con más profundidad que nunca antes el impulso de la revolución cultural. Es la hora de la gran *ofensiva cultural* en todos los *centros de batalla* [...] no hay revolución sin cultura revolucionaria y sin conciencia revolucionaria", <http://www.larepublica.es/spip.php?article12200>.

[14] Ana Teresa Torres. Temas para la cultura como factor fundamental en la construcción ciudadana. *El gusano de luz*, <http://www.elgusanodeluz.com/www/articulos. asp?id=627>.

[15] En esta línea quizá sea emblemática la colección propuesta de la Editorial El perro y la rana, "Un libro cada día", que bajo la premisa de que todos somos artistas pretendía editar un libro de autor inédito cada día; lo cual no logró mantenerse en el tiempo.

La eficiencia de los mismos es un tema que no se debate públicamente, aunque algunas cifras permiten ponerla en duda. Gisela Kozak cita datos derivados del "Estudio de consumo cultural" del Proyecto Pobreza de la Universidad Católica Andrés Bello (2008), que confirman esa impresión: "para esa fecha 85% de los entrevistados no visitaban museos y galerías de arte; 91% no asistía a conciertos de música clásica y 75% tampoco iba a conciertos de música popular; 69% no entraba nunca a una librería y 74% tampoco a una biblioteca" (Kozak, 2015: 44). Kozak señala que no hay cifras posteriores a esa fecha, ni oficiales ni privadas derivadas de trabajos rigurosos.

Sin embargo, lo que queremos señalar como el principal problema de las políticas culturales vigentes es la verdadera participación popular con carácter de actores en lugar del rol de pasivos receptores, asignado a los ciudadanos provenientes de estratos populares en esos programas trazados con una matriz valorativa que se impone desde los centros culturales oficiales. Se fomentan desde esa oficialidad expresiones de la cultura bajo el esquema de arte popular –principalmente reproduciendo el estereotipo de lo folclórico– en los barrios urbanos y pueblos del interior de la República, con un presupuesto de fondo respecto a la identificación general de la población "popular" con propuestas culturales estereotipadas como tales.

Con lo que se reducen, casi caricaturescamente, tanto a los sujetos como a sus manifestaciones culturales, sin promover más allá de las consignas la pluralidad social.[16] En este sentido coincidimos con José Teixeira Coelho, quien señala que "algún grado de intervención, de dirigismo, parece inherente a toda política cultural" (126), pero también que una verdadera descentralización cultural se produce sólo cuando "las comunidades locales [...] comienzan a autoadministrarse en términos de política cultural [y] corresponde a las comunidades escogerlo todo en materia de cultura, inclusive a los artistas que pretende valorar" (122).

En términos del investigador brasileño, "para los defensores de la democracia cultural, la cuestión principal no reside en ampliar la po-

---

[16] A contrapelo con una realidad que confirma que "Ni las élites ni los sectores populares, como revela la fragmentación de sus comportamientos, constituyen una masa homogénea [...] la gran ciudad que los masificó, los conectó al mismo tiempo con una gran variedad de ofertas simbólicas –nacionales y extranjeras– que fomentan la pluralidad de gustos, requieren por eso, acciones culturales diferenciadas" (García Canclini, 1995, 105)

blación consumidora, sino en discutir acerca de quién controla los mecanismos de producción cultural [...] [y] en el proyecto de ampliación del capital cultural en una colectividad" (118). Este planteamiento es coincidente también con la visión de García Canclini (1995: 105) cuando afirma que "las políticas culturales más democráticas y más populares no son necesariamente las que ofrecen espectáculos y mensajes que lleguen a la mayoría, sino las que toman en cuenta la variedad de necesidades y demandas de la población".

Semejante proceso de construcción de una institucionalidad y políticas culturales "bolivarianas" no estuvo exento de resistencias y contradicciones procedentes del "viejo" aparato cultural. Las declaraciones que hiciera el Ministro de la Cultura, Francisco Sesto, en ocasión del anuncio oficial de la liquidación del CONAC en el 2008, representaron un signo explícito de la pugna interna que en el sector cultural se venía librando entre posiciones contrarias:

> A pesar de los cambios institucionales, la pesada carga burocrática del Conac permaneció inalterada, conservando sus hábitos del pasado, resistencia al cambio, con un personal apegado a los privilegios funcionariales, sin vinculación o sintonía alguna con los cambios trascendentales que vive el país en momentos revolucionarios [...] este hecho [el cierre del Conac] es significativo, pues está prácticamente culminado el proceso de refundación institucional que comenzó con mucha fuerza en 2003 (*Letralia*, 187).

Por supuesto, el cambio supuso la desincorporación de un contingente de trabajadores de la cultura por razones ideológicas, que remarcó nuevamente pero con estruendosa contundencia, dos posiciones enfrentadas en desigualdad de posibilidades en el mundo cultural venezolano. Un par de años más tarde la "política diferenciadora" subrayaba su intención confrontadora, en las palabras del mismo ministro, citadas por Gisela Kozak: "Si lo que queremos es diferenciar esta cultura, la nuestra [...] de la cultura exquisita de las élites, entonces diferenciemos la de ellos. La nuestra es *la* cultura. La de ellos es... bueno, vamos a inventarle un nombre. Dibujémosle un adjetivo al lado como quien le dibuja un bigote cómico a un personaje".

El tono despreciativo se alineaba con el del discurso presidencial: sobre el esquema de una "abonada" lucha de clases, la cultura preexistente a la Revolución se entiende como expresión de una hegemonía que debía ser aniquilada y por lo tanto, se justificaba su destrucción. El campo cultural pasó a ser campo de batalla según lineamientos ideológicos y políticos.

La problemática división planteada en Venezuela entre modelos culturales que se privilegian o excluyen desde el aparato estatal, se correlaciona con el afán de mantener encendida una polarización inducida: en el caso venezolano, el discurso político del gobierno descalifica como "burgueses" a personas de cualquier clase social que adversen el proceso. Y en el paquete del descrédito se arrastran las manifestaciones culturales que se desprecian por su estética de "bellas artes": artes plásticas, ballet, música clásica, teatro… reproduciendo esquemas discriminadores de la que pensábamos superada discusión de los sesenta entre alta y baja o buena y mala cultura.

Con lo popular como bandera, a la cultura que se supone "elitesca" se le retiraron progresivamente los subsidios y espacios y se la fue confinando geográficamente hacia zonas de clase media y alta. El espectro de posibilidades de creación y expresión cultural se estrecha para cumplir con una agenda política e ideológica específica, con pretensiones hegemonizantes.

Algunos ejemplos de esa dinámica: en mayo de 2009 se produjo el desalojo del Ateneo de Caracas después de 30 años de funcionamiento en la sede de los Caobos. Al siguiente mes, según cita Marjorie Delgado, el viceministro de cultura José Manuel Rodríguez propuso sacar de los museos nacionales las colecciones de arte egipcio, chino y africano, que habían sido compradas al Museo Metropolitano de Nueva York o donadas por la familia Otero, argumentando que :

> Hay que desmontarles a los príncipes del capitalismo la concepción de la cultura como hecho estético. Sólo así podrán valorar las manifestaciones que tienen significación y pertinencia para la gente de cada pueblo, de cada caserío y de cada barrio de nuestras ciudades [...] Esos "príncipes" insisten en decir que los museos de arte han sido abandonados. A ellos les decimos: sus museos no están en peligro ni las obras que contienen, ellas simplemente dejaron de ser los referentes de la cultura nacional y ellas irán perdiendo el carácter sacro que tienen.

La hipervaloración "populista" de lo "popular" respaldada por las políticas culturales venezolanas, parece coincidir con el paradigma de "estatismo populista" según la clasificación elaborada por García Canclini en su trabajo *Políticas culturales en América Latina*: "éste [el pueblo] es aludido como destinatario de la acción del gobierno, convocado a adherirse a ella, pero no reconocido efectivamente como fuente y justificación de esos actos al punto de someterlos a su libre aprobación. Por el contrario, se exige a las iniciativas populares que se subordinen a "los intereses de la nación". Según el mismo García Canclini (1987: 27), ese esquema resulta útil al Estado "la indulgencia con que el folclor ensalza los rasgos nacionales y la atribución exclusiva de las culpas a adversarios extranjeros o míticos respecto de los cuales el gobierno aparece como paternal defensor".

Pero el crítico también alerta sobre condiciones implícitas en políticas como esa: "Puesto que no interesa la intervención transformadora del pueblo para redefinir el proyecto nacional, no se auspicia la experimentación artística ni la crítica intelectual". Ejemplos en esta línea tendríamos muchos en el caso venezolano: en la cantidad de artistas censurados cuando se trata de presentaciones "oficiales" (veto del Conac a Pedro Morales para participar en la 50 Bienal de Venecia 2003; censura a la muestra fotográfica de Nelson Garrido en la exposición madrileña "Mapas abiertos" (2003), hostigamiento a la película Secuestro Express (2005), censura a la obra pictórica Mi delirio sobre el Chimbo Raso de Héctor Fuenmayor expuesta en el Museo Alejandro Otero, etcétera,) y, más tarde, el ataque feroz al Centro Internacional Miranda cuando se propuso una revisión crítica de las políticas de la Revolución a mediados de 2009.

Por otro lado, se asume la condición "popular" de la cultura de manera muy simplista. A pesar de lo complejo que puede resultar pensar la cultura popular en medio de los actuales procesos de tecnologización y globalización mundiales, en la Venezuela presente parece que esa complejidad no existiera: según la página oficial "Gobierno en línea,[17] el tema se reduce a unos cuatro párrafos que reducen las variables de su expresión a las distintas regiones geográficas y a la presencia de los componentes indígenas y africanos, de los que se fija una imagen romántica e idealizada en el discurso nacional. Pero es una

---

[17] <http://www.gobiernoenlinea.ve/venezuela/perfil_arte1.html>.

visión momificada lo que se pretende imponer, un imaginario de alpargatas y tambores. Los programas y actos culturales que se promocionan, dan cuenta de un concepto principalmente circunscrito a la artesanía, la danza y la música. Y a esos elementos se pretende anclar la identidad cultural del país, en un proceso anacrónico y limitado.

Palabras inquietas a modo de conclusión

Las políticas culturales de la Revolución bolivariana se han concebido no sólo en términos de creación de estrategias constructivas sino también con una proporcional intensidad destructora. La "revolución cultural venezolana", tal como el proceso político de confrontación que la enmarca, se radicaliza estrechando su matriz ideológica y excluyendo políticamente sus potenciales adherentes, enajenando productores y consumidores culturales. Las actuales políticas culturales se conciben como engranaje central de una dinámica de polarización que fractura dramáticamente al país; han convertido lo cultural no en un espacio de reconocimiento sino en el de una lucha campal por la libertad y la diversidad.

Lo que hemos querido destacar como una de sus más fundamentales limitantes como proyecto nacional, no es el hecho –tampoco menor– de excluir a la intelectualidad que no milita en el proceso, sino su pretensión de constituirse como estrategia para clasificar y dividir a la sociedad y estimular la comprensión maniquea sobre el acontecer cultural: no convoca ni suma posibilidades, sino que se dirige exclusivamente a ciertos destinatarios, a quienes también condiciona y estereotipa mientras les restringe su horizonte de expectativas y posibilidades culturales y achica su capital cultural.

Semejante proyecto reduce los puntos de encuentro de una heterogénea población y excluye a rajatabla a un porcentaje cada vez mayor de sujetos de los espacios culturales. En el presente, la intelectualidad venezolana, entendida como grupo social plural, vive una triple crisis que se expresa en la caída de sus ingresos y calidad de vida, el cierre paulatino de los espacios y recursos para el pensamiento crítico y la creación autónoma y el incremento –en sus filas– de la emigración, asumida por algunos como único modo para proseguir su realización personal y profesional.

La confrontación cultural antes descrita, que se enmarca en la pugna político-ideológica que divide al país desde hace ya tres lustros, alimenta como ella una creciente tensión social. Lo cultural se viene trabajando como un espacio privilegiado para trazar el nuevo rostro de la revolución, un instrumento para la conformación de una nueva identidad colectiva diferenciadora, tal como exponen con elocuencia las reflexiones de Mario Sanoja e Iraida Vargas-Arenas, intelectuales identificados con el proceso revolucionario: "La política cultural no debe tener como finalidad solamente la promoción de la creatividad; debe tratar *fundamentalmente de crear una conciencia histórica sobre la clase social*, una conciencia reflexiva sobre sus contenidos y objetivos, una conciencia de la práctica que debe seguirse para lograr los objetivos de la clase".[18] El hoy proclamado "Comandante eterno" fue diáfano al señalar la misión épica de la cultura dentro de su proyecto político: "Es la hora de la gran ofensiva cultural [...] Al fascismo se derrota con conciencia y la conciencia se logra, con cultura y conocimiento, ser cultos para ser libres".[19]

¿Ser cultos para ser libres? Del modo que la apreciamos, la cultura exige la libertad como condición previa y no puede ser entendida como potestad de los gobiernos sino de los hombres y los pueblos. Si la cultura en Venezuela ya no será reconocida y promovida sino producida y administrada exclusivamente por el Estado, el sendero luce demasiado estrecho para suponer que la libertad será el puerto de llegada. Pero la posibilidad de cuestionar forma parte esencial del concepto de intelectual y, una vez más, nos ubicamos en sintonía con la definición dada por Edward Said y que aquí compartimos: "el principal deber del intelectual es la búsqueda de una independencia relativa frente a las presiones del Estado" y "la autoría de un lenguaje que se esfuerza por decirle la verdad al poder". (17)

---

[18] Mario Sanoja Obediente, Iraida Vargas-Arenas. "Transformar la burocracia en una herramienta eficaz para la gestión del Estado". *Cultura en tiempos de revolución*. <http://www.voltairenet.org/article122989.html>.

[19] Palabras de Chávez a los graduandos de la primera promoción de la Misión Cultura, 20 de agosto de 2008, <http://www.ministeriodelacultura.gob.ve/index.php?option=com_content&task=view&id=5868&Itemid=91>.

Bibliografía

Althusser, L., 1985, "Disciplinas literarias, cultura e ideología", en *Curso de filosofía para científicos*, Barcelona, Planeta-Agostini.

Biardeau, J., 2007, "Algunos equívocos sobre Gramsci y el socialismo. ¿Se trata de hegemonía o es una insurgencia contrahegemónica?", <http://www.aporrea.org//a12105.html>, consulta: 1 de junio de 2007.

Bisbal, Marcelino (ed.), 2009, *Hegemonía y control comunicacional*, Caracas, Ediciones Alfa /UCAB.

_____, Marcelino y Pasquale, Nicodemo, 2012, "Para una agenda cultural constituyente", en *Diálogos de la comunicación* <http://www.dialogosfelafacs.net/articulos/pdf/57MarcelinoBisbal.pdf>, consulta: 1 de mayo de 2014.

Bobbio, N., 1998, *La duda y la elección. Intelectuales y poder en la sociedad contemporánea*, Barcelona, Paidós.

Bourdieu, Pierre, 1971, "Campo intelectual y proyecto creador", en *Problemas del estructuralismo,* Barbut, Marc editor, México, Siglo XXI.

Cañizales, A., 2012, "Hugo Chávez: la presidencia mediática", Caracas, Ediciones Alfa en Revolución cultural, <http://www.debatecultural.net/Acciones/REVOLUCIONCULTURAL.htm>.

Delgado, M., 2009, "Proponen devolver colecciones de museos a sus lugares de origen", en *El Nacional*, pp. C-4.

Díaz, Elías, 2005, "Norberto Bobbio: la responsabilidad del intelectual", en DOXA, *Cuadernos de Filosofía del Derecho*, núm. 28, pp. 37-49.

Francia, Néstor, 2005, "Sobre el papel de los intelectuales", <http://www.aporrea.org/actualidad/a12105.html>, consulta: 18 de febrero de 2005).

García Canclini, Néstor, 1987, *Políticas culturales en América Latina*, México, Editorial Grijalbo.

_____, 1995, *Consumidores y ciudadanos. Conflictos multiculturales de la globalización*, México, Editorial Grijalbo.

Hernández Montoya, R., 2006, "Contra las alusiones antisemitas en el discurso oficial venezolano", en *El Nacional*, pp. C-2.

Illades, C., 2011, *La inteligencia rebelde. La izquierda en el debate público en México 1968-1989*, México, Océano.

Kozak, G., 2006, "Políticas culturales y hegemonía en la Revolución Bolivariana" en *Estudios,* vol. 14, núm. 28, pp. 101-121.

_____, 2015, "Revolución Bolivariana: políticas culturales en la Venezuela Socialista de Hugo Chávez (1999-2013)", en *Cuadernos de Literatura,* vol. 19, núm. 37, pp. 38-56.

Lanz, R., 2006, "La derecha no lee... y entiende menos", <http://www.debatecultural.net/Nacionales/RigobertoLanz29.htm>, consulta: 18 de noviembre de 2007.

Muñoz, Boris, 2007, "El chavismo no es estatista". Entrevista realizada a Juan Barreto en *El Nacional,* pp. A-4.

Partido Socialista Unido De Venezuela, 2010, *Documentos fundamentales: Libro rojo,* <http://www.psuv.org.ve/wpcontent/uploads/2010/06/Libro-Rojo.pdf>.

Rodríguez, F., 2004, "La inmensa mayoría de los intelectuales está en la acera contraria al Gobierno", en *El Nacional*, pp. B-8.

Said, Edward, 2007, *Representaciones del intelectual*, Bogotá, Debate.

Sant Roz, J., 2004, "Intelectuales venezolanos en la CIA", <http://ensartaos.com.ve/2014/03/16/articulo/38640>, consulta: 7 de mayo de 2007).

Sesto, F., 2008, "Será liquidado el Consejo Nacional de la Cultura de Venezuela", en *Letralia. Tierra de Letras,* vol. 13, núm. 18 <http://www.letralia.com/187/0512conac.htm>.

Silva-Ferrer, Manuel, 2014, *El cuerpo dócil de la cultura. Poder, cultura y comunicación en la Venezuela de Chávez*, Vervuert, Iberoamericana.

Socorro, M., 2010, "El enterrador de museos", en *El Nacional*.

Teixeira Coelho, J., 2009, *Diccionario crítico de política cultural. Cultura e imaginario*, Barcelona, Gedisa.

Torres, A., "Temas para la cultura como factor fundamental en la construcción ciudadana", en *El Gusano de Luz*, <http://www.elgusanodeluz.com/www/articulos.asp?id=627>.

Wisotzki, R., 2000, "Por Venezuela deberían pasar aviones con gerenticida", entrevista realizada a Ibsen Martínez, <http://www.analitica.com/bitblioteca/ibsen_martinez/entrevista_el_nacional.asp>, consulta: 22 de septiembre de 2000.

CHILE VUELVE AL VECINDARIO: DE LA COMPLACENCIA AL MALESTAR*

Carlos Durán Migliardi

Introducción

Dentro del amplio espectro de debates politológicos y sociológicos referidos a América Latina en el contexto de los últimos años del siglo pasado, dos temas resultaban centrales para un segmento amplio de sus exponentes. En primer lugar, la consolidación de los en ese entonces renacientes regímenes democráticos que, a partir de la década de 1980, habían comenzado a superar el imperio del interregno autoritario. En segundo lugar, la discusión en torno a las vías requeridas para la generación, estabilización o institucionalización (según sea el caso) del proceso de reformas estructurales agendado al calor de la crisis de la tradición desarrollista.

Respecto a estas preocupaciones, se manifestaba un generalizado consenso respecto a dos supuestos básicos, consistentes en *1)* la necesidad de compatibilizar el desarrollo económico con el imperativo de la consolidación democrática y *2)* la necesidad de profundizar, redireccionar y/o consolidar el proceso de reformas por medio del fortalecimiento de las instituciones políticas y económicas.

* Este trabajo forma parte del proyecto FONDECYT 11140380. "El campo político-discursivo chileno en un contexto de dislocación: Continuidades y transformaciones (1997-2014)". El autor agradece al Consejo Nacional de Investigación Científica y Tecnológica de Chile (CONICYT), el financiamiento de este proyecto.

187

Sobre la base de los mencionados supuestos, se concluía que tanto el proceso de consolidación democrática como el de reforma económica cargaban con una serie de dificultades que atentaban contra el diseño de proyectos de desarrollo coherentes y durables en el tiempo. Fenómenos tales como la inestabilidad política, la recurrente crisis económica, la expansión irracional de los mercados y el declive de las soberanías estatales, el deterioro de la calidad de vida y de la ciudadanía, la carencia de instituciones sólidas capaces de resolver los problemas de coordinación política y económica, la amenaza latente de los populismos y de la irracionalidad del gasto público, entre otros, constituían así algunos de los retos centrales a la hora de pensar las posibilidades de consolidación política y económica en una región proclive a la inestabilidad y la crisis.

Es precisamente en este contexto de debate que emergía el "caso chileno" como ilustración de un modelo de transición democrática y de reforma económica, exitoso tanto en su dinámica como en sus resultados. Una democracia en progresiva consolidación, con niveles apreciables de gobernabilidad y con tasas de crecimiento inéditas para la región, son algunos de los antecedentes que se señalaban para caracterizar a este país como un caso particular dentro de la marea de inestabilidad política y económica que ha singularizado la deriva de las naciones latinoamericanas (Munck, 2003). Chile, así, aparecía como un país excepcional en cuanto a su capacidad para alcanzar el objetivo de producción de gobernabilidad en un contexto sociopolítico altamente volátil y complejo como lo es el de las transiciones democráticas.

Casi dos décadas después, pero por motivos distintos, Chile aparece de nuevo en la agenda como un caso digno de observar. Los notables grados de estabilidad política y social alcanzados durante la década de 1990 y gran parte de la primera década del siglo XXI han comenzado progresivamente a erosionarse. De modo paulatino, Chile comienza a manifestar algunos síntomas que, para la retórica autocomplaciente de sus élites políticas y empresariales, eran propios del vecindario pero difícilmente observables en el interior de las fronteras de este largo y angosto país sudamericano. Una élite política afectada por niveles inéditos de desafección y rechazo ciudadano, y que además ha debido hacer frente a un conjunto de procesos judiciales que investigan irregularidades en la financiación de las campañas políticas y el funcionamiento de los partidos, así como también actos derechamente corruptos de connivencia y favores mutuos con el empresariado.

Una clase económica dirigente que ha sido objeto de una acelerada pérdida de su prestigio y poder simbólicos, afectada igualmente por escándalos judiciales que han derivado incluso en la prisión efectiva de algunos de los más conspicuos miembros de este selecto grupo; políticas públicas tales como las de transporte público, energía, educación, salud y previsión cada vez más cuestionadas por la ciudadanía y evidenciadas en sus debilidades e ineficiencias; niveles de crecimiento económico discretos y sistemática mantención de altos niveles de desigualdad en la distribución de la riqueza; irrupción de diversos movimientos de protesta ciudadana que sintomatizan una cada vez más visible fractura de los consensos que caracterizaron el ciclo postdictatorial, son algunas de las expresiones que evidencian la pérdida del privilegiado lugar excepcional en que se le erigió hasta hace poco.

En este trabajo me propongo exponer desde una perspectiva sociohistórica algunas claves de la deriva chilena que, a mi juicio, permiten aproximarse a la comprensión en que este país ha gestado la relación entre gobernabilidad, democracia y crisis. Para cumplir con este propósito, organizaré el texto con base en la exposición asistemática de cuatro momentos –la herencia autoritaria y la naturaleza de la transición chilena, el triunfo de Sebastián Piñera y el fracaso de la refundación de la derecha política, el retorno de Bachelet y la promesa de un nuevo ciclo político y, por último, la visibilización actual de la crisis política– para finalmente concluir con algunas reflexiones en torno a las claves que posibiliten entender las condiciones actuales del proceso sociopolítico chileno.

Herencia autoritaria, gobernabilidad forzosa y transición exitosa

En la literatura referida al caso chileno, existe acuerdo en describir su proceso de transición a la democracia como altamente exitoso tanto en lo que refiere a sus objetivos de normalización y restitución de las instituciones políticas formales que caracterizan a todo régimen democrático, por una parte, como en los altos niveles de crecimiento económico e integración al mercado mundial alcanzados. Por el otro,

189

más allá de las evaluaciones complacientes o críticas sobre esto, resulta claro el hecho que la agenda de reconstrucción democrática y crecimiento económico generada por las elites conductoras del proceso chileno fue cumplida.

Con relación al aspecto económico cabe señalar que, a diferencia de lo acontecido en la mayoría de los países latinoamericanos, la especulación retórica referente a la compatibilidad o incompatibilidad entre reformas económicas con sesgo "neoliberal" y democracia nació extemporánea. Fácticamente, y de manera previa a este debate, Chile resolvió el dilema: la así llamada primera etapa de las reformas fue instaurada en un contexto de denso y extendido autoritarismo político. La agenda del Consenso de Washington, así fue cumplida en Chile "antes" de que ésta fuera siquiera enunciada: los requisitos de liberalización del comercio exterior, apertura de la cuenta de capitales, privatización, flexibilización del mercado laboral y austeridad fiscal, cambio de prioridades en el gasto público y desregulación, entre otros imperativos agendados por el giro librecambista de las décadas de 1980 y 1990 en América Latina, se cumplieron tempranamente en un contexto sociopolítico de suspensión radical de la deliberación pública y de la interacción y disputa democrática.[1]

Esta articulación entre neoliberalismo y régimen autoritario, a mi juicio, resulta clave a la hora de comprender el modo en que la transición a la democracia chilena derivó en la producción de altos grados de gobernabilidad *vis a vis* el contexto regional. Y es que, tal como se ha debatido ampliamente, la creación de reformas económicas en contextos democráticos siempre implica altos niveles de riesgo, toda vez que la dialéctica entre "costos en el corto plazo" y "beneficios en el largo plazo" suele enfrentarse a la temporalidad democrática, marcada por la ratificación periódica de la conducción política y con la posibilidad de suscitar oposición efectiva a las políticas en curso. Y es que, como señala Adam Przeworski (1995: 238), "aunque el sistema resultante una vez completada la reforma pueda ser más eficiente (...)

---

[1] Una descripción sintética de las transformaciones generadas en el marco de la revolución neoliberal chilena puede verse expuesta en Martínez y Díaz (1995) y Cáceres (1994). Para una reflexión referida a la naturaleza "revolucionaria" de dicho proceso, véase Moulian (1997).

un deterioro transitorio de las condiciones materiales puede ser suficiente para socavar la democracia o el proceso de reforma".

En el caso chileno, por el contrario, el régimen militar llevó a cabo su proyecto de reforma estructural mediante la aplicación, decididamente a partir de 1975, de una profunda política de shock seguida de una serie de transformaciones estructurales que, en su conjunto, cumplieron con las tres fases de la reforma económica de primera generación enunciadas por Przeworski: estabilización, ajuste estructural y privatización (1995: 251). Las posibilidades de oposición a estas reformas y el ya referido dilema de los costos inmediatos y los beneficios futuros, naturalmente, no constituyeron problema para los militares y sus aliados tecnócratas.

Es así como, en definitiva, la dogmática neoliberal chilena fue realizada sin oposición y, por tanto, sin la presencia de fricciones que le restaran eficiencia y rapidez, ocasionando como consecuencia para el posterior contexto de normalización democrática el que los costos políticos de las reformas no afectaran la legitimidad del sistema político naciente ni de sus actores hegemónicos, y otorgaron la posibilidad de impulsar una agenda reformista de segunda generación –que en gran medida se propuso ajustar y/o corregir algunos de los efectos de la fase neoliberal de la reforma– que se llevó a cabo sin las presiones que en muchos países originó la simultaneidad o sobreposición entre ambas fases de la reforma económica (French-Davis, 2002; Oszlak, 1999).[2]

Otro aspecto que explica las condiciones que definieron el proceso político chileno, refiere al carácter mismo de su transición política. Tal como ha sido desarrollado por los estudios acerca de las transiciones democráticas (O'Donnell y Schmitter, 1986; Przeworski, 1995; Muñoz, 1990; Varas, 1984), estos procesos contienen un conjunto de características que los definen en oposición a las salidas rupturistas o derechamente revolucionarias respecto a un contexto autoritario determinado. De hecho, es justo la configuración de un itinerario político acotado a la reconstrucción de los componentes formales del orden

---

[2] Es así que a comienzos de la década de 1980, la dictadura militar se vio enfrentada a una severa crisis económica que trajo como consecuencia la reactivación de la protesta social y política contra el régimen. Dicha situación crítica, hacia finales de los ochenta, se había revertido en parte por la deriva cíclica de la economía, en parte por las medidas de ajuste realizadas por el propio régimen, lo cual facilitó la instalación del primer gobierno democrático de Patricio Aylwin (1990-1994) en un contexto macroeconómico sumamente auspicioso.

democrático, guiado además por una lógica eminentemente política, lo que señala que el término que en sentido estricto corresponde a la caracterización de estos procesos sea el de "transición política". Garretón (1995: 104), en este sentido, anota que "las transiciones políticas dejan pendientes los problemas de democratización social... y ésta pasa a ser, como hipótesis general para este tipo de países, una de las condiciones de la consolidación democrática".

Considerado este aspecto común a los procesos políticos que caen bajo la categoría en cuestión, el proceso político chileno contiene un conjunto de peculiaridades que lo vuelven ilustrativo al mismo tiempo que ejemplar. A su carácter de "emancipación gradual" (O'Donnell y Schmitter, 1986) que lo diferencia de los modelos de transición "por colapso" como el ocurrido en Argentina como efecto de la derrota de los militares en la Guerra de las Malvinas, se debe añadir la singular articulación de estrategias y actores e instituciones que coparon el campo político chileno una vez restablecida la democracia.

En primer lugar, lo arriba indicado se expresó en la presencia protagónica de los actores políticos representantes del régimen autoritario y de la propia figura de Pinochet, y en la sólida facticidad de una institucionalidad heredada del régimen autoritario que establecía severas limitaciones al proceso de consolidación democrática, factores que configuraron una escena política restringida y claramente acotada en cuanto a sus horizontes de acción y estrategias programáticas. La presencia de estos componentes heredados de la escena autoritaria, y que Garretón (1995) califica bajo la categoría de "enclaves autoritarios", propició un paradojal efecto de restricción a la vez que de encauzamiento del proceso político chileno.

La activación de situaciones potencialmente conflictivas que pudieran desestabilizar el proceso político era "pedagógicamente" neutralizada, por parte de las élites políticas conductoras del proceso, con el recordatorio del carácter incompleto de la transición y de la consecuente necesidad de actuar en acuerdo con los procedimientos que el realismo político demandaba. El imperativo de la gobernabilidad así se imponía en una curiosa "alianza táctica" con el perfil amenazante de los enclaves autoritarios y la potencial regresión autoritaria.[3]

---

[3] Sobre la influencia de los enclaves autoritarios en la estabilización del proceso político chileno durante la década de 1990, véase Durán (2008).

Por otro lado, la alianza política que accedió al Poder Ejecutivo en marzo de 1990, se había configurado como resultado del acuerdo de dos sectores políticos –el centro y la izquierda– que, en gran medida como consecuencia del trauma histórico generado por la crisis política que desembocó en el golpe militar de 1973, antepusieron frente a la agenda sustantiva de la democratización y el desmantelamiento del modelo económico-social impuesto por la dictadura, el objetivo de la gobernabilidad y la producción de una política de sello eminentemente consociativo. El privilegio del consenso por sobre la deliberación sustantiva, aportó a la estabilización del proceso político en relación directa con la configuración de una neutralización de los espacios de disputa política: el imperativo del orden se imponía, de esta forma, a la expresión antagónica de proyectos divergentes de sociedad.[4]

En definitiva, estos componentes del proceso transicional chileno –una transición que exacerbó la lógica consociativa y que convivió con la fuerte presencia de los enclaves autoritarios, unidos a la forma en que se gestó el proceso de reforma económica neoliberal en un contexto autoritario, dieron como resultado la consolidación de un modelo altamente exitoso en cuanto a su capacidad de producción de gobernabilidad: una élite política altamente dispuesta a la producción de consensos con una agenda programática acotada y sometida al imperativo de la estabilidad y equilibrio macroeconómico, adicionada a una ciudadanía desmovilizada que adhería más por omisión que por acción a dichas lógicas.

Por lo que configuraron el escenario para una reconstrucción estable de las instituciones democráticas formales en el marco de un acuerdo cada vez más sustantivo respecto del modelo económico social aplicado por la dictadura militar. Todo ello, bajo la conducción de una coalición de gobierno –la concertación de partidos por la democracia– que presentó una fuerte capacidad para administrar políticamente el proceso, clausurando fuentes de conflicto, manteniendo la

---

[4] Como ya indicamos, esta confluencia entre el centro y la izquierda es el resultado de un largo proceso de crítica por parte de ambos sectores, a lo que fue la racionalidad política característica del periodo anterior a la dictadura. Reflexiones sobre este tema pueden verse expuestas, en lo que refiere al campo político-intelectual demócrata cristiano, en Boeninger (1997) y Foxley (1985). Respecto al proceso intelectual de la izquierda chilena, conocido como el proceso de renovación socialista, véase una referencia a sus contenidos fundamentales en Durán (2001).

cohesión interna, reinventando la agenda política y diluyendo progresivamente la amenaza de la regresión autoritaria.[5]

El gobierno de Piñera y el fracaso de la ilusión de la alternancia

En 2010 se inicia en Chile, el cambio político más significativo de las últimas dos décadas, el triunfo del candidato presidencial Sebastián Piñera, abanderado de la coalición de partidos derechistas conformada por Renovación Nacional (RN), la Unión Demócrata Independiente (UDI) y un par de agrupaciones menores. Tras más de 50 años, un representante de dicho sector político atraía a la mayoría del electorado chileno y, de manera inédita desde la consolidación de un sistema de partidos verdaderamente competitivo, lograba atraer tras de sí –en la segunda vuelta electoral– la voluntad de la mayoría absoluta de los electores efectivos. Concluía de esta manera lo que para muchos analistas, historiadores y cientistas sociales, nacionales e internacionales, fue estimado como uno de los ciclos políticos más exitosos de la historia política latinoamericana, conducido desde el año 1990 por la Concertación de partidos por la democracia.

Los motivos que se invocan a la hora de explicar el cierre del ciclo de gobiernos de la Concertación democrática y la consecuente victoria de la derecha chilena son variados, y van desde la incapacidad de la coalición oficialista para interpretar las transformaciones que su propio afán modernizador gestó en la ciudadanía, el debilitamiento natural del clivaje autoritarismo-democracia sobre el cual la Concertación configuró su mayoría ciudadana, los innumerables errores tácticos que impidieron articular una candidatura presidencial potente y novedosa y que llevaron a insistir en la desgastada y poco prometedora figura del expresidente Eduardo Frei, la irrupción del fenómeno de los "díscolos" y el surgimiento de la potente candidatura del exdiputado concertacionista Marco Enríquez-Ominami, hasta la pérdida de la ventaja ético-política que significaba el haber sido víctima y oposi-

---

[5] Sobre los legados y dinámicas de los gobiernos de la concertación existe una amplia literatura. Basta aquí con señalar las obras de Garretón (2012), Moulian (1997), Sehnbruch y Siavelis (2014), Hunneus (2014).

ción a la dictadura pinochetista (Tironi, 2010; Varas, 2014; Hunneus, 2014).[6]

Pues bien, y con independencia a los debates alrededor de las causas que originaron el fin del exitoso ciclo de los gobiernos de la Concertación, lo cierto es que la llegada de la derecha al Poder Ejecutivo sólo fue posible una vez iniciada su desidentificación con la figura de Pinochet y con la pesada carga de las violaciones sistemáticas a los DDHH acontecidas bajo su gobierno, y que contaron con el activo y entusiasta apoyo de este sector político. La propia figura del presidente Piñera, un activo y exitoso hombre de negocios que –si bien aprovechó audazmente el contexto económico refundacional instalado por la dictadura– no dudaba en declarar repetidamente su adhesión a la opción NO en el plebiscito de 1988 y su temprana oposición al régimen de Pinochet, representaba la encarnación de esta difícil travesía desde el activo pinochetismo de las décadas de 1980 y 1990 hasta un resignado y discreto reconocimiento de los "excesos" de la dictadura protagonizada por la derecha política chilena. Travesía que, en muchos casos, adquirió la forma de una hábil omisión táctica a la referencia a la dictadura, bajo el igualmente hábil argumento de la necesidad de una "mirada de futuro".

La necesidad de dar evidencias claras del distanciamiento respecto a la figura del fallecido dictador y su régimen fue magistralmente llevada a cabo por Piñera en el contexto de las elecciones presidencia-

---

[6] Uno de los componentes más destacados en la derrota electoral de la Concertación en las elecciones de 2009-2010 fue la apuesta por el expresidente Eduardo Frei Ruiz Tagle, una figura carente de los atributos "blandos" que ubicaban a la presidenta Bachelet en niveles inéditos de adhesión política, y cuyo legado para la opinión pública era el de un gobierno en el mejor de los casos discreto. Mucho se ha debatido respecto a la insistencia en promover una candidatura a todas luces continuista en su formato y carente de las habilidades comunicacionales con que contaba Sebastián Piñera. Cabe consignar que, pese a ello, la candidatura de Frei obtuvo en la segunda vuelta celebrada en enero de 2010, un no despreciable 48% del total de votos válidamente emitidos, recuperándose del magro 29% obtenido en la primera vuelta de diciembre del año anterior. Sobre la candidatura de Marco Enríquez-Ominami, una joven figura proveniente del corazón mismo de la élite concertacionista, su éxito político y mediático se atribuye en gran medida a un doble error de cálculo por parte de la dirigencia concertacionista, la que primero se negó a incorporarlo a las elecciones primarias para determinar el candidato único de la alianza, y luego subvaloró los niveles de posicionamiento público de su candidatura y la consecuente erosión de la opción Frei, hasta alcanzar un altísimo 20% del total de votos válidos de la primera vuelta. Sobre el "fenómeno ME-O" y la fallida opción Frei, véase Tironi, 2010.

les de 2009-2010. Piñera fue capaz de desplazar la agenda del debate presidencial hacia una disputa centrada en el binomio alternancia-eficiencia *vs* continuismo-ineficiencia, volviendo literalmente inocua la identificación de amplios sectores de su coalición con la tradición pinochetista, identificación que en los contextos electorales anteriores había sido exitosamente aprovechada por el discurso concertacionista.[7]

Es de esta forma en que conducido por un discurso que apelaba a la necesidad del recambio en la administración del aparato público, que recalcaba el desgaste en ideas y acciones tras cuatro gobiernos concertacionistas, y que resaltaba las competencias técnicas de su eventual equipo de gobierno, la campaña derechista logró posicionarse en un escenario en el cual la demanda ciudadana respecto a la política, en lo fundamental, había derivado en una demanda por "eficiencia", "buena administración", control de la corrupción y generación de resultados medibles.

En un contexto sociopolítico marcado por una "clase política" que en lo fundamental obviaba la discusión respecto al modelo de sociedad, y con una ciudadanía que "padecía" o "disfrutaba" su condición de vida atribuyendo sus éxitos y fracasos a la fortaleza de la iniciativa individual, resultaba natural que el clivaje dictadura/democracia, propio de la política de la década de 1990, se diluyera en un clivaje eficiencia/ineficiencia a todas luces favorable a una derecha hábil en desentenderse eficazmente de su lastre dictatorial.

El terremoto de febrero de 2010 –acontecido sólo días antes de la asunción, el 11 de marzo, del presidente Piñera– no hizo más que con-

---

[7] Este intento por desidentificarse de la figura de Pinochet, ya había sido llevado a cabo por el candidato presidencial de la derecha para las elecciones de 1999, Joaquín Lavín. El discurso de Lavín, en ese entonces, se centró en las ideas de cambio y alternancia, buscando alejarse de los símbolos y ejes discursivos de la derecha tradicional chilena. Pese a ello, y considerando el promisorio escenario que para la derecha significaba enfrentarse a un candidato socialista (Ricardo Lagos), en un contexto de crisis económica y con una popularidad del presidente en ejercicio –Eduardo Frei– a la baja, Lavín no logró su objetivo. Y es que, para un líder político fuertemente identificado en el pasado con la figura del exdictador, militante del partido político –UDI– fundado por el ideólogo del régimen –Jaime Guzmán–, con una formación fuertemente conservadora y con un Pinochet que seguía estando presente en la agenda pública, resultaba difícil desmarcarse completamente de la sombra dictatorial. Aun así, Lavín forzó a Lagos a una segunda vuelta y estuvo a sólo tres puntos porcentuales de llevarse la victoria. Sobre la coyuntura electoral de 1999 y el impacto de la candidatura de Lavín, véase Joignant y Navia (2000).

tribuir a esta concentración en los criterios de eficiencia propios del discurso del nuevo gobierno. "La nueva forma de gobernar", así logró copar la agenda de la primera mitad del año, con una promesa de eficiencia frente a la cual la ciudadanía se manifestó expectante, otorgando a la nueva administración una confianza que con el acontecimiento del rescate de los mineros en octubre del mismo año, alcanzó su mayor expresión.[8]

Este sello tecnocrático y centrado en el empresarial sentido de la eficiencia y la no deliberación política parecía consolidar el proceso de despolitización y tecnocratización del campo político chileno, tendencia que ya se había iniciado a lo largo de los gobiernos de la Concertación, y que permitía mantener niveles altos de gobernabilidad y estabilidad política. Sin embargo, estas expectativas fueron demolidas prontamente por una consecución de factores que hicieron no sólo fracasar las ansias refundacionales de la administración Piñera, sino que además gestaron la activación de un proceso de crisis política y social que se ha extendido incluso hasta el gobierno de la presidenta Bachelet.

El primero de estos factores puede ser calificado como el de los "errores no forzados" del gobierno piñerista. Un amplio número de polémicas originadas por los hábilmente nominados "conflictos de interés" que afectaron a la propia figura presidencial y, a gran parte de sus funcionarios de primera línea, acentuaron la identificación del gobierno con el empresariado y los grupos privilegiados de la sociedad; fuertes ineficiencias en la administración técnica de algunas áreas y tareas de gobierno, tales como la mala ejecución del Censo de población y vivienda de 2012, hicieron mella en la autodefinición de la gestión piñerista como "el gobierno de los mejores"; una sobreexposición de la figura presidencial cuya presencia inflacionada comenzó a ser repelida por la ciudadanía, y que derivó en un debilitamiento de la tradicional impronta de la autoridad presidencial en Chile, constituyen algunos ejemplos del conjunto de acciones producidas por la propia adminis-

---

[8] En noviembre de 2010, sólo para otorgar un dato, los niveles de aprobación al gobierno superaron el 63%, según estudio de la encuestadora chilena Adimark, destacando la valoración de atributos tales como la eficiencia, la energía, la autoridad y la resolución de problemas concretos por parte del nuevo gobierno. Para una revisión de los estudios de opinión pública emitidos por esta empresa, los que cuentan con la virtud de su periodicidad mensual, véase <www.adimark.cl.>.

tración Piñera, y que mermaron progresivamente los niveles de adhesión alcanzados durante el primer semestre de su mandato.

Un segundo factor expresa la relación con las severas resistencias que el estilo y los ejes programáticos del gobierno de Piñera suscitaron en algunos líderes políticos de la derecha tradicional. Dentro de estas críticas, especial resonancia tuvo la del líder y uno de los fundadores de la UDI, el exsenador Pablo Longueira, para quien la administración Piñera operaba sin un "relato" que le otorgara sentido y adhesión en la ciudadanía. Tras estas críticas, se ocultaban rencillas pasadas, diferencias doctrinarias y un fuerte rechazo a la exclusión de la cual fueron parte sectores importantes de la derecha chilena que se habían sumado a la candidatura de Piñera como resultado de un crudo realismo político, pero sin cuotas siquiera mínimas de entusiasmo. Este problema ocasionó un conjunto de situaciones críticas en el interior de la administración piñerista, todas las cuales alimentaron la percepción por parte de la ciudadanía de ser gobernados por un sector incapaz de producir los niveles de cohesión y coherencia gubernamental a los que los gobiernos de la Concertación le habían acostumbrado.[9]

Por último, y no por ello menos importante, la activación de un inédito ciclo de movilizaciones sociales a partir de fines de 2010 produjeron en el gobierno de Piñera una crisis de tal magnitud que, junto con una rotación frenética de ministros y la vuelta de la vieja guardia derechista a la primera línea, originó una sensación de inmovilismo y pérdida de agenda visible para toda la opinión pública. Con relación a este fenómeno, cuya expresión máxima lo tuvo el ciclo de movilizaciones estudiantiles de 2011 (Durán, 2012; Urra, 2012; Donayre e Inga, 2011), se han ofrecido diversos análisis relativos a las causas que lo originaron como asimismo a los niveles de responsabilidad de la propia administración Piñera en su gestación. Más allá de ello, sin embargo, lo cierto es que la activación de la protesta social protagonizada no sólo por el movimiento estudiantil sino que también por exponentes de demandas de tipo local, ambientalistas, valóricas, etcétera,

---

[9] Con relación a los conflictos entre la administración Piñera y la derecha política, véase Varas (2014). Se puede decir sobre este punto que la relación conflictiva de Piñera con la derecha es una situación de larga data, marcada por oscuros episodios que han incluido situaciones comprobadas de espionaje, conspiraciones varias e, incluso, secuestros a familiares directos del exmandatario. Algunos relatos sobre esta compleja relación entre Piñera y la derecha chilena en Otano (1995).

constituyó de los tres factores nombrados el fenómeno de mayor profundidad en cuanto a sus efectos a futuro.

La paradoja de lo arriba descrito reside en el hecho de que, si acogemos los juicios interpretativos que se expusieron para comprender la derrota de la Concertación en las elecciones de 2009, a manos del tecnocrático discurso de una derecha, este evento puede ser explicado como el resultado de una progresiva despolitización de la sociedad chilena que, promovida por los propios gobiernos de la Concertación, derivó en las condiciones para la imposición definitiva de los criterios gerenciales de administración y evaluación de la labor gubernativa. Y sin embargo, esta victoria de las retóricas gerenciales y supuestamente antipolíticas abrió las puertas para la activación de lo que, sin dudas, podemos asumir como un nuevo ciclo de politización de la sociedad chilena, movilizado por el malestar, la voluntad de participación y la impugnación progresiva de algunos de los pilares sobre los cuales se ha fundado el modelo político y socioeconómico del Chile de los últimos 30 años.[10]

Es así como, a nuestro juicio, el ciclo de movilizaciones sociales de 2011-2012 no sólo afectó la performance del gobierno de Sebastián Piñera, sino que también alteró lo que se había erigido como uno de los pilares de la gobernabilidad chilena durante la década de 1990, a saber: la probada capacidad de las élites políticas para administrar con eficiencia la demanda social, impidiendo de esta forma la generación de equivalencias o de la tendencial politización de las mismas. Curiosamente entonces, lo que anticipaba ser el epítome de la tecnocracia impolítica creó las condiciones para un proceso de repolitización, cuyos alcances y destino aún se encuentra abierto, pero que por ahora ha terminado por afectar severamente los elevados niveles de eficiencia gubernativa característicos de la deriva postdictatorial chilena.

El gobierno de Piñera constituyó un paradójico punto de inflexión promovido por la incumplida expectativa respecto a la capacidad de

---

[10] El último Informe de desarrollo humano elaborado por PNUD (2015) se dedica justamente a estudiar este fenómeno de la politización de la sociedad durante los últimos años. Acogiendo la conocida distinción entre "la política y lo político", el informe sostiene que existe una relación inversamente proporcional entre el rechazo ciudadano cada vez más marcado a la política-institucional y la aproximación progresiva a la deliberación y acción directa más o menos a temas públicos.

la lógica gerencial para administrar eficientemente los asuntos públicos. Probablemente, fue el último esfuerzo por controlar tecnocráticamente un proceso político que ya se encontraba invadido por procesos y malestares subterráneos, cuya interpretación por parte de las élites políticas –y a la luz de la evidencia disponible– no fue la más adecuada.

Las elecciones de 2013 y las expectativas de un nuevo ciclo político

El contexto político-electoral de 2013 estuvo marcado por la generalizada convicción respecto al triunfo de la expresidenta Bachelet. Desde que en el mes de marzo regresó al país y anunció oficialmente que competiría una vez más por la Presidencia de la República, la certidumbre respecto a su victoria fue aumentando de la mano con el despliegue definitivo de la campaña electoral. De modo unánime, los estudios de opinión y las encuestas de intención de voto iban anunciando una pronunciada distancia entre Bachelet y el resto de los aspirantes, percepción refrendada por el clima de la opinión pública, de los analistas políticos e incluso de los dirigentes y autoridades políticas de la en ese entonces coalición gobernante.

Varios factores intervinieron en esta verdadera "crónica de una victoria anunciada". Entre éstos, es posible mencionar *1)* la permanencia del liderazgo y valoración pública de la persona de Michelle Bachelet; *2)* el fracaso de los intentos refundacionales de la derecha y sus inocultables pugnas y desavenencias durante todo el gobierno de Piñera; *3)* la discreta performance del gobierno de Piñera y los sucesivos conflictos sociopolíticos que debió encarar, y *4)* la capacidad que tuvo la Concertación de ajustarse parcialmente al nuevo escenario político y social.

Sobre el primer factor, cuando la presidenta Bachelet abandona el gobierno, en marzo de 2010, sus niveles de popularidad se elevaban 80%, una valoración construida de acuerdo con los analistas sobre la base de una fuerte dosis de carisma personal unido a la eficiencia en que el país sorteó los efectos de la crisis económica hacia la segunda mitad de su mandato.[11] Junto con ello, y a juzgar por sus resultados, el hecho de haber asumido un cargo de alta figuración internacional como lo es el de directora de la ONU Mujeres, le permitió sortear con éxito los vaivenes de la política doméstica y, sobre todo, las sistemáticas críticas y cuestionamientos a su gobierno realizados por los líderes políticos de la derecha y por autoridades de la administración piñerista. Esta ofensiva política, especialmente dirigida a su cuestionable manejo de la crisis ocasionada por el terremoto y tsunami del 27 de febrero de 2010, operaba frente a una adversaria cuya respuesta fue el silencio y su instalación en un cargo internacional de alto prestigio, lo cual suscitó el efecto no deseado de la victimización y la odiosidad en la utilización de una catástrofe natural que, según el juicio ciudadano, no se relacionaban con las acciones u omisiones de la presidenta Bachelet.

Desde el primer día de gobierno de Piñera, Bachelet restringió a su mínima expresión su visibilidad pública y su injerencia en la vida política del país. Luego con el cargo asumido en la ONU, esta omisión se complementó con la conversión de la figura de la expresidenta en un referente de nivel mundial, lo cual aumentó el efecto de una figura que se alzaba como una estadista no involucrada en la "política chica" ni en las "disputas estériles" de la clase política.

---

[11] En la literatura politológica se afirma la existencia de una fuerte correlación entre estabilidad económica y aprobación presidencial, siendo esta última una función explicada en una importante medida por las fluctuaciones económicas de un país. En el caso de Bachelet, la crisis económica intensificada durante 2008 y 2009 fueron para su gobierno, antes que una amenaza, una oportunidad para encarar la última fase de su mandato. Junto a su Ministro de Hacienda Andrés Velasco, planificó una respuesta contracíclica agresiva y novedosa, basada en la emisión de bonos y transferencias monetarias a los sectores sociales potencialmente más afectados por la crisis, lo cual le granjeó el apoyo y entusiasmo de amplios sectores de la población, algunos beneficiados directamente por dichas transferencias, otros beneficiados indirectamente por la mantención de los equilibrios macroeconómicos y de la estabilidad sociopolítica incluso durante los meses más álgidos de la crisis. Sobre esto, Apablaza y Jiménez (2009: 11) apuntan lo siguiente: "El aumento de la aprobación presidencial comienza cuando la Presidenta hace de la crisis económica internacional una oportunidad para hacer sentir a los chilenos más seguros en momentos que los mercados se derrumban. El Gobierno decidió adelantarse a los posibles efectos negativos que podría acarrear la crisis en la economía del país, entregando bonos a los sectores que más lo necesitaban. Ello fue fundamental para que la percepción ciudadana no fuera negativa, efecto inverso que vivió el Gobierno de Eduardo Frei, cuando en Chile se desató la crisis asiática y la aprobación del entonces ministro de Hacienda y del presidente bordeó el 28%".

Frente a cada estudio de opinión que indicaba la mantención incólume de la popularidad de la expresidenta y el deseo ciudadano de su retorno, la estrategia de impugnación de la derecha –que incluso judicializó sin éxito la responsabilidad gubernamental y presidencial en las desgracias acontecidas en el contexto de la catástrofe del 27/f– mostraba su fracaso y se volvía contra sus mismos gestores: Bachelet, para el juicio ciudadano, se encontraba por sobre las disputas y los cálculos electorales. Juicio definitivo que durante los cuatro años de gobierno de Piñera se mantuvo inamovible.[12]

Por consiguiente, el hecho de que hubiera existido en el presidente Piñera una voluntad reformista dirigida hacia una refundación de la derecha chilena, y un abandono definitivo de todo vestigio de identificación con la dictadura militar, lo cierto es que esa voluntad no logró materializarse. Las impugnaciones hacia el estilo y contenidos del liderazgo piñerista, atacadas desde las trincheras del neoliberalismo dogmático, del conservadurismo valórico y del pinochetismo, fueron demasiado fuertes como para permitir una modificación del escenario político y quizá fue un factor relevante a la hora de explicar el fracaso de su administración en el manejo de la conflictividad sociopolítica.[13] El resultado de estas disputas fue un inédito espectáculo de proclamaciones y renuncias de candidatos de la derecha con miras a la presidencial de 2013, el que concluyó con el improvisado y tardío nombramiento de una candidata –Evelyn Matthei– que no contaba con las más mínimas posibilidades de hacer frente a la candidatura de Bachelet.

Respecto al último factor mencionado, referido a la capacidad de la antigua concertación de redefinir su accionar en un marco adverso, es preciso mencionar que mientras todo parecía indicar que el otrora

---

[12] Para una revisión de los niveles de aprobación a la figura de Bachelet y de las expectativas respecto a su retorno como candidata presidencial, pueden revisarse las encuestas de opinión elaboradas por el Centro de Estudios Públicos –CEP–, y cuyos resultados se encuentran publicados en <www.cepchile.cl.>

[13] Sobre los conflictos entre el ímpetu reformista de Piñera y los sectores identificados con la derecha tradicional y los sectores pinochetistas, destaca el fuerte impacto que, en el contexto de la conmemoración de los 40 años del golpe de 1973, el presidente Piñera aludió críticamente a quienes fueron "cómplices pasivos" de las violaciones a los DDHH y los abusos perpetrados durante la dictadura militar. Dichas palabras, a la vez que visibilizaron la tensión entre Piñera y amplios sectores de la derecha, le permitieron al expresidente, hacia el final de su mandato, un fuerte triunfo político. Sobre esta coyuntura véase Aubry y Dockendorff (2014).

exitoso conglomerado estaba destinado a su extinción como fruto de su derrota en las elecciones presidenciales de 2009, y los múltiples conflictos y tensiones generadas en ese contexto político-electoral, lo que finalmente se produjo fue una paulatina mutación que derivó en la conformación –sin *ceremonia del adiós* para la vieja concertación mediante– de un nuevo conglomerado político conocido actualmente como "Nueva Mayoría".

En los hechos, la Nueva Mayoría es el resultado de una articulación política hacia la figura de Bachelet, que operó sobre la base de un conjunto de desplazamientos discursivos que tenían como objetivo apropiarse del contexto de crisis de representación que se avizoraba, al mismo tiempo que incorporaba nuevos contenidos a la agenda política sin que ello significara la fractura del viejo conglomerado, y que por el contrario permitiera la integración de nuevos actores. Todo ello con el incalculable incentivo de una candidatura presidencial con amplias posibilidades de éxito.

La conformación de la Nueva Mayoría facultó a Bachelet aterrizar en un contexto político organizado, disciplinado tras ella, con una coalición con capacidad orgánica de conducir un proceso electoral y de ofrecer una alternativa de cambio conducida institucionalmente. Lejos de la "muerte natural" resultante de la derrota de 2009, la Concertación logró finalmente reinventarse y encarar con optimismo el contexto electoral de 2013, con la expectativa de ser la traducción política del clima de malestar que atravesó todo el periodo gubernamental de Piñera.

Así las cosas, las elecciones presidenciales de 2013, en las que la candidata Bachelet obtuvo más de 60% de los votos válidos en su segunda vuelta, no hicieron otra cosa que ratificar lo que desde marzo de ese mismo año ya era una certeza. La presidenta electa desde ese momento asumía la compleja tarea de recomponer la escena política, de resituar la demanda social en los canales institucionales, de otorgar traducción política a los malestares acumulados y de, finalmente, conducir un proceso de cambio que concediera desprenderse de algunas de las herencias más incómodas del modelo económico, social y político gestado por la dictadura de Pinochet. Se abría la expectativa de activación de un nuevo ciclo político en el país (Ottone, 2014), esta vez conducido por la vía de la reforma de los pilares que le dieron sustento al modelo económico, social y político que determinó la década de 1990.

El rey desnudo

El inicio de 2015 se anunciaba auspicioso para el gobierno de Bachelet. Debiendo soportar no mucho más que el caluroso inicio de la temporada estival, su equipo de gobierno asistía con optimismo al cierre del año legislativo y la aprobación de un conjunto de iniciativas por parte del Congreso Nacional, que posibilitaban cerrar el primer año de gobierno ofreciendo victorias concretas: a la incorporación del voto de los chilenos en el exterior, la promulgación de la ley de inclusión en educación y la aprobación del acuerdo de unión civil (que permite formalizar los vínculos entre personas del mismo sexo), se sumaban señales de recuperación de los niveles de adhesión ciudadana tras un complejo primer año de gobierno, y una instalación dificultada por las diferencias en el interior de la Nueva Mayoría. Pese a las dificultades para traducir con eficiencia la agenda social, el gobierno parecía encaminarse hacia un ímpetu reformista a lo menos correcto.

Paralelo a ello, la oposición de derecha –y en especial el partido UDI– pasaba por difíciles momentos, marcados por la apertura de una arista judicial que investigaba mecanismos de financiamiento irregular e ilegal a sus candidatos, y la filtración a los medios de comunicación de un cúmulo de comunicaciones entre dirigentes y candidatos con directivos de uno de los grupos económicos más importantes del país, solicitándoles directamente dinero para cubrir gastos de campaña. A los niveles de desafección que ya había acumulado la derecha política en su paso por el gobierno, se sumaba ahora la poco decorosa y demasiado directa vinculación con el poder económico, vinculación que adquiría ribetes delictuales cuyo alcance era profusamente divulgado en los medios y concienzudamente investigado por los fiscales.

Una derecha reducida a su mínima expresión, desprovista de la capacidad discursiva de representar el malestar social y con una rotunda crisis de liderazgo, dejaba suficiente margen de recomposición a un gobierno cuyo *flanco derecho* estaba cerrado. Y sin embargo, a partir de febrero los eventos se aceleraron dramáticamente, una vez que unas notas de prensa informaron acerca de un polémico préstamo concedido a una empresa familiar de la cual participaba uno de los hijos de la presidenta Bachelet –Sebastián Dávalos– emitido por una institución bancaria de propiedad de uno de los empresarios más poderosos del país, el que a su vez es sindicado como uno de los principales financistas de las campañas electorales de la mandataria.[14] A partir de ese evento, la popularidad de la presidenta se desplomó, alcanzando límites históricos sólo comparables con los peores momentos de la administración Piñera durante la crisis de 2011. Junto a ello, las investigaciones referidas al financiamiento a la actividad política se ampliaron a otros grupos económicos, y alcanzaron finalmente a organizaciones, dirigentes políticos y gubernamentales de la coalición oficialista, convirtiendo los escándalos de 2013 en una crisis orgánica cuyos efectos se han extendido a toda la institucionalidad política.

La crisis en la aprobación presidencial, ciertamente, está lejos de constituirse en el principal problema que afecta al campo político chileno durante este último tiempo: las investigaciones judiciales se suceden una tras otra, visibilizando ante la opinión pública la forma en que operaban los millonarios mecanismos de financiamiento –muchas veces ilegal– de las campañas políticas; la agenda de reformas ofertada por el gobierno de Bachelet se ha empantanado entre las diferencias en el interior de la coalición y la débil recuperación de la actividad económica tras un año de crecimiento cercano a cero; la protesta social y, en lo específico, la protesta estudiantil tiende a reactivarse aunque de modo inorgánico y sin una propuesta programática clara; y el gobierno en definitiva se encuentra paralizado frente a una coyuntura de descrédito y desafección rotunda frente a la política y las élites en general.

El modelo social, político y económico consolidado tras la dictadura, en consecuencia, enfrenta serios déficits para hacer frente a un clima de dislocación y apatía. Las prácticas que ayer parecían naturales hoy son fruto de escándalo diario, y la fortaleza institucional que dotó al país de elevados niveles de gobernabilidad en comparación con el resto de la región se enfrenta desnuda a una ciudadanía que no percibe ni buenos intérpretes de sus demandas, ni mucho menos bue-

---

[14] Se trata de Andrónico Luksic, uno de los dueños del Banco de Chile y cabeza de uno de los principales grupos económicos del país.

nos ejecutores de las acciones necesarias para escapar de la crisis. Esto no significa que sean los escándalos de corrupción, los negocios de los familiares de la presidenta o los publicitados desfiles por los tribunales de justicia de la élite política y económica, el origen y fin de la actual crisis, sino que más bien un síntoma de una progresiva incapacidad para administrar y representar políticamente las situaciones problemáticas y críticas, al igual como las demandas sociales y políticas propias a todo contexto.

Al igual como en la leyenda, el viejo rey de la gobernabilidad se encuentra desnudo, y la reina convocada a revestirlo de legitimidad ha perdido su aura, pasando a convertirse en una pieza más de un sistema político incapaz de responder, por ahora, a las demandas y desafíos de un Chile cuyos contornos ya no son los mismos que los de la década de 1990.

Conclusiones

El caso chileno constituye una expresión paradigmática de lo que Laclau (2004) define como la lógica institucionalista, consistente en una forma de intervención política que busca reducir el antagonismo por medio de la administración diferencial de las demandas sociales. Gran parte del éxito del proceso transicional desplegado en este país, sin dudas, respondió justo a esta capacidad de acotamiento de las demandas sociales y de instalación de una lógica política consociativa que disminuyó notablemente los niveles de conflictividad sociopolítica durante toda la década de 1990. La retórica de la transición instaló exitosamente el imperativo de la gobernabilidad como axioma de toda intervención política.

Y sin embargo, ¿cómo comprender el actual contexto de crisis política que afecta al país?; ¿de qué manera comprender la progresiva desarticulación de los fundamentos que hicieron de Chile un caso ejemplar de transición y consolidación democrática exitosa? Quisiera sostener, a la luz de las imágenes desarrolladas en este capítulo, que la actual condición de crisis política que afecta a Chile y el consecuente debilitamiento de sus niveles de gobernabilidad pueden ser analizados en función de cuatro criterios, a saber:

1. La crisis es eminentemente política: de modo contrario a quienes atribuyen la actual crisis de gobernabilidad a factores asociados al estado actual de desarrollo de la economía chilena,[15] sostengo que la crisis actual del proceso político chileno no responde a factores estructurales de naturaleza extrapolítica, sino que más bien tiene su explicación en la forma misma en que se ha conducido el proceso político por parte de las élites gobernantes, desde los inicios mismos del proceso transicional.

2. La crisis no acontece EN la política, sino que más bien es una crisis DE la política: con esto quiero sostener que la magnitud de la crisis que actualmente afecta al campo político chileno no está asociada a lo que sus actores protagónicos y las organizaciones políticas hegemónicas en el campo pueden o no hacer, sino que más bien se explica en la lógica que ha gobernado la política chilena en las últimas décadas. Dentro de esa lógica, no es posible responder de modo eficiente a los desafíos instalados en la actual coyuntura.

3. La crisis se produce como efecto de la plena realización de la lógica tecnocrática: paradojalmente, el campo político chileno de las últimas décadas se distinguió por una progresiva tecnocratización de su discurso y sus lógicas de acción que, consolidada con la victoria en 2010 del candidato-empresario Sebastián Piñera, ingresa en una situación de crisis justamente debido a esta plena realización. Al parecer, la paradoja acontecida en Chile es la de una promesa de destierro de la política, del antagonismo y de la deliberación que, una vez cumplida y cual Sísifo, debe volver al inicio. Castigo, quizás, ocasionado por la vanidosa pretensión de quien quiso construir un orden social sin antagonismo, sin deliberación y, en última instancia, sin política.

---

[15] La así llamada "trampa del ingreso medio" constituye una de las tantas explicaciones que se utilizan para dar cuenta de situaciones de crisis políticas generadas por condiciones estructurales. De acuerdo con esta teoría, existen un conjunto de factores que dificultan el salto cualitativo de los países que se ubican en un nivel expectante de desarrollo económico, factores que incluyen por ejemplo las crecientes dificultades para administrar las demandas y expectativas sociales por parte del sistema político. Sobre esta teoría y sus implicancias para Chile y América Latina, véase Foxley (2012).

Bibliografía

Apablaza, Carolina y Francisco Jiménez, 2009, "Factores explicativos de la aprobación presidencial", en *Serie Informe, sociedad y política*, Instituto Libertad y desarrollo, Santiago de Chile.

Aubry Marcel y Andrés Dockendorff, 2014, "Cuarenta años no son nada: ¿la reposición del clivaje autoritarismo-democracia en el sistema de partidos chileno?", *Revista de Sociología*, núm. 29, pp. 9-36.

Boeninger, Edgardo, 1997, *Democracia en Chile. Lecciones para la gobernabilidad*, Santiago, Ediciones Andrés Bello.

Cáceres, Gonzalo, 1994, "El neoliberalismo en Chile: Implantación y proyecto. 1956-1980", en *Mapocho*, 36,

Donayre, Renzo y Pilar Igan, 2011, "Conflicto estudiantil en Chile: la educación en debate", en <http://revistas.ojs.es/index.php/revistaestudiosandinos/article/ view/324>, consulta: 30 de mayo de 2015.

Durán, Carlos, 2001, "Notas breves sobre la crisis y renovación de la izquierda chilena", en *Investigación y Crítica*, núm. 6, pp. 79-90.

_____, 2008, "Sobre promesas y amenazas. El fin de los enclaves autoritarios y las paradojas de una transición exitosa", en *Nostromo*, año 2, núm. 2, pp. 93-98.

_____, 2012, "El acontecimiento estudiantil y el viraje del proceso sociopolítico chileno", en *Observatorio social de América Latina*, 31, pp. 39-60.

Foxley, Alejandro, 1985, *Para una democracia estable*, Santiago, CIEPLAN.

_____, 2012, *La trampa del ingreso medio. El desafío de esta década para América Latina*, Santiago, CIEPLAN.

French-Davis, Ricardo, 2002, *Reformas económicas, globalización y gobernabilidad en América Latina*, Caracas, Nueva Sociedad.

Garretón, Manuel Antonio, 1995, *Hacia una nueva era política. Estudio sobre las democratizaciones*, Santiago, FCE.

_____, 2012, *Neoliberalismo corregido y progresismo limitado. Los gobiernos de la concertación en Chile, 1990-2010*, Santiago, Clacso-ARCIS.

Hunneus, Carlos, 2014, *La democracia semisoberana. Chile después de Pinochet*, Taurus, Santiago.

Joignant, Alfredo y Patricio Navia, 2000, "Las elecciones presidenciales de 1999: La participación electoral y el nuevo votante chileno", en Francisco Rojas (ed.), *Chile 1999-2000. Nuevo Gobierno: desafíos de la reconciliación,* Santiago, Flacso.

Martínez, Javier y Álvaro Díaz, 1995, *Chile: la gran transformación,* en *Documentos de Trabajo,* núm. 148 del Centro de Estudios Sociales y Educación SUR.

Moulian, Tomás, 1997, *Chile actual: anatomía de un mito,* Santiago, ARCIS-LOM.

Munck, Gerardo, 2003, "Gobernabilidad democrática a comienzos del siglo XXI: una perspectiva latinoamericana", en *Revista Mexicana de Sociología,* vol. 65, núm. 3, julio- septiembre, pp. 565-588.

Muñoz, Óscar (comp.), 1990, *Transición a la democracia. Marco político y económico,* Santiago, CIEPLAN.

Oszlak Óscar, 1999, "De menor a mejor. El desafío de la segunda reforma del Estado", en *Nueva sociedad,* núm. 160, pp. 81-100.

Ottone, Ernesto, 2014, "Cambio de ciclo político", *Estudios Públicos,* núm. 134, pp. 169-185.

PNUD, 2015, *Informe desarrollo humano: los tiempos de la politización,* Santiago, PNUD.

Przeworski, Adam, 1995, *Democracia y Mercado,* Cambridge, Cambridge University Press.

_____, 1998, "Democracia y representación", en *Reforma y Democracia,* núm. 10.

Sehnbruch, Kirsten y Peter Siavelis, 2014, *El balance. Política y políticas de la Concertación. 1990-2010,* Santiago, Catalonia.

Tironi, Eugenio, 2010, *Radiografía de una derrota. O cómo Chile cambió sin que la concertación se diera cuenta,* Santiago, Ubqar.

Varas, Augusto (editor), 1984, *Transición a la democracia. América Latina y Chile,* Santiago, ACHIP.

_____, 2014, *El gobierno de Piñera,* Santiago, Catalonia.

La construcción de la gobernabilidad democrática en Guatemala. Un proceso ¿iniciado?

Aquiles Omar Ávila Quijas

Presentación

Los historiadores tenemos la tendencia, que usualmente es criticada, a explicar desde la construcción histórica un fenómeno actual. Es decir, referimos sucesos acontecidos hace décadas e incluso siglos para ofrecer una hipótesis sobre una circunstancia actual. Todos los casos, sin duda, tienen el valor de dar una explicación a partir de entender la actualidad como producto de un proceso. Si se puede hilvanar, o no, desde hace siglos, la validez que eso pueda tener; o, la pertinencia de hacerlo es algo que se puede poner en la mesa para discutirlo. Inicio así quizá para justificar lo que haré: en el caso guatemalteco es fundamental entender su actualidad como producto de un proceso histórico que bien puede remitirse a la declaración de independencia.

Guatemala vive hoy por hoy lo que podría llamarse un "despertar ciudadano". Hay un movimiento social que cuestiona la legitimidad del presidente y busca una reformulación de sus élites políticas. En el transcurso de los años, tras la firma de la paz en 1996, la sociedad guatemalteca ha visto pasar gobiernos que ven hacia otro lado cuando se les demanda justicia por los crímenes que, en la lógica del Estado autoritario, se hicieron. Pero esto no se entendería sin el siglo XX, el largo siglo pasado guatemalteco.

211

Esta centuria inicia para Guatemala con la reconfiguración de su ciudadanía y con ello la manera de entender la democracia, los actores, sistema y subsistemas. ¿Estamos frente a la emergencia de una nueva forma de hacer política y de establecer relaciones de poder? ¿A qué se enfrenta Guatemala cuando hablamos de gobernabilidad democrática? ¿Cuáles son y han sido los pasos dados para alcanzar ese objetivo?

La independencia

La autonomía política de lo que hoy conocemos como Centroamérica llegó como parte del efecto dominó de las revoluciones atlánticas. Esto es importante tenerlo en cuenta porque por un lado marcó parte de la indefinición política que ha caracterizado a esa región, en lo general. Pero también tiene el cariz de la lucha interna que se detonó por conseguir la preeminencia política de las distintas élites regionales. Si durante el dominio político y económico de la Corona española se gestó y consolidó un enclave en Santiago de los Caballeros de Guatemala (hoy Antigua Guatemala), que luego se trasladaría al lugar donde se encuentra la actual capital de ese país y que dominaría la zona, las distintas independencias, pero sobre todo la firma de la autonomía política, financiera y económica de la Nueva España y el Imperio de Agustín de Iturbide pusieron a la región en el predicamento de seguir el ejemplo o ponerse bajo el riesgo de una campaña militar encabezada por el emperador de México, lo que sólo significaría el fin de la estructura social tal como estaba.

Así que, en un acto de instintiva supervivencia, por un lado y, por otro, presionados por sus propios ayuntamientos, la Capitanía General de Guatemala declaró su independencia del Imperio hispano y se dispuso a aceptar las condiciones del emperador Iturbide para ponerse bajo su protección. Iturbide, por su parte, aceptó que las provincias que formaban parte de la otrora Capitanía organizaran su propio gobierno, es decir respetó su soberanía, pues su objetivo era cercar cualquier intento hispano por emprender una reconquista del apenas inaugurado México. En términos geopolíticos, Centroamérica era fundamental. La crisis que llevó al declive y fin del Imperio mexicano fue también la oportunidad de que las provincias de la capitanía declararan su independencia de España y de cualquier otra potencia. No sin daños. Chiapas se mantuvo del lado mexicano y posteriormente fue anexada al territorio de ese país. Se puede decir que la historia centroamericana comienza aquí y en buena medida ha determinado su desarrollo democrático (Vázquez Olivera, 2009).

Las provincias unidas de Centroamérica

En convergencia con lo que sucedió en otras partes de América, como México y Argentina, se optó por crear un gobierno confederal cuyo título en el acta de independencia fue Provincias Unidas de Centroamérica, Estados Federados del Centro de América en las bases constitucionales y, finalmente, República Federal de Centroamérica en la Constitución de 1824 (Mariñas Otero, 1958: 145). Fue integrada por El Salvador, Honduras, Nicaragua, Costa Rica y Guatemala. Sin duda, esta confederación era resultado de las pugnas de poder que existían en las unidades político-administrativas que la componían, de tal suerte que honraron la integración regional que habían tenido durante el dominio de la Corona española, pero demandaron plena autonomía en la toma de decisiones. Tendrían un presidente común y un órgano legislativo, el senado, en donde habría dos representantes por cada uno de los integrantes de la confederación.

Asimismo, un Congreso local y un Consejo representativo, ambos con capacidades legislativas y el último, además, debía aconsejar a los respectivos presidentes de los países miembros (Woodward, 1991: 153). Tras un conjunto de conflictos que provocaron que presidentes de Guatemala entraran y salieran en cortos periodos, finalmente se hizo del poder Mariano Gálvez, su gobierno duró siete años (1831-1838). Si bien puede plantearse la idea de que el gobierno de Gálvez tuvo claridad en su aspecto ideológico, también puede decirse que trató de empatar la realidad del territorio guatemalteco con la ideología liberal, en otras palabras, podría argumentarse que tenía claro que no podía cambiar de golpe las mentalidades y las estructuras heredadas del periodo del dominio español, por lo que trató de ser prudente con la puesta en marcha de políticas acordes con sus principios ideológicos.

Esta prudencia lo obligó a ir con tiento, apostó por una transición de largo plazo y los pasos que dio para lograrlo fueron, en primera instancia, la igualdad jurídica de los guatemaltecos. Promovió el cambio en el régimen de tenencia de la tierra, instauró una política educativa que "preparara" a los indios para los derechos y obligaciones que la calidad de ciudadano les daba. Echó a andar una política de secularización que trató de minar el poder político y económico del clero, desamortizó sus bienes y expulsó a todas las órdenes religiosas. Todo esto ya era un atentado contra el conjunto de sujetos privilegiados por el régimen. Así que Gálvez tenía enemigos que sólo esperaban el momento oportuno para asestar un golpe duro y, con suerte, definitivo.

No tardó en llegar. En 1837 se desató una epidemia de cólera que se extendió con cierta facilidad, el gobierno tomó medidas para controlar el brote, según Woodward (2002:79-82) esto fue la coyuntura para que los indígenas mostraran su desacuerdo con el gobierno mediante un conjunto de levantamientos armados y acciones en contra de las patrullas de sanidad. En los pueblos hizo eco la idea de que el cólera no existía, sino que las muertes se debían al medicamento que el gobierno había mandado para hacerle frente a la enfermedad. Las rebeliones se desataron aquel año, pero fueron esporádicas y mal organizadas, así que el gobierno no se veía amenazado.

Pero en Matequescuintla, un municipio al suroriente del país, se formó una rebelión con una agenda política a la que pronto se puso a la cabeza Rafael Carrera (Woodward, 2002: 86-89). En esa rebelión, el clero y los otrora beneficiarios del antiguo régimen vieron la oportunidad de detener u obstaculizar la consolidación del programa liberal impulsado por Gálvez. Carrera encontró apoyo. Finalmente, Gálvez, cercado políticamente por ese movimiento armado, dimitió y dio paso a una década de inestabilidad política que sólo se sumó a la crisis que ya padecía la Unión Centroamericana y que la llevarían a desaparecer en los años siguientes.

Esta ingobernabilidad en parte se explica por la indefinición de Carrera a ocupar la presidencia de Guatemala, también por la lucha que aquellos que hemos catalogado como conservadores y liberales llevaron a cabo para imponer su proyecto de nación política. Rafael Carrera, finalmente, se hizo del poder e inauguró lo que en la historia de bronce del Guatemala se conoce como el Régimen Conservador (1851-1865). Esta administración se caracterizó por consolidar el poder económico y político de la élite guatemalteca, Carrera creía que al hacerlo estaba ayudando al resto de la población.

La Iglesia católica fue también beneficiada desde su victoria en 1838, les regresó los bienes confiscados por Gálvez, facilitó el regreso de los jesuitas y los hizo parte troncal de las decisiones de gobierno (Smith, 1959; Herrick, 1974: 26-28; Woodward, 1991: 160, 170, 171; 2002: 317-350; Connaughton, 1999: 107-109; Clegern, 1994: 5). En 1851 promulgó el Acta Constitutiva de la República de Guatemala y con ella se estableció la separación de Guatemala de la República Federal de Centroamérica y la independencia plena de Guatemala, lo que significó una herida mortal al proyecto de la Unión Centroamericana (Clegern, 1994: 5).

Carrera falleció en 1865, para sustituirlo fue elegido Vicente Cerna, uno de los militares más distinguidos del régimen de aquél. Cerna le dio continuidad a lo establecido por su antecesor. Sin embargo, durante los 14 años que duró el régimen conservador una nueva generación de liberales se formó en Guatemala y no tardaron en manifestarse políticamente y por las armas, las primeras asonadas fueron en 1869. Pero no fue sino hasta 1871 que tuvo lugar la llamada Revolución liberal que depuso del poder a Cerna y llevó a Miguel García Granados, quien presionado por los grupos formados en el bando liberal convocó a elecciones en 1873 de las que saldría ganador Justo Rufino Barrios, lo que inauguró el llamado Régimen liberal (Woodward, 2002: 373-394; Castellanos Cambranes, 1979: 30, 31; Lloyd Jones, 1940: 47-62).

Pronto se instaló un régimen de excepción y, con el pretexto de que el país tenía que ser organizado, el Congreso de Guatemala le dio facultades extraordinarias a Barrios, el Régimen liberal es una república del decreto, una dictadura legalizada, el poder concentrado en un individuo. Tanto el gobierno de García Granados como el de Rufino Barrios promovieron un reordenamiento de los recursos y la sociedad. El cambio en el régimen de tenencia de la tierra, el renacimiento de los sistemas de servidumbre –peonaje por deuda, mandamientos y habilitaciones; la minimización del clero en lo económico y político; el sometimiento de los poderes regionales y la expansión de las fincas cafetaleras con los consiguientes beneficios fiscales, permitieron la construcción de un Poder Ejecutivo lo suficientemente fuerte para hacerlo el centro del poder político y proyectar otras empresas políticas, como el nuevo intento de crear la Unión Centroamericana.

Sin embargo, el proyecto estaba muerto. Con una unidad político-administrativa que no estuviera de acuerdo no habría manera de transitar por esa experiencia de nueva cuenta. En esta ocasión se trató de El Salvador y esa negativa provocó que Justo Rufino Barrios intentara, por la vía armada, forzarlo a formar parte de la integración regional a la que apostaba. El intento le salió caro al presidente de Guatemala, perdió la oportunidad el proyecto de integración regional y, por consiguiente, el proyecto liberal guatemalteco al perder la vida en una batalla en 1885. Con la muerte de Barrios, se sepultó también la idea de la Unión Centroamericana (Cazali Ávila, 1988; McCreery, 1983, 1986).

Pasaron 13 años para que hubiera un cambio sustancial en la política guatemalteca, los presidentes que siguieron a la muerte de Barrios sólo consolidaron lo puesto en marcha por éste, a saber: la formación de Guatemala como una economía monoagroexportadora con el café. Así que todo el diseño institucional estuvo ligado con ese detalle. No sería, pues, sino hasta 1898 a la llegada de Manuel Estrada Cabrera que la política económica dio un giro, pero, sobre todo, la forma de hacer política. El nuevo presidente guatemalteco se perpetúo en el poder hasta 1920 por medio de una estrategia de fraudes electorales. Aunado a esto, abrió las fronteras de Guatemala a la inversión estadunidense con la United Fruit Company, a la cual donó un conjunto de tierra en el Petén (al norte del país), territorio perteneciente a los indios, quienes fueron expulsados incluso con el uso de la fuerza.

Les condonó los impuestos en las aduanas marítimas y les cedió el control del puerto más importante del Atlántico, Puerto Barrios, lo que significaba la ausencia del gobierno en los territorios ocupados por la empresa. Esto junto con su política respecto a los indios, en la que la historiografía coincide que se hizo patente la marginalización, no sólo en términos económicos, sino que también fueron concebidos como un estorbo en el desarrollo social y político del país, la historia guatemalteca no estaba sustentada en las relaciones establecidas entre blancos e indios, sino en lo hecho por los primeros (Suárez Fernández, 1989: 388; Centro de Estudios de Guatemala, 1995: 30, 31; Del Pozo, 2002: 98; Fumero Vargas, 2004: 9, 10; Cardoso, 1991: 199).

Tanto la apertura a la inversión estadunidense como la política de marginalización de los indios, con lo que se abre el siglo XX guatemalteco, marcaron el derrotero por el que habría de transitar en el desarrollo de su gobernabilidad democrática. La primera influida por los derroteros que se vieron en el arribo del café a las repúblicas centroamericanas ha sido interpretado desde varias posturas, por un lado, como una continuación de los esquemas de explotación económica coloniales, por otro lado, desde la perspectiva de la anulación de las relaciones de comunidad de los indios, de igual manera, como una vía de modernización de las economías centroamericanas y, finalmente, como el símbolo del triunfo del liberalismo en Centroamérica (Castellanos Cambranes, 1996).

El argumento de la continuación colonial tiene dos vertientes, una es la de la colonización. Los gobiernos liberales de la segunda mitad del siglo XIX apostaron en la atracción de seres humanos, preferentemente europeos, tanto para poblar el territorio como para tener reservas de mano de obra, para importar nuevas tecnologías agrícolas y para promover el mestizaje con los indios que los sacara, con la mezcla genética, de su "natural pereza" y "falta de disposición para el trabajo". La otra vertiente está relacionada con las formas de explotación laboral, la encomienda y el peonaje por deuda (Batres Jáuregui, 1915; McCreery, 1986).

La hipótesis de la anulación de las relaciones de comunidad de los indios parte del supuesto de que la economía cafetalera le arrebató a los indios sus tierras comunales, promovió la privatización de los terrenos de común repartimiento (ejidos para el caso guatemalteco), es decir, fracturó la columna vertebral de las relaciones de comunidad, con lo cual anuló como consecuencia lógica cualquier posibilidad de solidaridad entre ellos y, por lo tanto, la de una insurrección generalizada (Castellanos Cambranes, 1996).

Otra idea general es que el café modernizó las economías cafetaleras al obligarlas a reestructurar un conjunto de parámetros que facilitara, por un lado, la movilidad del café, por otro, garantizar su beneficio económico, como la creación de infraestructura en caminos y puertos. La búsqueda de esquemas de financiamiento que trascendiera el agiotismo y dieran certezas institucionales a los inversionistas (Samper, 1993).

Finalmente se interpreta como un triunfo del liberalismo por la instauración de la propiedad privada, la gobernabilidad y los esquemas económicos que concedieron el "dejar hacer, dejar pasar", así como la reestructuración del esquema tributario.

La primavera democrática

Tras la caída de Rafael Estrada Cabrera llegó un periodo de cierta inestabilidad política que vio pasar presidentes uno tras otro. Sería hasta el arribo de Jorge Ubico que se logró cierta tranquilidad. Sin embargo, a costa de una nueva dictadura. Si bien el estilo personal de gobernar de éste no era siquiera cercano al de Estrada Cabrera, los acontecimientos al final de su gobierno son la muestra que se trataba de uno de corte autoritario. Si bien Ubico trató de mantener buenas finanzas públicas y una constante lucha contra la corrupción, eso no bastaba para sostener su gobierno en los albores de una nueva forma de entender la política y la participación en la misma. Pero puede sentirse orgulloso de ser el presidente guatemalteco bajo cuyo gobierno se dio el despertar ciudadano que luego marcaría los años por venir de la historia de Guatemala (Centro de Estudios de Guatemala, 1995: 31-50).

En la caída del poder de Ubico confluyeron varios factores. La organización política de los ciudadanos a través de la creación del Partido Social Democrático. El gobierno decretó el aumento salarial para parte de la burocracia, no obstante, éste no alcanzo a los maestros, quienes tomaron las calles en demanda de mejores condiciones salariales, a lo que se sumaron los estudiantes universitarios. La respuesta de Ubico no podía ser más esclarecedora del tipo de gobierno que ejercía: suspendió las garantías constitucionales. Esto sólo renovó los bríos de los manifestantes. Ubico cometió un error. Es así que se hizo una carta firmada por 311 ciudadanos en la que se pedía la restitución de las garantías constitucionales.

El gobierno de Ubico reaccionó con una convocatoria para instalar una mesa de diálogo. También se organizó una marcha que terminaría frente al palacio de gobierno en la hora a la que estaba convocada la reunión, la marcha camino a su meta fue reprimida por militares, hubo muertos y heridos. Los acuerdos de la mesa habían sido en el sentido de restablecer las garantías suspendidas. Desde luego que negociar por un lado y "dar palo" por otro arrinconaron a Ubico, quien renunció enseguida. Su lugar fue ocupado por Federico Ponce Valdés. Si bien, al principio trató de llevar un gobierno que atendiera a los sectores que se habían manifestado contra su antecesor, la tradición autoritaria se impuso y pronto comenzó a actuar en consecuencia.

Por ejemplo, la Escuela Normal, desde tiempos de Estrada Cabrera, estaba militarizada, a su llegada al poder Ponce Valdés anunció el fin de la administración militar. La nueva dirección de la escuela concedió la interacción con otras normales, la relación de estudiantes de distinto sexo y prácticas culturales en general, que el gobierno encabezado por Ponce Valdés vio esta apertura con malos ojos así que destituyó al director. La reacción de los estudiantes no se hizo esperar y convocaron a una huelga a la que se unió el personal administrativo y académico que, previamente, había presentado su renuncia (Sabino, 2007).

En este clima de ingobernabilidad tiene lugar una conjura del ejército encabezada por Jacobo Arbenz. Luego de algunas refriegas aisladas tomaron el palacio de gobierno y forzaron la renuncia de Ponce Valdés. Se nombró una junta gubernativa que llevaría las riendas del país, se convocó a una asamblea constituyente que, además de redactar una nueva constitución la de 1945, también convocó a elecciones presidenciales de las que resultó ganador Juan José Arévalo. Con él inició una década de crecimiento y desarrollo democrático. Pero Guatemala no está aislada, sus circunstancias están inexorablemente atadas a las de un mundo occidental que tiene caminos trazados sobre los que se considera la mejor forma de gobernar, y también a la de Estados Unidos, cuya doctrina Monroe ofreció una justificación ideológica a la intervención económica y militar que tenía en los países del hemisferio (Sabino, 2007; Rodríguez de Ita, 2003).

La nueva Constitución guatemalteca fue promulgada al tiempo que terminaba la Segunda Guerra Mundial. La primavera democrática fue el espejismo de una sociedad urgida de un sistema social y político actualizado. De un diferente modo de entenderse en el mundo. Fue un sueño construido sobre la polarización del globo y en esos anclajes ideológicos la justicia y la democracia serían siempre una amenaza, un par de agentes desestabilizadores. La primavera democrática cavó su propia tumba (Sabino, 2007; Rodríguez de Ita, 2003).

Juan José Arévalo tuvo dos grandes pilares en su gobierno: la educación y la organización de los trabajadores. Por primera vez en la historia de Guatemala independiente se veía a los de abajo, a aquellos que no tenían el poder político y económico. Los intereses del gobierno de Arévalo trastocaron otros, aquellos de quienes buscan no cambiar el orden de las cosas en aras de mantener privilegios y prebendas. Arévalo, con todo y esto pudo sobrevivir y organizar las siguientes elecciones, un hecho inaudito. Además no buscó mantenerse en el poder, perpetuarse en el mismo incluso a costa de cualquier precio. Esas elecciones las ganó Jacobo Arbenz.

Si Arévalo ya había sido acusado de socialista, lo que en la época significaba una sola cosa: enemigo del vecino del norte. Arbenz fue más radical, pues tocó, lo que no hizo Arévalo, los intereses económicos de ciudadanos estadunidenses en Guatemala: la United Fruit Company se había hecho de grandes extensiones de tierra donde la mayor parte de las mismas se encontraban ociosas. Arbenz las expropió. La misma compañía tenía el control del comercio en el Atlántico ya que controlaba la administración del único puerto en aquel océano. Arbenz decidió construir uno llamado de Santo Tomás de Castilla e inició las gestiones para que el gobierno compitiera contra el capital estadounidense en la generación de electricidad. Estas acciones derramaron por sí mismas el vaso.

Así que se organizó una contrarrevolución que se hizo del poder mediante un golpe de Estado y con ello dio fin a la primavera democrática e inauguró cuatro décadas de gobiernos militares, autoritarios y una guerra permanente entre el gobierno y la resistencia a éste. Cuatro décadas de desapariciones forzadas y en consecuencia de asesinatos. Del "estás conmigo o contra mí". De temerle al gobierno y no tener un Estado o un elemento del mismo del cual asirse. Cuatro décadas de corrupción y muerte que asolaron a Guatemala. Pero también, aunque por otras razones, a Nicaragua y a El Salvador (Centro de Estudios de Guatemala, 1995; Sabino, 2007; Rodríguez de Ita, 2003).

Discusión

Cuando en 1975, la Comisión Trilateral formada por Crozier, Huntington y Watanuki, concluyó que los problemas de gobernabilidad eran el resultado de una brecha creciente entre las demandas sociales y los gobiernos a causa de sus escasos recursos políticos y financieros. Así como una brecha entre las instituciones y los nuevos tipos de acción colectiva. Por lo que sugirieron una reinvención del gobierno y la ciudadanía, es decir, que el Estado no es una entidad autónoma sino el producto histórico de la adaptación de las instituciones a la cultura política vigente (Prats, 2001),

En Hispanoamérica la gobernabilidad viene de la mano de la llamada Tercera Ola democrática (1970-1980), que no era otra cosa más que el cuestionamiento a los modelos de gobierno autoritarios que prevalecían y la demanda social de una democratización de los sistema políticos. Dado que, en el marco de esta idea de gobernabilidad, el objetivo era transitar de una "manera civilizada" a la democracia, que debería evitar la regresión al autoritarismo y, por lo tanto, crear una reinvención de la manera de gobernar en aras de mejorar el desempeño económico y con ello lo social y político. El reto no era menor, en la construcción de la gobernabilidad democrática se debía generar las condiciones, los canales y las rutas a partir de las cuales los actores estratégicos pudieran relacionarse en la toma de decisiones, la resolución de conflictos con base en reglas formales o informales con el fin de formular sus expectativas y estrategias (Prats, 2001; Camou).

En este orden de ideas los actores estratégicos son aquellos con recursos de poder. Tienen bajo su control los cargos y funciones públicas, los factores de producción, la información, la promoción y organización de movilizaciones, ya sea que tengan una o más de una de estas variantes (Tomassini, 1992). El Estado como construcción social que cambia con el tiempo es el responsable último, aunque no exclusivo de la gobernabilidad democrática. La cultura política que debe promover es aquella que desvalorice los modelos de las grandes colectividades, privilegiar y fomentar el pluralismo político, ceder responsabilidades inherentes a las instituciones estatales a la sociedad civil organizada. Entender a esta última como una red de agentes que interactúan entre sí, e incorporar a los sectores sociales desposeídos a los procesos productivos.

La firma de los acuerdos de paz en 1995, abrió la puerta para que la gobernabilidad democrática iniciara el proceso de gestación de una nueva relación Estado-ciudadanía, sembró la semilla de una nueva cultura política. Y cumplió el objetivo de hacer "terso" el tránsito a la democracia. Inscritos en la lógica de la Comisión Trilateral el gobierno guatemalteco, encabezado por Efraín Ríos Montt propuso y buscó el fin del conflicto armado vía la negociación en 1982, bajo condiciones que la guerrilla rechazó y que pondrían un *impasse* de cinco años a los intentos de pacificación de la región. Fue en 1987 cuando los presidentes de los países centroamericanos firmaron un acuerdo que los obligaba a buscar le negociación en los conflictos bélicos que cada país tenía. En el caso de Guatemala fue en 1991 que ambas partes se sentaron a negociar y firmaron un acuerdo, que serviría como marco de todas las negociaciones que le llevarían en los años por venir hasta que en 1996 se firmó la paz definitiva (Pásara, 2003).

Las negociaciones pasaron por doce acuerdos que no sólo buscaron la pacificación del país sino también el reconocimiento de que Guatemala es una nación multicultural, y del conjunto de valores políticos occidentales que solemos agrupar en el concepto de democracia: Obligación de reconocimiento y respeto de los derechos humanos, reasentamiento de las poblaciones desplazadas por el conflicto armado, la creación de una comisión para el esclarecimiento histórico de las violaciones a los derechos humanos.

De igual manera, el acuerdo sobre la identidad y derechos de los pueblos indígenas, sobre aspectos socioeconómicos y agrarios, sobre el fortalecimiento del poder civil y la delimitación de las funciones del Ejército, sobre reformas constitucionales y régimen electoral, además se acordaron las bases para la incorporación de la guerrilla (Unidad Revolucionaria Nacional Guatemalteca) a la legalidad; la implantación, cumplimiento y verificación de los acuerdos de paz. Como todo proceso de pacificación se trató de equilibrar puntos de interés, posturas duras, "ablandar" la confianza e integrar actores neutrales como "países amigos" y a la Organización de las Naciones Unidas (Acuerdos de Paz, 2015).

No obstante en 2015, tuvo lugar un movimiento estudiantil. Guatemala se ha caracterizado por su clasismo y racismo, expresiones seculares de la idea de que hay en esa sociedad diferencias tan abismales que incluso justifica, o al menos permite no señalar, como la xenofobia y los obstáculos a la democracia. Los movimientos sociales y estudiantiles, que se habían gestado en otros momentos, eran muestra de que hasta en la persecución de fines comunes las diferencias sociales y de raza pesaban más (Cabria, 2015).

El movimiento de 2015 se singularizó, de ahí su fuerza por plantear la necesidad de trascender esos supuestos socioculturales. Bajo el *hashtag* SomosPueblo, los estudiantes de la universidad pública y de las privadas más importantes se han unido para difundir una nueva ola de democratización en el país. Tras casi veinte años de la firma de la paz, el resultado es una cultura política de corrupción e impunidad que, incluso, ha aceptado que sujetos como Otto Pérez Molina lleguen al poder (Cabria, 2105).

Consideraciones finales

A la luz de las casi dos décadas transitadas entre la firma de la paz y el hoy por hoy no hay un avance significativo en el desarrollo democrático. Podría decirse que hubo un retroceso en términos del incumplimiento de algunos de los acuerdos que conforman el conjunto de negociaciones que llevaron a la pacificación del país. La imposibilidad de que los militares se retiren de la vida política no sólo provoca que en la actualidad haya un expresidente acusado de genocidio, sino también uno en funciones sobre quien pesan acusaciones similares, aunadas a las de corrupción.

A esto se puede agregar que no hay desarrollo del conjunto de esferas que se esperaría crecieran y fueran modificadas, respecto a la economía y la distribución de la riqueza. Así que el escenario tras la firma de la paz y las casi dos décadas que han transcurrido no concede hablar de un desarrollo en la gobernabilidad democrática. Por el contrario, esa brecha entre las demandas sociales y la acción del gobierno de la que hablaba la Comisión Trilateral en 1975 parece estar más vigente que nunca.

La ciudadanía, encabezada por la primera generación de la posguerra, ha dado el salto en materia de demandas, ya no bastan la educación y el desarrollo económico. Las exigencias sociales pasan por el respeto a los derechos humanos y la reinvención del gobierno, el sistema político y el Estado en aras de que aquello que les fue prometido hace casi veinte años sea cumplido. La reinvención de la ciudadanía guatemalteca ha comenzado y su manifestación más elocuente es el #SomosPueblo.

Es el cuestionamiento a una sociedad anquilosada que en la idea de que sus espacios de confort no fueran trastocados no facultó el salto hacia los nuevos estadios socioculturales, socioeconómicos y sociopolíticos que los acuerdos de paz abrigaban. Hoy, pues, Guatemala se encuentra ante la posibilidad de la emergencia de un hito histórico, cuya fecha de nacimiento para bien para mal es el 6 de septiembre de 2015.

En Guatemala la gobernabilidad democrática no será posible hasta que haya un cambio en los actores estratégicos. En la medida en que las interacciones formales e informales se den entre los mismos sujetos de poder, la democracia será sólo un discurso para ellos y una meta que algún día se alcanzará para el resto de la población.

Bibliografía

Acuerdos de Paz, 2015, en <http://wikiguate.com.gt/acuerdos-de-paz/>, consulta: 3 de junio de 2015.

Batres Jáuregui, Antonio, 1915, *La América Central ante la historia*, Guatemala, Imprenta de Marroquín Hermanos.

Cabria, Elsa, 2015, "Por qué pasar de #UsacEsPueblo a #SomosPueblo es un detonante", en <https://nomada.gt/por-que-pasar-de-usacespueblo-a-somospueblo-es-un-detonante/>, consulta: 25 de mayo de 2015.

Camou, Antonio, s/f, "Gobernabilidad y democracia", en *Fundación Participar*, <http://www.fundaciónparticipar.org.ar/biblioteca.6. pdf>, consulta: 16 de marzo de 2015.

Cardoso, Ciro F. S., 1991, "América Central: la era liberal, c. 1870-1930", en BETHELL, Leslie (ed.), *Historia de América Latina,* vol. 9, *México, América Central y el Caribe, c. 1870-1930*, Barcelona, Cambridge University Press/Crítica, pp. 183-209.

Castellanos Cambranes, Julio C., 1979, "Estado nacional de Guatemala", *Anuario de Estudios Centroamericanos*, Universidad de Costa Rica, núm. 15, pp. 9-26.

_____, 1996, *Café y campesinos. Los orígenes de la economía de plantación moderna en Guatemala, 1853-1897*, Guatemala, CATRIEL.

Cazali Ávila, Augusto, 1988, "Los gobiernos de la reforma liberal (1871-1885), su política proteccionista para el cultivo del café", en Toussaint, Mónica (comp.), *Guatemala*, México, Instituto de Investigaciones José María Luis Mora/Universidad de Guadalajara/ Nueva Imagen.

Centro de Estudios de Guatemala, 1995, *Guatemala: Entre el dolor y la esperanza*, España, Universidad de Valencia.

Clegern, Wayne M., 1994, *Origins of liberal dictatorship in Central America, Guatemala 1865-1873*, Colorado, Colorado University Press.

Connaughton, Brian, 1999, "Cultura conservadora y mundo cambiante. Las polémicas al seño de una hegemonía desafiada (Guatemala: 1839-1872)", en *Signos Históricos*, Universidad Autónoma Metropolitana-Iztapalapa, vol. 1, núm. 1, pp. 104-127.

Del Pozo, José, 2002, *Historia de América Latina y del Caribe, 1821-2001*, Chile, LOM Ediciones.

Fumero Vargas, Patricia, 2004, *Centroamérica: desarrollo desigual y conflicto social, 1870-1930*, Costa Rica, Universidad de Costa Rica.

Herrick, Thomas R., 1974, *Desarrollo político y económico de Guatemala durante el periodo de Justo Rufino Barrios (1876-1885)*, Guatemala, Editorial Universitaria de Guatemala.

Lloyd Jones, Chester, 1940, *Guatemala. Past and present*, Minneapolis, The University of Minnesota Press.

Mariñas Otero, Luis, 1958, *Las constituciones de Guatemala*, Madrid, Instituto de Estudios Políticos.

McCreery, David, 1986, "'An odious feudalism': mandamiento labor and comercial agricultura in Guatemala, 1858-1920", en *Latin American Perspectives* (SAGE), vol. 13, núm. 1, pp. 99-117.

Pásara, Luis, 2003, *Paz, ilusión y cambio en Guatemala. El proceso de paz, sus actores, logros y límites*, Guatemala, Universidad Rafael Landívar.

Prats, Joan, 2001, "Gobernabilidad democrática para el desarrollo humano. Marco conceptual y analítico", en *Revista Instituciones y Desarrollo*, núm. 10, pp. 103-148.

Rodríguez de Ita, Guadalupe, 2003, *La participación política en la primavera democrática*, México, Universidad Autónoma de Estado de México/Universidad Nacional Autónoma de México.

Sabino, Carlos, 2007, *Guatemala, la historia silenciada 1944-1989*, México, Fondo de Cultura Económica.

Samper K. Mario, 1993, "Café, trabajo y sociedad en Centroamérica (1870-1930): Una historia común y divergente", en Acuña Ortega, Víctor Hugo (ed.), *Historia General de Centroamérica. Las repúblicas agroexportadoras (1870-1945)*, t. IV, España, Comunidades Europeas/Sociedad Estatal Quinto Centenario/Facultad Latinoamericana de Ciencias Sociales, pp. 11-110.

Smith, Robert Sydney, 1959, "Indigo production and trade in Colonial Guatemala", en *The Hispanic American Historical Review*, Duke University Press, vol. 39, núm. 2, pp. 181-211.

Suárez Fernández y Mario Hernández Sánchez-Barba, 1988, *Reformismo y progreso en América (1840-1905)*, España, RIALP.

Tomassini, Luciano, 1992, "Estado, gobernabilidad y desarrollo", en *Revista de Ciencia Política*, vol. 14, núms. 1 y 2, pp. 23-61.

Vázquez Olivera, Mario, 2009, *El imperio mexicano y el reino de Guatemala*, México, Fondo de Cultura Económica.

Woodward Jr., Ralph Lee, 2002, *Rafael Carrera y la creación de la República de Guatemala, 1821-1874*, Estados Unidos, Plumsock Mesoamerican Studies/Centro de Investigaciones Regionales de Mesoamérica.

_____, 1991, "Las repúblicas centroamericanas", en Bethell, Leslie, *Historia de América Latina*, tomo 6, *América Latina independiente, 1820-1870*, Barcelona, Cambridge University Press/Crítica, pp. 144-174.

TERCERA SECCIÓN

MÉXICO

LA SOCIEDAD CIVIL EN MÉXICO: ENTORNO, ACTUALIDAD Y PERSPECTIVAS*

Alberto J. Olvera

Consideraciones preliminares

La crisis de la democracia representativa es un dato primordial para situar los retos de la sociedad civil en México hoy. El apoyo popular a la democracia se ha desplomado de 63% en 2002 a 37% en 2013; el nivel de satisfacción de los encuestados mexicanos con la democracia es de tan sólo 21%, el segundo más bajo de toda América Latina. Buena parte de este desencanto se explica a partir de los déficits legales, institucionales y morales de la transición a la democracia en México y por el relativo vacío civil en la esfera pública y el aislamiento del Estado respecto de la ciudadanía.

Pero hay un factor adicional, de orden conceptual y cultural, que ha limitado en México el horizonte de la producción de políticas públicas y el debate entre el gobierno y los propios actores civiles. Se

* Para la realización de la investigación que sirve de base a este texto se llevaron a cabo, con la colaboración del doctor Armando Chaguaceda y el apoyo de otros colegas, diversos estudios del estado de la sociedad civil en varias regiones de México: Ciudad Obregón y sur de Sonora; Jalapa y la región central de Veracruz; Guadalajara y Ciudad Juárez, en todos los casos a través de una serie de entrevistas realizadas a distancia con actores civiles de esas regiones y con especialistas locales en el tema. Se consultaron portales de diversas organizaciones civiles y de instituciones académicas, particularmente del Instituto Mora, de la UNAM y del ITESO de Guadalajara. Se realizó un taller –en las instalaciones del Instituto Mora– con miembros de la sociedad civil. Asimismo, se efectuó una extensa revisión bibliográfica de trabajos relacionados con la sociedad civil y con los problemas específicos del Estado mexicano y de la relación entre el Estado y la sociedad civil.

trata de una vieja confusión que desde hace 25 años persiste, cambiando a veces los términos pero no los contenidos. Se iguala el concepto de sociedad civil con el de organizaciones de la sociedad civil u organizaciones civiles, aludiendo a asociaciones formalizadas que desarrollan labores de asistencia y promoción de derechos, del desarrollo y de la cultura democrática (tradicional pero erróneamente llamadas organizaciones no gubernamentales), precisamente el tipo de asociaciones que desde otra perspectiva teórica se denomina "tercer sector".

La reducción del concepto de sociedad civil a las organizaciones civiles tiene efectos negativos en varios terrenos. En primer término, enfoca la atención en un sector de la sociedad civil que es simbólicamente homogeneizado, igualado en su esencia, a pesar de que en realidad es heterogéneo y desarrolla actividades de índole diversa. Esta homogeneización conduce a la definición de políticas únicas, sectoriales, que dado que atienden a un conjunto diverso, terminan no siendo eficientes ni para unos ni para otros. En segundo lugar, esta reducción conceptual tiende a despolitizar la relación entre gobierno y organizaciones de la sociedad civil (OSC), a darle sólo un sentido cooperativo y complementario, omitiendo consciente o inconscientemente el conflicto, tanto en el interior del sector, como entre los actores civiles y el gobierno.

El conflicto de visiones y proyectos es sano para la democracia, es la fuente misma de la política de la sociedad civil, por lo que no debe ocultarse, sino mostrarse, pues es así que se propicia el aprendizaje normativo y el diálogo democrático. Finalmente, el reduccionismo antes referido aísla simbólica y políticamente a las OSC del resto de la sociedad civil, evitando que se analicen los vínculos entre sus sectores, sus posibles alianzas, nuevas formas de cooperación, nuevos espacios de democratización y también la necesidad de nuevas políticas públicas.

Es fundamental entender la complejidad y diversidad del mundo asociativo como el terreno privilegiado de la sociedad civil porque en la práctica hay múltiples vasos comunicantes entre sus diversos componentes. La reconocida escasez de organizaciones no gubernamentales (ONG) y de asociaciones asistenciales en México tiene que ver, entre otros factores, con la falta de libertad asociativa en general y la escasez de vida asociativa autónoma del Estado y de los partidos, todo lo cual es una de las más negativas herencias del régimen autoritario. La falta de cultura cívica en su vertiente asociativa es un producto histórico y, como tal, es un factor de la vida pública difícil de revertir. Los cambios legales y en políticas públicas que pueden impulsarse desde el Estado serán sólo un factor de cambio, y eso si ellos mismos son holísticos, es decir, abarcan el conjunto del mundo asociativo y apuntan a construir espacios públicos democráticos.

Elementos de diagnóstico

Un breve diagnóstico sobre la sociedad civil en México debe partir del reconocimiento de su extrema complejidad. Hablar de sociedad civil es referirse a un vasto conjunto de formas de asociación de los ciudadanos, de variados modos de acción colectiva de los mismos y de múltiples espacios públicos –y a veces privados– en los cuales esos ciudadanos interactúan y llegan a acuerdos sobre puntos de interés común. Hay pues una correlación evidente entre la existencia fenomenológica de la sociedad civil y la del espacio público; una sociedad civil para poder existir requiere espacios sociales en los cuales la discusión, el debate y la práctica conjunta de actividades –sean éstas recreativas, culturales o políticas– puedan llevarse a cabo.

La posibilidad de que se formen y sobrevivan las asociaciones de los ciudadanos depende a su vez de que estén disponibles las libertades necesarias para reunirse y deliberar, para lo cual es necesario que haya leyes e instituciones que protejan los derechos fundamentales. Es por ello que cualquier teoría de la sociedad civil debe considerar la relación que hay entre la existencia social de las asociaciones y el marco jurídico e institucional dentro del cual éstas pueden prosperar. En otras palabras, la existencia de un Estado de derecho, así sea de manera elemental, es necesaria para que la sociedad civil pueda desarrollarse.[1]

---

[1] "Si nos concentramos en las esferas institucionales de la sociedad civil, podemos aislar tres complejos de derechos: los que se refieren a la reproducción cultural (las libertades de pensamiento, prensa, expresión y comunicación); los que aseguran la integración social (libertades de asociación y reunión) y los que aseguran la socialización (protección de la vida privada, de la intimidad y de la inviolabilidad de la persona). Otros dos complejos de derechos median entre la sociedad civil y la economía de mercado (los derechos de propiedad, de contrato y del trabajo) o el estado burocrático moderno (los derechos políticos de los ciudadanos y los derechos de los clientes al bienestar). Las relaciones internas

Ahora bien, la sociedad civil también supone la existencia de individuos relativamente autónomos. Para ello es preciso, entre otros factores, que el mercado tenga una existencia material real, pues este factor es determinante para que un sector más o menos moderno de ciudadanos pueda tener un anclaje material. Esto es lo que Andrew Arato y Jean Cohen (2000) nos han explicado desde hace muchos años en su teoría de la sociedad civil, que es un modelo tripartita en el cual el Estado y el mercado son condiciones que facilitan la existencia de una sociedad civil, a su vez vinculada con esos espacios sistémicos a través de la sociedad política,[2] en un caso, y de la sociedad económica,[3] en otro. Por supuesto, este es un modelo de orden ideal. El Estado, el mercado y la propia sociedad civil se construyen de modo mutuo en largos periodos históricos, por lo que para entender la naturaleza específica de una sociedad civil en cada país, es necesario considerar la historia peculiar de cada nación.

En el caso de México esta evolución histórica tiene que ver, por un lado, con la debilidad del mercado, que se ha desarrollado en una forma segmentada y polarizada, con pocas reglas e instituciones, caracterizándose por una concentración y centralización muy alta en las ramas modernas de la economía, de un lado, y de un sector informal y una economía campesina extensísimos, por otro. Además, el Estado mexicano ha tenido un proceso de formación peculiar, que ha conducido a lo largo del siglo XX al desarrollo de un Estado interventor en la economía, constitutivo del mercado en alta proporción, pero que al mismo tiempo ha carecido de capacidades regulatorias, administrativas y jurídicas relevantes en el campo económico (Lustig, 2002).

En el campo político, el Estado que emergió de la Revolución mexicana, como es sabido, desarrolló un modelo de inclusión política de los sectores populares de naturaleza corporativa y clientelar con pretensiones totalizadoras. Una especie de "fusión" entre la sociedad

---

de estos complejos de derechos determinan el tipo de sociedad civil que es institucionalizada" (Cohen y Arato, 2000: 494).

[2] La sociedad política está constituida, en esta visión, por los espacios y actores que intermedian entre la sociedad civil y el Estado: partidos políticos, parlamentos, instituciones electorales, leyes y espacios de participación ciudadana, medios de comunicación.

[3] La sociedad económica está formada por las organizaciones empresariales, sindicales y los gremios profesionales; las agencias de regulación y de intervención económica del Estado; los tribunales mercantiles y laborales.

y el Estado se produjo por la peculiar combinación del corporativismo social y el partido único, cuyos sectores devinieron, al mismo tiempo, la representación gremial de la sociedad y su mecanismo de representación política (Olvera, 2003). Esta "fusión" denegaba la autonomía política de los actores sociales y cerraba los espacios de la política, al conducir ésta exclusivamente al interior del Estado. No había espacios públicos como terrenos naturales de acción civil. Los actores sociales emergentes aspiraban a tornarse públicos por medio de la movilización y de la ape'ación a los medios de comunicación, casi completamente controlados por el Estado. Sistema corporativo, partido único y control de los medios fueron las bases fundamentales del régimen autoritario (Aguilar Camín, 1988). Sin embargo, dadas las bajas tasas históricas de sindicalización, la precariedad de la organización de los pobladores urbanos y la fragmentación de la representación campesina, la pretensión totalizadora del PRI nunca alcanzó a materializarse en forma integral y nacional.

Por esta razón, al ser los sectores modernos de la economía y del Estado apenas una parte de la realidad nacional, era lógico que la sociedad civil moderna fuera también poco importante en el contexto demográfico. Una parte enorme de la población ha trabajado y todavía lo hace en el sector informal en las ciudades, y la economía campesina sobre la cual tampoco hubo ni hay control ni regulación alguna, que abarca a millones de personas, han sido y son los sectores más numerosos de las clases trabajadoras.[4]

Esta peculiar situación ha conducido a que en México, la sociedad que vive inmersa en el mercado y el Estado modernos constituya históricamente apenas una de las expresiones de la realidad social. Los vínculos de amplios sectores de la población con el Estado, se han dado en su mayoría bajo parámetros no legales, no democráticos y no formales. El politólogo y antropólogo hindú Pahrta Chatterjee (2005) ha llamado "sociedad política" a este conjunto de actores y prácticas, que en realidad son una parte constitutiva de la modernidad específica de un país como México, una modernidad fragmentaria y parcial. Es necesario explicar las relaciones políticas que se dan entre esta mayo-

---

[4] En la reciente discusión sobre la política fiscal, el gobierno insistió en que casi 60% de la población trabajadora del país se ubica en el sector informal. Véase "la informalidad, problema de fondo", en *Reforma*, 9 de septiembre de 2013, p. 5.

ría de la población no asimilable a las condiciones propias de la sociedad civil y el Estado.

Chatarjee sostiene que en países donde el Estado de derecho es tan precario, donde el acceso efectivo a los derechos de ciudadanía es más un accidente que una norma y donde la vida cotidiana de la gente transcurre en un contexto marcado por la ilegalidad o por la "alegalidad", los vínculos entre gobierno y sujetos sociales están básicamente definidos por la relación gobernantes/gobernados. Los gobernados constituyen una masa compuesta por diversos tipos de individuos, agrupaciones, comunidades, incluso movimientos que no se relacionan con el gobierno como una sociedad civil, es decir, como sujetos individuales o colectivos dotados de derechos que reclaman el ejercicio de los mismos desde su autonomía individual o social, y que como iguales tratan con el Estado o resisten las acciones del Estado.

Por el contrario, los gobernados se presentan en el espacio público como una sociedad política, es decir, como sujetos que para conseguir algo ejercitan directamente algún tipo de acción o petición que exige mostrar un mínimo de poder político frente a quienes los gobiernan. Estos sujetos no son sociedad civil porque carecen de derechos y no pueden ni siquiera hablar en un lenguaje de derechos, pues no lo conocen y no existe como una referencia cultural ni material en su vida cotidiana. Hablan con el Estado el lenguaje del poder, reclaman ser gobernados, es decir, tomados en cuenta, atendidos, en su especificidad y concreción, en su tiempo y en su espacio.

En efecto, en México muchos de los problemas sociales se han resuelto y se resuelven mediante el recurso a diversos tipos de acciones directamente políticas que justamente expresan esta perspectiva cultural. Tomar una calle, una carretera o una oficina pública no es un acto civil en el sentido moderno de la palabra porque no se hace apelando a derechos, sino a la necesidad de resolver problemas específicos, no importa cuál sea el mecanismo de resolución. Lo relevante es la demanda que está siendo planteada en un momento dado o la urgencia de atender una demanda específica planteada por un grupo o hasta por una persona. Esto significa que los gobernados exigen que los gobiernen, es decir, resienten y padecen la ausencia del Estado y reclaman que éste les resuelva un problema, no importa las vías que sean necesarias tomar para la resolución de ese problema, quieren atención específica y concreta a sus necesidades, no una solución universal y abstracta para todos.

No quiere decir esto que no haya movimientos sociales o sujetos que se relacionen con el Estado como sociedad civil, usando un lenguaje de derechos, sobre todo aquellos que han tenido la influencia y el apoyo de ONG´s, como grupos de derechos humanos de desarrollo, de educación y/o salud. Hay un lenguaje de derechos en movimientos sociales más recientes y de orden cultural, como el movimiento por los derechos de las mujeres, el lésbico-gay y en general el movimiento ecologista, todos ellos prototípicamente modernos y que apelan a la esfera pública. Si bien tienen que ejercitar en determinado momento una demostración de poder, lo hacen en la búsqueda de una interlocución con el gobierno que apela a políticas públicas, leyes y reglamentos de orden general. Pero para la inmensa mayoría de la población, la regla es que para resolver un problema específico hay que actuar como una sociedad política, es decir, mostrando músculo, pues una protesta debe ser una señal de poder, de visibilidad y por ello el recurso tan masivo a la plaza pública, a la acción directa desde la conciencia de la debilidad de fuerzas, dirigida a la negociación.

Junto con esta gramática de la negociación política operan otros tipos de lenguajes del particularismo, anclados en el corporativismo y el clientelismo tradicionales. El corporativismo es un lenguaje de una sociedad política porque habla de un sector de la sociedad que está integrada políticamente en el Estado, integrada institucionalmente como parte de un partido corporativo y autoritario, que en intercambio por su lealtad política le otorga a ese grupo o sector una serie de "privilegios" particulares. El corporativismo es una relación especial, una relación marcada por la distinción, de aquellos sectores que de una manera organizada reconocen su inserción política en el partido oficial y por consiguiente dentro del sistema político. Esta es otra forma de jugar el mismo juego, no desde afuera, sino desde adentro del sistema político.

Algunas de las prácticas que llamamos clientelismo, cuando se ejecutan de manera más bien descentralizada e individualizada, en realidad reflejan otro tipo de práctica de legitimación individual del político-gobernante frente a sujetos que carecen de la capacidad organizacional como para plantear sus demandas de manera colectiva. Puede darse una relación de cercanía que ratifica la voluntad asisten-

235

cial y paternal del Estado con la población, que relegitima en cada momento el simbolismo del Estado como una especie de fuerza protectora de la sociedad. Se trata de una forma preciudadana de vínculo, pues el Estado no otorga los bienes por la vía de un derecho sino como una graciosa concesión que ratifica su voluntad asistencial y paternal.

El problema de este orden político es que profundiza la exclusión de los que carecen de poder, es decir, los más débiles, los más pobres, los menos organizados, que son los que sufren las consecuencias del olvido y del abandono estatal. Un régimen político de esta naturaleza atiende a quienes tienen poder, sea porque están adentro del sistema o sea porque desde afuera demuestran tenerlo mediante la movilización y la lucha. Pero aquellos que no tienen la fuerza para hacer escuchar su voz, que son tan pobres que carecen de los recursos materiales y organizacionales para hacerse escuchar, son entonces simplemente ignorados, permanecen al margen de la vida pública, pues ni siquiera alcanzan la estatura de gobernados, pertenecen a un mundo informal en donde el Estado casi no aparece, casi no existe, donde su vínculo con el Estado, si es que hay alguno, será totalmente casual y desde una posición de absoluta carencia de poder.[5]

Esta descripción es necesaria porque un diagnóstico de la sociedad civil no se puede hacer ignorando la verdadera magnitud del problema social en México ni el contexto político que explica en buena medida por qué la sociedad civil es tan pequeña en nuestro país.

Entorno político inmediato

México vive una crisis de fin de régimen. Esta afirmación puede sonar extraña en un país que se ha acostumbrado a pensarse como democrático, producto de una larga transición a la democracia que finalmente ha dado como resultado una competencia electoral estable entre partidos institucionalizados. Sin embargo, si analizamos las caracte-

---

[5] Véase al respecto los datos arrojados por la ENCUP 2008, relativos a la autopercepción de los mexicanos como ciudadanos, así como los del estudio *Informe país* del INE-Colmex, 2014.

rísticas del sistema político vigente observaremos que el país vive en realidad los estertores de un largo proceso de fin de época.

El viejo régimen priista ha continuado vivo hasta nuestros días en sus instituciones más importantes. En primer lugar, el sistema corporativo y sus pactos. El régimen priista tuvo como elemento principal de su estabilidad política el establecimiento de un pacto con los sectores organizados de los trabajadores, de los campesinos y de los empresarios; en el caso particular de los trabajadores al servicio del Estado estos pactos se plasmaron en contratos colectivos extraordinariamente generosos, en la ausencia de exigencia laboral y la creación de una relación política especial entre el Estado y dichos sectores de trabajadores. Este acuerdo es visible en los campos de la educación, la salud y en las industrias paraestatales, especialmente Pemex y la CFE.

Este sistema ha tenido como consecuencia de largo plazo la privatización de las plazas de trabajo, costos impagables de sistemas de pensiones no financiados y la creación de una cultura laboral moral y materialmente corrupta, sin exigencia de responsabilidad. En el caso de los campesinos este pacto especial significó clientelismo generalizado vía reparto agrario subordinado (finiquitado hace 20 años), y manejo de subsidios selectivos y masivos en algunas áreas (sobre todo en la industria cañero-azucarera), que con el tiempo fueron capturados de manera creciente por una burocracia intermediaria o terminaron apropiados por empresarios agrícolas modernos, como el caso de Procampo demuestra.

En el caso de los empresarios, los pactos implicaron que los grandes consorcios pagaran cantidades mínimas de impuestos, recibieran jugosos subsidios y que el Estado no aplicara los múltiples mecanismos de regulación económica, ambiental y laboral existentes en la ley. Un aspecto esencial del pacto con los empresarios ha sido la extensión de los contratos de protección y otras formas de violación sistemática de la legislación laboral, lo cual ha dejado en la desprotección a la inmensa mayoría de los trabajadores. Estas formas de relación particularista entre el Estado y los sectores organizados de la sociedad han continuado vivas hasta la fecha y constituyen el cimiento del corporativismo social y su cultura del privilegio y la violación de la ley.

El segundo elemento de sobrevivencia del viejo régimen es la Constitución de 1917, la cual a pesar de haber sido reformada más de 600 veces en los últimos 25 años, en el largo ciclo neoliberal inaugurado por el presidente Carlos Salinas, ha conservado la esencia del régimen político: una división de poderes disfuncional, en la que el Poder Legislativo no logra ser un poder pleno, con efectivo control respecto del Poder Ejecutivo, debido en parte a la no reelección legislativa y a la bajísima institucionalización y pésima calidad de los partidos políticos; mientras el Poder Judicial tiene escasos recursos materiales y financieros y apenas en los últimos veinte años ha empezado su construcción institucional autónoma, nada más a nivel federal.

Además la Constitución ha creado un Poder Ejecutivo fragmentado entre un Ejecutivo federal con escasos poderes formales (sus poderes eran metaconstitucionales), un sistema de ejecutivos estatales que han adquirido una fuerza creciente en el ciclo de transición, sin contrapesos en los débiles poderes legislativo y judicial locales, y un ejecutivo municipal que constituye el eslabón más débil del Estado mexicano, y cuya absoluta disfuncionalidad no ha sido ni siquiera puesta en tela de juicio. El gobierno resultante se ha caracterizado por su profunda improvisación, baja calidad y nula capacidad de rendición de cuentas.

Este orden de cosas establecido en la Constitución de 1917 garantiza una operación autoritaria del Estado, pues ha facultado que el Poder Ejecutivo carezca de contrapesos efectivos en los otros poderes, y en todo caso lo que hemos experimentado en el largo ciclo de transición es la traslación del poder efectivo de gestión de los recursos desde la Federación a los estados, en donde el problema de la falta de contrapesos se ha agudizado a niveles extraordinarios. Del presidencialismo absoluto pasamos al "gobernadurismo" absoluto, el cual ha resultado aún más trágico para el país.

En suma, lo que hoy padece México es la crisis del viejo orden autoritario que no logró ser modificado a lo largo del proceso de transición, y lejos de fomentarse nuevas prácticas e instituciones democráticas, se propagó la cultura priista de la corrupción sistémica, hoy extendida a todos los partidos y a todos los niveles de gobierno. En consecuencia, el país vive una crisis de régimen que puede ser resuelta mediante la modificación radical de su orden constitucional y poniendo fin a los viejos pactos corporativos que han sustentado la estabilidad política del Estado mexicano.

En la coyuntura abierta por el regreso del PRI, el Poder Ejecutivo federal, el presidente Peña Nieto ha planteado una agenda parcial de reformas que buscan el reflotamiento del viejo sistema y no su reforma radical. El nuevo gobierno propone modernizar los pactos corporativos poniéndoles nuevos límites, por otro lado se fortalece la capacidad de comando del gobierno central por la vía de la recentralización del gasto público, el desempoderamiento de los gobiernos estatales y la actualización del presidencialismo más o menos absoluto. Se trata de una estrategia conservadora que si bien se ve obligada a atacar algunos de los cimientos del régimen como el SNTE, o imponer una reforma fiscal que ha afectado a los empresarios, lo hace en aras de restablecer el presidencialismo, proyecto que no se corresponde con la aspiración de la construcción democrática de México.

El país vive en este momento un grave problema de legitimidad del régimen político en su conjunto y no sólo de una de sus partes. Lo que está en crisis es el sistema de partidos y el modo de convivencia política que han establecido éstos con los ciudadanos a partir de la reforma electoral de 1996. La respuesta popular a los intentos parciales de reforma que ha impulsado el gobierno de Peña Nieto, demuestra la capacidad de resistencia de las fuerzas que prosperaron en el orden corporativo (incluida la CNTE, que es una de sus derivaciones). Lo más sorprendente de la coyuntura actual es que la única fuerza política reformista (pero en sentido conservador) es el propio gobierno federal, en tanto que las otras fuerzas políticas aparecen casi todas ellas como conservadoras de un viejo orden que es precisamente el que se debe de cambiar.

Ahora bien, el reformismo de Peña Nieto consistió en una estrategia elitista de pactos políticos entre direcciones de partidos, que ha hecho caso omiso de las instituciones representativas (parlamento federal y cámaras de diputados estatales) y ha planteado un proceso de cambio de arriba hacia abajo, sin consideración alguna por la opinión de los actores sociales, económicos y políticos del país. La estrategia del nuevo gobierno ha consistido en abrir lo menos posible el diálogo nacional en aras de imponer desde arriba un proceso de reforma que pueda ser administrado por un sector de la clase política que se valora a sí mismo ilustrado y capaz de vencer las resistencias al cambio. Un cambio "recentralizador" cuya agenda consiste en concluir el ciclo de las reformas neoliberales y modernizar parcialmente la administración del Estado, con el fin de propiciar una modernización relativa de la economía en el mediano y largo plazos.

En esta circunstancia es difícil pensar en el establecimiento de mecanismos de diálogo efectivos entre una sociedad organizada básicamente conservadora de los viejos pactos y una clase política también conservadora, cuyo único componente modernizador es francamente autoritario. Debe reconocerse que el contexto actual del país plantea una situación desfavorable para el diálogo nacional y favorable para la emergencia de numerosos conflictos que expresan, en medio de muchos otros conflictos sociales, la resistencia de los actores sociales y económicos afectados por los proyectos modernizadores. Las fuerzas democráticas del país se encuentran en minoría absoluta y en la más completa confusión programática.

Es urgente pensar en el establecimiento inicial del espacio de diálogo en el interior mismo de la sociedad civil, cuyos distintos componentes carecen en este momento de un eje articulador programático favorable a una verdadera democratización de la vida pública. Es imprescindible que en estos días se debatan los cambios que requiere el país, pero no sólo en la clave de la resistencia a los proyectos modernizadores tecnocráticos, sino en la búsqueda de las transformaciones constitucionales e institucionales necesarias para democratizar la vida pública. En este sentido es importante establecer prioridades en las agendas de democratización.

La sociedad civil visible: las formas organizativas del asociacionismo civil y su entorno legal

En esta sección presentamos un análisis de los principales sectores de la sociedad civil, junto con un estudio breve de las restricciones legales en que cada uno se desenvuelve. No es posible separar la descripción del actor de su entorno legal.

Las distintas formas de asociacionismo son un reflejo de los diferentes espacios y modos de acción colectiva, que van desde el privatismo y el particularismo hasta la acción pública con fines culturales y políticos. Precisamente por ello es necesario reconocer la diversidad de prácticas y potencialidades sociales a que nos referimos cuando hablamos del campo de lo civil, sin olvidar que la mayor parte de la población aun no participa de estas maneras de integración social.

a) Las asociaciones sindicales

En el mundo de las asociaciones gremiales destaca la debilidad representativa del sindicalismo en México. Según los estudios disponibles, un porcentaje menor al 10% de los trabajadores ocupados en la economía están organizados en sindicatos, y alrededor de 15% de la "población sindicalizable del sector industrial" en 2000 (Herrera y Melgoza, 2003: 326). Este último indicador disminuye constantemente desde el principio de la década de 1980, y su caída se aceleró en la fase más aguda de la implantación de la política neoliberal (1990-94) desde un promedio de 25%. Los grandes sindicatos industriales del sector público han dejado de crecer en esta fase, puesto que en las maquiladoras aumentó el número de plantas sin sindicatos.

Formalmente hacia el año 2000 había más de cuatro millones de trabajadores sindicalizados en una PEA de 41 millones de personas, de los cuales sólo 1 200 000 sindicalizados en el sector industrial, que ocupa a más de 10 millones de personas. A diferencia de los países desarrollados, donde las tasas de sindicalización han caído debido a la disminución absoluta del número de trabajadores industriales (desindustrialización acelerada), en el caso de México los trabajadores industriales han aumentado más de 20% de 1990 a 2005. Esta cifra es el resultado de la combinación de la desindustrialización relativa en el terreno de la pequeña y mediana industria (casi siempre carente de sindicatos), y la industrialización globalizadora vía maquiladoras e industria automotriz.

A su vez, el número de trabajadores en los servicios (ante todo en el gobierno), el comercio, los restaurantes y hoteles, las comunicaciones y transportes y en los servicios domésticos se ha elevado en cifras que van del 35 al 50%, ya que el empleo agrícola ha bajado en más de un millón de personas. Este fenómeno refleja la continuidad del proceso de urbanización del país. Sin embargo, el campo sigue siendo la principal fuente de empleo en números absolutos con siete millones en 2000. En este sector los sindicatos han sido casi inexistentes.

Estas cifras reflejan la precariedad histórica de la organización gremial de las clases trabajadoras. La minoría organizada se ha concentrado en el sector público, en las empresas paraestatales y en la gran industria privada, así como en algunas grandes empresas privadas de servicios (teléfonos, bancos). Sólo en estos sectores se ha aplicado la legislación laboral mexicana en materia de derechos sociales. Para la inmensa mayoría de las clases trabajadoras la realidad es la ausencia de sindicatos, su control por parte de sindicatos "blancos" o su inserción forzosa en "contratos de protección". Los sectores sindicalizados gozan de prestaciones, al precio de depender de sindicatos corporativos y autoritarios.

Por lo que es imposible saber a ciencia cierta cuántos sindicatos existen en este país. El recurso de miles de empresas privadas a la firma de contratos de protección con sindicatos fantasmas, que consiste en que mafias organizadas "registran" sindicatos de trabajadores de empresas que en la práctica no existen, y que simplemente han sido creados para evitar que los trabajadores formen verdaderos sindicatos que podrían darle algún tipo de problema a los empresarios, ha conducido a que las estadísticas oficiales carezcan de representatividad.[6] No sabemos cuántos sindicatos hay y de los que se sabe son pocos los que tienen alguna actividad como sociedad civil.

Por lo general son los grandes sindicatos nacionales los que tienen una visibilidad pública y una influencia determinante, y son parte de los llamados "poderes fácticos", sobre todo el Sindicato Nacional de Trabajadores de la Educación y el Sindicato de Trabajadores Petroleros de la República Mexicana. Todos ellos han jugado un papel pasivo, privado, en la fase de transición, protegiendo su interés de mantener su monopolio de la representación gremial. Más importante aún, estos sindicatos corporativos han logrado derrotar, con la ayuda decisiva del Estado, todas las luchas por la democratización de la vida sindical.

Con este resultado ha sido fundamental la preservación de los aspectos esenciales de la Ley Federal del Trabajo en el contexto de las reformas recién aprobadas en 2012, que siguen garantizando el control estatal sobre los sindicatos, ante todo en materia de su registro legal. Absurdamente, se ha mantenido también la existencia de órganos jurisdiccionales de justicia laboral bajo control del gobierno, como las "tripartitas" Juntas de Conciliación y Arbitraje y los Tribunales Federales del Trabajo, que siguen en el ámbito del Poder Ejecutivo,

---

[6] Todas las estadísticas de afiliación sindical son tentativas, siendo las fuentes primarias los propios sindicatos y sus confederaciones que inflan las cifras de manera abusiva. Véase Freyre, 1999; Méndez *et al.*, 2005, entre otros muchos.

en vez de darles autonomía y colocarlas en el ámbito del Poder Judicial donde deberían estar ubicados.

En el México de la transición los sindicatos constituyen una de las fuerzas conservadoras más poderosas, pues continúan siendo dirigidos por líderes provenientes de la etapa autoritaria, con la excepción de una organización que se reclama democrática que es la Unión Nacional de Trabajadores (UNT), la cual ha impulsado importantes iniciativas de reformas laborales, los demás sindicatos importantes son parte de las grandes centrales corporativas que se crearon muchos decenios atrás.

Es más en la fase temprana de transición (1997-2000) hubo avances sustanciales en materia de libertad sindical gracias a las decisiones de la Suprema Corte de Justicia. Se declaró ilegal en 1999 la "cláusula de exclusión" que, no obstante, se mantiene vigente en muchos sindicatos. Esta cláusula creada para evitar la "intromisión patronal" en los sindicatos, en realidad se convirtió en un pretexto para la represión interna en aquéllos de iniciativa democrática. También se declaró inconstitucional la pertenencia forzosa y colectiva a un partido político de los miembros de un sindicato, disposición contenida en los estatutos de miles de sindicatos oficialistas.

En esta tónica también se determinó inconstitucional, la afiliación forzosa de los sindicatos de trabajadores del sector público a la Federación de Sindicatos de Trabajadores al Servicio del Estado, así como la costumbre de las autoridades laborales de resolver ilegales las huelgas por razones procesales no contenidas en la ley. Estas decisiones parecían abrir condiciones favorables a la democratización del sindicalismo (Bensusán, 2004).

Pero el gobierno de Vicente Fox perdió lamentablemente la oportunidad histórica de impulsar un cambio a la legislación laboral y de transformar las relaciones con el sindicalismo corporativo. Primero, a pesar de la denuncia de la intervención del sindicato petrolero en el financiamiento ilegal del PRI en las elecciones de 2000, no se procesó a su líder, que sigue en su cargo, ni se obligó al sindicato a aceptar modificaciones en un contrato colectivo que conspira contra la empresa y propicia la corrupción sindical.

Después, en las mesas de negociación para la reforma laboral se propuso por parte de especialistas y de la UNT el voto secreto para la elección de los dirigentes sindicales y para los recuentos en caso de huelga, así como la creación de un registro público de sindicatos y de contratos colectivos, lo cual acabaría con los "contratos de protección", a lo que el Congreso del Trabajo, la alianza del sindicalismo corporativo, se opuso por lógicas razones, con tanto éxito que las reformas de 2012 no tocaron estos aspectos esenciales de la necesaria democratización sindical.

En suma, las clases trabajadoras en su inmensa mayoría no tienen acceso a los derechos laborales establecidos en la ley y carecen de libertad de asociación. A este resultado han contribuido decisivamente las instituciones del Estado, en especial las Juntas de Conciliación y Arbitraje, los Tribunales del Trabajo y las Secretarías del Trabajo federal y estatales. Las instituciones jurisdiccionales de la justicia laboral han operado en todos los temas decisivos a favor de los patrones y del Estado, el cual ha logrado además anular la libertad de asociación sindical por vías administrativas, en especial a través de la famosa "toma de nota".[7]

Esta situación explica la virtual ausencia del sindicalismo mexicano de la lucha por la democratización de la vida pública, al contrario de lo sucedido en las transiciones a la democracia de España y Brasil. La hegemonía del sindicalismo incivil en México y la permanencia de las estructuras estatales autoritarias en el mundo laboral constituyen grandes lastres para el país, pues contribuyen decisivamente a reproducir una cultura política antidemocrática, clientelar y particularista.[8]

---

[7] Véase entre otros muchos, Muñoz Ibarra, 1999. La toma de nota sí fue modificada en las reformas de 2012, en tanto el control legal del registro de sindicatos sigue en manos del gobierno.

[8] Véase *Sindicatos y Política en México: cambios, continuidades y contradicciones*, de Graciela Bensusán y Kevin J. Middlebrook, coeditado por la Universidad Autónoma Metropolitana, la Facultad Latinoamericana de Ciencias Sociales y el Consejo Latinoamericano de Ciencias Sociales. Tiene una última parte, poco explorada en otros textos, relacionada con la defensa internacional de los derechos laborales, especialmente ante la Organización Internacional del Trabajo y en el entorno del Acuerdo de Cooperación Laboral de América del Norte, paralelo al Tratado de Libre Comercio de esta región.

b) Las organizaciones empresariales

En el mundo empresarial hay una polarización radical. De una parte, los grandes empresarios mexicanos (los de medios de comunicación, telecomunicaciones y el mundo financiero) establecen un "poder fáctico", pues poseen la capacidad de vetar decisiones del gobierno y de imponer regulaciones favorables a sus intereses, como lo demuestran algunos episodios recientes de la historia política de México. De otra parte, los pequeños y medianos empresarios, la inmensa mayoría del sector carecen de representación efectiva de sus intereses estando miles y miles de ellos instalados en la economía informal y por tanto en la ilegalidad. En el medio aparecen las organizaciones empresariales formales, cuya compleja historia muestra vaivenes, algunas de ellas siendo protagónicas de luchas por la autonomía política del sector en determinados momentos de la historia del país.

Desde 1936 el Estado emitió leyes para crear una institución a las que los empresarios tenían que pertenecer de manera obligatoria (Ley de Cámaras de Industria y Comercio, que creaba la Cámara Nacional de Comercio e Industria). En 1941 la ley fue reformada para permitir a los comerciantes e industriales contar con sus propias cámaras especializadas: la Confederación de Cámaras Nacionales de Comercio (Concanaco), la Cámara Nacional de la Industria de Transformación (Canacintra) y la Confederación Nacional de Cámaras Industriales (Concamín).

Un estatuto similar, por otras vías jurídicas, se le dio después a las Asociaciones Ganaderas y a las Uniones Nacionales de Productores agrícolas por rama de producción, tanto en el espacio nacional como en el estatal y el local. Las leyes respectivas le concedían al Estado autorizar la creación de cámaras sectoriales o disolverlas; aprobar sus estatutos y tener un representante en las reuniones de sus consejos (Story, 1986). Todo ello a pesar de reconocer la "autonomía" de esas organizaciones. Esta intervención política directa del gobierno en las organizaciones empresariales, se acompañó históricamente de la capacidad constitutiva por parte del Estado por vincularse con la propia clase empresarial, gracias al tamaño de su intervención en la economía y la masiva corrupción involucrada en las obras públicas y en la aplicación discrecional de las políticas de fomento.

Las organizaciones corporativas forzosas han perdido sus capacidades de representación legítima desde hace muchos años. Un mo-

245

mento decisivo de la historia de la organización empresarial se produjo en la década de 1970, cuando los empresarios como clase se confrontaron con el gobierno de Luis Echeverría, a quien acusaron de romper los pactos históricos del régimen con su sector. Se crearon nuevas organizaciones empresariales, ante todo un organismo cúpula que es el Consejo Coordinador Empresarial que agrupó a las principales confederaciones y cámaras del país.

La autonomía política de amplios grupos del sector empresarial quedó entonces de manifiesto. Al mismo tiempo ya habían surgido asociaciones empresariales sectoriales y regionales diversas, las cuales adquirieron una mayor capacidad representativa que las viejas organizaciones corporativas (Luna, 1992), a pesar de no tener reconocida su capacidad de representación, tal ha sido el caso de muchas asociaciones empresariales estatales y locales. Por mencionar las organizaciones tradicionales, en éstas han devenido interlocutores locales de los gobiernos estatales y municipales con poca influencia en el plano federal.

En el periodo del ajuste neoliberal, las diferencias políticas entre los empresarios se profundizaron, proceso que se agudizó aún más con la transición a la democracia electoral. La pluralidad política y la diversidad de intereses de los empresarios emergieron en toda su complejidad. En las negociaciones del Tratado de Libre Comercio con Estados Unidos hubo posiciones divergentes, y los intereses de los empresarios pequeños y medianos fueron casi totalmente ignorados. Muchos líderes empresariales de las décadas de 1970 y 1980 se tornaron en protagonistas del ascenso electoral del PAN, y no pocos se convirtieron en presidentes municipales, gobernadores y desde el año 2000 en secretarios de Estado.

Hoy los empresarios están política y organizacionalmente fragmentados. La libertad de asociación ha sido ejercida por este sector, cierto, pero los empresarios más grandes han aprovechado de manera desproporcionada esta posibilidad en su provecho. La decisión de la Suprema Corte en 1995, de declarar ilegal la afiliación obligatoria de los empresarios a las cámaras "oficiales", condujo a que la Canacintra, que solía representar los intereses de los pequeños industriales que eran la inmensa mayoría de sus miembros, perdiera afiliados en forma rápida y masiva (de 80 000 en 1993 a 16 000 en 1998) (Shadlen, 2004).

Desde luego en esa pérdida había que incluir la desaparición física de miles de empresas a raíz de la crisis de 1995. Pero el dato es indicativo del fin de una época, y del paradójico efecto de que los empresarios pequeños incapaces de remontar las dificultades de la acción colectiva que determina su dispersión y pequeñez, quedaron sin representación gremial efectiva. La misma experiencia han tenido los pequeños empresarios comerciales y rurales.

c) Asociaciones gremiales en el campo

En lo que se refiere al mundo rural el panorama es peor, pues el impacto de la política neoliberal ha sido severo en un sector con grandes dificultades de adaptación a un entorno de apertura comercial, y retiro del Estado de su viejo rol como megaempresario rural y como organizador político de los productores. Cabe aclarar que este viejo modelo Estado-céntrico no condujo a una mayor justicia económica en el campo. Una estructura dual con alta concentración de la producción y el financiamiento en grandes empresas privadas y estatales, y una extensísima gama de microproductores campesinos caracterizó la época autoritaria. En lo político, el monopolio del partido oficial fue mantenido en muchas ocasiones por vías violentas. Sin embargo, en las décadas de 1970 y 1980 numerosas nuevas organizaciones campesinas surgieron y pluralizaron el mapa político del campo (Olvera, 1998).

A partir de la presidencia de Carlos Salinas, los cambios en las relaciones entre el Estado y los campesinos han sido radicales, empezando por la reforma del artículo 27 que puso fin a la reforma agraria, siguiendo con el retiro total del Estado de la cafeticultura, la salida parcial de la producción de azúcar y casi total de la compra directa de productos básicos para regular precios de garantía, y el abandono en gran escala del financiamiento rural y de la asesoría técnica. El Programa de Regularización de la Tenencia de la Tierra (Procede) ha "regularizado" casi todas las tierras del país en los útimos 20 años, creando condiciones para la privatización de las tierras ejidales (que hasta 1990 eran 50% del total).

Estos cambios legales y en políticas públicas, aunadas a la liberalización comercial, a un desfavorable tipo de cambio y a la falta de inversión, condujeron a la crisis de la pequeña producción a una mayor concentración económica y a la expulsión de población rural por la vía de la emigración. Tan grande es el cambio social producido en los últimos veinte años en el campo que se habla de una "nueva ruralidad", de una integración compleja de actividades económicas familiares que combina trabajo asalariado en la ciudad, migración internacional y emprendimientos microempresariales, lo cual permite a las familias campesinas sobrevivir y quedarse en el campo a pesar del colapso de la economía campesina. Emerge también una nueva cultura rural-urbana que crea nuevas condiciones para el futuro despliegue de la ciudadanía.

Las nuevas formas de intervención del Estado en el campo son vía subsidios, sea a productores (Procampo), a la población pobre en las áreas rurales (Progresa), y a la inversión en ciertas áreas específicas mediante múltiples pequeños programas, lo cual ha fragmentado las clientelas y disminuido radicalmente la intermediación política en el campo. Sin embargo, existen aún organizaciones campesinas muchas de ellas remanentes del viejo régimen, que sobreviven recibiendo subsidios estatales por la vía de la intermediación política bajo la figura de "proyectos productivos".

Todavía existen hoy las asociaciones nacionales de productores agrícolas y pecuarios por rama de la producción, así como asociaciones regionales y estatales diversas, esta densidad asociativa en realidad oculta una debilidad representativa, puesto que la inmensa mayoría de estas asociaciones están controladas por los escasos empresarios grandes y pujantes de cada región. Quizá la excepción es la Confederación Nacional de Organizaciones Ganaderas.[9] En este sentido la complejidad del mundo campesino torna la diversidad organizativa en un fenómeno exponencial, porque el propio Estado durante décadas trató de organizar a los campesinos, para lo cual creó multitud de figuras jurídicas desde aquellas destinadas hipotéticamente a recibir créditos para la producción como las Asociaciones Rurales de Interés Colectivo (ARIC), hasta pequeñas asociaciones de unos cuantas fami-

---

[9] La CNOG reúne a 44 uniones ganaderas regionales, seis uniones ganaderas regionales de porcicultores, 25 asociaciones nacionales especializadas y de criadores de ganado de registro, 1 980 asociaciones ganaderas locales generales y especializadas (<www.cnog.org.mx>).

lias que deberían recibir algún tipo de crédito productivo, como las Sociedades de Solidaridad Social (SSS). No se sabe bien a bien cuántas de estas miles y miles de organizaciones creadas a lo largo de los años sobreviven.

El desconocimiento empírico y estadístico de este tipo de asociacionismo rural no implica que la sociedad civil gremial sea débil en el campo, por el contrario, se constata que hay una alta densidad organizativa que se corresponde no obstante con una gran debilidad de interlocución. La experiencia reciente que deriva de la aplicación de la Ley Federal de Desarrollo Rural Sustentable, la cual ha obligado a crear comités de desarrollo sustentable en cada municipio, nos demuestra que al menos en el papel cada municipio cuenta con numerosas organizaciones gremiales de productores, pero que pocas de ellas tienen una capacidad representativa legítima. No hay una correspondencia entre la densidad formal de organizaciones y su capacidad representativa real. Aun cuando cada vez que hay situaciones críticas en lo local, una parte de esta sociedad rural se moviliza, pero a través de redes informales que se activan para conseguir subsidios y apoyos diversos, y que recurren a intermediarios políticos para acceder al gobierno (Quiñonez, 2010; Saavedra y Rello, 2012). En otras palabras, actúan como sociedad política porque no hay manera de hacer valer sus intereses por vías institucionales operativas.

Muchos de los obstáculos actuales a la aplicación adecuada de programas son producidos por los gobiernos estatales y municipales, que carecen de las instancias y estructuras para atender los problemas productivos, de gestión y de representación de sus respectivas sociedades civiles locales. En la práctica, la correlación de fuerzas y las preferencias políticas del Ejecutivo local determinan los actos del gobierno municipal. Entretanto los gobiernos estatales introducen también sus propios intereses y favorecen a sus intermediarios políticos leales.

Las reglas de operación de los programas funcionan como referencias aproximadas no como lineamientos forzosos. El arte de la política de los gobernantes es traducir las reglas burocráticas a prácticas políticas locales más o menos efectivas para sus fines clientelares. Es decir, fingir hacia arriba para atender al de abajo como gobernado, como sujeto específico no como ciudadano. Se combinan así las incapacidades institucionales y operativas del gobierno con los intereses y cultura política tanto de gobernantes como de gobernados.

d) Los colegios profesionales

En el sector de las asociaciones y colegios profesionales es difícil saber qué es exactamente lo que pasa.[10] Este sector está débilmente regulado por la Ley Federal de Profesiones,[11] según la cual los colegios profesionales deben velar por el prestigio de la profesión y garantizar mínimos éticos en su desempeño. En la práctica no hay consenso acerca de cuáles asociaciones son representativas de cada profesión, pues hay una tendencia a la multiplicación de organizaciones, y no se acepta en la práctica el monopolio de alguna de ellas como representación gremial institucional. Es posible que lo más interesante de autoorganización sea el Colegio Nacional de Ingenieros Civiles, que ofrece muchos servicios a sus numerosos miembros en todo el país y cuenta con un código de ética.[12] También hay algunos colegios como el de arquitectos que son importantes a nivel nacional y asumen en ocasiones una voz crítica frente al gobierno.

Al parecer muchos de estos colegios y asociaciones han sido usados más bien como canales privilegiados para la obtención de empleos

---

[10] El "Censo de Asociaciones Profesionales" que está en el portal de la SEP, ofrece información poco coherente. Para el DF registra 365 asociaciones y casi la mitad son en realidad de provincia. Según la fuente en Veracruz hay 52, en Jalisco 162, en Nuevo León 27 y 10 en San Luis Potosí. No es posible hallar una lógica en estos números.

[11] El Congreso de Unión promulgó la Ley Reglamentaria del artículo 5o. constitucional, el 26 de mayo de 1945, que regula el Ejercicio de las Profesiones en el Distrito Federal en asuntos de orden común y en toda la República en asuntos de orden federal, y contempla en su capítulo VI, la constitución de Colegios Profesionales y establece entre sus propósitos vigilar el ejercicio profesional, promover la expedición de leyes, reglamentos y auxiliar a la administración pública, proponer aranceles profesionales y prestar la más amplia colaboración al poder público como cuerpos consultores, colaborar en la elaboración de planes de estudios profesionales, entre otros. La Secretaría de Educación Pública, a través de la Dirección General de Profesiones, es la autoridad rectora en materia de profesiones y es el órgano de conexión entre el Estado y los Colegios de Profesionistas. Estos últimos son las únicas agrupaciones con atribuciones legales para vigilar que el ejercicio profesional se realice "dentro del más alto plano legal y moral". También están facultados para promover la expedición de leyes, reglamentos y sus reformas, relativos al ejercicio profesional.

[12] Véase su portal <www.cnic.org.mx>.

o contratos en el sector público.[13] En la mayoría de las profesiones hay una multiplicidad de colegios y asociaciones, lo cual indica que hay problemas para reconocer la legitimidad de la representación y que se carece de una tradición asociativa. En cuanto a la diversificación de profesiones también aumenta la dispersión. Los colegios médicos por ejemplo se han venido fragmentando cada vez más en nuevas especialidades.

Es así que ninguna de estas asociaciones cumple la función de vigilar el desempeño de sus miembros con base en estándares éticos. Esta incapacidad merece ser estudiada con profundidad, pero tal vez uno de los factores explicativos es que el Estado nunca les atribuyó una función real de certificación de capacidades profesionales. La ley de profesiones no impone la afiliación obligatoria a los colegios ni éstos exigen exámenes de entrada a los potenciales miembros, como sí sucede en Estados Unidos y en otros países del mundo en algunas profesiones. La politización de todas las instancias representativas, esa vocación monopólica del viejo régimen, llevó a que muchos colegios fueran simples instancias en la carrera política de algunos profesionales ambiciosos y mecanismos de control político de sus bases.[14]

En parte esta situación explica el pobre papel que esos colegios han jugado en la vida pública, la falta de estadísticas creíbles, la aparición y desaparición de asociaciones, su ausencia en el debate nacional de las políticas públicas y en las emergentes prácticas de contraloría social que empiezan a llevar a cabo algunas organizaciones civiles. Recuperar la dignidad de los colegios profesionales, darles un papel efectivo en el control ético del ejercicio profesional y relacionarlos con otros actores de la sociedad civil que puedan usar sus conocimientos y redes para impulsar la ciudadanía, parece estar hoy a la orden del día.

---

[13] Hay quejas esporádicas de este tipo en la prensa nacional y local desde hace años.

[14] Ejemplos que vienen a la mente son el Colegio Nacional de Economistas y la Liga de Economistas Revolucionarios. Al igual que muchos otros colegios, éstos han estado afiliados al PRI desde su inicio.

e) Las organizaciones de la sociedad civil

Es tiempo de pasar al campo de las llamadas organizaciones de la sociedad civil. Conviene empezar por diferenciar algunos de los tipos de OSC que componen este sector, puesto que no todas son iguales ni presentan la misma problemática. Para empezar hay que destacar el escaso número de organizaciones existentes. Aún no sabemos su número exacto, pues no hay registros confiables de ellas, los estudios disponibles hablan de una situación alarmante en México.

Fuente: <http://www.nonprofitexpert.com/ngo.htm>, consulta: 17 de abril de 2009.

No es relevante para estos fines si el número es preciso o no. Lo destacable es que bajo cualquier comparación, México tiene un escaso número de organizaciones de la sociedad civil, lo cual habla de que el grado de asociacionismo en general es muy bajo. La autoorganización de la sociedad es entonces escasa y se rige por formatos informales, locales y sectoriales, a la vez que es regulada por un amplio y heterogéneo marco legal.

Este último rige a las organizaciones de la sociedad civil en México y tiene su fundamento en el artículo 9o. constitucional, que establece el derecho de asociación.[15] De allí se deriva un marco regulatorio, que

---

[15] "Artículo 9°.- No se podrá coartar el derecho de asociarse o reunirse pacíficamente con cualquier objeto lícito; pero solamente los ciudadanos de la República podrán hacerlo para tomar parte en los asuntos políticos del país. Ninguna reunión armada, tiene derecho de deliberar. No se considerará ilegal, y no podrá ser disuelta una asamblea o reunión que tenga por objeto hacer una petición o presentar una protesta por algún acto o una autori-

incluye al Código Civil Federal y sus equivalentes a nivel estatal, la Ley General de Desarrollo Social, La Ley de Asistencia Social, las leyes de Instituciones de Asistencia Privada estatales, las diferentes leyes de fomento a las actividades realizadas por organizaciones de la sociedad civil a nivel estatal, y, ante todo, la Ley Federal de Fomento a las Actividades Realizadas por Organizaciones de la Sociedad Civil. Resultan también importantes, por el efecto que tienen en la capacidad de las organizaciones de recaudar recursos privados para el financiamiento de sus actividades, las diversas disposiciones de carácter fiscal y presupuestario: notoriamente la Ley del Impuesto sobre la Renta, la Ley del Impuesto Empresarial a Tasa Única, y la Ley Federal de Presupuesto y Responsabilidad Hacendaria.

f) Otras formas de asociacionismo privado

En la segunda mitad del siglo pasado surgió un espacio de asociacionismo privado, a través de la emulación que hicieron las clases medias altas de todo el país de ciertos clubes norteamericanos, como el Club de Leones y el Club Rotario, que se convirtieron en ejes de la socialización de los sectores profesionales emergentes en las ciudades, espacio de contacto con la clase política local y medio de relación e intercambio social con clubes similares en Estados Unidos. Actualmente, un poco menos selectivos, siguen cumpliendo esa función y desarrollan también diversos proyectos asistenciales. Se cuentan clubes de este tipo en casi todas las ciudades grandes y medias de México.

g) El asociacionismo popular

Hay otro espacio social histórico, rara vez analizado como parte del mundo asociativo, que es el constituido por las organizaciones relacionadas con ritos y prácticas religiosas. Nos referimos, en primer lugar, a los grupos que se reúnen para organizar las fiestas patronales

---

dad, si no se profieren injurias contra ésta, ni se hiciere uso de violencias o amenazas para intimidarla u obligarla a resolver en el sentido que se desee". Constitución Política de los Estados Unidos Mexicanos, 1917.

de cada pueblo que son las mayordomías y comités. Virtualmente cada pueblo del centro y sur de México tiene el suyo. En un número creciente de ciudades y pueblos se organizan simultáneamente o por separado ferias locales, sean dedicadas al santo, al producto principal (feria del café, del mango, etcétera) o a algún otro motivo local. Cada feria tiene su comité organizador representativo de la élite local. De este mismo tipo son los comités de carnaval y hay muchos en el país.[16]

h) Asociaciones religiosas

La Iglesia católica se organiza en diócesis y decanatos en el territorio. Se tiene registro de 69 pastorales organizadas por las diócesis tan sólo en Veracruz,[17] pero a nivel nacional son unas 25 veces más. Estas pastorales son especializadas (juventud, familia, evangelización, de la movilidad humana, social, etcétera) y cada una desarrolla múltiples actividades con la feligresía para lo cual crean grupos diversos. Algunos de éstos desarrollan importantes labores sociales como las pastorales de la movilidad humana en el Istmo, el sur de Veracruz, el Distrito Federal, Jalisco, Chihuahua y Baja California, cuyo apoyo a los migrantes centroamericanos es esencial para su supervivencia.

Otros crean espacios de ayuda mutua o de apoyo social que tejen redes solidarias importantes para la cohesión social. En general, el enfoque de su acción es asistencial por lo que no se origina una cultura ciudadana con su acción, siendo éste su principal límite. Pero la densidad y profundidad de los lazos sociales generados en las actividades impulsadas por la Iglesia católica son el fundamento de múltiples redes sociales informales locales, regionales y aun estatales.

En años recientes, de lasa década de 1980 en adelante, han emergido en el país grupos protestantes que tienen bases sociales pequeñas pero activas y que, de acuerdo con los especialistas en temas religiosos, se han constituido en un referente de la autoorganización de la

---

[16] Así el gobierno de Veracruz registra 561 fiestas titulares, 64 ferias y 43 carnavales en Veracruz a lo largo del año, de las cuales hay 140 relevantes por su tamaño y duración. Estas festividades son importantes para la reproducción de la identidad local por ser un momento de cohesión social y por mantener un piso mínimo de organización civil local.

[17] Información proporcionada directamente por las diócesis.

sociedad. Estos grupos, en su gran mayoría evangélicos, atraen ya cerca del 20% de la población y son diversos. Su propia organización es descentralizada basada en iglesias locales dependientes de un pastor, con algunas excepciones como los Testigos de Jehová que cuentan con una organización regional, nacional e internacional bastante compleja.

El trabajo que realizan en términos de ayuda mutua para sus propios miembros es importante, pero no hacen una labor social hacia la comunidad, con pocas excepciones. De acuerdo con algunos testimonios, estas iglesias recogen y canalizan una parte de la desesperación social ante la crisis económica y la inseguridad, por lo que cumplen una función de integración social importante. En general, en México se registran pocos conflictos interreligiosos, lo cual habla de una cultura de la tolerancia religiosa que debe resaltarse.

i) Asociaciones deportivas

Dentro de la experiencia organizacional de la sociedad civil popular tienen importancia las asociaciones deportivas, pues el deporte es un eje articulador de la vida social, sobre todo para los jóvenes –pero no sólo para ellos– y es significativo como mecanismo de socialización y de integración social. Este asociacionismo deportivo es descentralizado y altamente dependiente del patrocinio sindical corporativo o del privado en las ciudades industriales y comerciales. Históricamente ha habido poca presencia estatal en este campo, si bien de manera creciente el patrocinio y organización de las ligas y torneos viene recayendo en los gobiernos municipales y en actores locales privados.

El deporte es fundamental en las ciudades como lo es en el mundo rural, ante todo en las zonas de agricultura comercial donde hay más recursos económicos y organizacionales. En las ciudades y en el campo por igual se registran graves carencias de infraestructura deportiva, lo cual limita los potenciales integradores del deporte. En esta área hay una enorme área de oportunidad de intervención gubernamental y privada que puede tener excelentes efectos de contención de la violencia. Dado que la mayor parte de la organización del deporte depende de los municipios y de la iniciativa de empresas y asociaciones locales, no existen estadísticas confiables a nivel agregado sobre el número de ligas, torneos e instalaciones disponibles.

j) Asociaciones de autoayuda

Finalmente, dentro del mundo asociativo privado popular hay organizaciones de autoayuda que han sido sustanciales en la vida cotidiana de mucha gente, en especial Alcohólicos Anónimos (AA), organización que tiene grupos en todo el país, altamente descentralizados, activos y que constituyen un mecanismo de autoayuda y socialización relevante. No se cuenta con estadísticas confiables sobre su número, ni sobre otros grupos similares como Neuróticos Anónimos. De acuerdo con testimonios diversos y a la opinión de colegas, los grupos de AA han sido extraordinariamente importantes no sólo en términos de autoayuda, sino en el aprendizaje organizacional y de oratoria pública, cosa notable en las zonas rurales.

k) Notas sobre movimientos sociales y movilizaciones difusas

Dentro de este mapa sintético de la sociedad civil, es importante subrayar que desde hace muchos años el país se ha caracterizado por una alta conflictividad social, por lo que los movimientos sociales temáticos y territoriales han jugado un papel importante en la expresión de intereses difusos. Se registran asimismo múltiples formas de resistencia popular a diversas políticas de modernización y a abusos políticos del Estado. Algunos movimientos han sido radicales en su oposición al régimen, otros más bien han buscado modificar o negociar políticas públicas, otros han protestado por ilegalidades del mercado permitidos por el Estado, como el de las cajas de ahorro en la década de 1990. Hay movimientos sociales que tienen demandas de tipo cultural como los ambientalistas y en defensa de los derechos de las mujeres, los cuales han jugado un papel trascendental en la introducción de nuevos lenguajes, valores e instituciones en la vida pública.

Junto a movimientos de este tipo, que son prototípicos de una sociedad civil moderna, han existido siempre movilizaciones colectivas que no buscan promover derechos sino llamar la atención del Estado y resolver problemas de grupos específicos, para lo cual recuren a modos de lucha aparentemente radicales como el cierre de calles y carreteras. Pero se trata de acciones orientadas al logro de fines particulares de grupo. Esta es una manera de acción colectiva común en el centro y sur de México y que se adapta al autoritarismo político existente. Dada la ausencia de mediaciones institucionales operativas y la lejanía de los partidos políticos de la ciudadanía, que atienden sólo a los sectores políticamente organizados en su seno, es lógico que amplios sectores de la población traten de llamar la atención del Estado por estas vías.

Conclusiones

En estas páginas hemos intentado demostrar la enorme complejidad y heterogeneidad de la sociedad civil mexicana y, simultáneamente, su debilidad y pequeñez estructurales. México se caracteriza por un marcado corporativismo sindical y campesino que tiene una enorme fuerza política, y que todavía está integrado firmemente al PRI en casi todo el país. Esta inserción corporativa en la política determinó en gran medida la falta de autonomía de la sociedad civil respecto al gobierno. En efecto, hay una gran debilidad en el campo del asociacionismo civil privado y urbano debido a la colonización política del asociacionismo profesional, y de una parte del asociacionismo privado de élite, así como a la falta de visibilidad pública del asociacionismo asistencial.

Los ciudadanos hacen un uso instrumental para fines privados de las organizaciones en que participan, considerando que éstas no pueden ser controladas por ellos. Eso significa también que hay una baja confianza en los líderes, y esto se entiende si recordamos que la historia del mundo sindical es una historia de represión dramática de todo tipo de oposición, que en el campo hay una violencia sistémica derivada del cacicazgo como forma de control, y que en la lucha por los cargos políticos generalmente la decisión última fue del gobierno. En la época de la alternancia no se ha logrado superar esta problemática histórica, pues en el mundo empresarial y de las organizaciones profesionales ha habido una politización de los cargos, es decir, su utilización como trampolines políticos o como mecanismo de posicionamiento para conseguir contratos. Este problema de la visión instrumental de las instituciones asociativas es un factor más de la debilidad histórica de la sociedad civil.

En suma, México se caracteriza por un asociacionismo civil disperso, fragmentado y con un marcado carácter privado, y por la continuidad del modelo histórico en el cual el gobierno ha tenido un control hegemónico sobre la mayor parte del mundo civil organizado. La propia dispersión geográfica de la población ha hecho complejo y difícil el de por sí escaso acceso al espacio público político para las organizaciones de la sociedad civil, dado que los medios de comunicación son muy locales en el país, concentran mucho de su atención y servicio en la clase política y dan poca voz a los actores de la sociedad. Los movimientos autónomos de la sociedad civil padecen problemas estructurales de escasez de recursos, falta de profesionalismo y dispersión en la vasta geografía nacional. Este modelo de asociacionismo es todavía el del viejo régimen.

Al mismo tiempo, la realidad del Estado mexicano es, en buena medida, la de un aparato también heterogéneo, en cuyo funcionamiento y capacidades pesan aun dosis de atraso institucional y legal, un legado cultural autoritario y una ineficacia operativa mayúscula. El Estado mexicano tiene una débil división de poderes que dificulta enormemente la rendición de cuentas, y la baja institucionalización y profesionalización en todos los niveles de gobierno impide la debida ejecución de las políticas públicas.

Estos problemas generales del Estado mexicano constituyen un ambiente poco favorable para la interacción constructiva con los actores de la sociedad civil, de suyo fragmentados también en múltiples organizaciones y con una escasa capacidad de representación de sus distintos componentes, sea en términos de clases sociales, de sector o de región. La baja confianza en las instituciones habla de la lejanía e ineficacia de las instituciones estatales respecto de la ciudadanía. El Estado está más bien ausente para una mayoría de la población. Si el Estado es débil y ausente, y los ciudadanos no confían en el prójimo, es lógico que cualquier forma de representación en una instancia oficial tendrá graves déficits de legitimidad.

Queda pues por delante un largo camino en la construcción de una sociedad civil moderna en México, y de mecanismos democráticos de relación entre ésta y el Estado, en sus múltiples formas y niveles. Lo mejor que puede pasar es que se produzca un proceso simultáneo de construcción de la sociedad civil y del Estado de derecho.

Bibliografía

Bensusán, Graciela, 2004, "A new scenario for mexican trade unions: changes in the structure of political and economic opportunities", en Middlebrook Kevin J., *Dilemmas of political change in Mexico*, Londres, Institute of Latin American Studies, pp. 237-285.

Calvillo, Miriam y Alejandro Favela, 2004, "Dimensiones cuantitativas de las organizaciones civiles en México", en Cadena Roa, Jorge (ed.). *Las organizaciones civiles mexicanas hoy*, México, CEIICH-UNAM, Centro Mexicano de Filantropía.

_____, 2003, *Fondos Federales para Apoyar Proyectos de las OSCs*, México, Indesol-Cemefi.

_____, 2007, *Recursos públicos federales para apoyar las actividades de las organizaciones de la sociedad civil*, México, Indesol-Cemefi.

Cohen, Jean L. y Andrew Arato, 2000, *Sociedad civil y teoría política*, México, FCE,

Chatterjee, Partha, 2008, *La nación en tiempo heterogéneo y otros estudios subalternos*, Buenos Aires, Clacso-Siglo XXI.

Dagnino, Evelina, Alberto Olvera y Aldo Panfichi (eds.), 2006, *La disputa por la construcción democrática en América Latina*, México, FCE-Universidad Veracruzana-CIESAS.

Durston, John, 2001, *Capital social-parte del problema, parte de la solución. Su papel en la persistencia y en la superación de la pobreza en América Latina y el Caribe*, Santiago, CEPAL.

Fukuyama, Francis, 1996a, *Confianza*, Buenos Aires, Atlántida.

_____, 1996b, *Trust: the social virtues and the creation of prosperity*, Nueva York, Simon and Schuster.

_____, 2001, *La gran ruptura*, Barcelona, Ediciones B.

Hevia, Felipe, 2006, "¿Cómo construir confianza? Hacia una definición relacional de la confianza social", en *Transparencia, rendición de cuentas y construcción de confianza en la sociedad y el Estado mexicanos*, Alberto Hernández Baqueiro (ed.), México, IFAI, CEMEFI, pp. 15-36.

_____, 2012, "Más allá de organizaciones civiles. Algunos problemas para caracterizar el fenómeno asociativo en México", en Alejandro Monsiváis y Víctor Alejandro Espinoza (eds.), *Régimen político, procesos electorales y espacio público: los claroscuros de la democracia en México*, Tijuana, COLEF.

Herrera, Fernando y Javier Melgoza, 2003, Evolución reciente de la afiliación sindical y la regulación laboral", en Enrique de la Garza y Carlos Salas (coords.), *La situación del trabajo en México*, 2003, México, UAM- IET-PYV.

Luna, Matilde, 1992, *Los empresarios y el cambio político, México, 1970-1987*, México, Era.

Luhmann, Niklas, 2005, *Confianza*, 2a ed., Barcelona, UIA-Anthropos.

Luján Ponce, Noemí, 1999, *La construcción de confianza política*, México, Instituto Federal Electoral.

Méndez, Luis, Carlos García y Marco Antonio Leyva (coords.), 2005, *Confederaciones obreras y sindicatos nacionales en México*, vol. 1, México, Eón Editores.

Olvera, Alberto J. (ed.), 1999a, *La sociedad civil: de la teoría a la realidad*, México, El Colegio de México.

_____, 1999b, "Apuntes sobre la esfera pública como concepto sociológico", en *Metapolítica* 9, enero-marzo de 1999, México, pp. 69-79.

_____, 2010, "Introducción. Instituciones garantes de derechos y espacios de participación ciudadana en una transición frustrada", en Alberto J. Olvera (ed.), *La democratización frustrada. Limitaciones institucionales y colonización política de las instituciones garantes de derechos y de participación ciudadana en México*, México, CIESAS-Universidad Veracruzana, pp. 13-58.

_____ y Efraín Quiñonez, 2001, "El contexto de la organización social en Veracruz", enJaime Castillo Palma, Elsa Patiño y Sergio Zermeño (eds.), *Pobreza y organizaciones de la sociedad civil en Veracruz*, México, RNIU-BUAP.

_____, 2003, *Sociedad civil, esfera pública y democratización en América Latina: México*, México, FCE-Universidad Veracruzana.

_____, Alfredo Zavaleta y Víctor Andrade (eds.), 2012, *Veracruz en crisis. Los retos del desarrollo, la democracia, la sociedad civil y el medio ambiente en Veracruz*, Xalapa, COVECYT-UV (4 volúmenes).

_____ y Hevia de la Jara, Felipe, 2012, "Capital social en el estado de Veracruz", en Olvera, Alberto J., Alfredo Zavaleta y Víctor Andrade Guevara (coords.), *Diagnóstico de la violencia, la inseguridad y la justicia en Veracruz*, Informe de investigación, Universidad Veracruzana y Consejo Estatal de Seguridad Pública de Veracruz.

Quiñonez León, Efraín, 2010, "Los Consejos Municipales para el Desarrollo Rural Sustentable en tres municipios veracruzanos: los procesos de participación y el desarrollo rural en un nuevo marco legal", en Olvera, Alberto J. (ed.), *La democratización frustrada: imitaciones institucionales y colonización política de las instituciones garantes de derechos y de participación ciudadana en México*, México, Centro de Investigaciones y Estudios Superiores en Antropología Social-Universidad Veracruzana-La Casa Chata, pp. 407-445.

Red Universitaria de Estudios de Opinión, y Iihs-Uv, 2012, *Encuesta estatal de capital social, cultura de la legalidad, percepción, victimación de la inseguridad y consumo de medios*, Xalapa, Universidad Veracruzana, resultados de investigación.

Shadlen, Kenneth C., 2006, *Democratization without representation, the politics of small industry in Mexico*, University Park, Penn State Press.

Story, Dale, 1986, *Industria, Estado y política en México: los empresarios y el Poder*, México, CNCA-Grijalbo.

Verduzco, Gustavo, 2003, *Organizaciones no lucrativas: una visión de su trayectoria en México*, México, Colmex-Cemefi.

LAS RELACIONES ENTRE EL ESTADO Y LA SOCIEDAD CIVIL ORGANIZADA EN EL NIVEL ESTATAL: LOS CASOS DE GUANAJUATO Y VERACRUZ

Lisandro Martín Devoto

Introducción

La transición democrática en México se materializó mediante la apertura gradual a la pluralidad en la participación política y a la alternancia en los distintos niveles de gobierno (Woldenberg, Salazar y Becerra, 2011). Estos cambios fueron impulsados y gestados por actores políticos y sociales. Sin embargo, el proceso de democratización se produjo a ritmos distintos a nivel federal y a nivel estatal, generando escenarios diversos de sustento a la vida democrática y a la plena vigencia del Estado de derecho, donde incluso han subsistido enclaves autoritarios (Campos, 2012). La apertura a la competencia política permitió que los procesos de alternancia fueran materializándose a lo largo y ancho del territorio nacional, originando gobiernos yuxtapuestos (De Rems, 1999). En este contexto, nueve estados aún no han experimentado la alternancia en el ejercicio del poder.

Finalmente, en el año 2000 el Partido Acción Nacional (PAN) resultó victorioso en la contienda electoral y accedió a la Presidencia de la República, produciéndose un cambio de partido en el gobierno federal por primera vez en más de 70 años. A 15 años de concretada la alternancia en la Presidencia de la República y a 26 años de la primera alternancia a nivel gubernatura, cabe hacerse algunas preguntas:

¿la alternancia en el ejercicio del gobierno ha ocasionado cambios en las relaciones Estado-sociedad? ¿Qué papel juega la sociedad civil organizada en el México de hoy? ¿Ha tomado la sociedad civil un papel más activo en la discusión de los problemas públicos y en la toma de decisiones de política? ¿Qué sucede allí donde no se produjo la alternancia en el gobierno?

Este capítulo presenta evidencia para ayudar a responder estos interrogantes, analizando los casos de los estados de Veracruz, que no ha experimentado la alternancia en el gobierno estatal, y Guanajuato que alcanzó la alternancia en 1991, siendo el segundo estado en lograrlo. Se describe el papel que hoy tiene la sociedad civil en estos estados mexicanos, qué temas aborda y cómo se relaciona con el Estado, haciendo visibles las interfaces[1] formales existentes que facilitan la interacción entre actores estatales y sociales, poniendo énfasis en el sector de organizaciones de la sociedad civil (OSC).[2] Este ejercicio resulta importante porque permite arrojar luz sobre los efectos de la apertura democrática a nivel subnacional y cómo ello ha cambiado, o no, la forma de relación entre actores gubernamentales y no gubernamentales.[3]

Se abordará particularmente el funcionamiento de los consejos en las temáticas que más desarrollo han alcanzado en el país: transparencia y acceso a la información, derechos humanos, y derechos de las mujeres. Al mismo tiempo se repasará brevemente qué consejos funcionan en el ámbito del desarrollo social, donde las OSC tienen mayor presencia.[4] El impulso a la participación social por parte de los go-

---

[1] La noción de interfaz es utilizada por Isunza (2006a; 2006b; Hevia e Isunza, 2010; Gurza Lavalle e Isunza, 2010) como un instrumento para analizar las relaciones entre sociedad civil y Estado, y es definida como "un espacio social constituido por los intercambios de sujetos intencionales, espacio de conflicto donde se hacen efectivas relaciones –comúnmente– asimétricas entre sujetos" (Gurza Lavalle e Isunza, 2010: 48).

[2] Cabe aclarar que la sociedad civil es heterogénea, por lo que no se limita a las OSC, sino que incluye organizaciones gremiales, religiosas, deportivas, culturales, movimientos sociales y urbano-populares, entre otras. Para una propuesta de clasificación ver Olvera (2003a).

[3] No se debe perder de vista que se trata del análisis de dos casos, que tienen sus particularidades históricas, políticas y sociales, por lo que los resultados de este trabajo no tienen pretensión explicativa más amplia.

[4] Según datos del Registro Federal de las Organizaciones de la Sociedad Civil de mayo de 2015, de las 22 974 organizaciones registradas, 11,529 estaban relacionadas a actividades de asistencia social y atención a grupos vulnerables, poco más de la mitad.

biernos federales del PAN surgió asociado al combate a la pobreza, en un contexto de políticas neoliberales, por lo que la vinculación con las OSC se sectorizó principalmente a la Secretaría de Desarrollo Social (Sedesol), lo que luego fue replicado en distintos estados. Esto no implica desconocer los avances logrados en la formación de interfaces socioestatales formales en otros ámbitos de política, como son el medio ambiente, la seguridad pública, la educación y el desarrollo rural, entre otros.

El trabajo se estructura a partir del análisis de la legislación vigente y de fuentes secundarias, complementado con la realización de entrevistas semiestructuradas a funcionarios de gobierno, empresarios, miembros de OSC y académicos en ambos estados. Las entrevistas fueron elaboradas en torno a la política de desarrollo y asistencia social, en el marco de un proyecto de investigación más amplio sobre las formas de relación Estado-sociedad civil (Devoto, 2013).

Las relaciones Estado-sociedad civil

Durante las últimas décadas del siglo XX, América Latina experimentó un proceso de doble transición (Armijo, Bierteker y Lowenthal, 1995; Haggard y Kaufman, 1995) y México no fue la excepción. Los cambios ocurridos en el ámbito político-institucional, denominados transiciones a la democracia, se dieron en paralelo con importantes transformaciones económicas que se tradujeron en la instauración del modelo neoliberal, con importantes consecuencias sociales en términos de desempleo, pobreza y desigualdad. Mientras se ampliaban los derechos políticos, el ejercicio de los derechos económicos y sociales se hacía cada vez más difícil para importantes sectores de la población. Los efectos de estos resultados fueron desalentadores e impactaron en la confianza ciudadana en las nuevas democracias en proceso de construcción. En México los niveles de apoyo y satisfacción con la democracia están entre los más bajos de la región (*Latinobarómetro*, 2013; 2015), lo que se refleja en los bajos niveles de confianza en sus instituciones políticas (ENCUP, 2012), situación que ha presentado altibajos con los procesos de alternancia de los últimos 15 años.[5]

Esta doble transición también tuvo consecuencias en el papel de la sociedad civil. Como identifican algunos autores (Dagnino, Olvera y Panfichi, 2006), se dio una pugna entre dos proyectos políticos[6] en la región: el democrático-participativo y el neoliberal. El primero relacionado con la ampliación de los derechos para distintos sectores de la población y con la creación de nuevos espacios de interacción entre sociedad y gobierno, entendiendo que la política es un ámbito de conflicto donde existen distintas posiciones en tensión, y que la participación de la sociedad civil debe jugar un papel central, más allá del voto. Por otro lado, el proyecto neoliberal plantea la despolitización de la sociedad civil, concibiendo su participación desde la cooperación con el Estado, ocupando ciertos vacíos que éste dejaba en la atención de necesidades de la sociedad como consecuencia de las nuevas políticas económicas, y que quedaban a su vez fuera de la órbita del mercado, conformando lo que la teoría llamó el "tercer sector".[7] Sin embargo, ambos proyectos se valen de un lenguaje similar en torno a la participación ciudadana como motor del cambio, generando una "confluencia perversa" (Dagnino, Olvera y Panfichi, 2006), ya que los mismos conceptos reflejan proyectos políticos contrarios.

Durante los años del régimen de partido hegemónico, la relación de los gobiernos priistas con la sociedad se caracterizó por su amplia inclusión, bajo una estructura corporativa y clientelar, a lo que se sumaban mecanismos de cooptación a través de incentivos colectivos y

---

[5] En 2015 sólo 48% de los mexicanos expresaba su preferencia por la democracia por sobre un gobierno autoritario, su nibel más bajo en 2013, con 37%, pero todavía lejos del pico de 63% de 2002 (*Latinobarómetro*, 2013; 2015). *El Informe país sobre la calidad de la ciudadanía en México* (IFE, 2014), realizado por el Instituto Federal Electoral (IFE), permite conocer datos desagregados para algunos estados de la República.

[6] La noción de proyecto político es utilizada por los autores "para designar los conjuntos de creencias, intereses, concepciones el mundo y representaciones de lo que debe ser la vida en sociedad, los cuales orientan la acción política de los diferentes sujetos" (Dagnino, Olvera y Panfichi, 2006: 43).

[7] El concepto de "tercer sector" no puede equipararse al de sociedad civil ya que el "tercer sector" habría sido creado sólo para "llenar los huecos de atención a las necesidades sociales dejados por el Estado y el mercado" (Olvera, 2003: 22). La sociedad civil implica una intención de acción política, de crítica y control al Estado, que excede la complementariedad que plantean los teóricos del "tercer sector".

selectivos. Quienes se mostraban abiertamente opositores y críticos, por otro lado, experimentaban la faceta más autoritaria del régimen. Es por ello que la sociedad civil en el México posrevolucionario se caracterizó por su debilidad y falta de autonomía frente al Estado (Olvera, 2003; Oxhorn, 2011), situación que se vería parcialmente modificada a partir de la década de 1960, y con la activación de la sociedad civil prodemocrática desde la década de 1980.[8] Ya en la de 1990 y en el 2000, las OSC atravesarían un momento de cambio y profesionalización, pasando de una actitud de confrontación con el Estado a una más propositiva, del enfrentamiento a la complementación y el trabajo conjunto, aunque manteniendo protagonismo en acciones de control sobre los procesos de toma de decisiones e impulso a una agenda de exigencia de derechos.

Esta construcción democrática en un contexto de desconfianza en los actores políticos llevó a que las OSC se transformaran en una vía de participación para importantes sectores de la población, incluso de participación política. El involucramiento de actores de la sociedad civil en la vida política e institucional del país se dio en un principio a través de la incorporación de líderes sociales a funciones de gobierno y la creación de interfaces socioestatales formales. Aunque existieron experiencias previas a nivel local y estatal, fue con los gobiernos del PAN que se impulsó a nivel federal la institucionalización de la participación ciudadana más allá de las formas de democracia directa,[9] sobre todo por medio de un impulso legislativo que moldeara de nueva forma las políticas públicas. Esto mostraba un cambio en la postura del gobierno y, al mismo tiempo, un crecimiento en la capacidad de incidencia de un sector de la sociedad organizada.

Olvera (2010b) identifica dos estrategias de democratización que se han seguido en México: una institucional definida por el Estado y

---

[8] Como consecuencia de las acciones de distintas organizaciones en diversos estados del país que lucharon por la apertura democrática, en 1994 se formaría la Alianza Cívica, organización que embanderó las transformaciones de la democracia mexicana. Al respecto, véase Olvera, 2003a; 2010c.

[9] Estos procesos son identificados en la literatura bajo el concepto de "innovación democrática", que se define como el "proceso de creación institucional que va más allá de la promulgación de formas de participación ciudadana directa como el plebiscito, el referéndum y la iniciativa popular, y en el que se articulan modalidades continuas –no extraordinarias– de incidencia social sobre el poder público y su aparato administrativo, e incluso sobre el propio sistema político" (Gurza Lavalle e Isunza, 2010: 21).

otra de "participación ciudadana" a través de interfaces socioestatales. Sin embargo, aunque la creación de interfaces formales es importante para la consolidación de la cultura democrática, no garantiza la autenticidad de los participantes y, por consiguiente, el cumplimiento de sus objetivos para una ampliación de las prácticas democráticas (Olvera, 2003). El análisis del funcionamiento de estas instancias a nivel federal arroja que presentan importantes déficits de transparencia y rendición de cuentas, lo que pone en entredicho su eficacia y su legitimidad y las convierte, muchas veces, en espacios de simulación (Hevia *et al.*, 2011). Por consiguiente, aunque ciertamente existen más espacios de participación, el sector de OSC no parece haber fortalecido su capacidad de influencia sobre las decisiones de gobierno (Tapia, 2010).

Para el desarrollo del capítulo se toman algunas herramientas analíticas de los avances que la literatura presenta hasta el momento. En primer lugar, Isunza (2006a; Hevia e Isunza, 2010; Gurza Lavalle e Isunza, 2010) construye, a partir de la revisión de casos empíricos, una tipología constituida en tres formas básicas de relaciones intencionales entre actores societales y estatales a partir del bien base del intercambio, cada una de las cuales contiene a su vez tres tipos de relaciones. Los actores pueden relacionarse por información (saber), poder (hacer) y objetos o valores (tener), por lo que siguiendo esta lógica "los sujetos se comunican (hacen saber), se dominan u ordenan (hacen hacer) o se proveen de bienes materiales o simbólicos (hacen tener)" (Gurza Lavalle e Isunza, 2010: 49).[10]

En segundo lugar, Hevia *et al.* (2011) presentan una calificación de lo que denominan instancias públicas de deliberación (IPD), definidas como "instituciones colegiadas donde actores gubernamentales y no gubernamentales deliberan en el espacio público sobre diversos campos de políticas sectoriales" (Hevia *et al.*, 2011: 67). Aunque el concepto de IPD presenta problemas en cuanto a la concepción de la deliberación, la clasificación propuesta resulta útil para el análisis de interfaces que pueden ser: *1)* "intraestatal", conformada sólo por ac-

---

[10] Estas tres relaciones –los tipos base– se transforman en nueve al considerar la direccionalidad de los vínculos propia del análisis relacional, por lo que cada bien base del intercambio puede influir a su vez en tres sentidos posibles: de la sociedad al Estado, del Estado a la sociedad o en ambos sentidos.

tores gubernamentales; *2)* "socioestatal", donde interactúan actores gubernamentales y no gubernamentales, o sólo conformadas por actores no gubernamentales pero que mantienen contacto regular con instancias estatales; *3)* "social", donde todos los participantes son no gubernamentales y no se relacionan con actores de gobierno; y *4)* "estatal-social", instancias intraestatales donde se puede invitar a actores no gubernamentales con voz pero sin voto.

Respecto a los actores presentes en el sector diverso y plural de OSC en México, Tapia (2010) identifica tres tendencias: un sector asistencial que atiende y presta servicios a sectores vulnerables de la población; un sector de organizaciones sociales que buscan el autobeneficio a favor de sus miembros –claves en el régimen priista–; y un sector de organizaciones civiles y de promoción del desarrollo, opuesto al asistencialismo y la caridad de las primeras y a la subordinación política a cambio de recursos por parte de las segundas. Estas tres tendencias se mantienen vigentes y conforman el sector asociativo mexicano, aunque el sector de organizaciones que trabajan por la ampliación de derechos podría constituir una cuarta tendencia, entendiendo que la autora las incluya en la tercera.

Para finalizar es necesaria una breve mención de los mecanismos de rendición de cuentas ya que, como menciona Peruzzotti (2010: 247), "reducen los riesgos que inevitablemente conlleva todo proceso de delegación de poder". A partir del trabajo inicial de O'Donnell (1998; 2001) que planteaba la *accountability horizontal* –sistema de pesos y contrapesos entre los distintos poderes del Estado– y la *accountability vertical* –las elecciones–, han surgido conceptos que ayudan a entender la mayor complejidad de las democracias modernas, y que presentan canales alternativos para exigir rendición de cuentas a gobernantes y funcionarios públicos, una característica propia de las democracias representativas liberales. La *accountability* social (Peruzzotti y Smulovitz, 2002; Peruzzotti, 2010)

...es un mecanismo de control vertical, no electoral, de las autoridades políticas basado en las acciones de un amplio espectro de asociaciones y movimientos ciudadanos, así como también en acciones mediáticas. Las iniciativas de estos actores tienen por objeto monitorear el comportamiento de los funcionarios públicos, exponer y denunciar actos ilegales de éstos y activar la operación de agencias horizontales de control (Peruzzotti y Smulovitz, 2002: 32).

Para su correcto funcionamiento, este mecanismo requiere de una sociedad civil activa y medios de comunicación autónomos, interesados en influir sobre el sistema político. Por otro lado, la rendición de cuentas transversal (Isunza, 2006a, 2006b; Gurza Lavalle e Isunza, 2010) es

...*"dirigida a través"* de las instituciones del Estado [...] Son aquellos mecanismos que, si bien son instituciones del Estado, están diseñadas y funcionan de tal forma que hunden sus raíces de manera explícita en la sociedad civil, a través de la presencia especialmente protegida de ciudadanos independientes y autónomos que no representan pero sí ejemplifican las cualidades de un *ethos* ciudadano" (Isunza, 2006a: 283).

Los principales ejemplos son los consejos ciudadanizados que pueden ejercer funciones directivas como el Instituto Nacional Electoral (INE) y el Instituto Nacional de Transparencia, Acceso a la Información y Protección de Datos Personales (INAI); o funciones consultivas y de control como los institutos de las mujeres y las comisiones de derechos humanos. Finalmente, los autores de la innovación democrática definen la rendición de cuentas *societal* (Gurza Lavalle e Isunza, 2010) como aquella *accountability* social que es impulsada por actores colectivos.

Guanajuato: el modelo panista de relación con la sociedad

El Estado de Guanajuato fue el segundo en experimentar la alternancia en el gobierno estatal, después de que Baja California Sur lo lograra en 1989. En 1991, Carlos Medina Plascencia entonces presidente municipal de la ciudad de León por el PAN, es designado gobernador interino mediante un mecanismo de acuerdos informales de cúpula que se llamó "concertacesión",[11] luego de una elección que había

---

[11] Las "concertacesiones" fueron un pacto de la dirigencia nacional del PAN con el presidente de la República y el PRI, que concedía resolver los conflictos poselectorales y

dado como ganador al PRI, en un contexto de airadas denuncias por fraude que derivaron en un conflicto poselectoral, algo que resultaba común en aquellos tiempos de incipientes alternancias.

Desde la década de 1930, luego de la creación del Partido Nacional Revolucionario (PNR, antecesor del PRI), el estado se caracterizó por sus enfrentamientos con las decisiones tomadas desde la Presidencia de la República, y por su apoyo a las candidaturas antioficialistas. Fue un estado donde la Revolución no tuvo demasiado eco, y que a lo largo de su historia se ha singularizado por defender el federalismo, el municipalismo y la religión católica, así como por su cultura emprendedora (Rionda, 2012).

Estas características históricas que marcaron a la sociedad guanajuatense encontraron en el PAN su canal de representación política, ya que el partido ha ganado de manera consecutiva las elecciones para gobernador, en 1995 con Vicente Fox, en el 2000 con Juan Carlos Romero Hicks, en 2006 con Juan Manuel Oliva y en 2012 con Miguel Márquez. En este periodo también se ha mantenido como la principal fuerza en el Congreso estatal, alcanzando la mayoría absoluta en cuatro de las seis legislaturas desde 1997 a la fecha.[12]

Esta nueva conformación política otorgó a Acción Nacional la posibilidad de impulsar su visión política integral desde el ejercicio del gobierno, lo que incluyó una renovada forma de interacción con la sociedad. Los gobiernos del PAN han impulsado reformas legales para normar los modos de participación ciudadana en la toma de decisiones, creando diversas interfaces socioestatales con miras a enriquecer la deliberación en torno a las políticas públicas. En ese sentido, se han consumado modificaciones a la Ley sobre el Sistema Estatal de Asis-

---

distender las tensiones políticas y sociales, aunque por fuera de todos los carriles constitucionales y legales existentes. Véase Ling, 1992; Valencia, 1993; Loaeza, 1999; y Eisenstadt, 2006.

[12] En la LVII Legislatura (1997-2000) obtuvo 44.4% de los diputados, alcanzando por primera vez en la historia la mayoría simple (16 de los 36 diputados), pero a partir de la LVIII Legislatura (2000-2003) obtuvo ininterrumpidamente la mayoría absoluta por los siguientes cuatro periodos legislativos: 63.9% (23) en la LVIII Legislatura, 52.8% (19) en la LIX Legislatura (2003-2006), 63.9% (23) en la LX Legislatura (2006-2009) y 61.1% (22) en la LXI Legislatura (2009-2012). En las elecciones de julio de 2012 perdió esta mayoría absoluta de forma ajustada, al obtener 50% (18) de los diputados locales que conforman la LXII Legislatura (2012-2015). Guanajuato es uno de los estados donde Peschard (2008) identifica la construcción de una nueva hegemonía, ya que no ha vuelto a producirse una alternancia en el gobierno estatal desde 1991.

tencia Social (LSEAS) y se han dictaminado la Ley de Planeación del Estado, que se alinea con los criterios de la Ley Nacional, la Ley de Participación Ciudadana, la Ley de Desarrollo Social y Humano para el Estado y los Municipios de Guanajuato (LDSH), la Ley para Prevenir, Atender, Sancionar y Erradicar la Violencia contra las Mujeres, la Ley para la Protección de los Derechos Humanos, La Ley de Transparencia y Acceso a la Información, así como el Decreto Gubernativo número 86 que modifica la estructura del Instituto para las Mujeres Guanajuatenses (IMUG), y el Decreto Gubernativo 125 de 1999 que creó el mencionado Instituto. Todos estos ordenamientos legales hacen referencia a la participación ciudadana y a la necesidad del trabajo conjunto con distintas organizaciones de la sociedad.

En lo que parece ser el principal avance legal en la creación de instancias de participación, la LDSH, sancionada en 2006, establece la participación ciudadana como uno de los principios de la política de desarrollo social y humano, y en su artículo 9 la define como el "derecho de las personas y organizaciones a intervenir e integrarse, individual o colectivamente, en la formulación, ejecución y evaluación de las políticas, programas y acciones del desarrollo social y humano". Asimismo, la ley crea el Registro Estatal de Organizaciones de la Sociedad (artículos 36 y 37), y establece que el gobierno puede realizar acciones e inversiones conjuntas con distintas organizaciones, y que éstas pueden recibir fondos públicos para operar proyectos para el desarrollo social (artículo 35). Para acceder al financiamiento público las OSC deben estar inscritas en el Registro Estatal.

Finalmente, es importante mencionar que existe en el Congreso del Estado una iniciativa de Ley de Fomento a las Actividades de las Organizaciones de la Sociedad Civil, presentada por el Grupo Parlamentario del PRI. Aunque ésta es una demanda que un grupo conformado por OSC y académicos ha venido impulsando por algunos años, la discusión parece desarrollarse puertas adentro y sin la participación de la sociedad civil.[13]

---

[13] Información disponible en la página del Congreso del Estado de Guanajuato, en el apartado de comunicados, <http://www.congresogto.gob.mx/comunicados/promueve-el-gppri-iniciativa-de-ley-de-fomento-a-las-actividades-de-las-organizaciones-de-la-sociedad-civil>, consulta: mayo de 2015.

La sociedad civil guanajuatense

Dos características importantes del estado son la religión católica (cerca de 95% de la población la profesa) y la cultura emprendedora. Sus profundas raíces religiosas impactan fuertemente en los valores de la sociedad y, por ende, en las temáticas que motivan su participación y sus formas organizativas. Tanto la Iglesia católica como los grupos empresarios tienen una presencia determinante y una fuerte influencia sobre el gobierno y su partido, al que aportan recursos humanos y económicos. León es la ciudad más importante del estado y, por consiguiente, concentra las instancias más influyentes: la Arquidiócesis y la cúpula empresarial de esta ciudad.[14]

La influencia de estos dos actores se extiende a distintos ámbitos,[15] donde destacan las universidades y las organizaciones de la sociedad civil. Los vínculos con las instituciones de educación superior han sido históricos por parte de la Iglesia católica, como es el caso de la orden jesuita,[16] mientras que el empresariado también ha desarrollado vínculos con instituciones educativas para la inserción laboral, la capacitación y el desarrollo de proyectos conjuntos.

En lo que respecta al sector asociativo, una gran mayoría de las OSC activas en el estado son de carácter asistencial, y muchas están vinculadas a la Iglesia católica, entre las que se encuentran hogares de niños, asilos de ancianos, centros de atención a las adicciones, instituciones de asistencia a personas con discapacidad, entre otros. CARITAS podría resultar un ejemplo paradigmático que a su vez apoya a otras organizaciones, y que en ocasiones ha recibido dinero público para hacerlo. Sin embargo, muchas organizaciones no vinculadas a la Iglesia son más activas en su relación con el gobierno, donde destaca,

---

[14] Además de la importancia central de la ciudad de León, vinculada a la industria del cuero y el calzado, el corredor industrial incluye los municipios de Celaya, Salamanca, e Irapuato.

[15] Incluso se menciona la existencia de una organización llamada El Yunque, un "grupo de tinte religioso-militar, que fue adquiriendo notoriedad en el campo de la educación y se convirtió en el semillero que durante los noventa dotaría de cuadros importantes al grupo en el poder en campos como la educación, la perspectiva de género, la salud reproductiva y el desarrollo social" (Martínez, 2008: 170).

[16] En el estado la Universidad Iberoamericana pertenece a la Compañía de Jesús. La Universidad La Salle también tienen un cariz religioso, y la Universidad de Guanajuato lo tuvo en sus orígenes.

por ejemplo, el Patronato Pro-Hogar del Niño de Irapuato (o Villa Infantil), por ser una de las instituciones más dinámicas en la atención a menores y en la participación en interfaces socioestatales, aunque manteniendo una visión principalmente asistencial. Otro fenómeno que puede apreciarse en el estado es la vinculación entre políticos y OSC, siendo la familia del exgobernador Vicente Fox un claro ejemplo, que cuenta con el Centro Fox y la asociación civil Vamos México, además de otras relaciones con OSC asistenciales. No obstante, la existencia de este nexo no implica su activación con fines políticos ni electorales.

En el estado existen también OSC que trabajan por el desarrollo de las comunidades. La Fundación Comunitaria del Bajío (FCB), de Irapuato, la Fundación Dishani, de San Miguel de Allende, y el Centro de Desarrollo Agropecuario (Cedesa), de Dolores Hidalgo, fueron referidas como las de mayor presencia en sus respectivas regiones.[17] Tanto para las organizaciones asistenciales como para las de desarrollo, la relación con los empresarios es importante para la procuración de fondos privados mediante su participación o la de sus esposas en sus patronatos.

Finalmente, hay organizaciones que se ocupan de la defensa y exigencia de derechos, donde sobresalen aquellas que defienden los derechos sexuales y reproductivos de las mujeres y la perspectiva de género, temas que se tornan centrales y conflictivos por el arraigo del conservadurismo y los valores de la Iglesia católica en Guanajuato. La organización más influyente en el tema es el Centro Las Libres,[18] que busca incidir en la incorporación de una perspectiva de género tanto en el desarrollo de políticas públicas y en el proceso legislativo, como en la procuración e impartición de justicia. El Centro de Dere-

---

[17] Tanto la FCB como la Fundación Dishani fueron creadas durante el gobierno de Fox, cuando se buscó fomentar la figura de las fundaciones comunitarias para el desarrollo social, junto con las fundaciones de León y Celaya. CEDESA, por su parte, surge en la década de 1960, en un contexto de reclamos por la tierra, e influida por la teología de la liberación y las comunidades eclesiales de base. Se realizaron entrevistas con las personas que dirigen cada organización en los meses de mayo y octubre de 2012.

[18] Las Libres fue fundada en el 2000 para trabajar el tema de los derechos sexuales y reproductivos de las mujeres, poniendo el énfasis en la despenalización del aborto en este estado. La información sobre el Centro Las Libres fue obtenida por medio de una entrevista realizada a su directora en mayo de 2012.

chos Humanos Victoria Diez es otra de las organizaciones importantes en este sector.

Actúan en el estado grupos que viven del chantaje político a los gobiernos panistas como Antorcha Campesina, misma estrategia de relación que aplica en ocasiones la CNC, el sector campesino del PRI. Estas prácticas configuran "formas inciviles de acción colectiva" (Hevia y Olvera, 2013) y conforman interfaces socioestatales informales.

Las principales características del sector asociativo guanajuatense son: *1)* el bajo nivel de trabajo conjunto, de formación de redes; *2)* la escasa incidencia de las OSC en el proceso de toma de decisiones y en funciones de control sobre el gobierno; y *3)* la centralización de funciones en pocas organizaciones que ejercen una importante función de intermediación, e incluso de representación de sus pares ante las autoridades.

En primer lugar, las organizaciones suelen actuar aisladas o reunirse en pequeños grupos que no llegan a constituir redes de acción consolidadas, lo que por lo general trae aparejado una baja visibilidad de su trabajo y sus demandas, debido a una inexistente capacidad de incidencia y una limitada presencia en el espacio público. Al ser las OSC mayoritariamente asistenciales, sus actividades principales se enfocan en la atención de la población en situación de vulnerabilidad y en asegurar sus fuentes de financiamiento para continuar activas. Participar de la vida política e institucional o controlar el ejercicio del gobierno no está entre sus prioridades. Las mismas organizaciones han identificado esta debilidad y han buscado crear redes y fortalecerlas, con el apoyo de instituciones de educación superior y del Comité Técnico Consultivo de la Ley Federal de Fomento a las Actividades Realizadas por Organizaciones de la Sociedad Civil.

La limitada capacidad de incidencia del sector está íntimamente relacionada con su falta de trabajo coordinado y conjunto, lo que reduce su representatividad y, por consiguiente, su peso ante las distintas instancias de gobierno. Sin embargo, muchas organizaciones generan interacciones positivas con funcionarios públicos en el ámbito de su competencia, logrando resolver problemas e intercambiar experiencias a través de interfaces socioestatales informales.

Al mismo tiempo, la creación de interfaces formales legalmente sustentadas ocasiona problemas, ya que para muchas organizaciones participar implica distraer tiempo y dinero de sus propias actividades.

Ya sea por falta de interés o de capacidad, son pocas las que deciden ocupar estos espacios constituyendo la tercera característica del sector asociativo en el estado: algunas OSC ejercen funciones de representación e intermediación con el gobierno. Parece existir una especie de autorización –expresa o tácita– para que las organizaciones más experimentadas, que suelen contar con la capacidad y la profesionalización para interactuar con el gobierno, representen al sector en interfaces socioestatales formales, las cuales a su vez luego comunican los avances o estancamientos en el diálogo con las autoridades gubernamentales en lo que constituye un incipiente ejercicio de rendición de cuentas, no formulizado.

También parece existir cierta configuración social que no ayuda a que las OSC tengan un papel políticamente más activo en el estado, ni siquiera para ejercer funciones de control o exigir rendición de cuentas, ya que el acercamiento con el gobierno o los partidos políticos crea en la sociedad una imagen asociada con la falta de independencia o de autonomía de estas organizaciones, lo que puede afectar su trabajo y el acceso a fuentes de financiamiento y, por consiguiente, la supervivencia de la propia organización.

En resumen, las organizaciones civiles parecen vincularse con instancias estatales por cuestiones concretas: *1)* las organizaciones asistenciales para gestionar financiamiento y apoyo para sus actividades y proyectos; *2)* las organizaciones orientadas al desarrollo para obtener fondos y colaborar con el gobierno en las temáticas que trabajan, esto incluye participación en consejos ciudadanos; y *3)* las organizaciones que trabajan con una visión de derechos buscan generar contactos con los tres poderes del Estado (Ejecutivo, Legislativo y Judicial) para denunciar violaciones de derechos, ejercer la defensa de las víctimas y producir cambios en la legislación.

Sólo estas últimas organizaciones, como es el caso del Centro Las Libres, mantienen una clara estrategia de incidencia ante instancias gubernamentales que toma forma a través de una vinculación cercana con los medios de comunicación –locales, nacionales e incluso internacionales–, la formación de redes y las movilizaciones callejeras que proporcionan una mayor difusión y representación de sus demandas y la concreción exitosa de sus objetivos. Así funcionan los mecanismos de rendición de cuentas social y transversal que activan los dispositivos horizontales propios de la división de poderes.

Estas acciones resultan cruciales para dar visibilidad a su agenda, lo que ejerce presión sobre las autoridades con el fin de lograr avances en la defensa de los derechos. La relación de Las Libres con el Poder Ejecutivo y con el PAN se distingue por la confrontación, aunque la organización mantiene vínculos relativamente estables con el Poder Legislativo –más con el grupo parlamentario del PRD– y el Poder Judicial del estado, para los que suele ser referencia obligada en temas de género y derechos sexuales y reproductivos de las mujeres, y a los que incluso brinda capacitación en la materia. Su actuación fue crucial para lograr la despenalización del aborto en Guanajuato, luego de que en 2010, 166 mujeres fueran denunciadas por abortar, 40 de ellas fueran procesadas y 30 encarceladas por el delito de homicidio en razón de parentesco.

Innovación democrática: un repaso a las interfaces

A pesar de la proliferación de espacios formales de interacción entre sociedad y gobierno, que responden a una concepción de participación ciudadana más allá del momento electoral, la lógica de gobierno continúa primando en su funcionamiento. Gran parte de estas instancias están constituidas en su mayoría por funcionarios gubernamentales, y los que cuentan con presencia de actores no gubernamentales tienen limitadas atribuciones, lo que lleva a que su impacto resulte marginal o nulo. La tabla 1 exhibe las principales características de algunas de estas interfaces existentes en el estado.

El gobierno de Guanajuato se relaciona con las OSC principalmente la Secretaría de Desarrollo Social y Humano (Sedeshu). El Consejo Consultivo para el Desarrollo Social y Humano es un órgano permanente y plural que brinda asesoría a la Sedeshu. Es presidido por el titular de la SEDESHU, quien a su vez designa al secretario técnico y presenta al gobernador las propuestas sobre los consejeros que lo integrarán, que deben representar a los sectores social, privado, académico, científico y cultural, vinculados con el desarrollo social y humano (dos por sector) para su designación.

La Dirección de Articulación con Organismos de la Sociedad Civil de la Sedeshu gestiona el Registro Estatal de OSC y colabora en el otorgamiento de apoyos económicos entregados por el Comité de Selección de Apoyos a OSC, una instancia intraestatal integrada por el secretario de Finanzas (presidente), el titular de Sedeshu (secretario técnico) y, como vocales, el secretario particular del gobernador, el director general del DIF estatal y el subsecretario de Desarrollo Social de la Sedeshu.

Tabla 1. *Interfaces en el estado de Guanajuato*

Interfaz	Tipo de interfaz (+)	Bien base del intercambio (*)	Núm. de integrantes	Selección de integrantes
Consejo Consultivo para el Desarrollo Social y Humano	"socioestatal"	Información	12 (1 de gob. y 11 SC)	Gobernador a propuesta del titular de la Sedeshu.
Comité de Selección de Apoyos a OSC	"intraestatal"	Bienes y servicios Poder	5	Establecida en los lineamientos para la aplicación de los recursos de la partida presupuestal 4450.
Consejo Estatal del Programa Comunitario Integral	"socioestatal"	Información	16 (9 gob. y 7 SC)	No establecen mecanismo, sí la composición del Consejo.
Consejo Directivo del IMUG	"socioestatal"	Información Bienes y servicios	12 a 15 (11 gob. y hasta 4 de OSC)	Gobierno: establecidos en Decreto núm. 86 OSC: Gobernador selecciona a propuesta del Consejo Directivo.

CEPASEVM	"socioestatal"	Información	Por lo menos 18 (16 gob. y 2 OSC)	Gobierno: establecida en la Ley de Acceso de las Mujeres a una Vida Libre de Violencia. OSC: decisión del CEPASEVM.
Consejo Consultivo de la PDHEG	"socioestatal"	Información	Por lo menos 7 (al menos 4 no podrán ser servidores públicos)	El Congreso del Estado a propuesta del gobernador.
Consejo General del IACIP	"socioestatal"	Información Poder	4	El Congreso del Estado, por 2/3, a propuesta del gobernador.

Fuente: Elaboración propia con base en la legislación vigente.
(+) Tomando clasificación propuesta por Hevia *et al.* (2011).
(*) Basado en la clasificación propuesta por Gurza e Isunza (2010).

Uno de los programas de la Sedeshu, el Programa Comunitario Integral, también cuenta con un Consejo Estatal conformado por nueve actores gubernamentales (cuatro del nivel estatal, uno del nivel federal y tres de municipios) y siete actores no gubernamentales (dos del sector privado, dos del sector social y tres del sector educativo). Su función es meramente consultiva, porque cede las principales atribuciones de decisión al Comité Técnico del programa, compuesto por seis integrantes: uno del sector privado (lo preside), el titular de la Sedeshu (secretario), y cuatro vocales de los cuales sólo tres tienen derecho a votar (uno del sector social y dos secretarios del gabinete estatal). Por otra parte, el Instituto de las Mujeres Guanajuatenses (IMUG), también sectorizado a la Sedeshu, y que está mandatado a trabajar de la mano con la sociedad y la academia, cuenta con la presencia de hasta cuatro representantes de OSC en su Consejo Directivo –su máxima autoridad–, un órgano colegiado que cuenta con 10 integrantes provenientes de diversas dependencias de gobierno y es presidido por una ciudadana designada directamente por el gobernador (que no es la directora del Instituto, que también integra el Consejo).

El Consejo Estatal para Prevenir, Atender, Sancionar y Erradicar la Violencia contra las Mujeres (CEPASEVM) es el órgano de dirección del Sistema Estatal creado con los mismos fines. Está conformado en su mayoría por los titulares de diversas secretarías del gobierno del estado, del IMUG, del Instituto de la Juventud, del DIF, y de la Procuraduría de Derechos Humanos del Estado de Guanajuato (PDHEG); además de representantes de los municipios (por lo menos cuatro) y dos representantes de OSC especializadas en la protección de los derechos de la mujer. Estos últimos seis integrantes son designados por los miembros del Consejo por mayoría de votos, previa convocatoria pública.

El titular de la PDHEG (procurador) es designado por las dos terceras partes de los miembros del Congreso del Estado, entre los integrantes de una terna propuesta por el gobernador como resultado de una convocatoria pública. La Procuraduría cuenta con un Consejo Consultivo según lo establece la Ley para la Protección de los Derechos Humanos, presidido por su titular, y cuyos integrantes son propuestos por el gobernador y ratificados por el Pleno del Congreso –o por la Diputación Permanente (artículo 18)–. Para finalizar, el Instituto de Acceso a la Información Pública (IACIP) está dirigido por un Consejo General integrado por cuatro consejeros. En la conformación de las ternas que se elaboran para elegir a cada integrante, el gobernador debe considerar la opinión de instituciones gubernamentales y no gubernamentales especializadas en la materia.

En las interfaces mencionadas destaca la presencia de los secretarios del gabinete y de directores de diversas instituciones por parte del gobierno, y por parte de la sociedad civil suelen participar OSC, instituciones de educación superior y el sector empresario. Por lo general, las instancias participativas que tienen capacidad de decisión suelen estar integradas por una menor cantidad de personas, lo que facilita la consecución de acuerdos. Los consejos consultivos, por el contrario, suelen contar con más integrantes, lo que acrecienta su pluralidad pero dificulta las decisiones por consenso. Las atribuciones que tienen el gobernador y el Congreso del Estado para conformar estas interfaces dan muchas veces como resultado consejeros a modo, sobre todo cuando el partido en el gobierno controla también el Poder Legislativo.

Veracruz y la continuidad del "antiguo régimen"

Veracruz es uno de los estados que no han experimentado la alternancia partidista en el gobierno. Sin embargo, lejos de la seguridad de los triunfos de antaño, el margen de la victoria del PRI se ha reducido en las últimas elecciones, definidas por diferencias que no alcanzaron 3% en 2004 y en 2010. Por otra parte, tampoco ha experimentado la situación de gobierno dividido, ya que el PRI ha mantenido la mayoría absoluta en el Congreso local. En las últimas cinco legislaturas la única excepción fue la LX Legislatura (2004-2007), donde tanto el PRI como el PAN obtuvieron 42% de los diputados, y actualmente el PRI tiene 52% del Congreso[19] (cifra que aumenta si se consideran los diputados de los partidos aliados). Esto muestra que el PRI aún mantiene fuerza en Veracruz, aunque la oposición cada vez está más cerca de acceder al gobierno.

Esta situación tiene un impacto en la conformación de la sociedad civil veracruzana, en los objetivos que se plantea, en las funciones que cumple, y en las formas de relación con los gobiernos priistas. En palabras de Hevia y Olvera (2013: 183):

> Veracruz se caracteriza por un asociacionismo civil disperso, fragmentado y con un marcado carácter privado, y por la continuidad del modelo histórico en el cual el gobierno estatal ha tenido un control hegemónico sobre el mundo civil organizado. [...] Este modelo de asociacionismo es todavía el del viejo régimen, pues la transición democrática no ha llegado a Veracruz.

A pesar de no haberse producido la alternancia en el gobierno del estado, a partir de la alternancia en el gobierno de la República en el año 2000, se generaron cambios en el marco regulatorio veracruzano en lo referente a la participación de la sociedad en los asuntos públicos, siguiendo tendencias provenientes del ámbito federal. Por empezar, la Constitución Política del Estado reconoce los derechos de asocia-

---

[19] Los 50 diputados de la LXIII Legislatura se reparten de la siguiente manera: el PRI 26 diputados, el PAN 10, el Partido Verde seis, el Partido Nueva Alianza tres, el PRD dos, mientras que Movimiento Ciudadano, el Partido del Trabajo y el Partido Alternativa Veracruzana tienen uno cada uno.

ción y participación política, dando un marco general para el desarrollo de la legislación en este sentido.

La Ley sobre el Sistema Estatal de Asistencia Social, que data de 1987 y que no ha tenido reformas posteriores, ya planteaba un esquema participativo donde los sectores privado y social tomaban parte en algunos de los órganos de dirección del DIF estatal, puntualmente en el Patronato, aunque establecía una clara superioridad de las instancias de gobierno limitando la presencia de actores no gubernamentales a una mera formalidad.

La Ley de Desarrollo Social y Humano para el estado de Veracruz establece como uno de sus fines "fomentar la más amplia participación ciudadana para impulsar la política de desarrollo social y humano, con la participación de personas, comunidades, organizaciones y grupos sociales que deseen contribuir en este proceso de modo complementario al cumplimiento de la responsabilidad social del Estado" (artículo 1, inc. VI). A su vez incluye entre los principios de la política de desarrollo social y humano el de la participación social en todas las etapas de la política (artículo 40), e incluso dedica un apartado a la contraloría social (artículo 42 al 44), que activa la participación de los beneficiarios en la correcta aplicación de los recursos públicos.

La Ley de Protección de los Derechos de los Niños, Niñas y Adolescentes, establece mecanismos de participación de la sociedad organizada, en la instrumentación de programas públicos de atención a menores en situación de vulnerabilidad, y contempla el derecho de los sujetos de la ley a expresarse, reunirse y organizarse con fines diversos.

En el mismo sentido, la aprobación de la Ley de Fomento a las Actividades de Desarrollo Social de las Organizaciones Civiles para el Estado de Veracruz, significó un paso importante para el sector asociativo, por lo menos desde la formalidad del marco legal. Regula las actividades que éstas pueden desarrollar y establece sus derechos y obligaciones. La relación con las organizaciones civiles y sociales está sectorizada a la Subsecretaría de Gobierno, que se encarga de mantener actualizado el Registro de Organizaciones Civiles. En el mismo texto de la ley y de su reglamento se hace referencia al acceso a recursos y fondos públicos (artículo 14) mediante programas de la Subsecretaría de Gobierno y la Subsecretaría de Desarrollo Social, al cual sólo tendrán derecho aquellas organizaciones civiles inscritas en el Registro Estatal.

La sociedad civil veracruzana

En un estado donde el PRI se ha mantenido como partido gobernante y mayoritario, aunque lejos ya de la pasada hegemonía, la sociedad organizada presenta una gran diversidad tanto en sus objetivos como en sus acciones y en sus lealtades, generándose diferentes interacciones con el gobierno priista. En primer lugar, y como es propio de una continuidad en el régimen de gobierno, tienen una presencia significativa las organizaciones que representan y lideran a los distintos sectores constitutivos del PRI: la Confederación Nacional Campesina (CNC), la Confederación de Trabajadores de México (CTM y la Confederación Nacional de Organizaciones Populares (CNOP). Éstas conviven con muchas otras organizaciones sociales, e incluso con organizaciones independientes, entre las que se encuentran la Coordinadora Nacional de Organizaciones Cafetaleras (CNOC) y el Movimiento Agrario Indígena Zapatista (MAIZ), las que junto con otras organizaciones conforman el Consejo Nacional de Organizaciones Campesinas A.C. (Conoc), que embandera temas como el desarrollo rural sustentable y la soberanía alimentaria. También se aprecia en el estado la presencia de grupos que practican formas inciviles de acción colectiva, que como identifican Hevia y Olvera (2013: 182) "viven del chantaje político a las autoridades", y entre ellos los mismos autores hacen referencia al Movimiento de los Cuatrocientos Pueblos y Antorcha Campesina, ambos vinculados al PRI estatal.

Respecto a los empresarios, muchos de los que están vinculados a las actividades agrícolas y ganaderas son cercanos al gobierno, e incluso al PRI, algunos ocupando cargos de elección popular por el partido. También hay grandes empresarios de otros rubros[20] cercanos al partido como los Chedraui y los Ahued, e incluso miembros de estas familias han gobernado Xalapa o han sido diputados a nivel local y federal. Sin embargo, desde el sector empresario también han surgido líderes opositores que han gobernado ciudades de importancia como Boca del Río y Veracruz, desde su militancia en el PAN.

---

[20] Empresarios que se fortalecieron en torno al poder político de turno, basados en negocios seguros con información privilegiada, corrupción y explotación de los trabajadores con la anuencia del gobierno de turno.

Entre las instituciones de educación superior destaca la Universidad Veracruzana (UV), la casa de altos estudios más importante del estado. A pesar de haber logrado su autonomía en 1996, continúa siendo uno de los principales ámbitos de acción del PRI a través del Frente Juvenil Revolucionario (FJR), y de otros partidos políticos en una escala menor, ya que algunos dirigentes de organizaciones independientes también surgieron de la UV y se vincularon a partidos de izquierda. La universidad es además un referente serio de investigación académica para distintos sectores de la sociedad civil veracruzana, y una fuente de apoyo en la capacitación y construcción de proyectos y mantiene vínculos tanto con instancias gubernamentales como con la sociedad civil autónoma, por lo que confluyen en ella proyectos políticos distintos, lo que aumenta su capacidad de intermediación.

Por el lado de las organizaciones de la sociedad civil (OSC), existe un sector importante de aquellas que se dedican a actividades asistenciales, de atención a población vulnerable. El Consejo de Organizaciones Civiles del Estado de Veracruz (COCdeV) es una asociación civil que a su vez integra a 17 organizaciones de tipo asistencial, algunas de las cuales trabajan en conjunto con instituciones como el Sistema para el Desarrollo Integral de la Familia (DIF) estatal. A su vez, su principal aliado parece ser el Instituto Nacional de Desarrollo Social (Indesol), fuente de financiamiento de la asociación. Las asociaciones que integran el COCdeV no tienen entre sus prioridades la defensa y exigencia de derechos, por lo que la crítica o la exigencia de transparencia y rendición de cuentas a las autoridades estatales no suele formar parte de su repertorio de acción.

En paralelo existen los sectores de OSC que trabajan por el desarrollo comunitario y por el avance de los derechos en la entidad, destacando aquellas vinculadas a mujeres y niños por el desarrollo social y por una ciudadanía más participativa. La existencia de este sector de asociaciones civiles autónomas en un contexto de mayor pluralidad, mayores libertades y ejercicio de derechos marca una novedad en el estado respecto a la situación vigente bajo el régimen de partido hegemónico. Los antecedentes de estas organizaciones pueden encontrarse en las luchas por la tierra que llevó adelante el movimiento agrario, en las luchas por la vivienda, donde hubo una influencia importante de la teología de la liberación a través de las comunidades eclesiales de base y, ya en la década de 1990, las luchas electorales en el contexto de la democratización en México.

La Red Cívica Veracruzana (Recive) y, su antecesora, la Red de Organismos Civiles de Veracruz, surgida en la década de 1980, aglutinan a un grupo importante de estas organizaciones[21] en lo que concierne a tres aspectos fundamentales: *1)* la búsqueda de la ciudadanización de las políticas públicas, *2)* el acceso a la información, que de alguna manera remite a la idea de la contraloría social, y *3)* el aspecto de control y observación electoral, respecto a la exigencia de mayor justicia y equidad en las contiendas. En esta red participan organizaciones que a su vez mantienen una importante actividad en sus diversos campos de acción: municipalismo, derechos de las mujeres, poblaciones callejeras, proyectos comunitarios autogestivos y la lucha por la vivienda, entre otros temas. Estas organizaciones sostienen una posición común, crítica y vigilante frente al gobierno estatal, lo que las lleva a actuar en conjunto en el ejercicio de funciones de rendición de cuentas social y transversal por medio del contacto con los medios de comunicación, de las movilizaciones y de la participación en consejos consultivos o ciudadanos.

Este sector de las OSC no es en particular el más favorable para el PRI y sus gobiernos, con los que parece mantener una relación de "desconfianza mutua". No obstante, el sector asociativo asistencial parece ser suelo fértil para la creación de asociaciones civiles ligadas a partidos políticos o ciertos políticos individuales con fines clientelares, cuya actividad suele incrementarse en periodos electorales siguiendo patrones tradicionales de cooptación y simulación. Un caso particular parece ser el del Instituto Veracruzano para la Filantropía A.C. (Invefi), que mantiene estrechos vínculos con el PRI por la trayectoria que su fundadora y presidenta tuvo en el partido,[22] y que tie-

---

[21] Las organizaciones miembro de la RECIVE son el Movimiento Agrario Indígena Zapatista (MAIZ), el Centro de Estudios y Servicios Municipales "Heriberto Jara" (CESEM), el Colectivo Feminista de Xalapa, Salud y Género, el Movimiento de Apoyo a Niños Trabajadores de la Calle (Matraca A.C.), Desarrollo Autogestionario (AUGE), Pobladores A. C., Radio Comunitaria de Teocelo, Asamblea Veracruzana de Iniciativas y Defensa Ambiental (LA VIDA), Asesoría y Servicios Rurales, A.C. (ASER, vinculada con MAIZ), Consultoría para una Planeación Alternativa (COPAL), A.C., y Servicios Integrales para el Desarrollo Comunitario (Sidec) A.C.

[22] Previamente había desempeñado el cargo de directora de Vinculación con la Sociedad Civil del Comité Directivo Estatal del PRI (oficina que desapareció al desvincularse

ne como finalidad apoyar con los trámites legales a las personas que quieran constituir una asociación civil, tanto en territorio estatal como en su registro ante el Instituto Nacional de Desarrollo Social (Indesol). Parece ser una organización con la intención de fortalecer el tejido asociativo, pero su fuerte vinculación con el partido y el gobierno permite dudar sobre la autenticidad del papel que juega en la entidad.

Finalmente, también actúan en Veracruz algunas organizaciones de la sociedad civil radicadas en el Distrito Federal, como son Visión Mundial, Un Kilo de Ayuda, Fundación Mexicana para el Desarrollo Rural (FMDR A.C.) y Fondo para la Paz I.A.P. Salvo la FMDR A.C., que presenta nuevas opciones de desarrollo rural para los pequeños productores y campesinos, las organizaciones son principalmente asistenciales, aunque algunas también buscan aplicar programas para el desarrollo y la sustentabilidad de las comunidades como lo hace Fondo para la Paz en la región de Zongolica. Estas organizaciones generan vínculos directos con funcionarios del gobierno estatal, y es así como logran impulsar proyectos, por lo regular bajo esquemas de aportes mutuos y en ocasiones de corresponsabilidad, tercerizando las funciones que debe asumir el Estado.

Las principales características del sector asociativo veracruzano son: *1)* la formación de redes, tanto entre organizaciones asistenciales como entre las que apuntan al desarrollo y la defensa de derechos, activas pero limitadas y *2)* la convivencia de diversos proyectos políticos, uno cercano al gobierno y mayoritariamente asistencial, que se activa como mecanismo clientelar; y otro que apunta a una activación política de la sociedad autónoma para incidir en el proceso de toma de decisiones y en funciones de control sobre el gobierno, aun en procesos electorales.

Esta última característica no debe pasarse por alto. Las organizaciones miembro de la Recive consideran importante su participación como observadores electorales y su trabajo en consejos locales y distritales del Instituto Nacional Electoral, debido a que las condiciones que priman en la entidad no aseguran procesos limpios, equitativos y transparentes. El problema más grave parece ser en los procesos orga-

---

ella para formar el Invefi), e incluso fue designada coordinadora de Vinculación con la Sociedad Civil y Redes Sociales Ciudadanas de la campaña de Enrique Peña Nieto en el estado de Veracruz con miras a la elección presidencial del 1 de julio de 2012.

nizados por el Instituto Electoral Veracruzano, ya que por estar identificados como organizaciones críticas del PRI y del gobierno se les impide participar. Aunque la reforma política de 2013-2014 buscó atender estos déficits en el funcionamiento de las autoridades electorales locales,[23] habrá que esperar para ver qué resultados arroja su instauración. Al parecer en Veracruz ni siquiera se han asegurado elecciones justas, libres y equitativas.

La composición de las interfaces en Veracruz

La tabla 2 ilustra algunas de las interfaces formales existentes en el estado, como resultado de los cambios producidos en la legislación.

Tabla 2. *Interfaces en el estado de Veracruz*

Interfaz	Tipo de interfaz (+)	Bien base del intercambio (*)	Núm. de integrantes	Selección de integrantes
Consejo Estatal de Desarrollo Social	"estatal-social"	Poder Información Bienes y servicios	18 fijos + número variable (gobernador preside)	La Ley de Desarrollo Social y Humano estipula los funcionarios que lo conforman.
Consejo Estatal de Asistencia para la Niñez y la Adolescencia (DIF)	"estatal-social"	Poder Información	8 (gobernador preside)	La Ley de Protección de los Derechos de los Niños, Niñas y Adolescentes establece los funcionarios que lo conforman.

---

[23] El IEV ha funcionado bajo el control de los gobernadores por medio del control del Congreso, encargado de la designación de sus integrantes previo a la reforma político-electoral de 2013-2014. Al respecto se recomienda ver: Berger, 2008; Méndez y Loza, 2013.

Tabla 2. *(Continuación)*

Consejo Consultivo de la CEDHV	"socioestatal"	Información	10 (5 hombres y 5 mujeres) Presidente de la CEDHV lo preside.	Congreso del Estado previa consulta con sectores de la sociedad civil, académicos y especialistas.
Junta de Gobierno del IVM	"socioestatal"	Información Poder Bienes y servicios	10 (gobernador tiene voto de calidad)	La Ley del Instituto Veracruzano de las Mujeres establece su conformación.
Consejo Consultivo del IVM	"socioestatal"	Información	12-20	La Junta de Gobierno del IVM a propuesta de la sociedad.
Consejo Social del IVM	"socioestatal"	Información	12-20	La Junta de Gobierno del IVM a propuesta de la sociedad.
Consejo General del IVAI	"socioestatal"	Poder Información Bienes y servicios	3	Congreso del Estado por 2/3 partes, a propuesta del gobernador luego de realizar consulta abierta.

Fuente: Elaboración propia con base en la legislación vigente.
(+) Tomando clasificación propuesta por Hevia (2011).
(*) Basado en la clasificación propuesta por Gurza e Isunza (2010).

En primer lugar, La Ley de Desarrollo Social y Humano estipula la creación del Consejo Estatal de Desarrollo Social (artículo 35 y siguientes), integrado por el gobernador (lo preside), el secretario de Desarrollo Social (secretario ejecutivo), los titulares de 11 secretarías, el contralor general, el director general del Sistema DIF, la directora del Instituto Veracruzano de las Mujeres, el jefe de la Oficina de Programa de Gobierno, el coordinador general del Comité de Planeación para el Desarrollo del estado, los representantes de las dependencias y entidades del Gobierno Federal con presencia en el estado con atribuciones relacionadas con el desarrollo social, los presidentes de las comisiones del Congreso que tengan relación con el desarrollo social, y un secretario técnico que designará el secretario de Desarrollo Social.

El presidente del Consejo podrá invitar a presidentes municipales, representantes de la iniciativa privada, académicos o investigadores y representantes de la sociedad que tengan reconocimiento en el ámbito del desarrollo social, por lo que estamos frente a una interfaz que, tomando prestada la clasificación propuesta por Hevia *et al.* (2011), podría definirse como "estatal-social".

Por otro lado, el Consejo Estatal de Asistencia para la Niñez y la Adolescencia se crea para el cumplimiento de la función tutelar de los derechos de niños, niñas y adolescentes, y lo integran el gobernador (presidente), el presidente de la Junta de Gobierno del DIF estatal, tres secretarios del gabinete, el procurador general de Justicia; el director general del DIF estatal, y un secretario ejecutivo.

Para el nombramiento de Consejeros del Consejo Estatal de Derechos Humanos del Estado de Veracruz (CEDHV), el Congreso del Estado, por conducto de la Comisión Permanente de Derechos Humanos y Atención a Grupos Vulnerables, debe consultar a cinco diversas asociaciones u organismos civiles con probada experiencia en la materia; y oír las opiniones del presidente de la CEDHV y de, por lo menos, tres académicos reconocidos y especialistas en la materia, antes de presentar al Congreso las propuestas para que realice la elección y los nombramientos respectivos.

El Instituto Veracruzano de las Mujeres (IVM) cuenta con diversas interfaces socioestatales, instancias colegiadas que cuentan con la participación de funcionarios de gobierno y personas provenientes de distintos sectores de la sociedad civil. La Junta de Gobierno la integran el gobernador (voto de calidad), la directora del Instituto, tres secretarías de Estado, la presidenta de la Comisión de Equidad, Género y Familia del Congreso del Estado, dos vocales del Consejo Consultivo y dos vocales del Consejo Social. Los últimos cuatro miembros deben ser electos en el seno de su respectivo Consejo. Por su parte, tanto el Consejo Consultivo como el Consejo Social del IVM se integran a propuesta de los diferentes sectores de la sociedad con experiencia y/o formación en materia de equidad de género (Ley del IVM, artículo 23 y 31), y tienen la atribución de proponer al gobernador una terna de mujeres para ocupar la dirección del Instituto.

Finalmente, el Instituto Veracruzano de Acceso a la Información (IVAI) cuenta con un Consejo General compuesto por perfiles propuestos por distintos sectores de la sociedad, y legitimados mediante un proceso democrático abierto a las opiniones. El gobernador debe proponer una terna por cada puesto a ser ocupado, y el Congreso seleccionar a los consejeros por el voto de las dos terceras partes de sus integrantes.

La conformación de interfaces en el estado de Veracruz, en los ámbitos de política analizados, parece responder a un patrón donde los actores gubernamentales, y principalmente el gobernador, toman un rol protagónico. Sin embargo, existen instancias compuestas sólo por actores no gubernamentales, propuestos por los distintos sectores de la sociedad organizada, situación que se da tanto en los órganos autónomos como la CEDHV y el IVAI –aunque el primero se trata de un consejo consultivo y el segundo de un consejo decisorio–, como en los consejos ciudadanos consultivos y del IVM.

Más allá de la letra de la ley, el funcionamiento de estas interfaces presenta importantes déficits, ya que en la mayoría de los casos fungen como "apéndices del gobierno", carentes de la autonomía que la ley o la misma constitución les otorga. Generalmente los puestos en estos consejos son ocupados por personas cercanas al gobierno y su partido, y la presencia de representantes de organizaciones autónomas termina siendo testimonial y legitimadoras de espacios que rozan la simulación. Las limitaciones de presupuesto también son un problema serio para instancias como el IVM y la CEDHV, y sus consejos consultivos, que muchas veces ni siquiera se reúnen (Devoto, 2013).

A modo de conclusión

Los casos presentados en este capítulo muestran dos estados con trayectorias históricas distintas y tradiciones diferentes, que pasan por momentos políticos disímiles. Uno, Guanajuato, que ha experimentado la alternancia hace casi 25 años y ha consolidado un proyecto político vinculado con el Partido Acción Nacional, que ha impulsado nuevas formas de relación Estado-sociedad con éxito moderado; y otro, Veracruz, que no ha atravesado por procesos de alternancia en el gobierno estatal y parece encontrarse en una situación de superposición entre una demorada transición a la democracia electoral, y un incipiente desarrollo de espacios de innovación democrática que todavía presenta marcadas deficiencias.

La sociedad civil exhibe características particulares en cada uno de los estados, aunque el sector asociativo externa las mismas tendencias que enumera Tapia (2010) y que retomáramos en la introducción del capítulo. Se conjugan un sector asistencial, un sector de organizaciones sociales que buscan su propio beneficio y un sector de promoción del desarrollo, a los que se debe agregar un cuarto sector, aquel de las organizaciones que luchan por la ampliación de los derechos y el acceso a su pleno ejercicio por el mayor número de personas. La situación social, cultural y política de Guanajuato llevó a un mayor desarrollo del sector asistencial, y a la conformación de una sociedad civil atomizada, donde cada uno busca resolver sus problemas en forma individual relegando las posibles soluciones a través de una acción colectiva más eficaz.

Asimismo, desde el marco legal, la relación entre gobierno y sociedad organizada parece ser estable e institucionalizada, con un Registro de OSC que funciona y un mecanismo de financiamiento a proyectos sociales que entrega anualmente apoyos al sector asociativo, aunque el principal déficit es de transparencia en la decisión del destino de los fondos y la conformación del Registro.

Por otro lado, la situación en Veracruz es diferente. Aunque también surge un sector asociativo, uno enfocado al desarrollo y uno que busca apertura en términos de derechos, existen organizaciones que parecen combinar varias de estas acciones. Esto se logra por la participación en redes que aglutinan a diversos actores sociales que impulsan intereses comunes. Es importante insistir en la activación de la Red Cívica Veracruzana (Recive) en momentos electorales, dejando ver los grandes déficits existentes en la materia a 15 años de consumada, para muchos, la transición a la democracia en México.

La alianza con medios de comunicación también resulta importante para hacer visibles estos problemas, lo que en ocasiones lleva a conseguir respuestas más rápidas. Veracruz es un ejemplo de cómo el proceso de democratización avanzó a diferentes ritmos a nivel federal y a nivel de los estados de la República, entre los cuales también hay heterogeneidad. Salvando todas las distancias y proporciones del caso, hoy la Recive parece ser a Veracruz lo que Alianza Cívica fue al país en plena transición democrática, sólo que 20 años más tarde.

Ambos estados han experimentado cambios en la legislación que permiten abrir nuevos espacios a la participación ciudadana. Empero, mientras en la sociedad civil guanajuatense parece haber primado el proyecto neoliberal, de tercer sector, en Veracruz está más presente el proyecto democrático-participativo, aunque en un contexto que todavía expresa significativos retrasos en materia de innovación democrática. Los cambios en la legislación nunca resultan suficientes si no se instauran correctamente, si no existe la intención de cumplirlos a cabalidad, y este problema parece estar mucho más presente en Veracruz.

En lo que respecta al funcionamiento de las interfaces socioestatales formales, Guanajuato parece haber alcanzado un mayor desarrollo generando principalmente consejos consultivos; mientras Veracruz ofrece limitados avances transformando estas instancias de participación en meras simulaciones, en espacios decorativos. Los actores no gubernamentales que participan de estos consejos en ambas entidades suelen coincidir: miembros de OSC, académicos y expertos, aunque en Guanajuato también destacan los empresarios como actores activos y presentes, y en Veracruz las organizaciones sociales (de autobeneficio como sindicatos) son las protagónicas.

En ambos estados los gobiernos buscan controlar los espacios de interfaz socioestatal, eligiendo a sus integrantes, limitando su accionar y su capacidad de incidencia, promoviendo éstas como instancias legitimadoras de decisiones gubernamentales, "asesorías gratuitas" o "candados ciudadanos". Cada gobierno parece reservar estos espacios de interacción para quienes comparten su proyecto político, vaciándolos del potencial deliberativo que debieran tener en el espacio público.

A esto debe sumarse cierta apatía por parte de la sociedad organizada para ocupar espacios de participación, lo que puede ser signo tanto de la debilidad de capacidades como de un real desinterés por lo público y, por ende, una concentración en sus temas de acción específicos y los mecanismos para conseguir sus fines y objetivos particulares. Esto parece acercarse a la situación vigente en Guanajuato, por lo que se da una sobrerrepresentación de aquellas organizaciones con mayores capacidades, y una subrepresentación de las que se encuentran en la situación opuesta.

Queda claro que las distintas expresiones de la sociedad organizada actúan movidas por sus propios intereses, y que la sola existencia de interfaces socioestatales –formales e informales– no implica necesariamente la consecuencia de avances democráticos o de mayor participación social y ciudadana. En este contexto, los gobiernos también buscan controlar el funcionamiento de estas instancias para su beneficio, y parecen lograrlo en la gran mayoría de los casos. En este contexto, es difícil que estos espacios generen política más inclusivas, plurales y eficientes para atender problemas públicos.

Bibliografía

Armijo, Leslie, Thomas Bierteker y Abraham Lowenthal, 1995, "The problem of simultaneous transitions", en Larry Diamond y Marc Plattner, *Economic Reform and Democracy*, Baltimore, John Hopkins University Press, pp. 226-240.

Berger Martínez, Cirla, 2008, "Las reformas electorales en el estado de Veracruz", en Peschard, Jacqueline (coord.), *El federalismo electoral en México*, México, H. Cámara de Diputados-UNAM-Miguel Ángel Porrúa, pp. 621-676.

Campos González, Sergio Alonso, 2012, "Paradojas de la transición democrática: autoritarismo subnacional en México", en *Estudios Políticos*, núm. 27, septiembre-diciembre, pp. 21-45.

Cohen, Jean y Andrew Arato, 2000, *Sociedad civil y teoría política*, México, FCE.

Dagnino, Evelina, Alberto Olvera y Aldo Panfichi (coords.), 2006, *La disputa por la construcción democrática en América Latina*, 1a. reimpresión, México, FCE-CIESAS-Universidad Veracruzana.

De Rems, Alain, 1999, "Gobiernos yuxtapuestos en México: Hacia un marco analítico para el estudio de las elecciones municipales", en *Política y Gobierno*, VI(1), México, CIDE, pp. 225-253.

Devoto, Lisandro, 2013, *Más allá de la alternancia. Relaciones entre partidos políticos en el gobierno y sociedad organizada en México*, tesis de doctorado, México, Facultad Latinoamericana de Ciencias Sociales (Flacso).

Eisenstadt, Todd, 2006, "Mexico's Postelectoral Concertacesiones. The rise and demise of a substitute informal institution", en Helmke, Gretchen y Steven Levitsky, *Informal Institutions and Democracy: Lessons from Latin America*, Baltimore, The John Hopkins University Press, pp. 227-248.

Encuesta Nacional Sobre Cultura Política Y Prácticas Ciudadanas (ENCUP), 2012, "Principales resultados ENCUP 2012", en http://www.encup.gob.mx/work/models/Encup/Resource/69/1/images/Presentacion-5ta-ENCUP_2013.pdf>, consulta: mayo de 2015.

Gurza Lavalle, Adrián y Ernesto Isunza Vera, 2010, "Precisiones conceptuales para el debate contemporáneo sobre la innovación democrática", en Isunza Vera Ernesto y Adrián Gurza Lavalle (coords.), *La innovación democrática en América Latina. Tramas y nudos de la representación, la participación y el control social*, México, CIESAS-Universidad Veracruzana, pp. 19-82.

Haggard, Stephan y Robert Kaufman, 1995, *The political economy of democratic transitions*, Political Science, Princeton, N. J, Princeton University Press.

Hevia, Felipe, 2010, "¿Participación efectiva o decorativa?: Consejos consultivos y demás órganos colegiados de deliberación en el gobierno federal en México", versión borrador para discusión, junio.

_____ y Ernesto Isunza, 2012, "Participación acotada: consejos consultivos e incidencia en políticas públicas en el ámbito federal mexicano", en Maxwell A. Cameron, Eric Hershberg y Kenneth E. Sharpe (eds.), *Nuevas instituciones de democracia participativa en América Latina: la voz y sus consecuencias*, México, Flacso, pp. 105-135.

_____, 2010, "La perspectiva de la interfaz aplicada a las relaciones sociedad civil-Estado en México", en Alberto Olvera (coord.), *La democratización frustrada. Limitaciones institucionales y colonización política de las instituciones garantes de derechos y de participación ciudadana en México*, México, CIESAS-Universidad Veracruzana, pp. 59-127.

_____ y Alberto Olvera, 2013, "Capital social en el estado de Veracruz", en Olvera, Alberto, Alfredo Zabaleta y Víctor Manuel Andrade (coords.), *Violencia, Inseguridad y justicia en Veracruz*, Xalapa-Veracruz, Universidad Veracruzana, pp. 165-213.

_____, Samana Veragara-Lope y Homero Ávila Landa, 2011, "Participación ciudadana en México: consejos consultivos e instancias públicas de deliberación en el gobierno federal", en *Perfiles Latinoamericanos* 38, pp. 65-88.

Instituto Federal Electoral, 2014, *Informe país sobre la calidad de la ciudadanía en México*, México, IFE-El Colegio de México.

Isunza Vera, Ernesto, 2006a, "Para analizar los procesos de democratización: interfaces socioestatales, proyectos políticos y rendición de cuentas", en Isunza Vera Ernesto y Alberto J. Olvera (coords.), *Democratización, rendición de cuentas y sociedad civil: participación ciudadana y control social*, 1ra. reimpresión, México, CIESAS-Miguel Ángel Porrúa, pp. 265-291.

_____, 2006b, "El reto de la confluencia. Las interfaces socioestatales en el contexto de la transición política mexicana (dos casos para la reflexión)", en Dagnino Evelina, Alberto J. Olvera y Aldo Panfichi (coords.), *La disputa por la construcción democrática en América Latina*, 1ra. reimpresión, México, Fondo de Cultura Económica-CIESAS-Universidad Veracruzana, pp. 275-329.

Latinobarómetro, 2013, "Informe Anual 2013", en <http://www.latinobarometro.org/documentos/LATBD_INFORME_LB_2013.pdf>, consulta: mayo de 2015.

_____, 2015, "Infome 1995-Agre 2015", en <http://www.latinobarometro.org/latNewsShow.jsp>, consulta: octubre de 2015.

Ling Altamirano, Alfredo, 1992, *Vamos por Guanajuato...*, México, EPESSA.

Loaeza, Soledad, 1999, *El Partido Acción Nacional: la larga marcha, 1939-1994. Oposición leal y partido de protesta*, México, FCE.

Martínez Mendizábal, David, 2008, *Política social y pobreza en Guanajuato. Reconstrucción de una trayectoria local útil para las entidades federativas*, México, Universidad Iberoamericana Campus León.

Méndez, Irma y Nicolás Loza (coords.), 2013, *Instituciones electorales, opinión pública y poderes políticos locales en México*, México, Flacso México.

O'donnell, Guillermo, 2001, "Accountability horizontal: la institucionalización legal de la desconfianza política", en *Postdata* 7, mayo, pp. 11-34.

_____, 1998, "Accountability horizontal", en *Ágora*, núm. 8, Buenos Aires.

Olvera, Alberto, 2010a, "The elusive democracy. Political parties, Democratic institutions, and civil society in Mexico", en *Latin American Research Review*, vol. 45, Special Issue, pp. 79-107.

_____, 2010b, "Instituciones garantes de derechos y espacios de participación ciudadana en una transición frustrada", en Alberto Olvera (coord.), *La democratización frustrada: limitaciones institucionales y colonización política de las instituciones garantes de derechos y de participación ciudadana en México*, México, CIESAS-UV, pp. 13-56.

_____, 2010c, "De la sociedad civil política y los límites y posibilidades de la política de la sociedad civil: el caso de Alianza Cívica y la transición democrática en México", en Bizberg, Ilán y Francisco Zapata (coords.), *Movimientos Sociales. Los grandes problemas de México*, t. VI, México, El Colegio de México, pp. 181-225.

_____, 2003a, *Sociedad civil, esfera pública y democratización en América Latina: México*, México, Universidad Veracruzana-Fondo de Cultura Económica.

_____, 2003b, "Movimientos sociales prodemocráticos, democratización y esfera pública en México: el caso de Alianza Cívica", en Olvera, Alberto J. (coord.), *Sociedad civil, esfera pública y democratización en América Latina: México,* México, Universidad Veracruzana-Fondo de Cultura Económica, pp. 351-409.

Oxhorn, Philip, 2011, *Sustaining civil society. Economic change, democracy and the social construction of citizenship in Latin America*, University Park, Pennsylvania, The Pennsylvania State University Press.

Peruzzotti, Enrique, 2010, "La política de accountability social en América Latina", en Isunza Vera, Ernesto y Alberto J. Olvera (eds.), *Democratización, rendición de cuentas y sociedad civil*, México, Miguel Ángel Porrúa-CIESAS-UV, pp. 245-264.

_____, Enrique y Catalina Smulovitz (eds.), 2002, *Controlando la política. Ciudadanos y medios en las nuevas democracias latinoamericanas*, Buenos Aires, Temas.

Peschard, Jacqueline (coord.), 2008, *El federalismo electoral en México*, México, H. Cámara de Diputados-UNAM-Miguel Ángel Porrúa.

Rionda, Luis Miguel, 2012, *Cien años de historia de los partidos políticos en Guanajuato, 1910-2010*, México, Instituto Electoral del Estado de Guanajuato.

Tapia Álvarez, Mónica, 2010, "Organizaciones de la sociedad civil y políticas públicas", en José Luis Méndez (coord.), *Políticas públicas. Los grandes problemas de México*, t. XIII, México, El Colegio de México, pp. 411-446.

Valencia, Guadalupe, 1993, "Guanajuato", en Silvia Gómez Tagle (coord.), *Las elecciones de 1991. La recuperación oficial* (Serie Disidencias), México, La Jornada-JV Editores.

Woldenberg, José, Pedro Salazar y Ricardo Becerra, 2011, *La mecánica del cambio político en México. Elecciones, partidos y reformas*, México, Cal y Arena.

EL PARTIDISMO COMO INDICADOR DE RECIPROCIDAD DEMOCRÁTICA. EL CASO DE LA CIUDAD DE MÉXICO

Carlos Luis Sánchez y Sánchez

Introducción

En su más reciente libro *Democracy and the Limits of Self-government*, Adam Przeworski (2010) señala que el advenimiento de la democracia pronto condujo al desencanto. Después de la liberalización, la transición y la consolidación, descubrimos, señala el autor, que todavía hay algo qué mejorar: la democracia (Przeworki, 2010: 28).

La calidad de la democracia surge como un tema/agenda de investigación considerando que, en el cumplimiento de condiciones institucionales mínimas (Dahl, 1971), un régimen democrático puede coexistir con profundos niveles de desigualdad, ausencia del Estado de derecho, opacidad, carencia de rendición de cuentas y una escasa correspondencia entre mayorías institucionales y preferencias ciudadanas (Reynoso, 2008).

La calidad de la democracia hace referencia a una cuestión de grado que prescribe lo mínimo aceptable y las mejores condiciones posibles (Levine y Molina, 2007). La consecución de una democracia de calidad se da por medio del funcionamiento de una serie de dimensiones institucionales y sustantivas que son: *i)* La dimensión del gobierno de la ley (*rule of law*) *ii)* la dimensión de rendición de cuentas (*accountability*) *iii)* la dimensión de reciprocidad (*responsiviness*) *iv)* el respeto pleno a la libertad individual expresado en un conjunto de derechos básicos y *v)* la constitución de mayor igualdad política, social y económica (Morlino, 2007: 30).

De esta forma, conceptualmente la calidad de una democracia es función de un gobierno de la ley, garante de las libertades y derechos individuales, en donde los individuos tienen las condiciones y la oportunidad de evaluar la responsabilidad y reciprocidad de las acciones de gobierno en términos de la satisfacción de sus propias necesidades y requerimientos (Morlino, 2007: 31).

Cada una de las dimensiones mencionadas conduce a variaciones que se expresan en indicadores concretos, que dan cuenta del rango óptimo o mínimo en que cada dimensión oscila y, que en su conjunto o por separado, permite establecer un panorama sobre el grado de calidad de una democracia en un contexto o país determinado.

En este trabajo quisiera centrarme de manera particular en la dimensión de reciprocidad o *responsiveness* en su denominación en inglés, reconociendo que la calidad de una democracia es una propiedad compleja empírica y conceptualmente vinculada al resto de las dimensiones ya mencionadas.

El interés por concentrarme en esta dimensión obedece a su naturaleza conceptual y sus implicaciones empíricas. La reciprocidad se refiere a la correspondencia de las decisiones políticas a los deseos de los ciudadanos (Powell, 2004, 2007), esta definición hace referencia al ideal de desempeño atribuido al gobierno democrático; en el sentido en que éste tiene "una disposición a satisfacer entera o casi enteramente a todos sus ciudadanos, sin establecer diferencias políticas entre ellos" (Dahl, 1993: 13).

Esta relación complejiza el afán de indagación empírica de la reciprocidad, con el hecho de discernir y proponer indicadores clave que proporcionen una aproximación mayor al grado en que se hace presente la asunción normativa básica, de que los gobernantes en calidad de formuladores de políticas en una democracia están haciendo lo que los ciudadanos quieren (Müller, 2000).

En este trabajo quiero exponer los niveles de identificación partidaria como una medida de reciprocidad con las preferencias ciudadanas, como una medida de satisfacción ciudadana. La propuesta se finca en la relevancia empírica que tuvo el incremento exponencial de la identificación con el PRD en la Ciudad de México, en el contexto de su gestión de gobierno durante el periodo 2000-2006.

Durante este tiempo el denominado perredismo de acuerdo con distintas mediciones creció en promedio 90%, la magnitud de este incremento conduce a postular, en concordancia con investigaciones precedentes, que los niveles de partidismo constituyen un indicador confiable del grado de relación con un determinado tipo de políticas, (Paramio, 1999) y en términos generales representan la suma continua del desempeño previo de los partidos en el gobierno (Fiorina, 1981).

En este caso en particular, se presenta que el aumento del perredismo obedeció a una lógica de desempeño y reciprocidad por la vía de la política social, esto conduce a reflexionar si la construcción del partidismo se vincula con la instauración de vínculos programáticos cercanos al modelo de gobierno de Partido Responsable (Adams, 2001), o próximos a una forma de interpelación/vinculación propios de una dinámica de desempeño clientelar o de intercambio particularizado.

En la primera sección del trabajo se anotan las condicionantes de carácter institucional que han dificultado que, en las democracias emergentes de América Latina, se articule una representación programática y predomine una dinámica de coordinación clientelar que surge para compensar los efectos del cambio de modelo económico, centrado en las reformas orientadas al mercado aplicadas a mediados de la década de 1980 y principios de la de 1990.

La segunda sección muestra cómo en México después del fin de la transición, la dinámica de la competencia se inscribe en un contexto de profunda desigualdad, y se articuló en torno a las posturas redistributivas que mantuvieron el gobierno federal encabezado por el Partido Acción Nacional (PAN) y el gobierno local dirigido por el PRD, durante el sexenio de Vicente Fox. Esto determinó una aplicación particularista de la política social como una medida para paliar la pobreza, que desde la perspectiva del PRD habían generado las políticas orientadas al mercado.

La tercera parte delinea las características de la política social en la Ciudad de México, el predominio de los programas de transferencia de renta directa que finalmente impactarían en la expansión de la identificación política con el PRD, situación descrita en la última parte de este trabajo.

Reciprocidad democrática en América Latina

La presencia del modelo de Gobierno de Partido Responsable (GPR) establece que la reciprocidad es producto de una rendición de cuentas intertemporal que se realiza sobre la base de *1)* divergencia programática de los diferentes partidos políticos *2)* estabilidad intertemporal en las preferencias partidarias y *3)* voto de los electores basado en preferencias programáticas.

Este modelo de representación ha sido rastreado en América Latina desde distintas perspectivas: en estudios sobre el grado de institucionalización partidaria (Mainwaring y Scully, 1995), en trabajos sobre la convergencia/divergencia de preferencias programáticas entre votantes y políticos (Ruíz Rodríguez y García Montero, 2003; Luna y Zechmeister 2005; Álcantara, 2004) o en estudios de opinión pública (Payne, 2003).

Sin embargo, el modelo ha enfrentado serias limitantes para explicar el vínculo de representación que se ha articulado de manera predominante en las democracias que emergieron principalmente durante la tercera ola de la democracia (Sartori, 1994), que producto de coyunturas críticas (Collier y Collier, 1991) marcadas por cambios estructurales en los modos de producción y gestión económica, el colapso del desarrollismo y la consecuente implantación de las reformas estructurales orientadas al mercado, crearon las condiciones para el predominio de una lógica de representación y acumulación política de naturaleza clientelar (Alonso, 2007, Hagopian, 2007, Kitschelt, 2007).

De esta forma, en un contexto de incipiente desarrollo democrático, el predominio en América Latina, del intercambio particularizado (Fox, 1994; Gay, 1994 y Shefner, 2001) ha girado en torno a un afán de los partidos políticos de adaptarse a un panorama social fragmentado por la permanencia de altos niveles de desigualdad y pobreza; en donde los partidos han redefinido sus estrategias de organización, relación y desempeño en función de una presencia cada vez más heterogénea de grupos de interés; de la expansión del sector informal de la economía y en general de grupos más segmentados alejados de las grandes divisorias sociales (campesinos, obreros, sectores medios).

Tal como lo señala Coppedge (2003), el cambio en el modelo económico, a partir de 1982 hasta 1990, afectó el perfil ideológico y los modos de organización de los partidos políticos en América Latina, posibilitando divergencia programática entre los partidos denominados de derecha que habrían apoyado las reformas orientadas al mercado, y los partidos de izquierda o centro izquierda que se opusieron a dichas medidas como la solución propuesta para la crisis económica en el continente.

Sobre la base de esta divergencia programática se asientan las estrategias de vinculación y correspondencia clientelar, y es que la distribución de bienes y servicios se impone sobre el modelo de GPR para asegurar la lealtad y catalizar la movilización política (Gordin, 2006). En principio para que en gran parte de los gobiernos de América Latina, entre ellos México, pudieran instituirse las reformas orientadas al mercado[1] (Roberts, 2003; Weyland, 1996; Stokes, 2001; Burgess y Levitsky, 2003; Magaloni, 2005), producto de las recomendaciones del llamado Consenso de Washington.

Los vínculos clientelares se erigieron en una medida para compensar los efectos de las reformas de libre mercado, los partidos desde el gobierno se adaptaron[2] a las transformaciones del modelo económico con lo cual se dio un resurgimiento de las estrategias de movilización y vinculación particularista (Kitschelt y Wilkinson, 2007), que en el largo plazo han constituido la base sobre la cual han surgido nuevos esquemas de reciprocidad democrática.

Los partidos políticos y distintos movimientos personalistas de izquierda, ante los evidentes y desalentadores resultados que tuvieron en términos de crecimiento económico la primera generación de re-

---

[1] Para Guillermo O'Donell (1995), la posibilidad de una coexistencia entre neoliberalismo e intercambio particularizado, se debió en gran medida a un tipo de poliarquía que se configuró en una primera etapa de los procesos de democratización, y que puede ser caracterizada como una democracia delegativa; la cual conlleva una fuerte concentración del poder en la figura del Ejecutivo, que sustentado en un fuerte liderazgo y sin la presencia de fuertes contrapesos institucionales le otorgó a la figura presidencial un alto grado de autonomía (Coppedge, 2003), este fue el caso del Perú de Alberto Fujimori y la Argentina de Carlos Menem durante la década de 1990.

[2] En estudios como los de Auyero (2001), sobre las prácticas clientelistas del peronismo, el de Schady (2000) sobre las tácticas asistencialistas de Fujimori previas a su reelección; los estudios de Magaloni (2005) y Magaloni, Díaz Cayeros y Estévez (2007) sobre México y la utilización electoral del Programa Nacional de Solidaridad, se abocaron en su análisis a mostrar cómo la utilización de los vínculos clientelares habrían coadyuvado en atemperar el efecto de los ajustes estructurales, en el sentido de constituirse en medidas compensatorias (De la Garza, 1996) que habrían permitido a los distintos partidos conservar o ampliar su base de apoyo.

formas estructurales, aprovecharon la oportunidad que el contexto de apertura y competencia democrática les ofrecía para proponer una vuelta al Estado interventor o, al menos, de forma menos radical, una mayor presencia del Estado en la regulación económica.

Con el incremento de la competencia electoral y la alternancia política que a nivel nacional y subnacional se produjo en distintos países de América Latina, dio lugar a procesos que han permitido el cambio de orientación de las políticas existentes (Lowi, 1994), los partidos políticos entraron de nuevo en una dinámica de adaptación (Levitsky, 2003) en donde recuperan o activan nuevos anclajes con estrategias de representación, que conllevan un intercambio particularizado de bienes y servicios sustentado en gran medida por el acceso a recursos estatales (Shefter, 1977).

De esta manera, en cualquiera de los dos casos: políticas de apertura económica o Estado interventor, han sido evidentes los efectos políticos que tiene la agregación de demandas,[3] basada en una representación y ejercicio de gobierno clientelar instrumentado por medio de políticas sociales de distinto cuño, las cuales han sustentado su viabilidad mediante subsidios focalizados o universales de distinta índole.

Reciprocidad democrática en el México postransición

En México después de una larga fase de transición que concluyó con el proceso electoral del 2 de julio del 2000,[4] terminó también una etapa en que el eje de la competencia política estuvo definido por demandas de democratización del régimen político,[5] encaminadas a dar

---

[3] David Hansen, Kirk Hawkins y Jason Seawright (2004) describen el funcionamiento de los Círculos Bolivarianos que le han permitido al presidente de Venezuela, Hugo Chávez, contar con una base de apoyo propia en los sectores sociales y urbanos. De igual forma, Levitsky (2003) da cuenta de cómo el peronismo se transformó en lo que él denomina un Partido de Masas Populista, logrando por un lado instrumentar reformas de mercado y por otro construir, mediante una estrategia clientelar, una nueva base de apoyo con las clases bajas de la Provincia de Buenos Aires.

[4] La elección de julio del 2000 fue un proceso "fundacional" que cumplió con los requisitos suficientes para dotar de legitimidad democrática al nuevo gobierno: libertad, limpieza y competitividad y sobre todo el reconocimiento y acatamiento de los resultados, no favorables, de la fuerza política identificada con el viejo régimen (Schedler, 2004).

[5] Para Alejandro Moreno (2002), la actitud a la democracia se convirtió durante el periodo de transición en un factor fundamental que subyació en una proporción considerable

304

cauce a una participación efectiva de la ciudadanía, regulada por instituciones formales de carácter procedimental[6] y donde comenzó un periodo caracterizado por un profundo debate, acerca de la capacidad de los gobiernos democráticamente electos para generar bienestar social y desarrollo económico.

En este contexto, el panorama social no dejó de mutar velozmente hacia un estado de mayor marginación y pobreza adquiriendo un perfil urbano producto de amplias transformaciones demográficas, lo cual fortaleció durante el gobierno de la alternancia el cuestionamiento a las políticas de ajuste y reestructuración económica y sus efectos.[7] Pronto el grado de satisfacción con la democracia se convirtió en una preocupación central para el gobierno, constituyéndose en un indicador del funcionamiento de la democracia vinculado con el nivel de reciprocidad[8] que el sistema político estaba teniendo en la solución de los problemas del país.[9]

---

de las preferencias ciudadanas. En este sentido, las inclinaciones antidemocráticas o prodemocráticas estuvieron vinculadas con la preferencia por el Partido Revolucionario Institucional (PRI), mientras que las actitudes que favorecían el cambio democrático se distribuyeron entre el Partido Acción Nacional (PAN) y el Partido de la Revolución Democrática (PRD).

[6] En torno a: *1)* Formas de acceso e integración de las Cámaras, *2)* la integración y funcionamiento de los órganos electorales, así como la constitución de tribunales especializados, *3)* los derechos y obligaciones de los partidos y asociaciones políticas, *4)* las condiciones de participación, *5)* mecanismos y montos de financiamiento a los partidos (Woldenberg *et al.*, 2000)

[7] Es menester señalar que el inicio de la transición coincide con el comienzo de un periodo marcado por un quiebre estructural del ingreso per cápita, que desde 1981 aumentaba a una tasa promedio muy baja de 0.5% anual (Esquivel y Hernández de Trillo, 2009: 278; Berg *et al.*, 2006 y Heston, *et al.*, 2006). A principios de la década de 1990 las reformas estructurales constituidas eran consideradas infructuosas o al menos subóptimas en sus resultados (Tornell *et al.*, 2004; García Verdú, 2007; Loayza *et al.*, 2005); para Puyana y Romero (2010) como un criterio general de evaluación, la desigualdad creció después de la adopción de la estrategia basada en la liberación comercial y en las reformas estructurales.

[8] Esto en concordancia con lo propuesto por Powell (2004), Diamond y Morlino, de utilizar este indicador como medida de reciprocidad, de armonía entre la opinión pública, la acción de los líderes y las políticas públicas (Levine y Molina, 2007)

[9] La gestión de un gobierno democrático se colocó como tema central en un sector importante de mexicanos, que en distintas mediciones a lo largo del sexenio de Vicente Fox Quesada, y es que de acuerdo con datos de la Encuesta Nacional de Cultura Política y Prácticas Ciudadanas (ENCUP) realizada por la Presidencia de la República, a través de la Secretaría de Gobernación, al preguntar a las personas sobre el grado de satisfacción que tenían con la democracia, los resultados mostraban en los levantamientos correspondientes de 2001, 2003 y 2005, que el porcentaje acumulado entre los pocos satisfechos y nada

Este clima de opinión de insatisfacción con la democracia fue el marco bajo el cual se desarrolló la dinámica de competencia política postransición, centrada en las posturas (re) distributivas que mantuvieron el PAN y el PRD durante el sexenio de Vicente Fox. El gobierno federal panista encabezado por el presidente de la República Vicente Fox y el PRD representado por el entonces jefe de Gobierno de la Ciudad de México, Andrés Manuel López Obrador, tenían dos visiones contrapuestas para hacer frente a la desigualdad social.

Por una parte para el gobierno federal solucionar la desigualdad implicaba una profundización de las reformas económicas llevadas a cabo durante las décadas de 1980 y 1990. Esta postura no resultó extraña debido a la identificación de antaño entre Acción Nacional y el programa económico de los gobiernos priistas de Miguel de la Madrid, Carlos Salinas y Ernesto Zedillo. Por otra parte, para el PRD y Andrés Manuel López Obrador, lo fundamental en términos programáticas era procurar el retorno a un Estado interventor propio del modelo económico desarrollista-posrevolucionario (Labastida, 2003).

En concordancia con sus orígenes y tomando como base de operación la Ciudad de México, el gobierno perredista buscaba rescatar las bases sociales, el Estado benefactor y su carácter asistencial; el proyecto gubernamental buscaba retornar a las bases tradicionales de legitimidad del sistema político, basado en un pacto social, adoptando un proyecto económico tradicional (Bruhn, 1997: 17). De esta forma, la estrategia de gobierno del PRD durante el periodo 2000-2006, supuso un cambio sustancial que traslada la atención al estado de profunda desigualdad económica existente en el país y sobre todo en la Ciudad de México.[10]

El reconocimiento de esta problemática reforzó la postura adoptada por el partido y su candidato desde la campaña electoral, la cual estuvo en todo momento centrada en propuestas destinadas a terminar

---

satisfechos con la democracia sumaban 55, 61 y 48%, respectivamente; de esta forma a lo largo del periodo 2000-2006, más de la mitad de las personas encuestadas a nivel nacional se encontraban insatisfechas con la democracia.

[10] Para Mainwaring (2006), lo importante de este cambio que puede definirse como un giro a la izquierda no radica sólo en la promesa de una mayor dedicación a los problemas y asuntos sociales, sino que en lo fundamental implica una fuerte crítica a la concepción liberal de la democracia.

con la pobreza, proporcionar protección a los ciudadanos, promover la educación y gobernar con la participación de todos los habitantes de la capital.[11]

Esto se tradujo en el Programa General de Desarrollo del Distrito Federal 2001-2006, el cual comienza su diagnóstico de la problemática capitalina como producto de la crisis profunda que México vive desde hace veinte años, que se afirma es culpa de "los equilibrios macroeconómicos dictados por intereses externos que han hecho recaer todos los costos de la llamada modernización sobre los hombros de las trabajadoras y los trabajadores".[12]

El PRD estructura con ello un discurso común en el que se expresan las líneas de acción como gobierno que se erigirán como una respuesta a la política económica vigente, esto constituye la posibilidad de hacer visible por primera vez de forma efectiva, bajo políticas públicas concretas, su denuncia del modelo neoliberal; la cual se convirtió en una constante programática, a la par de las demandas de mayor apertura democrática desde el surgimiento mismo del partido en 1988:[13]

Siempre nos hemos opuesto a esa política y ahora, desde el gobierno nos empeñaremos en probar con hechos que existen opciones distintas y viables. Nos comprometemos a que, en los límites que impone la condición territorial del Distrito Federal, pondremos en práctica una política cuyo centro será el ser humano, la familia y la defensa del medio ambiente.[14]

---

[11] En este sentido, durante la campaña electoral el Partido de la Revolución Democrática ofreció destinar 5 000 mil millones de pesos para ayudar a los pobres y la construcción de 20 000 unidades habitacionales; medidas que se aducía permitirían paliar los efectos del modelo neoliberal implantado por el gobierno federal (Grayson, 2006).

[12] Véase *Programa General de Gobierno, Gobierno de la Ciudad de México, 2001-2006*, Mexico, GDF, 2001, p. 9.

[13] El origen del PRD se remonta a la escisión que se produjo en el interior del Partido Revolucionario Institucional, de la denominada Corriente Democrática encabezada por Cuauhtémoc Cárdenas y Porfirio Muñoz Ledo, que dio lugar al surgimiento del Frente Democrático Nacional (FDN), coalición electoral que de la mano de Cuauhtémoc Cárdenas como candidato participó en las elecciones presidenciales de 1988. La Corriente Democrática y el FDN posteriormente sostenían en lo económico la necesidad de un proceso de renegociación de la deuda externa con la banca privada y, sobre todo, pugnaban por un fortalecimiento del Estado en la conducción económica como la vía para asegurar el crecimiento y la inclusión social (Ávila, 2006).

[14] *Programa General de Gobierno*, p. 10.

El posicionamiento como un partido de izquierda en el poder, se basó en apelar a un pasado económico que, según Garnier (2004), puede tipificarse como un giro conservador[15] en donde los grupos más pobres, los movimientos y partidos de izquierda se convierten hoy en los defensores de una institucionalidad desarrollista, a la cual criticaban, dado que intuyen es poco lo que se puede esperar de las estrategias de crecimiento neoliberales y es mucho lo que se ha perdido y se puede perder con el desmantelamiento progresivo del Estado de bienestar.

Sobre esta imagen y revalorización del Estado, el Gobierno de la Ciudad de México establece un principio de distinción al presentar un programa de gobierno que se contrapone abiertamente al mercado bajo su definición neoliberal.

Así, el Estado promotor y socialmente responsable adquiere centralidad con la política social como su instrumento primordial "Como gobierno socialmente responsable, centraremos la atención en la política de desarrollo social. Orientaremos los mayores esfuerzos a frenar el deterioro en las condiciones de vida que afectan a la mayoría de los habitantes del Distrito Federal. Los recursos se orientarán al desarrollo social y la lucha contra la pobreza".[16]

La política social del gobierno de la Ciudad de México: 2001-2006

Al asumir la jefatura de Gobierno de la Ciudad de México, Andrés Manuel López Obrador logró convertir el lema de su campaña "Por el bien de todos, primero los pobres", en el eje de identidad institucional de su sexenio, al condensarlo en todo el proceso de aplicación de la política pública del gobierno, en especial la política social en su conjunto.

En el Programa General de Desarrollo del Distrito Federal 2001-2006, se afirmaba que: "La política social se convertirá en el eje articu-

---

[15] Las posiciones de Izquierda y Derecha son contingentes al contexto, tiempo y estructura social en que las ideologías emergen y se desarrollan, sin embargo la comprensión de lo que significa ser de izquierda y de derecha para los efectos de este trabajo, se inserta de nueva cuenta en las denominadas coyunturas críticas (Berins y Collier, 1991) en donde de acuerdo con Giddens (1998), la derecha adopta las posturas de libre mercado o genéricamente llamadas neoliberales, mientras que la izquierda apela por las formas e instituciones vigentes tornándose conservadora.

[16] *Programa General de Gobierno*, p. 31.

lador de los programas que aplique el Gobierno de la Ciudad de México. El objetivo principal será evitar que continúe el deterioro en los ingresos de los más de dos millones de personas que en la capital sufren condiciones de pobreza o pobreza extrema.[17]

Al contraer el compromiso con los más pobres, el Gobierno de la Ciudad de México estableció los elementos que consideramos determinarían las condiciones para el predominio de una lógica clientelista de acumulación política (Alonso, 2007), en la formulación y aplicación de la política social: "El compromiso principal, sin embargo, será con aquellos que han sufrido del abandono y la desprotección del Gobierno Federal, y que por su situación de extrema precariedad y vulnerabilidad demandan atención urgente".[18]

Al confirmar un compromiso con un sector específico de la población, aceptar que la política social sería la directriz principal del gobierno, la alusión al fracaso de las acciones previas del gobierno federal en materia social y sobre todo la consideración a la opinión ciudadana, el Gobierno del Distrito Federal contraía una interacción directa con un conjunto de actores que a su juicio eran prioritarios al tomar en cuenta sus expectativas y necesidades. La vinculación entre gobierno y sociedad estaría determinada por el grado de concreción que habrían de tener los distintos programas que en su conjunto configurarían la política social.

Para el gobierno de la ciudad, la nueva política social establece una distinción con el hecho de enfocarse en los grupos urbanos más vulnerables: adultos mayores, indígenas, mujeres, jóvenes, niños y niñas en condiciones de vulnerabilidad, para más de 1 millón 634 mil 900 personas pertenecientes a estos segmentos sociales, se destinaría un conjunto de acciones basadas en el Programa Integral y Territorial de Desarrollo Social (PITDS), el cual estaba integrado por un conjunto de programas cuya lógica de aplicación dependió del grado de marginación existente en las dieciséis delegaciones políticas en que se divide política y territorialmente la Ciudad de México.

La estrategia estaría fincada en la identificación territorial de la pobreza, lo cual a juicio del gobierno garantizaría a los ciudadanos el ac-

---

[17] *Programa General de Desarrollo del Distrito Federal 2001-2006.* Apartado *Progreso con Justicia*, p. 59.
[18] *Ídem.*

ceso universal a sus derechos constitucionales en materia de bienestar social. El gobierno de la ciudad dividió a ésta en 1352 unidades territoriales, de este total se identificaron 767 con índices de marginación medio, alto y muy alto, que concentraba 58% de la población[19] objetivo de los trece programas sociales que iniciaron el primer año del gobierno perredista. Éstos se dividieron en las siguientes áreas:

Servicios asistenciales con ocho vertientes:

1) Prevención del delito
2) Estancias infantiles
3) Becas para los trabajadores
4) Apoyos a adultos mayores
5) Apoyos a personas con discapacidad
6) Apoyo a niños y niñas en condiciones de pobreza y vulnerabilidad
7) Apoyo a mercados públicos
8) Desayunos escolares

Construcción de obras y servicios con tres vertientes:

1) Rescate de Unidades Habitacionales de Interés Social
2) Ampliación y Rehabilitación de Vivienda
3) Construcción y mantenimiento de escuelas

Apoyo a actividades productivas con dos vertientes:

1) Apoyo a la producción rural
2) Crédito a microempresarios[20]

---

[19] Entre las delegaciones que destacan por su población en grado de marginación se encuentran principalmente: Iztapalapa con 85.15%, Tláhuac con 97.89%, Xochimilco con 86.17%, Iztacalco 76.18%, Cuajimalpa con 92.46% y Milpa Alta con 100%. Por otro lado, las delegaciones con menor grado de marginación son Benito Juárez con sólo 2.72% de su población en dicho estado y Miguel Hidalgo con casi 20%.

[20] Durante el siguiente año, las líneas programáticas cambiaron, en el área de Servicios asistenciales los programas sobre Prevención del delito, Estancias infantiles y Apoyo a mercados públicos desaparecieron. También en 2002, en el área de Construcción de obras y servicios desapareció el programa de Construcción y mantenimiento de escuelas y, finalmente, el área de Apoyo a actividades productivas se mantuvo sin cambios.

Desde el momento de su implantación, a partir del ejercicio fiscal 2001, el gasto social en lo que se refiere a beneficios económicos directos fue en constante aumento, en la distribución del presupuesto se dio una reclasificación en la integración de los programas. Durante el primer año la mayor parte del gasto fue destinado a los programas que constituyeron apoyos económicos directos: adultos mayores, apoyo a personas con discapacidad, apoyo a niños y niñas en condiciones de pobreza y vulnerabilidad y becas para trabajadores, con cerca de 1600 millones de pesos, esto representó el 36% del monto total ejercido, el restante 60% se dividió en partes iguales en los otros programas.

Gráfico 1. *Clasificación de los Programas Sociales por Destino del Gasto. (Porcentaje de erogación) 2001-2006.*

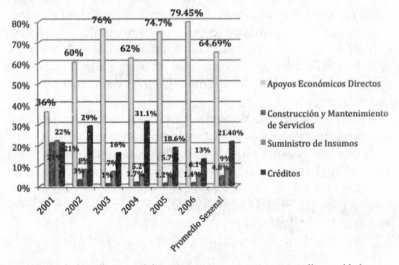

Apoyos económicos directos: adultos mayores, apoyo a personas con discapacidad, apoyo a niños y niñas en condiciones de vulnerabilidad, becas para trabajadores, apoyo a consumidores de leche Liconsa.*
Construcción y mantenimiento de servicios: Rescate a unidades habitacionales, mantenimiento de escuelas,** apoyo a mercados públicos,** estancias infantiles.**
Suministro de insumos: Prevención del delito,** desayunos escolares.
Créditos: Ampliación y rehabilitación de viviendas, crédito a microempresarios, apoyo a la producción rural,
*Programa instituido de 2002 a 2004.
** Programas aplicados sólo durante 2001.
Fuente: *Memoria de Actividades de la Jefatura de Gobierno 2000-2006,* Gobierno del Distrito Federal.

Por lo que en 2002, los apoyos económicos directos constituyeron la mayor erogación con 2 716.9 millones de pesos, 60% del presupuesto, los programas de crédito representaron 29% del gasto ejercido con 1 304 millones de pesos; suministro de insumos sólo con el programa de Desayunos escolares 8% con 357 millones y finalmente el gasto en Construcción y mantenimiento de servicios contando con el programa de Rehabilitación de unidades habitacionales, representó una erogación de 3% del presupuesto con 129 millones de pesos.

Por consiguiente, en 2003 y 2004, las líneas programáticas no sufrieron modificaciones, tampoco la línea ascendente en el gasto en apoyos económicos directos, en el primer caso la erogación ascendió al 76% del presupuesto, 3 500 millones de pesos; mientras que en 2004 a 62% con un gasto de más de 3 843 millones de pesos.

No obstante, en 2005 los programas se reducen a nueve vertientes que son las que prácticamente cierran el sexenio; al respecto los apoyos económicos directos representados en los rubros de apoyo a adultos mayores, apoyos a personas con discapacidad, apoyos a niños y niñas en condiciones de vulnerabilidad y becas para trabajadores, su erogación significó 75% del presupuesto ejercido con casi 4 060 millones de pesos.

El último año del sexenio representó la consolidación del gasto social mediante transferencias directas de renta, durante 2006 los beneficios directos sumaron más de 4 257 millones de pesos, casi 80% del presupuesto. Las cifras anteriores son reveladoras respecto a la manera en que se privilegió el gasto en beneficios económicos directos a lo largo del tiempo. Si observamos la gráfica 1 en promedio en el sexenio este rubro se llevó casi 65% del gasto social.

La expansión del perredismo en la Ciudad de México: 2000-2006

Existe un debate extenso con relación a los indicadores del grado de correspondencia entre las políticas aplicadas y las preferencias ciudadanas, indicadores entre los que se encuentran el nivel de satisfacción con la democracia,[21] el apoyo público a aspectos específicos

---

[21] Revisado de forma tangencial en este trabajo.

de las políticas públicas o su orientación general (Diamond y Morlino, 2005, Levine y Molina, 2007) no obstante se considera al sufragio[22] como el mecanismo que conecta la dimensión de reciprocidad con la dimensión de la rendición de cuentas, en la medida en que a los votos se les puede atribuir posiciones divergentes de políticas (Morlino, 2007), al mismo tiempo que expresan una distribución diferenciada de dichas posiciones. Con la unión entre reciprocidad y rendición de cuentas se están creando conexiones consistentes entre ciudadanos y elaboradores de políticas (Pitkin, 1984).

Sin embargo, en este apartado me interesa verificar la existencia de la reciprocidad utilizando como indicador descriptivo e inferencial la dinámica de la identidad partidista a lo largo del sexenio 2000-2006, y el impacto que tuvo la aplicación de la política social a través del Programa Integral Territorial de Desarrollo Social (PITDS) en el aumento en los niveles de perredismo, respectivamente. En este caso se propone una atribución posicional a la identidad partidista como reflejo de las políticas adoptadas.

Un primer punto de referencia del cambio en los niveles de partidismo, se presenta en el incremento observado del proceso electoral del 2000 al del 2006. Como se puede observar en la gráfica 2, el incremento en el caso del PRD es de más de 18 puntos porcentuales, mientras que en el caso del panismo y el priismo se exhibe una reducción de casi ocho y poco más de 10 puntos porcentuales respectivamente.

---

[22] El 2 de julio de 2006 el Partido de la Revolución Democrática (PRD) obtenía el triunfo por tercera vez consecutiva en la elección de jefe de Gobierno de la Ciudad de México y consolidaba su posición dominante en el espectro electoral de la capital del país; en la elección del Ejecutivo local, el candidato Marcelo Ebrard Casaubón ganaba con 46.37% de los votos, con una ventaja de 19 y más de 24 puntos porcentuales respecto del PAN y del PRI.

Gráfica 2. *Incremento y descenso en los niveles de partidismo 2000-2006*

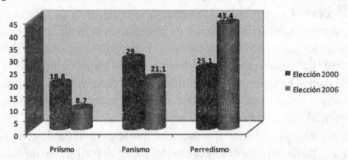

Fuente: Elaboración propia. Encuestas de salida aplicadas por el Departamento de Investigación de *Reforma*.

Otro conjunto de mediciones dan cuenta del incremento específico que tuvo el perredismo año con año en cada una de las dieciséis delegaciones políticas de la Ciudad de México, un incremento que como se podrá observar fue paulatino durante los tres primeros años del gobierno perredista. La tendencia que presentan las encuestas de salida, se corrobora con las cifras que arrojan las encuestas levantadas por delegación del 2000 al 2006, en la gráfica 3 se observa que durante los tres primeros años, el partidismo agregado se mantuvo en un promedio de 52% frente a 46% de independientes; empero del 2002 al 2003, en donde se hacen patentes los primeros efectos del PITDS, el perredismo aumenta en 13 puntos porcentuales.

Gráfica 3. *Distribución del partidismo en la Ciudad de México, 2000-2006 (Promedios anuales encuestas delegacionales)*

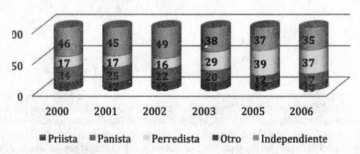

Fuente: Elaboración propia. Encuestas anuales por delegación. Departamento de Investigación de *Reforma*.

Por otra parte, en la transición a la segunda mitad del sexenio el panismo y priismo se mantienen estables: el primero apenas difiere en dos puntos respecto al 2002 y el segundo se mantiene en 12%. Durante la segunda mitad del sexenio, el partidismo oscila por encima del 60%, más del doble de lo que representa el sector independiente que tiene un promedio del 2003 al 2006 de 36%.

El impacto del gasto social en el perredismo

Con el fin de verificar la relación entre erogación en programas sociales e incremento del perredismo durante este periodo de seis años, la estrategia de análisis se centró en el diseño de un modelo de regresión tipo panel; el cual permitió analizar la distribución del gasto en las delegaciones políticas, en tanto unidades transversales, a lo largo del tiempo.[23]

La aplicación de este modelo facilitó alcanzar el mayor nivel de individualidad del impacto de las variables explicativas de gasto sobre la variable dependiente –perredismo por delegación del 2001 al 2006–, e incorporar también en el análisis la variación del perredismo en cada demarcación, documentando los resultados de los efectos fijos.

Cabe resaltar que la aplicación del modelo de regresión tipo panel,[24] sobre una matriz de datos que comprendió prácticamente la

---

[23] Al plantear un modelo de regresión en forma de panel, los datos disponibles crecen y detallan simultáneamente la relación funcional entre nuestras variables tanto temporal como espacialmente. Algunos beneficios de este tipo de modelos, en comparación, por ejemplo, con los denominados de series de tiempo o de corte transversal es que proporcionan una mayor cantidad de datos informativos, más variabilidad, menos colinealidad entre variables, más grados de libertad y una mayor eficiencia. En este sentido, el problema de investigación que interesa estudiar está definido, tanto temporal como espacialmente. El estudio abarca un periodo de seis años que va del 2001 al 2006 en el Distrito Federal. A su vez, dentro de esta entidad, la unidad de observación son las delegaciones políticas. Ahora bien, un modelo de corte transversal no permite estudiar la relación funcional planteada, ya que tendrían que correrse seis de estos modelos. Por lo que se refiere a modelos de series de tiempo, se tendrían que realizar 16 modelos, uno para cada delegación. Pero la limitación más importante es el número de observaciones que se tendrían para cada una de estas alternativas.

[24] Para una mayor profundización acerca de las ventajas del uso de este tipo de modelos de regresión, consultar: Dadomar N. Gujarati, *Econometría*, México, McGrawHill, 2007, pp. 972.

completa recopilación y sistematización de los patrones de distribución del gasto social en sus distintas vertientes, para todas las unidades de análisis que fueron las dieciséis delegaciones políticas que conforman la Ciudad de México, establece una relación explicativa lo suficientemente amplia del impacto que tuvo el gasto social en su conjunto y las transferencias de renta directa en la expansión del perredismo.

En suma, al construir un censo del gasto,[25] vinculado con los datos provenientes de distintas encuestas aplicadas en las delegaciones políticas del 2001 al 2006; las cuales dieron cuenta de la medición año con año de los niveles de perredismo, los parámetros propios de las relaciones lineales ofrecen en este caso una mayor confiabilidad y un grado importante de aproximación al incremento que produjo los patrones de distribución sobre el perredismo.[26]

La información de la totalidad de los programas, así como de modo específico la de aquellos que representaron transferencias de renta directa a los beneficiarios, se incorporaron al modelo en términos per cápita; no obstante como ya se mencionó, a fin de alcanzar el mayor efecto individual de las variables de gasto y dada la incidencia diferenciada que tuvieron los programas y el peso específico que en particular tuvo el programa de Ayuda a adultos mayores, se procedió a verificar la existencia o ausencia de relaciones lineales[27] entre las

---

[25] Se elaboró una base de datos que comprendió la sistematización de información estadística de los distintos programas sociales que articularon la política social del gobierno de la Ciudad de México, durante el periodo 2001-2006, que marcó formalmente el inicio y finalización de su aplicación. Lo anterior facilitó observar la dinámica particular de distribución del gasto de cada una de las siguientes vertientes programáticas: *1)* Apoyo a adultos mayores. *2)* Apoyo a personas con discapacidad. *3)* Apoyo a niños y niñas en condiciones de pobreza y vulnerabilidad. *4)* Becas para trabajadores. *5)* Desayunos escolares. *6)* Ampliación y rehabilitación de vivienda. *7)* Crédito a microempresarios. *8)* Apoyo a la producción rural. *9)* Rescate a unidades habitacionales. *10)* Mantenimiento de escuelas. *11)* Apoyo a mercados públicos. *12)* Estancias infantiles.

[26] Este diseño no implica pruebas de hipótesis, se muestran las regularidades empíricas en un plano mucho más cercano a la realidad de los acontecimientos.

[27] Dado que las variables de gasto por su naturaleza tendrían un alto grado de multicolinealidad, se realizaron regresiones parciales entre estas variables para determinar qué tanto una variable independiente explica la variación de las otras, es decir, se estimó la R_j^2 a fin de determinar cuál es la proporción de la variación total que hay en una variable independiente a causa de las otras variables independientes de gasto. Estas regresiones y la comprobación de la existencia de relaciones lineales entre las variables independientes de gasto, se efectuaron antes de la especificación del modelo y sirvieron para orientar éste.

variables independientes de transferencia de renta directa: *1)* Apoyo a adultos mayores. *2)* Apoyo al empleo. *3)* Becas escolares. *4)* Apoyo a discapacitados.[28]

Es así que se formó un índice aditivo entre ambos grupos de programas y se crearon dos nuevas variables: Gastopc1, conformada por el gasto conjunto per cápita del Programa de Ayuda a adultos mayores y Apoyo al empleo; y Gastopc2, la cual representa el gasto *per cápita* en Becas escolares y Apoyo a discapacitados. Asimismo, a fin de estimar el efecto de la totalidad de los programas sociales se incorporó en el análisis la inversión per cápita global, y finalmente, como ya se mencionó, la variación del perredismo por delegación mediante un análisis de efectos fijos,[29] tomando como variable de referencia a la delegación Iztapalapa dado su peso electoral y por habérsele asignado el mayor gasto social durante el periodo.

La incorporación del análisis de los efectos fijos por delegación,posibilitará vislumbrar si frente a Iztapalapa como la variable de referencia, cada una de las quince delegaciones restantes contribuye en mayor o en menor medida a la identidad partidista perredista. El cuadro muestra el modelo con las variables independientes de gasto per cápita y la variable dependiente de identidad partidista perredista o perredismo. La primera variable es gasto social per cápita, la cual comprende el gasto por persona realizado en función de la totalidad de las ramas programáticas que constituyeron la política social del gobierno.

Los resultados nos indican que la relación entre esta variable y el partidismo es positiva y significativa, a medida que el gasto social per cápita de todos los programas que integraron el Programa Integrado

---

Los pormenores a este procedimiento y las especificaciones del modelo se pueden consultar en el apéndice metodológico correspondiente.

[28] Se observó un alto grado de asociación entre el gasto realizado en el programa de Ayuda a adultos mayores y el gasto en el programa de Apoyo al empleo y por otro lado entre el gasto en el programa de Becas escolares y el gasto en Apoyo a discapacitados. Sin embargo, el gasto Adultos mayores y Apoyo al empleo no están relacionados linealmente ni con Becas escolares y Apoyo a discapacitados.

[29] La introducción de la estimación de efectos fijos se justifica tal y como dice Wooldridge (2001), "cuando no podemos considerar que las observaciones son muestras aleatorias de una gran población" –en el caso de contar con datos sobre estados y provincias– a menudo conviene pensar en αi como parámetros que hay que estimar, entonces empleamos métodos de efectos fijos. Utilizar estos últimos conlleva permitir una intercepción distinta para cada observación (o sea cada delegación).

Territorial para el Desarrollo Social (PITDS) aumentó en una unidad porcentual, el perredismo lo hizo en .62%. Esto demuestra que el impacto individual de los programas más allá de sus objetivos concretos: mejora de unidades habitacionales, rehabilitación de viviendas, desayunos escolares, etcétera, es lo que prima en el aumento del partidismo durante este periodo.

Esta variable es de suma importancia ya que expone el impacto en su conjunto de la política social del gobierno en la percepción de cada uno de los beneficiarios de los distintos programas; es decir es probable que por sí misma cada rama no tuviera más que una influencia marginal. Por lo tanto, se resalta que la relación positiva y significativa estaría indicando que la evaluación de los programas se hace sobre la base del bienestar personal que éstos generan, ya sea por la mejora de su vivienda, por una beca escolar o de empleo, o incluso cuando entraña beneficios colectivos como lo representa el programa de Rehabilitación de unidades habitacionales. En este sentido se podría inferir un beneficio indirecto de los distintos programas, ya sea mediante un familiar beneficiado, un amigo o por el simple hecho de concordar, aunque la persona no sea beneficiaria, en la manera en que la política es aplicada.

De ahí que en la medida en que se incrementa la inversión y los resultados son cada vez más visibles, la probabilidad de identificarse con el PRD aumenta. Al parecer existe una completa interacción e interconexión entre las distintas ramas programáticas que integraron el grueso de la política social, si bien hay programas que tuvieron un mayor peso presupuestal, tal y como lo fue Apoyo a adultos mayores, este resultado no hace sino evidenciar que la estrategia que el gobierno de la Ciudad de México mantuvo desde un principio tuvo éxito.

Al margen de las distintas motivaciones individuales que llevaron a los integrantes de los diferentes segmentos beneficiados directa o indirectamente identificarse, reconocerse y formar parte de un *nosotros* perredista; lo que indica la incidencia de la inversión per cápita de los programas sociales en la expansión del perredismo, es el éxito de una acción conjunta en varios frentes o segmentos de población: jóvenes, adultos mayores, niños, mujeres solteras, desempleados de distinta índole e incluso pequeños empresarios y trabajadores del sector rural, el impacto positivo que produjo la conformación de condiciones estructurales comunes permitieron a los distintos beneficiarios percibir, evaluar y decidir lo que tienen en común (Melucci, 1999).

Por otro lado, si ponemos en el centro de la interpretación consideraciones instrumentales, esta variable estaría representando el indicador económico sobre el cual los individuos estarían evaluando el desempeño del gobierno, una de las causas principales del movimiento del partidismo a nivel agregado (MacKuen, Erikson y Stimson, 2002); de esta manera la inversión en programas sociales vendría a constituirse en la función representativa del cumplimiento económico que durante este tiempo estaría afectando la oscilación del perredismo a nivel agregado. Este argumento se refuerza si observamos los coeficientes de los programas que representaron beneficios directos, éstos son mayores respecto a lo observado en la inversión per cápita, pero paradójicamente su efecto sobre el perredismo es distinto.

Tabla 1. *Gasto en política social: inversión per cápita e inversión per cápita conjunta de Programas de Transferencia de renta directa y expansión del perredismo en la Ciudad de México 2001-2006*

Variable Independiente			
	Perredismo		
	Coeficiente	**Error Estándar**	**Significancia**
Variables explicativas			
Gasto social per cápita	.6242*	0.2183	0.0040
Gastopc1: Adultos mayores/Apoyo al empleo	-5.8935*	1.8694	0.0020
Gastopc2: Programa de Becas escolares/Apoyo a discapacitados	2.3361**	1.1536	0.0430
Efectos fijos			
Azcapotzalco	-.2688*	.0533	0.0000
Coyoacán	-.2633*	.0841	0.0020
Cuajimalpa	-.7200*	.2245	0.0010
Gustavo A. Madero	-.2341*	.0515	0.0000

Tabla 1. *(Continuación)*

Iztacalco	-.2466*	.0670	0.0000
Magdalena Contreras	-.3240*	.0570	0.0000
Milpa Alta	-.5177*	.1894	0.0060
Álvaro Obregón	-.3434*	.0446	0.0000
Tláhuac	-.1604	.0596	0.0070
Tlalpan	-.2613	0.353	0.0000
Xochimilco	-.3006	.0681	0.0000
Benito Juárez	-.5394*	.2099	0.0100
Cuauhtémoc	-.1801*	.0553	0.0010
Miguel Hidalgo	-.4904*	.0668	0.0000
Venustiano Carranza	-.4741*	.0514	0.0000
Constante: Iztapalapa	31.1816	19.7909	0.1150
Observaciones OverallR^2	95 0.7951		

* p<0.01.
** p<0.05.
*** p<0.10.

Por un lado en el gasto per cápita conjunto en Adultos mayores/ Apoyo al empleo, la variable es significativa pero el coeficiente negativo; mientras que el gasto per cápita agregado en Becas escolares/ Apoyo a discapacitados, es positivo, significativo e incluso mucho mayor que el gasto social per cápita, dado que ante un incremento de una unidad porcentual el perredismo aumentó en 2.33%.

Por otro lado, creo que es pertinente abundar un poco más sobre la situación que se observa en Gastopc2: Becas escolares/Apoyo a discapacitados. Contra todos los pronósticos que hacían pensar una mayor incidencia del gasto conjunto encabezado por Apoyo a adultos mayores, Becas escolares/Apoyo a discapacitados, fueron en términos de efectividad de la política pública, dos programas mucho más rentables en la conformación del perredismo.

El impacto fue positivo, incluso como ya mencionó, por encima de lo observado en Gasto Social per cápita, lo cual puede explicarse en función del impacto indirecto que esta erogación tuvo en el entorno cercano a los sectores beneficiados; por ejemplo en el caso de Becas

320

escolares si bien la población objetivo eran niños y niñas en condiciones de pobreza,[30] la incidencia real tal y como lo marcaba el programa era apoyar a las familias de estos niños y principalmente a las madres solteras; la misma situación puede equipararse en el caso del auxilio prestado a las personas con discapacidad; en donde además de la población objetivo: principalmente niños y personas de la tercera edad, el mayor efecto sin duda se ve reflejado en los familiares, amigos y personas cercanas a los destinatarios directos.

Además con una inversión mucho menor a la realizada en los programas de Adultos mayores y Apoyo al empleo, 15% en el caso de discapacitados y 4% en Becas escolares del total del presupuesto ejercido en apoyos económicos directos durante el sexenio, podemos afirmar que estas vertientes fueron las que mayores dividendos dieron en la conformación del perredismo y esto seguramente por el impacto que la ayuda prestada tuvo en el entorno más cercano de la población objetivo.

El perredismo por delegación

Con el fin de estimar el efecto diferenciado del grado de partidismo por delegación, se calcularon los efectos fijos[31] a través de varia-

---

[30] Alrededor de 1 millón 300 mil niños en edad escolar, de los cuales el 30.5% se encuentra en estado de alta marginación; además de que según cifras del Consejo Nacional de Población y el Gobierno de la Ciudad de México, 55 mil niños no asisten, lo hacían de manera irregular a la escuela.

[31] Los efectos fijos nos permiten medir la intersección diferencial de cada unidad observada, en nuestro caso de cada delegación política. Ahora bien, se le llama efectos fijos dado que a pesar de que el coeficiente de intersección puede variar para cada delegación, en realidad es invariante a lo largo del tiempo. En realidad lo que busca es identificar las diferencias que existen en las delegaciones en torno de nuestra variable dependiente (identidad con el PRD), manteniendo constante el tiempo y el resto de las variables. Sin embargo, los coeficientes de las variables *gasto social*, *bendirectos*, etcétera, estimados en el modelo de regresión de panel, sí consideran la variable tiempo.

La intersección diferencial en realidad es un coeficiente que estima el modelo de regresión en forma de panel, este coeficiente es el β0 o constante del modelo. Para poder observar cómo varía la intersección en función de las empresas se introducen las variables dicótomas de intersección diferencial (variables *dummies*, una para cada delegación política, quitando la de referencia, ya sea Benito Juárez o Iztapalapa). En realidad se desea estimar los coeficientes de intersección diferencial para cada delegación a fin de observar las diferencias que existen en las unidades transversales (delegaciones). Si los coeficientes de

321

bles *dummies*. Esto nos permite observar, manteniendo las variables de gasto constantes, cuál es la delegación en qué creció más el perredismo. Como parámetro de comparación, como ya se mencionó, se ha escogido a la delegación Iztapalapa, tomando a esta demarcación como constante podemos determinar el carácter individual de cada delegación.[32]

Asimismo se puede observar que los coeficientes son negativos y significativos, el análisis se hace en función del grado de cercanía a la constante, en este caso Iztapalapa, en este sentido todas las delegaciones contribuyen al perredismo por debajo del promedio. En primera instancia tenemos a las delegaciones cuya contribución a la identidad está muy cerca del promedio: Tláhuac en .16%, Cuauhtémoc en .18%, Gustavo A. Madero en .23% e Iztacalco en .24%. Estos resultados son consistentes de acuerdo con el crecimiento observado y al promedio sexenal de perredismo que cada una de estas demarcaciones presentó durante estos seis años.

Luego está un grupo relativamente homogéneo, conformado por Tlalpan, Coyoacán y Azcapotzalco, estas tres zonas contribuyen en .26%; por su parte Xochimilco, Magdalena Contreras y Álvaro Obregón su contribución oscila entre el .30 en el primer caso al .34%, pasando por el .32% de Magdalena Contreras; ubicándose en una posición equilibrada respecto de la constante. Esto no ocurre así con Venustiano Carranza, Miguel Hidalgo, Milpa Alta, Cuajimalpa y por supuesto Benito Juárez, estas delegaciones están muy por debajo del promedio, destacando Cuajimalpa en .72% y los enclaves panistas Benito Juárez en .53% y Miguel Hidalgo en .49%

Las diferencias pueden obedecer a diversas causas, desde la predominancia del PAN en Benito Juárez y Miguel Hidalgo, sus niveles de marginación, las características individuales de la población, etcétera. Lo importante con el análisis de los efectos fijos es que se ha podido

---

efectos fijos (*variables dummies* de cada delegación) son estadísticamente diferentes de cero quiere decir que existen diferencias entre ellos, es decir, disimilitud en la identidad con el PRD en cada delegación. Al introducir las variables *dummies* se elige una como referencia, la cual por cierto no se incluye explícitamente en el modelo ya que su coeficiente es el β0. Por esta misma razón el β0 se utiliza para calcular la intersección diferencial de cada delegación.

[32] Permitiendo que la intersección varíe en cada una de ellas pero asumiendo que los coeficientes de las pendientes son constantes en cada una de las delegaciones (Gujarati, 2007: 619)

comprobar que aun manteniendo constante los niveles de gasto para cada delegación, existe un grado diferenciado en su aportación individual a la conformación del perredismo. El hecho mismo de que una delegación como Iztapalapa que aun cuando tiene el nivel más alto de marginación se erige de igual forma como la demarcación de mayor tributo a la conformación del perredismo; indica que existe una convergencia/correspondencia entre la acción del gobierno, la intención individual y el efecto externo independiente, ajeno al control del individuo que es la estructura social.

Conclusión

En un contexto en que la globalización económica ha colocado al Estado en una situación de menor capacidad de suministrar un verdadero control de la vida económica (Giddens, 2001: 145); la política social del gobierno significó una modificación radical de una orientación vigente hasta ese momento no sólo en su aplicación –universalización en detrimento de la focalización–, la cual no hizo sino expresar las preferencias ideológicas del partido en el gobierno sobre su grado de compromiso que debe tener y también el Estado en la gestión de la desigualdad social.

La evidencia que hemos presentado hasta ahora demuestra el grado de correspondencia entre las preferencias individuales sobre el papel que debe tener el Estado en el manejo de la economía y un desempeño que, centrado específicamente en la política social, generó una expansión en los niveles de partidismo del Partido de la Revolución Democrática, durante los años 2001 a 2006. Si bien el estudio del impacto de las políticas públicas de carácter social no es nuevo, y existen trabajos pioneros de suma importancia en este sentido (véase por ejemplo: Moreno, 1997 o más recientemente Magaloni, Díaz Cayeros y Estévez, 2007), éstos se han centrado en su mayoría en la incidencia que este tipo de políticas ha tenido en el comportamiento electoral; en la aprobación presidencial o de forma más general en la formación de una opinión favorable al gobierno en turno.

En consecuencia, considero que este trabajo ha ofrecido una aproximación distinta no sólo con la introducción del partidismo como medida de reciprocidad democrátic,; sino por las implicaciones que el incremento del perredismo tiene para la comprensión de los vínculos que se establecen entre los individuos y los partidos políticos, cuando la evaluación de un gobierno y la formación de las preferencias se hacen sobre la base de un desempeño económico de índole clientelar, en el contexto de una democracia emergente como la mexicana.

Al mismo tiempo, en un contexto como el latinoamericano en lo general y el mexicano en lo particular, en donde las tensiones entre democracia y capitalismo se hacen más evidentes, en que los procesos de cambio político que condujeron al establecimiento de regímenes democráticos coexistieron con profundos niveles de desigualdad social; los partidos políticos desde el gobierno han tenido que lidiar con las expectativas de una amplia franja de individuos que esperan que un sistema político fincado en reglas y procedimientos democráticos les dé oportunidades más equitativas para trabajar y vivir (Velasco, 2007).

En este marco, las políticas redistributivas se han erigido en la estrategia por excelencia desde distintas plataformas ideológicas para lograr una vinculación entre democracia política, crecimiento económico y equidad social.

Bibliografía

Adams, James, 2001, *Party competition and responsible party government*, Ann Arbor, The University of Michigan Press.

Alonso, Guillermo V., 2007, "Acerca del clientelismo y la política social: reflexión en torno al caso argentino", *Revista del clad. Reforma y Democracia*, núm. 37, pp. 83-98.

Auyero, Javier, 2001, *La política de los pobres. Las prácticas clientelísticas del peronismo*, Buenos Aires, Manantial.

Ávila, José Luis, 2006, *La era neoliberal*, México, UNAM/Océano.

Becerra, Ricardo, Salazar, Pedro y Woldenberg, José, 2000, *La mecánica del cambio político en México*, México, Cal y Arena.

Berg, Andy, Ostry, Jonathan, Zettelmeyer, Jeronim, 2006, *What Makes Growht Sustained?*, Washington, Fondo Monetario Internacional.

Bruhn, Kathleen, 1997, *Taking on goliath, The emergence of a new left party and the struggle for democracy in Mexico*, Pennsylvania State, University Press.

Burgess, Katrina Burgess, y Steven Levitsky, 2003, "Explaining populist party adaptation in Latin America. Environmental and organizational determinants of party-change in Argentina, Mexico, Peru and Bolivia", *ComparativePolitical Studies,* vol. 36, núm. 8, pp, 881-911.

Collier, David y Collier, Ruth, 1991, *Shaping the political arena. Critical junctures, the labor movement, and regime dynamics in Latin America*, Princeton, Princeton University Press.

Coppedge, Michael, 2003, "Venezuela: popular sovereignty versus liberal democracy", en Jorge Domínguez y Michael Shifter (eds.), *Constructing democratic governance in Latin America. Second edition*, Baltimore, The Johns Hopkings University Press.

Dahl, Robert A., 1993, *La poliarquía. Participación y oposición,* México, REI.

De La Garza Toledo, Enrique, 1996, "La reestructuración del corporativismo en México", en María Lorena Cook, Kevin J. Middlebrook y Juan Molinar Horcasitas (eds.), *Las dimensiones políticas de la reestructuración económica*, México, Cal y Arena.

Encuesta Nacional de Cultura Política (ENCUP), 2001, 2003, 2005, <www.segob.gob.mx>.

Erikson, Robert S y Michael B. Mackuen y James A. Stimson, 2002, *The macro polity*, Cambridge, Cambridge University Press.

Esquivel, Gerardo, y Hernández Trillo, Fausto, 2009, "¿Cómo pueden las reformas propiciar el crecimiento en México?", en Rojas-Suárez, Liliana (comp.), *Los desafíos del crecimiento en América Latina. Un nuevo enfoque*, México, Center for Global Development/FCE.

Fiorina, Morris P., 1981, *Retrospective voting in American National elections*, Yale, University Press.

Fox, Jonathan, 1994, "The difficult transition from clientelism to citizenship", *World Politics* 46, pp. 151-184.

Gay, Robert, 1994, *Popular organization and democracy in Rio de Janeiro: a tale of two favelas*, Philadelphia, Temple University Press.

Giddens, Anthony, 2001, *Más allá de la Izquierda y la Derecha. El futuro de las políticas radicales*, Madrid, Cátedra.

Gobierno de la ciudad de México, 2006a, *Programa General de Gobierno 2001-2006.*

_____, 2006b, *La política social del gobierno del Distrito Federal 2000-2006. Una valoración general,* México.

Gordin, Jorge P., 2006, *La sustentabilidad política del clientelismo: teoría y observaciones empíricas en América Latina,* Fundación CIDOB, Serie América Latina.

Grayson, George, 2006, *Mesías mexicano. Biografía crítica de Andrés Manuel López Obrador,* México, Grijalbo.

Gujarati, Dadomar, 2007, *Econometría,* México, McGrawHill.

Hagopian, Frances, 2007, "Latin American citizenship and democratic theory", en Tulchin, J. S. y Ruthenburg, M., *Citizenship in Latin America boulder,* Colorado, Lynne Rienner.

Hansen, David, Kirk Hawkins y Jason Seawright, 2004, "Dependent civil society: The 'Círculos Bolivarianos' in Venezuela", en *Annual meeting of the Latin American studies association,* Las Vegas.

Heston, Alan, Summers, Robert, Aten, Betinna, 2006, *Penn world table versión 6.2,* Center for University Comparasions of Production, Income-Prices at University of Pennsylvania, Septiembre.

Kitschelt, Herbert y Wilkinson, Steven, 2007, *Patrons, clients, and policies. Patterns of democratic accountability and political competition,* Cambridge, Cambridge University Press.

Labastida, Julio, 2003, "Partidos políticos y gobernabilidad democrática en el México del Postajuste", en Labastida, Julio y Antonio Camou (coords.), *Globalización, identidad y democracia,* México, Siglo XXI-UNAM.

Levine, Daniel y Molina, José Enrique, 2007, "La calidad de la democracia en América Latina: Una visión comparada", *América Latina Hoy,* núm. 45, pp. 17-46.

Levitsky, Steve, 2003, *Transforming labor-based parties in Latin America. Argentine peronism in comparative perspective,* Cambridge, Cambridge University Press.

Lowi, Theodor, 1994, *The end of the republican era,* Oklahoma, University of Oklahoma Press.

Luna, Juan Pablo y Zechmeister, Elizabeth-Jean, 2005, "The quality of representation in Latin America", *Comparative Political Studies,* vol. 38, núm. 2, pp. 388-416.

Magaloni, Beatriz, 2005, "The demise of Mexico's one-party dominant regime. Elite choices and the masses in the establishment of
democracy", en Frances Hagopian y Scott Mainwaring (eds.), *The
third wave of democratization in Latin America. Advances and
setbacks*, Cambridge, Cambridge University Press.

Magaloni, Beatriz, Alberto Díaz Cayeros y Federico Estévez, 2007,
"Clientelism and portfolio diversification: a model of electoral investment with applications to Mexico, en Kitschelt, Herbert y Wilkinson, Steven. *Patrons, clients, and policies. Patterns of democratic accountability and political competition*, Cambridge,
Cambridge University Press.

Mainwaring, Scott y Scotty Scully, Timothy (eds.), 1995, *Building
Democratic Institutions: party systems in Latin America*, Stanford, Stanford University Press.

_____, 2006, "The crisis of representation in the Andes", en *Journal
of Democracy*, vol. 17, núm. 3, pp. 13-27.

Moreno, Alejandro, 1997, "El uso político de las encuestas de opinión
pública. La construcción de apoyo popular durante el gobierno de
Salinas", en Ai Camp, Roderic (comp), *Encuestas y democracia.
Opinión pública y apertura política en México*, México, Siglo XXI.

_____, 2002, "Ideología y voto: dimensiones de la competencia política en México en los noventa", en Elizondo, Mayer Serra, Carlos
y Benito Nacif (comps.), *Lecturas sobre el cambio político en México*, México, CIDE-FCE.

Morlino, Leonardo, 2007, Calidad de la democracia. Notas para su
discusión", en César Cansino e Israel Covarrubias (coords.), *Por
una democracia de calidad. México después de la transición,* México, CEPCOM-Educación y Cultura.

Müller, W., 2000, "Political parties in parliamentary democracies:
making delegation and accountability work", en *European Journal of Political Research*, 37, pp. 309-333.

O'Donell, Guillermo, 1995, "Delegative democracy", en *Journal of
Democracy*, vol. 5, núm.1, pp. 55-69.

Paramio, Ludolfo, 1999, *Las dimensiones políticas de las reformas
económicas en América Latina*, Madrid, CSIC, Documento de Trabajo.

Payne, Mark, Daniel Zovatto, Fernando Carrillo y Andrés Allamand,
2003, *La política importa: democracia y desarrollo en América*

*Latina,*Washington D.C., Inter-American Development Bank, International Institute for Democracy and Electoral Assistance.

Pitkin, Hanna, 1984, *The concept of representation,* Berkeley, University of California Press.

Powell, G. Bingham Jr., 2004, "Political representation in comparative politics", *Annual Review of Political Science,* vol. 7, pp. 273-296.

_____, 2007, Calidad de la democracia: reciprocidad y responsabilidad", en César Cansino e Israel Covarrubias (coords.), *Por una democracia de calidad. México después de la transición,* México, CEPCOM/ Educación y Cultura.

Przeworski, Adam, 2010, *Democracy and the limits of self-government,* Nueva York, Cambridge University Press.

Puyana, Alicia y Romero José, 2010, "La economía mexicana después de dos décadas de reformas económicas", en Alfonso Mercado y José Romero (coords). *Las Reformas estructurales en México,* México, El Colegio de México.

Roberts, Kenneth, 2002, social inequalities without class cleavages in Latin America's neoliberal era", en *Studies in Comparative international development,* 36(4), pp. 3-33.

Ruiz Rodríguez, Leticia y García Montero, Mercedes, 2003, Coherencia partidista en las élites parlamentarias latinoamericanas", *Revista Española de Ciencia Política,* núm. 8, pp. 71-102.

Schady, Norbert, 2000, "The political economy of expenditures by the peruvian social fund (FONCODE) 1991-1995", *American Political Science Review,* vol. 94, núm. 2, pp. 289-304.

Schedler, Andreas, 2004, "La incertidumbre institucional y las fronteras borrosas de la transición y consolidación democráticas", en *Estudios Sociológicos,* vol. 22, núm. 64, enero-abril, El Colegio de México.

Shefner, John, 2001, "Coalitions and clientelism in Mexico", *Theory and Society,* vol. 30, núm. 5, pp. 593-628.

Shefter, Martin, 1977, "Patronage and its opponents: a theory and some european cases", Western Societies Program Occasional, Paper, núm. 8, Cornell University.

Stokes, Susan, 2001, *Mandates and democracy. Neoliberalism by surprise in Latin America,* Cambridge, Cambridge University Press.

Tornell, Aarón, y Esquivel, Gerardo, 2004, "The political economy of Mexico's entry into NAFTA", en Ito, T. y Krueger A. O. (comps.), *Regionalism versus multilateral trade arrangements,* University of Chicago Press.

Velasco, José Luis, 2007, "Democratización y conflictos distributivos en América Latina", en Waldo Ansaldi (dir.) *La democracia en América Latina un barco a la deriva,* Buenos Aires, FCE.

Weyland, Kurt, 1996, "Neopopulism and neoliberalism in Latin America: unexpected affinities", *Studies in Comparative International Development,* vol. 31, núm. 3, pp. 3-31.

Wooldridge, Jeffrey M., 2001, *Introducción a la Econometría. Un enfoque moderno,* México, Thomson, Learning.

LA DEMOCRACIA EN UN GRUPO DE ÉLITE POLÍTICA. EL CASO DE LEÓN, GUANAJUATO*

Carlos A. Montes de Oca E.

In memoriam
SERGE MOSCOVICI (1925-2014)

Analizar o lamentar el presente no basta.
La vieja preocupación de los revolucionarios de siempre es qué hacer,
y ese es un precepto que debe acompañarnos también
en nuestros quehaceres académicos
STAVENHAGEN

Introducción

¿Qué impide subjetivamente alcanzar la democracia? ¿Cuáles son los obstáculos que imposibilita lograr ese sistema político? ¿Qué se necesita para que la gente impulse un cambio en esa tesitura? Estas y otras preguntas nos debemos hacer los estudiosos de la psicología social ante el imperativo categórico de contribuir en la construcción de un mundo necesaria y auténticamente democrático.

En ese tenor, el presente estudio pretende develar el "sentido común" de un grupo de élite política a través de sus representaciones so-

---

* El presente capítulo es el reporte inédito de investigación como parte de una tesis para optar por el doctorado en Ciencias sociales en la Universidad de Guanajuato, campus León.

ciales de la democracia (RSD) en el municipio más importante demográfica, económica y políticamente hablando del estado de Guanajuato, uno de los siete a nivel nacional y punta de lanza de la otrora alternancia partidista a nivel municipal, estatal y a la postre nacional.

La estrategia metodológica adoptada fue la etnometodología, como técnica aplicada la entrevista semiestructurada y para su análisis se aplicaron nueve indicadores previamente diseñados. El objetivo general fue explorar las RSD de dicho grupo de élite y los específicos describir los procesos de producción de las RSD.

El estudio tiene la pretensión, por un lado, de aportar varios conocimientos: contribuir a la comprensión del estudio de un grupo de élite política en el municipio de León, probar dichos indicadores, así como describir los modos y procesos de constitución y construcción del pensamiento político-social actual. Por otro lado, nos permitirá identificar estos últimos de la democracia que efectivamente vivimos.

Para empezar, nos hacemos reflexivamente las siguientes preguntas orientadoras de la pesquisa: ¿cuáles son los grupos de élite política local? ¿Cómo identificarlos, abordarlos y entrevistarlos? ¿Cuáles son las organizaciones sociales de donde emana la élite política local? ¿Cómo se conforma su poder? ¿Cómo se establece la relación entre élite política y el resto de la sociedad?

Contextos

Como todo estudio cualitativo, el presente propone los siguientes contextos explicativos: el teórico de las RS (TRS), la democracia, la élite política y la sociedad leonesa, mismos que se muestran a continuación.

Teórico

No hay una definición única de las RS. Sin embargo, los teóricos más reconocidos coinciden en las siguientes aseveraciones: las RS[1]

---

[1] Su teoría fue acuñada originalmente hace más de cincuenta años por Moscovici, en una investigación empírica sobre la percepción que tenían los parisinos sobre el psicoanálisis.

son una modalidad particular de conocimiento que tienen por función hacer comprensible la realidad física y social, su objetivo es traducir el género de un conocimiento a otro, de lo científico al "sentido común", ya que al ser difundido socialmente se transforma y así influye en el cambio de la percepción que la gente tiene sobre aquél (Moscovici, 1979 [1961], 2007).

Es decir, hace comprender los conocimientos científicos difundidos: lo que es diferente o "anormal" lo hace "normal", lo "extraño" lo vuelve "familiar". La "visión del mundo" que grupos o individuos poseen y utilizan para actuar o tomar una posición determinada es reconocida como indispensable para entender la dinámica de las interacciones sociales y así aclarar sus determinantes de las prácticas sociales (Abric, 1994).

La TRS permite introducir el lenguaje y la cognición como dimensiones básicas de la cultura. Esta teoría constituye un espacio de investigación donde el campo de la comunicación y el de la vida cotidiana se entrelazan. Permite analizar cómo determinado grupo social "ve", "interpreta" y "da sentido" a un espacio de sus vivencias individuales y colectivas (Rodríguez, 2007).

El desarrollo de las RS ha sido tan relevante que ha generado internacionalmente una riquísima cultura académica con múltiples manifestaciones, en casi todos los continentes. Por ejemplo, en su formación, se han creado desde asignaturas hasta doctorados; en la generación de investigaciones existen varios centros internacionales; en la difusión hay varios órganos editoriales. Continuamente surgen nuevos investigadores a lo largo de Europa, América Latina, Australasia y en menor medida en los Estados Unidos de Norteamérica. Ha cobrado tanta importancia en los últimos veinte años que podemos observar cómo pocas teorías en las ciencias sociales han merecido tanta atención en el mundo académico (De Rosa, 2011).

Su estudio se ha constituido en una nueva unidad de enfoque que unifica e integra lo individual y lo colectivo, lo simbólico y lo social, así como el pensamiento y la acción, convirtiéndose así en un campo académico de una enorme relevancia no sólo para la psicología social sino para las ciencias sociales en general (De Rosa, 2011). Se localiza en el punto de intersección que hay entre la psicología y la sociología, entre lo simbólico y lo real, entre lo imaginario y el comportamiento, entre los niveles micro y macro de la realidad (Banchs, Agudo y Astorga, 2007).

Responde a una preocupación que se le puede ubicar en el centro mismo de debate del pensamiento occidental: los vínculos entre sujeto, objeto y contexto, de tal manera que no pretende ser una psicología social individualista, de un sujeto aislado o de algo privado de la gente, sino que apunta a ser una explicación del sujeto-objeto-sujeto social (González, 2002), como se puede observar en el siguiente esquema gráfico:

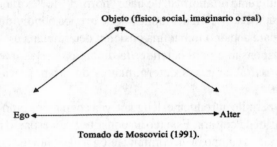

Objeto (físico, social, imaginario o real)

Ego ◄─────────────────► Alter

Tomado de Moscovici (1991).

Las RS constituyen sistemas cognitivos en los que es posible reconocer la presencia de estereotipos, opiniones, creencias, valores y normas con una orientación actitudinal favorable o desfavorable hacia un objeto social determinado. Se constituyen, a su vez, como sistemas de códigos, lógicas clasificatorias, principios interpretativos y orientadores de las prácticas que definen la llamada conciencia colectiva, la cual se rige con fuerza normativa en tanto instituye los límites y las posibilidades de la forma en que las personas actúan en el mundo (Araya, 2002). No todas las RS son iguales o uniformes. Así, Moscovici (1984) distingue tres tipos, a saber:

A. Hegemónicas: son aquellas que tienen un alto grado de consenso entre los miembros del grupo, sin que necesariamente hayan sido generadas en el grupo.

B. Emancipadas: aquellas portadoras de nuevas formas de pensamiento social, propias del conocimiento o ideas de un subgrupo y tienen cierto grado de autonomía.

C. Polémicas o controversiales: aquellas surgidas de situaciones de conflicto o controversia social respecto a hechos u objetos sociales relevantes que expresan formas de pensamiento divergentes.

Las RS se forman a partir de cuatro procesos que a su vez generan sus propios productos, a saber (Abric, 1994; Jodelet, 2006; Wagner, y Elejabarrieta, 1994):

A. Por el fondo cultural acumulado en la sociedad a lo largo de su historia: constituido por las creencias ampliamente compartidas, los valores considerados como básicos y las referencias históricas y culturales que conforman la memoria colectiva y la identidad de la propia sociedad, materializándose en las diversas instituciones sociales;

B. Por los mecanismos de anclaje y objetivación. El primero se refiere al sujetamiento y la integración cognitiva del esquema conceptual de un pensamiento preexistente. En cuanto a la objetivación del esquema conceptual se dan tres procesos:

1º. Hay una selección de la información en consonancia con los valores del grupo;
2º. Se descontextualiza la información seleccionada;
3º. Se naturaliza la representación, es decir, cuando la imagen se convierte en algo propio o familiar y así llega a formar parte de la realidad del sujeto, como evidencia.

C. Por el núcleo central constituido por una parte básica y unos elementos periféricos o secundarios, como un todo. El significado depende tanto de los factores contingentes de la naturaleza, del contexto inmediato y de la finalidad de la situación, así como de los factores más generales.

D. Por el conjunto de prácticas sociales constituido por aquellas actividades diversas de comunicación social, tanto por los *mass media* como por la comunicación interpersonal, detonante de la construcción de una RS.

Democracia

La democracia ha sido uno de los vocablos más multicitados en los discursos, tanto para legitimarse por quien la sustenta, como para denostar a quien la aplica contraria o erróneamente. Hoy día es la principal creencia del mundo contemporáneo, superior a cualquier otra religión (Marková, 2003). Asimismo es un concepto tan amplio y tan ambiguo que los estudiosos lograron integrar una lista de más de trescientas definiciones hechas por filósofos, moralistas, jefes de Estado y periodistas, y la mayoría la declaró como propia, es decir, con la que están de acuerdo (González, 2007).

El modelo hegemónico de la democracia contemporánea está nutrido tanto de la tradición liberal como de la republicana y puede ser participativa, deliberativa o radical, e incluye los siguientes elementos: la representación ciudadana, el Estado de derecho, la legalidad, los partidos políticos, el respeto a los derechos humanos y el ejercicio pleno de las libertades civiles políticos (Baños, 2006; Meyer, 2007).

En el modelo de democracia participativa destaca la aportación que realiza la ciudadanía al considerarse como el *locus* político más importante que los partidos y las instituciones públicas. En cuanto al deliberativo subraya las posibilidades de reivindicar el espacio público como el mecanismo de comunicación idóneo entre la sociedad y las instituciones políticas.

Sobre el modelo radical, en su versión agonista, permite las diferencias y antagonismos entre los actores políticos mediante la construcción de identidades entre adversarios, que no "enemigos", sino que también es necesario que haya canales de expresión de las voces inconformes o disidentes (Baños, 2006). La democracia en México tiene dos siglos en construcción: desde la independencia, los insurgentes se plantearon la democracia como principio político plasmado en las constituciones de 1824 y 1854 en la que tuvo un avance muy significativo con el principio de laicidad del Estado; después transitó a un régimen dictatorial (1876-1911), que provocó la revolución y de ahí a uno democrático de donde emana la actual Constitución General de la República de 1917.

También ha generado una cultura *ad hoc*, reflejada en innumerables documentos así como instituciones,[2] personajes y acontecimientos, decretos, disposiciones y políticas públicas del Estado mexicano,[3]

---

[2] Entre otras, el Instituto Federal Electoral (hoy Instituto Nacional Electoral, INE), la Comisión Nacional de los Derechos Humanos (CNDH) y el Instituto Federal de Acceso a la Información Pública.

[3] Siguiendo a Marx, define al Estado como el resultado histórico de las irreconciliables contradicciones de clases; es el representante supremo, es el órgano político esencial de la dominación de clase burguesa; y que la superación del capitalismo como modo de

como son –entre otros– los mecanismos de participación ciudadana, competencia político-electoral pluralista y al mismo tiempo excluyente, en el que sólo pueden participar electoralmente aquellos partidos que cumplan con los requisitos que manda la ley correspondiente y así mostrar que finalmente había llegado a la democracia (Navarrete, 2008). El desarrollo de la democracia en México ha tenido –entre otros– los siguientes logros, de acuerdo con Emmerich (2009):

> una constitución sobre una nacionalidad y ciudadanía incluyentes; un marco legal para protección de los derechos civiles, políticos, económicos y sociales; el mejoramiento constante del sistema electoral, la libertad y diversidad de los partidos políticos, y la posibilidad real de alternancia de partidos en el gobierno; el control civil sobre los militares y las policías, ejercido con peculiaridades nacionales; los esfuerzos por aumentar la transparencia y minimizar la corrupción; la irrestricta libertad de prensa; la creación y actividad de organizaciones civiles independientes; la búsqueda de un auténtico federalismo; la incorporación de los tratados internacionales de derechos humanos a la legislación nacional; y una permanente tarea legislativa y de construcción institucional que busca consolidar la democracia (Emmerich, 2009: 123).

Asimismo, el régimen político ha generado una cultura democrática que contempla una serie de valores éticos reconocidos como son –entre otros– la pluralidad, la tolerancia, la libertad, la igualdad, la solidaridad, el pluralismo, la participación, el diálogo, la legalidad y la paz social, que según el Instituto Nacional Electoral (INE, 2014) estos componentes cognoscitivos han de tener en la población una ventaja sobre los afectivos y así, unas instituciones que respondan en esa dirección:

> A las demandas de los ciudadanos formulando decretos, disposiciones o políticas que los afectan, sino también con aquellas que las formulan y les dan proyección a través de la organización social, es decir, tiene actitudes propositivas y no únicamente reactivas frente al desempeño gubernamental (INE, 2014:10).

---

producción dominante pasa por la superación y destrucción del Estado burgués y su transformación en un Estado proletario, en la transición del capitalismo al socialismo.

En el plano electoral desde 1917 no ha habido interrupciones comiciales, llevándose a cabo sistemáticamente las correspondientes campañas. Así, cada tres años hay más millones de spots en los medios de comunicación masiva que nos "informan" de los derechos de que "gozamos", hay quien "nos defienda" de los posibles atropellos o arbitrariedades, que hay instancias a dónde acudir para hacer valer nuestros derechos.

De igual forma, el "Estado de derecho" señala que las demandas de la ciudadanía y sus soluciones deben ser por la "vía institucional" y así lograr la eficiencia y estabilidad de sus instituciones, estableciéndose una relación entre los ciudadanos y ciudadanas con las instituciones del Estado que deberá ser –así lo estipulan– de manera autónoma y propositiva en la esfera pública. La población en general y muchos de los distintos grupos de la sociedad civil organizada –las ONG–, no sólo participan en las instancias ciudadanas para decidir sobre algunas políticas públicas, sino que, a pesar de ser víctimas de la galopante corrupción imperante, apoyan al sistema político (Emmerich, 2009).

En 2011 se efectuó la última reforma constitucional en ese sentido: se empató con el marco de la Declaración Universal de los Derechos Humanos y sus distintos Convenios internacionales que procuran la defensa de los mismos. Sin embargo, en 1994 entró en vigor la imposición del Tratado de Libre Comercio de América del Norte que según Meyer señala que la finalidad del TLC:

> No fue bajar aún más los aranceles –que ya están por debajo del 10%– sino hacer irreversibles los cambios económicos internos mexicanos, asegurarse contra el proteccionismo futuro estadounidense y atraer masivamente inversión y tecnología extranjeras (Meyer, 1994:73).

Hay organizaciones de la sociedad civil –como el Proyecto de Opinión Pública de América Latina (LAPOP, por sus siglas en inglés)– que señalan que lejos de que México se estanque, muestra un "avance evidente" de la democracia de México (Emmerich, 2009):

> En México hoy en día, la consolidación de la democracia parece estar avanzando con menos velocidad debido al ambiente de incertidumbre generado tanto por la crisis económica como por el temor a la violencia del crimen organizado. El desarrollo institucional que se había venido

dando desde la controvertida elección presidencial de 2006 se ha visto impactado por factores ajenos al compromiso democrático de la ciudadanía y la sociedad civil. En pasadas elecciones, desde las del 2000, los temas recurrentes en la discusión de las campañas, eran empleo, educación, pobreza, y seguridad pública. Hoy podemos pensar que el único tema es la seguridad; el único tema es la protección de la vida misma. (Emmerich, 2009:15)

Hasta 1989 el régimen de partido de Estado no había mostrado la más mínima fisura en materia electoral, hasta que pierde la primera gubernatura. Dos años después tiene que rectificar y reconoce su derrota en otro estado (Meyer, 1994). En 1997 el partido dominante pierde la mayoría en la Cámara de Diputados y en el 2000 la Presidencia de la República. De esta manera el país transitó de fórmulas exclusivamente mayoritarias a mixtas, combinando los principios de mayoría relativa y de representación proporcional en la integración en del Poder Legislativo. En 1998 el Poder Judicial deja de litigar asuntos privados para hacerlo contra el Poder Ejecutivo, mostrando así en estos dos casos una aparente división de poderes (Ovalle, 2011).

Hoy en día el país vive una de las más grandes crisis políticas después de la Revolución: hay poca confianza en las instituciones públicas, en muchos estados hay conflictos sociales de distinta índole, en todos –unos más que otros– hay una violencia generalizada producto de "la guerra contra las drogas" iniciada por la anterior administración federal, con más de 100 muertos, más de 20 mil desaparecidos y más de 100 mil desplazados; hay más de 6 millones de jóvenes que no pueden continuar sus estudios, ni tienen trabajo; en los últimos 30 años no ha habido crecimiento económico, más de la mitad del PEA está en la economía informal, el desempleo aumenta día a día, lo mismo que la corrupción y la impunidad en los tres niveles de gobierno; la clase dirigente está cada vez más desprestigiada; los poderes fácticos siguen mangoneando los destinos del país.

En materia de legislación, se legisló –entre otras leyes– la entrega de los energéticos, de playas y las franjas fronterizas a extranjeros y se autorizó a agentes extranjeros portar armas en nuestro territorio nacional, así como se aumentaron los impuestos. Hay prácticamente un consenso nacional del pésimo desempeño del actual presidente de la

339

República; la inmensa mayoría de la población lo rechaza y sus niveles de reprobación no tienen antecedente en la historia nacional (Casar, 2015).

Como colofón de este panorama de violencia estructural, el país vive una de las desigualdades más grandes del mundo: antes de 1982 no había un solo mexicano en la lista de Forbes, hoy 16 con una fortuna equivalente al ingreso anual de 50 por ciento de los habitantes del país, de 120 millones de personas que se ubican de la mitad hacia abajo en la escala de la distribución del ingreso, así como también la población indígena tienen un ingreso económico entre 35-65%, según el INEGI (2014).

Élite política

El concepto de élite política se utiliza generalmente para referirnos a los selectos grupos que ejercen un control sobre la sociedad o están en su parte superior tomando las decisiones más significativas sobre aquélla. La teoría de la élite política afirma que en toda actividad social se pueden conformar grupos. Sáenz (2010) nos especifica cómo:

> Por sus cualidades, recursos o habilidades logran ubicarse en las posiciones más eminentes. De todos los posibles grupos que se constituyen en los distintos campos de la actividad social hay dos que, por su incidencia y capacidad, han sido siempre objeto de estudio en las ciencias sociales: la élite política y la élite de poder. (Sáenz, 2010: 25).

Esta última tiene como referente esencial la constitución de redes de poder en torno a la apropiación o control de recursos especialmente económicos. Una especie de clase económica o imperante que en todas las sociedades la dirección política, administrativa, militar, religiosa, económica y moral es ejercida por una minoría organizada, es más antigua de lo que comúnmente se cree. Por lo que antes de entrar en materia es pertinente contextualizar históricamente el tema de élite política apuntando una breve reseña histórica de los principales historiadores del mismo.

El estudio de la élite política tiene una larga tradición, ya en el Renacimiento italiano, Nicolás Maquiavelo –en *Discursos sobre la primera década de Tito Livio*– observó cómo actúan y se conforman los grupos que detentan el poder, cómo en cualquier ciudad de entonces unas cuantas personas ejercían cierto nivel de comando sobre el resto de la población (Joignant, 2009). Sin embargo, es Henri Saint-Simon quien estableció que la dirección política debe estar confiada a quienes tienen la capacidad de hacer progresar la ciencia y conducir la producción económica. Alumno de Saint-Simon, Augusto Comte sostuvo que el mando de la sociedad debía corresponder a una aristocracia científica.

Por su parte, Hipólito Taine explicó la Revolución francesa de 1789 como la necesidad de que una nueva clase dirigente sustituyera a la antigua, que había perdido sus aptitudes para el comando. Marx y Engels llegaron a la conclusión de que el Estado es el representante de la clase poseedora de los instrumentos de producción económica y que las revoluciones no han sido más que el reemplazo de una élite por otra, refiriéndose particularmente a la Revolución francesa de 1848 (*op. cit.*).

En efecto, el concepto de élite política se utiliza generalmente para analizar a los grupos que ya ejercen un control o están en la parte superior de las sociedades, de tal suerte que la constitución de un grupo de élite es el resultado de su evolución a lo largo de la interacción con el medio social que controla. Constantemente varios grupos están buscando diferentes recursos sociales con el fin de definir su especificidad (Daloz, 2010).

Los primeros estudios sobre ese segmento social fueron los europeos Mosca,[4] Pareto[5] que empieza a utilizar la palabra élite política para referirse a "los mejores" de la clase política, aquel grupo de per-

---

[4] Reconoce que la dirección de la "cosa pública" está concentrada en una minoría de personas influyentes, a la cual la mayoría concede voluntaria o involuntariamente la dirección y desconoce que haya un mundo organizado en forma diferente. *La clase política*, México, FCE, 2002.

[5] Se refiere a "los mejores" o aquel grupo de personas que tienen el mayor peso en las decisiones de su clase: los "zorros" que son calculadores, pensadores y materialistas, y los "leones" son conservadores, idealistas y burocráticos. *Forma y equilibrio sociales*, Madrid, Alianza, 1980.

sonas que tenía mayor peso en las decisiones; Michels,[6] y el norteamericano Mills.[7] No obstante, Mosca es el primer científico social que desarrolló una teoría de la élite o clase política como prefería llamarla. Pareto empieza a utilizar la palabra élite. Sin embargo, es el italiano Gaetano Mosca quien primero estudia a la "clase política". Michels habla del mismo fenómeno.

Tanto a Mosca como a Pareto se les considera como los teóricos defensores del "orden burgués", legitimadores de las élites en las sociedades industrializadas avanzadas. Sin embargo, en términos generales hay elementos comunes que comparten los tres autores. La formación y reproducción de la élite política está asociada a dos condiciones del régimen político: las condiciones institucionales en que se ejerce el poder y la concepción de democracia actual (Mills, 1987).

Figura 2. *Esquema del funcionamiento de las élites políticas con otros actores*

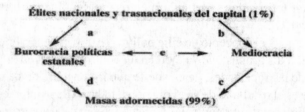

Élites nacionales y trasnacionales del capital (1%)

Burocracia políticas estatales ← e → **Mediocracia**

Masas adormecidas (99%)

Aclaraciones al esquema:
a. Dominación de las estructuras políticas. b. Creación de medios de comunicación a su servicio. c. Dominación de la opinión pública de las masas. d. Dominación política sobre las masas ideológicamente adormecidas. e. Mutua determinación: del poder político que crea las estructuras que hacen posible la mediocracia, y la mediocracia que sirve a la burocracia política en el poder (en cuanto sirven a los intereses del gran capital).

---

[6] Afirma que "tanto en autocracia como en democracia siempre gobernará una minoría", la idea básica es que toda organización se vuelve oligárquica. *Los partidos políticos. Un estudio sociológico de las tendencias oligárquicas de la democracia moderna*, Buenos Aires, Amorrortu, 1976.

[7] Define así a la élite del poder: "Esas jerarquías del Estado, de las empresas económicas y del ejército constituyen los medios del poder; como tales, tienen actualmente una importancia nunca igualada antes en la historia humana, y en sus cimas se encuentran ahora los puestos de mando de la sociedad moderna que nos ofrecen la clave sociológica para comprender el papel de los círculos sociales más elevados en Estados Unidos" (1-2). *La élite del poder*, México, FCE, 1956.

Sociedad leonesa

Desde sus orígenes, León ha vivido varias transformaciones sociales y políticas. Desde ser caracterizada como una sociedad conservadora, retrógrada y reaccionaria, en la que se incluye su capacidad promotora de causas del mismo signo ideológico[8] (Rionda, 2002) hasta transformarse en "un sistema complejo, dinámico y caótico [con] cambios localistas [y su] perturbación sistémica" (Gómez, 2010: 13).

Así, la sociedad leonesa, como lo apunta Mora (2011):

Ha presentado nuevos procesos de articulación política con los intereses particulares de los diversos grupos de poder locales, dando pauta a la emergencia de nuevos actores políticos que entraron a la vida política, particularmente una élite de empresarios de la localidad, que si bien se venían agrupando en diferentes espacios en relación con el PRI, mismos que han permanecido en las estructuras del poder vigente, y que han creado [...] una nueva matriz relacional a partir de la llegada del PAN al gobierno municipal primero, luego estatal y posteriormente al gobierno federal, en donde los intereses ideológicos, políticos y económicos se expresaron y se tradujeron en procesos de compensación o pago de favores –la más de las veces encubiertos– a través de la designación de funcionarios, o el impulso de ciertas iniciativas de ley, o al ser beneficiados en la asignación de obras públicas y proyectos de desarrollo (Mora, 2011: 10-11).

Sin embargo, sigue siendo un espacio de participación municipal excluyente y reservado casi sólo a los empresarios, ya que las decisiones, como señala Sentíes (2012):

No se basan en una perspectiva integral de la realidad, lo cual da como resultado que sus decisiones produzcan nuevos riesgos sociales, porque aumentan el grado de vulnerabilidad de los sectores más desprotegidos de la población (Sentíes, 2012: 23).

---

[8] Entre otros movimientos están el sinarquista, locales la Unión Cívica Leonesa con evidente influencia de aquél. Asimismo, el movimiento secreto de El Yunque ha florecido en este municipio.

Ocasionando una falta de equilibrio en la representación social y mostrando una visión muy limitada, impidiendo que emerja una sociedad civil exigente impulsando una política pública de participación ciudadana más *ad hoc* a las necesidades de la sociedad. León, como parte del México actual, no ha sido justo y equitativo con las grandes mayorías demográficas agravando así las condiciones económicas, teniendo altos índices de rezago social. Con lo que la pregunta es obligada: en el actual sistema capitalista que vivimos ¿es esa la democracia la que ha demandado la sociedad? ¿Sigue siendo válido el sistema capitalista para vivir en una sociedad justa, libre y democrática?

Las representaciones sociales de la democracia (RSD) en la élite

La descripción de los contextos antes señalados son la condición explicativa de la emergencia de las representaciones sociales de la democracia (RSD). Ahora, cómo se problematiza esa emergencia en el caso del grupo en estudio, es lo que plantearemos. En cuanto a la conformación de los sujetos de dichas RSD, hay en la sociedad mexicana –como en toda sociedad– determinados grupos que se caracterizan por su incidencia significativa en las decisiones más importantes de su comunidad, como ya decíamos: aquellos que conforman y pertenecen a la élite política.

Ellos experimentan una socialización propia de su grupo, en la que interactúan en un ambiente conformado por una información, una percepción selectiva y determinada de sus propios intereses; orientan su acción, dirigen sus comportamientos, condicionan sus adhesiones, delimitan sus grados de libertad a la hora de actuar y tomar decisiones. De este modo se van familiarizando con lo extraño y lo novedoso, incorporándolos a sus esquemas cognitivos preexistentes, aplican un saber práctico al racionalizar sus prácticas sociales facilitando el dominio sobre su entorno.

Por lo que se anticipan a otros grupos presentes en el campo social, condicionan fuertemente su sentido de actuación y adhesión en el interior de sus grupos, justificándolos; refieren sus actuaciones a sus marcos cognitivos; crean a sus agentes, agencias y discursos, a sus conceptos y definiciones; se ven afectados por su ambiente personal e impersonal; son responsables de acuerdo con ciertas normas con un "sentido común" inferencial; van desarrollando comportamientos, prácticas sociales y una identidad social; intentan y resuelven problemas conocidos o pueden prever cómo se solucionan utilizando las tradiciones socializadas y experiencias sancionadas por la práctica cotidiana en interacción con las personas y la cultura.

Uno de los problemas a los que nos enfrentamos al inicio del trabajo fue la necesidad de trazar un mapa con preguntas que puedan orientar la pesquisa de la investigación en un campo un tanto desconocido, como las siguientes: en cuanto a nuestros sujetos de investigación se les explicó su motivo de estudio, solicitándoles su participación en atender una entrevista de manera voluntaria y guardando su anonimato, grabándoles sus declaraciones que posteriormente se transcribieron. Se elaboró una guía de entrevista cuyas preguntas se diseñaron a partir de los cuatro procesos de la conformación de las RS: un fondo cultural acumulado, los mecanismos de anclaje y objetivación, un núcleo central y el cuarto es el conjunto de prácticas sociales.

Para satisfacer sus necesidades van imaginando y desarrollando tiempos y espacios propios que los van llevando a relacionarse con sus pares, creando organizaciones y estructuras en las que proyectan sus propias ideas, creencias y convicciones, sus emociones y sentimientos, sus virtudes y perversiones, sus altruismos y egoísmos. De esta manera se constituyen los instrumentos necesarios para la comprensión de su dinámica social, una determinada visión del mundo que la gente aporta o lleva consigo y utiliza para actuar y/o tomar posiciones al respecto. Además para entender la dinámica de las interacciones sociales y, por lo tanto, aclarar los determinantes de sus prácticas sociales, informando y explicando la naturaleza de sus nexos sociales, en el interior de un grupo al que pertenecen y en el que interactúan otros grupos afines y/o diferentes; se introduce un determinado lenguaje y cognición propios de su vida cotidiana, de una cultura en este caso democrática.

En su ejercicio del poder, la élite política emerge de la necesidad de que la dirección política, administrativa, militar, religiosa, económica y moral sea ejercida por una minoría organizada para incidir en el ejercicio de su poder expresando su discurso. Estos grupos de élite piensan, hablan y actúan en, desde y para la democracia, constituyéndose en una representación social de ésta, en una especie de "sentido común", base inter e intrasubjetiva que les concede ubicarse en un mapa determinado, como guía para saber dónde están, qué, cómo piensan y cómo actúan. De tal forma que nos facultaría identificar cuáles son nuestras fronteras de seguridad y orientación; a través del "sentido común" que nos hace pensar desde una perspectiva tan diferente como común y tan extraña como familiar.

Los grupos de élite política pregonan y respaldan en su discurso los principios democráticos al reivindicar el estado actual de derecho con distintas expresiones.

Su ubicación se encuentra en aquellos grupos que tienen una incidencia significativa en las decisiones importantes de la sociedad y los podemos encontrar en ciertos sectores empresariales, en partidos políticos, en la alta jerarquía católica y grupos de profesionistas. En el caso de los empresarios existen organismos que organizan a una buena parte de ese sector. Por ejemplo, está el Consejo Coordinador Empresarial (CCE) que en su objetivo y su estrategia trabaja para impulsar la democracia plena. Otro, la Confederación Patronal de la República Mexicana (Coparmex) en sus "objetivos estratégicos" está el pugnar por un Estado democrático de derecho.

La Iglesia católica que tiene una gran influencia en la sociedad, su alta jerarquía está organizada en la Conferencia del Episcopado Mexicano (CEM), fija su posición en el marco democrático. A nivel local, existe un grupo organizado también influyente que es el Consejo Coordinador de Colegio de Profesionistas de León que plantea una demanda democrática al gobierno, la de integrar consejos ciudadanos. Los grupos de élite política intervienen en la disputa por el control del poder, en el que participan incidiendo en las decisiones de mayor trascendencia de su comunidad.

Habiendo considerado estos presupuestos nos planteamos las siguientes preguntas por investigar:

- ¿Qué son las representaciones sociales de la democracia en la élite política leonesa?
- ¿Qué procesos y productos se desarrollan en la construcción de dichas representaciones sociales?

Las RSD en León

El grupo de élite política leonesa que estudiamos ha construido sus RSD por medio de su ejercicio político y profesional haciéndolo un *modus operandi*, es decir, una manera habitual o característica de actuar que posee un conjunto de creencias y valores democráticos básicos, ampliamente compartidos; unas referencias histórico-culturales de la democracia vigente como parte de la memoria e identidad grupal; una información seleccionada, descontextualizada y en consonancia con aquellos valores; un conjunto de cogniciones democráticas naturalizadas, esto es, que han devenido o convertido en propias o familiares y son parte de la realidad del grupo.

Todo ello configura un núcleo central o básico con elementos periféricos o secundarios en un todo, con un significado condicionado a su contexto inmediato, que lleva a un conjunto de prácticas sociales diversas de comunicación social, tanto de los medios masivos como los de la comunicación interpersonal que detonan en la construcción de sus RSD.

Entonces se aplica como estrategia metodológica a la etnometodología y de instrumento técnico se emplea a la entrevista no estructurada. Para su análisis se diseñaron nueve indicadores. Tomamos como estrategia metodológica a la etnometodología que nos permite conocer a un grupo social *sui géneris* como es nuestro caso (Martínez, 2006). Con la etnometodología se puede interpretar cómo las personas dan sentido a la vida cotidiana o actúan, siendo un método eficaz para el presente estudio, dándole al análisis del discurso la importancia de coinsiderar el carácter intencional de los agentes sociales.

La etnometodología faculta la aproximación a los sujetos de investigación de cómo obtener la información y procesarla, mediante el estudio del fenómeno de las RSD incorporadas en sus discursos y acciones del análisis de las actividades humanas. Así, facilitará la manera de cómo se pueden interpretar los hallazgos en la naturaleza de un orden social "natural" y el compromiso de dichos sujetos de investigación, así como el entendimiento de la intersubjetividad, el significado interpersonal y sus actividades sociales, sus construcciones sociales, la explicación de sus prácticas cotidianas.

El instrumento para obtener nuestra materia prima fue la entrevista no estructurada y el diseño de las preguntas fue con base en los componentes estructurales de la teoría de las RS, a partir de sus tres procesos. Dada la naturaleza metodológica se optó definir la población conforme la calidad y cantidad de información que se obtuviera. El grupo de elite política que analizamos está integrado por personas que provienen de distintos agrupaciones de la clase política local, ya de partidos políticos, de asociaciones empresariales y de organismos no gubernamentales (ONG), a los que han pertenecido los últimos 20 años cuando menos.

Para localizar a los miembros de la élite política leonesa fue necesario estar informado de su contexto político actual lo que nos hizo identificar, en primera instancia, ¡a varios de ellos quienes a su vez nos fueron sugiriendo a otros. Así, nos fuimos entrevistando con cada uno, grabando la entrevista, transcribiéndola y codificándola de acuerdo con los nueve indicadores, para finalmente analizarla e interpretarla.

Se elaboró una guía de entrevista cuyas preguntas se diseñaron a partir de los cuatro procesos de la conformación de las RS. Se explicó a los informantes el motivo del estudio y se les solicitó su participación voluntaria y la grabación de su voz. Establecimos el compromiso de garantizar el anonimato y confidencialidad de la información proporcionada, así como la honestidad en su manejo. Se elaboró una guía de entrevista cuyo propósito sería recabar información tanto de los datos sociodemográficos generales como del tipo de problemas a los que los entrevistados se enfrentan en todo lo que tiene que ver con el ejercicio de sus decisiones democráticas. Las entrevistas se llevaron a cabo durante el año 2013 en el lugar en donde los informantes eligieron.

La selección de los informantes fue en un principio aquellos que estaban a la vista de la opinión pública, éstos a su vez me fueron llevando do a otros homólogos, de tal manera que una vez que se iba obteniendo la información necesaria, se fue definiendo el número de participantes hasta lograr la materia prima lo más rica y menos repetitiva posible. Inevitablemente surgen preguntas o dilemas como por ejemplo: ¿qué tan profundo y qué tan extenso debe ser el proceso de recolección de datos? ¿Por dónde iniciar y terminar el proceso de recolección de datos? ¿A quién incluir, a quién excluir de la recolección de datos? Frente a estas interrogantes, tenemos las siguientes respuestas.

Frente a la profundidad y la extensión es prioritaria la profundidad y la explicitación de la calidad sobre la cantidad. El límite de la profundización se logra en la medida que avanza en el proceso de investigación; la extensión con base en las fuentes que han sido exploradas. Me di a la tarea de localizarlos, hacer la cita y entrevistarlos, así como suspendí la búsqueda de más informantes al momento que ya no me dieron ninguna comprensión auténticamente nueva, sino se repetía el discurso. Entre las personas que solicité entrevistarlas, hubo otras ocho que después de insistir reiteradamente se rehusaron a ser entrevistados.

Con el objetivo de codificar y clasificar la información se diseñaron nueve indicadores que identificaran los procesos y productos de las RSD observados en las entrevistas. Los elementos metodológicos a considerar que podrían generar la construcción de los temas ejes son: cómo se construyen, cuáles son los tipos, componentes o dimensiones y las funciones de las RS, de los cuales podemos plantear los siguientes temas de las RSD.

Como ya mencionamos, se diseñaron nueve indicadores que facilitaran el análisis del discurso y a continuación se presentan:

1. La pertenencia al grupo de élite política en León: aquella relación que mantiene o han mantenido con la estructura de alta jerarquía del poder político.

2. La asunción de puestos públicos o liderazgos plenamente reconocidos: aquella responsabilidad asumida en la conducción de algún grupo influyente en la estructura del poder político leonés.

3. La participación en la toma de decisiones en algún grupo de élite política en León: aquella intervención significativa asumida en alguna agrupación de élite política.

4. El reconocimiento de alguna virtud o valor democrático: admitir la certeza de algún principio democrático que norma u orienta responsablemente la conducta de quien lo asume.

5. El conocimiento de algún personaje y/o referencia histórica democrática: admitir aquella cognición de algún prócer o hecho histórico que ha contribuido a la construcción de la democracia.

6. El conocimiento de algún marco político democrático como guía de su actuar: aquella idea, "teoría" o creencia democrática que haya orientado su actuación.

7. La presencia de la congruencia democrática: aquella consecuencia ética entre el pensar y actuar democrático.

8. La presencia de algún aprendizaje democrático, ya sea por alguna persona o experiencia: aquella asimilación de alguna lección democrática.

9. La presencia de alguna experiencia significativa de alguna lectura, película o evento relacionado con el tema de la democracia.

Se pudo observar que las RSD de la élite leonesa son compartidas entre ellos y a su vez participan en prácticas sociales comunes insertadas en la estructura social, formas que orientarán su actuación, estableciendo y enfocando comportamientos que dan soporte a su identidad. De este modo su contenido depende de los grupos y las relaciones sociales en que han participado, no coexistiendo una RSD homogénea para todos/a los miembros de la élite política.

En cuanto al primero, el grupo presentó en general un fondo cultural, por un lado, con creencias democráticas básicas y por otro muy pobre al no evidenciar los valores democráticos reconocidos y una falta de referencias históricas y culturales propias. El segundo proceso, sobre los mecanismos de anclaje y objetivación, se pudo observar en el primero que también es muy pobre la adhesión conceptual de la democracia; en el segundo mecanismo –la objetivación– sí tienen una selección de la información en consonancia con los valores del grupo, que la información obtenida está descontextualiza y que están familiarizados con la visión oficial de la democracia.

En el tercer proceso –el núcleo central– se revisó que el código de la democracia del grupo está bien integrado a su contexto inmediato, al de su organización social y la historia. En el cuarto –las prácticas sociales– no se vio claramente si, primero, toman acuerdos o son decisiones arbitrarias, aunque sí se anota que se relacionan con la comunicación tanto masiva como interpersonal.

Entre los tipos de RSD, las hegemónicas tuvieron un alto grado de consenso sobre la democracia electoral, particularmente; las emancipadas fueron muy pobres al no apuntar nuevas formas de democracia; en cuanto a las polémicas, ninguno planteó alguna controversia democrática. Respecto a los nueve indicadores, en general, fue todo un acierto su introducción ya que no sólo generó descripciones sino hasta cierto punto algunas explicaciones. Veamos cada uno de ellos:

1. En sus relatos los informantes no nos dicen si su designación como candidatos a los puestos de elección popular fue legítimo, producto de un proceso democrático, aunque haya sido legal. Tampoco

hacen referencia, por ejemplo, a que el proceso político está cargado de un elitismo tal que restringe sus oportunidades y acceso a las posiciones de poder, amén de privilegiar el rol de las estructuras institucionalizadas para su selección.

2. Alguien expresa sin empacho que un partido le ofreció la candidatura a diputado plurinominal; es decir, no producto de un proceso democrático. Otro exhibió un cariz un tanto peculiar, con sentido plural al asumir responsabilidades de distintos partidos. Ninguno relata cómo se dieron los encuentros, acuerdos, disputas y otros elementos de comunicación entre ellos y cuál pudo haber sido su impacto.

3. Hubo quien se confrontó con el presidente de la República, cuando eran casi intocables; otros se beneficiaron al amparo del poder en turno; alguno tuvo que realizar una campaña para alcanzar algún beneficio partidista; alguien más desde su curul propuso iniciativas legislativas y participó en el diseño de alguna ley aprobada, o recibió un beneficio como retribución al apoyo político a un candidato a gobernador. Ninguno hace referencia a algún error cometido en alguna decisión tomada, sino sólo de sus proezas. Es decir, no hay sentido autocrítico, en pocas palabras.

4. Con excepción de uno, nadie relata si hubo algún problema como consecuencia de algún conflicto de intereses, si fueron capacitados para ello o fue producto de su intuición.

La mayoría al pensar en la democracia, automáticamente piensa en elecciones. El "votar" es una figura común de la democracia, así como las prácticas no-democráticas como la demagogia, el fraude, el autoritarismo, las acciones que atentan contra ella y también en contra de esa forma de participación; las votaciones como el centro de una caracterización funcional, expresiones de una realidad política que es parte de nuestra historia y continúa siendo una referencia actual.

No perciben en la democracia valores como la pluralidad y la tolerancia, donde la primera pueda observarse al decir "considérame y considera los otros", "tómenme en cuenta y tomemos en cuenta a los otros" que no sólo es válido en el limitado espacio de la política, sino también es una forma de pensar la vida humana; la tolerancia incluye voces o representaciones hasta antagónicas. Asimismo tampoco hay voces que se refieran a valores como la denuncia de la corrupción e impunidad que impera en el país.

Todos/a reportan que están de acuerdo –con sus particularidades–
con el régimen democrático, como una creencia válida y hasta expresan cierto entusiasmo al hablar de ella. La asocian a la prosperidad, a
una mejor convivencia, entre otros. A excepción de dos sujetos, no
tienen referencias históricas que marcaron hitos en la democracia del
país. Para la mayoría de los sujetos las RSD son sólo "un mero dato
perceptivo"; se trata de un sesgo típico ocasionado por el hecho de
que una representación emerge ante los individuos como un dato concreto, por ejemplo en forma de metáfora.

Hacer de la democracia un objeto social no extraño, implicaba ex-
ponerla a un escrutinio con las categorías prevalecientes sobre "el
cómo hacer" la política. Las representaciones tienen la huella de "esa
mezcla"; de ahí que pensar el voto como "un resguardo de la democracia" y como una manera –casi sagrada– de garantizar la participación de las mayorías, sean pensamientos elevados a la categoría de
elementos irremplazables de la democracia.

Todos echan mano de nuestra cultura política para acceder a las
ideas acerca de la democracia; para atraer dicho objeto a su territorio
de saberes y referencias. La representación de la democracia, centrada en la pluralidad, puede coexistir con la confianza en el poder de la
muchedumbre; es decir, con una fuerza caracterizada en la noción de
"todos, unidos".

5. Todos/a reportan muy poca información acerca de los acontecimientos históricos y cogniciones de la democracia. Por otro lado, hay
una aparente paradoja al mencionar algunos personajes antagónicos a
su ideología o a su partido de origen como válidos, así como nadie
hace referencia a los caudillos de la revolución como Francisco Villa
o Emiliano Zapata, o ninguno impugna la actuación de los presidentes
de la República contemporáneos. Son más influyentes los personajes familiares o de otras nacionalidades y de campos como la academia, la mercadotecnia, por ejemplo.

6. No perciben que un problema álgido de la democracia es imponerse al mercado para evitar la erosión del valor de la libertad. Para
identificar los límites del mercado y al mismo tiempo admitir su funcionamiento en el marco de una democracia se necesita el reconocimiento del valor que tienen los bienes primarios provistos universalmente
por el Estado, para asegurar la dimensión positiva de la libertad y en-

cargar al mercado la asignación de los bienes superfluos, con sus virtudes de economía de información y dinamismo.

Con excepción de un informante, nadie menciona los otros tipos de democracia y sólo aluden a la electoral. Asimismo no perciben que la democracia debe imponerse al mercado para evitar la erosión de la libertad compartida equitativamente por todos; para identificar los límites del mercado y al mismo tiempo admitir su funcionamiento en el marco de una democracia.

Hay informantes que consideran que la democracia en México, ha sido consecuencia de un sistema de educación pública impregnado de ideas y símbolos emanados del régimen autoritario que privó por más de 70 años. Nadie piensa que la democracia resulta de un proceso complicado de transformación. Tampoco se escuchan planteamientos de que es la ciudadanía, en general, la que debería ser la protagonista principal de la construcción de la democracia.

Algunos reconocen las tendencias a "materializar" la democracia: hacia el bienestar común, los derechos humanos, la impartición de justicia, la libre expresión, en contra de las imposiciones y los fraudes, en contra de la inflación. Asimismo hay quienes tienen una alta expectativa de la democracia como la llave de las soluciones.

7. Parecería que el Príncipe Maquiavelo se pudiera imponer en muchos al tener un sentido pragmatista de la política y no tener un código de ética. Así, muy pocos se refieren a los principios esenciales de la democracia como son: los derechos humanos, anteriormente identificadas como las garantías individuales; la sustentabilidad y el respeto del medio ambiente como parte del desarrollo; la equidad de género y garantizar el derecho a la ciudad para todos sus habitantes, el derecho a ser ciudadanos plenos.

Para la mayoría de nuestros sujetos la democracia es el resultado de la aplicación de sus sentidos, es decir, se reduce a "un mero dato perceptivo". Se trata de un sesgo típico ocasionado por el hecho de que una representación emerge ante los individuos como un dato concreto. Los informantes tienen sus formas peculiares para la aprehensión de la democracia: hacen de ella un objeto social expuesta a un escrutinio con las categorías prevalecientes sobre "el cómo hacer" la política. Las representaciones tienen la huella de "esa mezcla"; de ahí que pensar el voto como "un resguardo de la democracia" y como una manera –casi sagrada– de garantizar la participación de las mayorías, sean pensamientos elevados a la categoría de elementos irremplazables de la democracia.

Todos echan mano de nuestra cultura política para acceder a las ideas acerca de la democracia; para atraer dicho objeto a su territorio de saberes y referencias. Es el proceso de transformación de un objeto extraño en uno accesible. La representación de la democracia, centrada en la pluralidad, puede coexistir con la confianza en el poder de la muchedumbre; es decir, con una fuerza caracterizada en la noción de "todos, unidos".

8. Casi nadie hace referencia a la justicia social y por lo mismo no perciben el hecho de que nunca los ricos son más escasos mientras que la pobreza aumenta considerablemente.

Prácticamente todos se refieren a una forma de democracia: la electoral, mientras que casi nadie hace referencia a las otras formas. Y casi nadie impugna la partidocracia imperante en la que los partidos políticos controlan las políticas públicas, incluidos los procesos electorales a través de los "consejeros ciudadanos": el INE. Para todos el acto de "votar" es una figura que se ha vuelto un fetiche del sistema y para pocos las prácticas no-democráticas como la demagogia, el fraude, el autoritarismo, son acciones que atentan contra la democracia y de esa forma de participación.

9. Este fue uno de los indicadores más pobre en cuanto que se expresan pocas experiencias de alguna lectura, película o evento relacionado con el tema de la democracia.

Ninguno de los entrevistados perciben la carencia de políticas públicas enfocadas a fomentar los espacios de debate y encuentro a todo nivel, estimular las iniciativas sociales e individuales, catalizar propuestas y consensos, delegar decisiones y fijar normativas regulatorias, entre otros.

Asimismo no contemplan la concentración mediática y la lógica que privilegia los intereses de los grandes grupos económicos, para dar paso a una reestructuración que ponga término a los monopolios y oligopolios, que establezca el rescate del carácter público de la comunicación social, que garanticen la participación activa, crítica y organizada de la sociedad en todos los procesos comunicativos, defendiendo el derecho a la libertad de expresión y de recibir información verificada y plural o el derecho a la réplica, entre otros. Como tampoco observan que uno de los puntos críticos con los medios de comunicación social tiene que ver con el reparto del espectro radioeléctrico que pertenece a la nación y es administrado por el Estado.

A manera de conclusión

En primer lugar el estudio aportó una mayor comprensión de la sociedad leonesa, así como de los modos y procesos de constitución del pensamiento político-social de la democracia que viven actualmente. Sin embargo, es necesario señalar que del grupo que no aceptó ser entrevistado puso en evidencia, en el mejor de los casos, su falta de voluntad para expresar sus RSD, sino es que la ausencia de las mismas al no exponerlas en una entrevista.

En la aplicación de la entrevista reconocemos una cierta falta de pericia para obtener una mayor y mejor información en algunos de los informantes. Las observaciones de los cuatro procesos de producción de las RSD se ven reflejadas en cierta manera en cada uno de los indicadores, por lo que resultó un tanto ocioso separarlos. Respecto a la clasificación de las respuestas, de acuerdo con los nueve indicadores, hay que notar que muchas de las respuestas podrían estar codificadas en más de algún indicador o se pudieran confundir con otro indicador. Sin embargo, las diferencias existen.

Respecto a la democracia que vive estos momentos México, que está muy lejos de las demandas sentidas por amplios sectores de la población. Sí hay, por otro lado, sectores que sólo participan cuando las autoridades aplican alguna política social. Existe un gran descontento y desencanto que ha conducido a intensas movilizaciones y organizaciones de grupos que no son escuchados por la clase polític, que a su vez parece que sólo pone atención en los mecanismos electorales para reproducirse a sí misma dejando profundos déficits en todos los rubros de la vida pública nacional, estatal y locales. Es la ciudadanía, en general, la que debería ser la protagonista de la construcción de la democracia proyectada en un gobierno *ad hoc*. Además toca a la clase política local garantizar que este derecho se plasme en la ley y en los hechos, buscando una sociedad con todo el poder al ciudadano.

Bibliografía

Abric, J., 2004, "Prácticas sociales, representaciones sociales", en Abric, J. (comp.). *Prácticas sociales y representaciones*, México, Ediciones Coyoacán.

Araya, S., 2002, "Las representaciones sociales: ejes teóricos para su discusión", *Cuadernos de ciencias sociales*, 127, pp. 1-84.

Banchs, M., Agudo, A. y Astorga, L., 2007, "Imaginarios, representaciones y Memoria social", en Arruda, A. y Alba, de M. (coords.), *Espacios imaginarios y representaciones sociales*, Barcelona, UAM-I y Anthropos.

Baños, J., 2006, "Teoría de la democracia: Debates actuales", *Andamios*, 2(4), pp. 35-58.

Casar, M. A., 2015, *Anatomía de la corrupción*, México, CIDE.

De Rosa, A. S., 2011, 1961-1976: "Notes in the margin to a metatheoretical analysis of the two editions of la psychanalyse, son image et son public", *Papers on Social Representations*, 20 (2), pp. 1-36.

Emmerich, Ernesto, 2009, "Informe sobre la democracia en México", *Araucaria*, 11 (21), pp. 186-225, <http://www.ine.mx/archivos2/CDD/Reforma_Electoral2014/descargas/estudios_investigaciones/InformeSobreLaDemocraciaEnMexico.pdf>, consulta: 13 de diciembre de 2013.

González, F., 2002, *Sujeto y subjetividad: una aproximación histórico-cultural*, México, Thomson.

_____, 2003, "Democracy and citizenship: an analysis involving social representations and social subjectivity", en M. Lavallée, S. Vincent, C. Ouellet y C. Garnier (eds.), *Les représentations sociales. Constructions nouvelles*, Montreal, GEIRSO, <http://geirso.uqam.ca/publications/pdf/Section1/Politique/gonzalez.pdf>, consulta: 30 de octubre de 2008.

_____, 2007, "Democracy and citizenship: an analysis involving social representations and social subjectivity", <http://geirso.uqam.ca/publications/pdf/Section1/Politique/gonzalez.pdf>, consulta: 5 de septiembre de 2008.

Ibáñez, T. 1994, *Psicología social constructivista*, Guadalajara, Universidad de Guadalajara.

Instituto Nacional Electoral, 2014, "La cultura política democrática", <http://www.ine.mx/documentos/DECEYEC/la_cultura_politica_democratica>, consulta: 12 de octubre de 2014.

Íñiguez, L. y Vázquez, F., 1995, "Legitimidad del sistema democrático. Análisis de un discurso autorreferencial", en O. D'Adamo, V. García y M. Montero (comps.), *Psicología de la acción política*, Buenos Aires, Paidós.

Jodelet, D. 2006, "Representacion Sociales", en S. Mesure, P. Savidan (eds.), *Le Dictionnaire des Ciencias Humaines*, París, PUF, <http://www.9icsr-indonesia.net/spain/ltdrs.htm>, consulta: 10 de septiembre de 2008.

Joignant, A., 2009, "El estudio de las élites: un Estado del arte", *UDP Public Policy Series Working Papers*, 1, pp. 1-16, <http://www.expansivaudp.cl/publicaciones/wpapers/pdf>, consulta: 5 de agosto de 2012.

Marková, I., 2003, *Dialogicality and social representations: the dynamics of mind*, Cambridge University Press.

Martínez, M., 2006, "La investigación cualitativa (síntesis conceptual)", Revista *IIPSI*, 9, (1), pp. 123-146.

Meyer, L., 1990, *La crisis de la élite mexicana y su relación con Estados Unidos. Raíces históricas del Tratado de Libre comercio*, México, El Colegio de México.

_____, 1994, "México y la soberanía relativa. El vaivén de los alcances y los límites", <http://www.lorenzomeyer.com.mx/documentos/pdf/114.mexicosoberaniarelativa.pd>, consulta: 11 de febrero de 2010.

_____, 2007, *El espejismo democrático. De la euforia del cambio a la continuidad*, México, Océano.

Moscovici, S., 1979 [1961], *El psicoanálisis, su imagen y su público*, Buenos Aires, Huemul.

_____, 1984, "The phenomenon of social representations", en R.M. Farr y S. Moscovici (comps.), *Social representations*, Cambridge, University Press.

_____, 2007, *Espacios imaginarios y representaciones sociales. Aportes desde Latinoamérica*, Barcelona, Anthropos y UAM-I.

Navarrete, J. P., 2008, "Sistema político mexicano: desarrollo y reacomodo del poder", *Iberoforum*, III (6), pp. 131-148.

Ovalle, J., 2011, "Las controversias constitucionales y los órganos autónomos", en *Revista Mexicana de Derecho Constitucional*, 25, pp. 1-27.

Pererá, M., 2005, "A propósito de las representaciones sociales. Apuntes. Teóricos, trayectoria y actualidad", <http//:www.bibliotecavirtual.clacso.org.ar/ar/libros/cuba/cips/caudales05/Caudales/ARTICULOS/ArticulosPDF/02P075.pdf>, consulta: 3 de octubre de 2008.

_____, 2002, "Cultura política y elecciones en Guanajuato", <http://luisold.rionda.net/images/9/9d/Cultura_politica_en_Guanajuato.pdf>, consulta: 23 de septiembre de 2012.

Rodríguez, T., 2003, "El debate de las representaciones sociales en la psicología social", en *Relaciones,* 93 (XXIV), pp. 53-80.

_____, 2007, "Sobre el estudio cualitativo de la estructura de las representaciones sociales", en *Representaciones sociales. Teoría e investigación*, T. Rodríguez y M. L. García (coords.), Guadalajara, Universidad de Guadalajara.

Wagner, W. y Elejabarrieta, F., 1994, "Representaciones sociales", en Morales, J. (ed.), *Psicología social*, Madrid, UNED-McGraw-Hill.

DEFENSORAS DE DERECHOS HUMANOS DE LAS MUJERES EN CONTEXTOS CONSERVADORES: REFLEXIONES DESDE GUANAJUATO

José Raymundo Sandoval Bautista
Mariana del Carmen González Piña

Introducción

El papel de los movimientos sociales en los procesos políticos hacia la democratización ha sido clave en las últimas dos décadas. Boaventura De Sousa Santos (2003) ha reflexionado el papel de los movimientos sociales en el avance democrático, señalando que el "tercer sector"[1] ha sido fundamental en la reinvención solidaria del Estado.

Aunado a ello, desde hace décadas se reconoce que la participación de las mujeres en los movimientos sociales ha sido invisibilizada, (Massolo, 1992) y se han impuesto estándares de interpretación que no corresponden a su realidad local y a sus formas de acción política (Reyes, 2012). El caso de las mujeres defensoras de derechos humanos no es la excepción en esta invisibilización y en la imposición de identidades y de criterios descontextualizados.

El presente trabajo pretende analizar cómo se construyen las identidades subjetivas de algunas mujeres defensoras de derechos humanos de las mujeres en Guanajuato, enfatizando el papel que ha jugado

---

[1] El Tercer sector es la denominación residual e imprecisa con la que se intenta dar cuenta de un vastísimo conjunto de organizaciones sociales que se caracterizan por no ser ni estatales ni mercantiles, es decir, todas aquellas organizaciones sociales que siendo privadas no tienen fines lucrativos: cooperativas, mutuas, asociaciones, ONGs, organizaciones de voluntarios, comunitarias o de base, entre otras.

el conservadurismo de la región en la construcción de sus identidades y en sus formas de lucha. Para ello definimos qué es la defensa de los derechos humanos tanto en lo normativo como en lo subjetivo y buscamos describir el contexto social de Guanajuato, caracterizado por un conservadurismo sexual vinculado con la Iglesia católica y los movimientos religiosos históricos de la región.

Sin ánimo de exhaustividad, hacemos una primera caracterización de las identidades de las mujeres defensoras en Guanajuato desde una perspectiva feminista, a partir del diálogo construido con algunas mujeres clave en el proceso organizativo de las mujeres en los últimos 20 años en Guanajuato.

Corroboramos lo dicho por Alejandra Massolo con relación a las mujeres de los movimientos populares de la década de 1970 en el Valle de México: la participación de las mujeres es diferente de sus compañeros hombres dada la agenda más inmediata relacionada con su doble jornada. Además, lo que para una perspectiva tradicional de derechos humanos no feminista significa el fortalecimiento de las organizaciones, para una perspectiva feminista autónoma representa la institucionalización y burocratización del movimiento.

Contexto nacional actual

Actualmente se vive en México una grave crisis en materia de derechos humanos, quizás una de las más fuertes de toda su historia. El aumento en los índices de violencia y de crueldad experimentados en las últimas décadas se atribuye casi en su totalidad al surgimiento de la llamada guerra contra el narcotráfico. Sin embargo, es pertinente tomar en cuenta que las condiciones políticas, sociales y económicas que se venían gestando en México, fueron factores clave que posibilitaron el aumento de dicha violencia. Elena Azaola (2012) afirma que la violencia experimentada hoy en día no es únicamente consecuencia de la delincuencia organizada, sino que ésta se ha ido agravando como producto de otras violencias estructurales con las que ya contaba el país,[2] y que se han venido arrastrando al ser sistemáticamente ignoradas, de manera que ahora vivimos sus efectos acumulados.

---

[2] Azaola señala entre estas violencias estructurales al debilitamiento y descomposición de las instituciones de justicia, así como las insuficientes políticas sociales y económicas que no han sido capaces de reducir las desigualdades.

Asimismo, como parte de esta crisis se ha señalado la complicidad de autoridades con el crimen organizado así como otros poderes fácticos (grupos de poder económico, jerarquías religiosas, empresas, paramilitares, etcétera), aspectos que generan el miedo en la población, desesperanza y una descomposición en el tejido social (Medina y Hoechli, 2012: 24).

Dos aspectos fundamentales que no debemos olvidar, en especial en momentos de crisis como éste, es el hecho de que los derechos humanos no han sido concesiones producto de la buena voluntad del Estado, sino que las personas han tenido que luchar por ellos a lo largo de la historia. Del mismo modo, la historia nos ha mostrado con claridad que los avances no son nunca lineales y progresivos sino que, por el contrario, hay avances y regresiones, aspecto que pone de relieve la necesidad de estar al tanto de la situación de los derechos humanos, pues siempre existe el riesgo de retroceder. Es por lo anterior que destacamos la relevancia de la labor que realizan las personas defensoras de derechos humanos en México y el resto del mundo.

Las defensoras: quiénes son y qué hacen

En este contexto de violencia y desigualdad emergen con mayor fuerza actores sociales cuyas acciones han sido vitales para el goce de nuestros derechos: las personas defensoras de derechos humanos.

Desde hace más de una década la Organización de las Naciones Unidas (ONU) (2003) proponía elaborar un plan de acción integral en materia de defensores de los derechos humanos; las agresiones se han recrudecido de tal manera que las organizaciones internacionales han podido constatar el aumento a las violaciones a derechos humanos en el país y paralelamente el acoso y hostigamiento a quienes los defienden (Peace Brigades International, 2012), de modo que hablar sobre estos sujetos tiene una gran importancia. En América Latina, Guatemala, Brasil y Colombia cuentan con mecanismos de protección a personas defensoras de derechos humanos.

Sin embargo, autoras como Alejandra Massolo (1992) han denunciado la invisibilización que han sufrido las mujeres en el estudio de los movimientos sociales. La invisibilización de las acciones y aportes de las mujeres ha sido una constante a lo largo de la historia, por lo que sus contribuciones en los movimientos sociales, las ciencias u otras disciplinas han sido borradas sistemáticamente. No ha sido hasta hace relativamente poco que las feministas se han encargado de rescatar de la historia los aportes de las mujeres.

Debido a lo anterior, consideramos de gran relevancia centrarnos en las mujeres defensoras de derechos humanos pues, al igual que en otros espacios, las mujeres han tenido que luchar por sus derechos aun dentro del mismo movimiento de derechos humanos. A pesar de que muchas mujeres han aprendido a sentirse incluidas en los discursos, símbolos e imágenes masculinas, "hombre" nunca ha sido sinónimo de humanidad.

La idea de derechos humanos fue concebida inicialmente bajo un falso universalismo, donde las mujeres fueron excluidas como sujetas de derechos.[3] No fue hasta 1993 en la Convención de Viena que los derechos humanos de las mujeres fueron reconocidos como derechos humanos plenos[4] (ONU, 1993).

Este elemento androcéntrico es cuestionado por Francesca Gargallo (2002: 13), en *Tan derechas y tan humanas*, donde señala que:

Las mujeres necesitamos reconceptualizar la práctica y la teoría de los derechos humanos para cuestionar lo masculino como parámetro y garantizarnos la posibilidad de mirar al mundo desde el nosotras, con el fin de lograr una visión más integral del género humano. Sólo mediante una perspectiva no androcéntrica de lo que son los intereses de la humanidad, podemos entender la igualdad como un derecho de ser todas y todos igualmente diferentes, sin que un sexo, una raza, una edad, etnia, cultura, religión, ciencia, orientación sexual, capacidad y lengua, sean el parámetro o el modelo de lo humano.

---

[3] La Revolución francesa es considerada como un antecedente en el desarrollo de los derechos humanos. Sin embargo los frutos de la Revolución no alcanzaron a las mujeres. En el documento "Declaración de los derechos del hombre y del ciudadano", se excluyó a la mitad de la población, es decir a las mujeres, de sus derechos como ciudadanas. Cabe mencionar que ellas también habían luchado en la Revolución. Ante la indignación, Olympe de Gouges escribió la *Declaración de los derechos de la mujer y de la ciudadana*, publicación que le costó la vida pues fue condenada a morir en la guillotina.

[4] También se reconoció la violencia contra las mujeres como un problema de derechos humanos.

Si bien es cierto que no todas las mujeres defensoras de derechos humanos defienden de manera particular los derechos de las mujeres, las defensoras están expuestas a formas específicas de agresión debido a su condición de género como la violencia sexual, además de que están expuestas también a la falta de reconocimiento de sus aportes y la discriminación de género por parte de sus compañeros en el interior de los movimientos sociales (Medina y Hoechli, 2012).

Voltear la mirada a las defensoras de derechos humanos es especialmente importante en tiempos como éstos, pues tal como señala una de ellas a través de su testimonio recogido en el informe *Defensoras de derechos humanos en México. Diagnóstico 2010-2011 sobre las condiciones y riesgos que enfrentan en el ejercicio de su trabajo*, "Las y los defensores de derechos humanos somos como un termómetro de cómo está la democracia; cuanto más nos agreden, menos avanza ésta" (Medina y Hoechli, 2012:3).

En dicho diagnóstico las defensoras señalaron que, a su parecer, las dificultades estructurales que más obstaculizan su trabajo son la debilidad democrática, la intervención del Estado por poderes fácticos, la desigualdad social y económica y la cultura de discriminación y violencia contra las mujeres. Respecto a los poderes fácticos que intervienen en el Estado, señalaron de manera especial a los grupos conservadores, el crimen organizado y los medios de comunicación. El primer elemento, los grupos conservadores, es de especial relevancia en el caso de Guanajuato.

Con relación a los derechos humanos, Enrique Haba (2003) distingue en tres categorías a los locutores que hablan acerca de ellos, pues señala que aunque todos hablen sobre derechos humanos, los discursos y las acciones no son las mismas. Por un lado, se encuentran quienes viven "de" los derechos humanos, que con frecuencia son funcionarios u otras personas de la burocracia que mantienen privilegios de las posiciones que ocupan. Para mantener dichos privilegios deben ser prudentes y medir lo que dicen de modo que no incomoden demasiado a los gobiernos. Sus discursos suelen ser vagos y superficiales.

Estas personas para entrar en función, en palabras de Haba (2003: 11), "deben haber pasado previamente por el filtro de acreditarse como poco 'incómodas'". Éste fácilmente sería el caso de muchos organismos públicos de derechos humanos. Por otro lado se encuentran los locutores que viven "para" los derechos humanos, que de acuerdo

363

al autor son aquellos que se sacrifican por terceros y que no dudan en decir las cosas como son, sin temor de incomodar al Estado. Estos últimos locutores corresponderían a las personas defensoras de derechos humanos.

Guanajuato: breve recuento histórico

Guanajuato es uno de los estados de la República que hasta ahora se considera con índices delictivos bajos. Se cree que nada acontece en Guanajuato, esta idea se mantiene desde los discursos oficiales. Sin embargo, en lo que a derechos humanos de las mujeres se refiere, el estado resiste de maneras menos visibles pero igualmente efectivas. El historiador de la derecha política en México y en América Latina, Edgar González Ruiz, ha documentado la existencia de grupos conservadores en Guanajuato desde la guerra cristera, en particular ha señalado evidencias del grupo de ultraderecha denominado El Yunque en Guanajuato desde 1940 (González, 2011), y a partir de ahí ha descrito las maneras en las que grupos organizados de la derecha expresan su lucha contra el avance de los derechos humanos de las mujeres.

Juan Marco Vaggione (2005) señala que sin duda alguna la Iglesia constituye en Latinoamérica el mayor obstáculo para el avance en temas de género y sexualidad,[5] pues apunta que la separación entre Iglesia y Estado no significa que la primera dejará de ser un actor influyente en los temas de su interés. El autor utiliza el término de *politización reactiva* para hacer referencia al hecho de que tanto la Iglesia como las organizaciones religiosas conservadoras se han posicionado como parte de la sociedad civil, y que aunque presionen al Estado no necesariamente violan el principio de laicidad (p. 74).

En Guanajuato, uno de los estados más conservadores del país que desde hace años ha sido gobernado casi exclusivamente por el Partido Acción Nacional (PAN),[6] gran parte de los actores gubernamentales ni siquiera se esfuerzan en traducir sus creencias religiosas a lenguajes

---

[5] Es importante señalar que Vaggione hace énfasis en la necesidad de no homogeneizar a los miembros de la Iglesia. El autor encuentra, precisamente, riqueza en la diversidad de creencias en el interior: "La disidencia religiosa es un fenómeno político importante para enfrentar el rol hegemónico de la Iglesia en Latinoamérica" (p. 79).

[6] La ideología del PAN es marcadamente conservadora.

seculares. Su intención es propagar unos valores tradicionales basados en la familia patriarcal y heteronormativa.

Florence Rochefort (2010) ha señalado que los roles e identidades de género acordes a una concepción judeo-cristiana generalmente implicaban la sumisión de las mujeres y su dependencia directa del padre o marido, así como su repliegue a la esfera privada. Sin embargo, también menciona que a lo largo del siglo XX, las luchas feministas contribuyeron a la pérdida de influencia de las religiones en el mundo público (sobre todo las occidentales), así como en su apertura a ideales más igualitarios.[7]

Sobre la historia del feminismo en Guanajuato, Berenice Reyes (2012) ha analizado las últimas cinco décadas describiendo su configuración, señalando incluso que dentro de las expresiones religiosas han existido contadas excepciones de promoción de derechos humanos.

Dentro de sus conclusiones, contradice la idea de que el feminismo mexicano ha sido resultado de los procesos de autoconsciencia que iniciaron las mujeres de clase media ilustrada de la Ciudad de México, y que ha conformado la génesis del movimiento a nivel nacional, anotando que en Guanajuato se construye de manera diferente a partir de un feminismo civil en el que participan organizaciones de corte social (de carácter católico progresista), en el cual se detona un proceso de formación y discusión desde la perspectiva feminista entre las mujeres que participaban en esos espacios.

Pese a la fuerte carga conservadora en el estado de Guanajuato, finalmente se ha dado en alguna medida la institucionalización de la

---

[7] Rochefort (2010) señala que aunque la religión no fue de entrada un tema de reflexión prioritario para los movimientos feministas, eventualmente sí se dio una intensa vinculación. Las maneras en que estos movimientos respondían o interactuaban con las religiones pueden englobarse en tres maneras según la autora. La primera es que algunos feminismos pretendían contrarrestar todo pensamiento religioso al considerarlo irremediablemente patriarcal, otros buscaban contrarrestar únicamente aquellos elementos religiosos que demeritaran u obstaculizaran la lucha por la igualdad; mientras que otros han hecho críticas desde dentro, con la intención de generar una revolución interna que apuntara hacia la despatriarcalización de las iglesias. Aunque la autora señala que durante la primera ola del feminismo fueron las feministas antirreligiosas quienes lograron generar los cambios más significativos de la época, otras como Irigaray (1987:89 citada en Rochefort, 2010:45), señalan que suprimir de lleno el fenómeno religioso no es posible dadas las condiciones actuales y que es necesario reconsiderarlo si no se quiere caer en el riesgo de verlo resurgir de forma violenta.

perspectiva de género y de derechos humanos. Aunque lo que se ha visto es que muchas de las instituciones que abordan esos temas (como los institutos de las mujeres o las comisiones o procuradurías de derechos humanos), en vez de servir a los fines para los que fueron creadas terminan sirviendo a los deseos de quienes ocupan los cargos de dirección (Medina y Hoechli, 2012). Según la misma fuente, "el incumplimiento de sus obligaciones en derechos humanos no se da tan claramente por una negación o por omisiones flagrantes, sino más bien por simulación: garantiza lo formal, pero lo concreta de una manera que impide tener resultados efectivos" (p. 27).

Respecto a lo anterior, y en especial con el tema de la institucionalización de los derechos humanos de las mujeres, autoras como Martha Patricia Castañeda (2014) han señalado que en numerosas ocasiones el concepto de género es utilizado de forma reduccionista por las instituciones públicas, y se limita a sus dimensiones descriptivas sin cuestionar o visibilizar las jerarquías y poderes que permean la estructura social. Castañeda retoma a Marcela Lagarde, pues ésta ya había alertado sobre los usos "asépticos" del concepto de género, donde afirmaba que la intención clara en casos como éstos era despolitizar la problemática e incluso anular la elaboración crítica política del feminismo.

Lamentablemente la institucionalización de los derechos humanos ha generado una gran cantidad de actores que viven "de" los derechos humanos, donde según Haba (2003: 10-11), "los beneficios *reales* que del funcionamiento de tales instituciones puedan seguirse para significativos grupos de terceros son mínimos, casi siempre".

Pistas para la interpretación

Es importante revisar las diferentes expresiones del feminismo no sólo como elemento histórico, sino como miradas que nutren las diferentes identidades de las defensoras de derechos humanos. El discurso más convencional de derechos humanos es el que parte de la perspectiva liberal y positivista. Frente a ese contexto, surge el feminismo liberal que desde el siglo XIX cuestiona el nuevo orden político basado en la primacía de la ley y la autonomía de los seres humanos, pero que excluye a las mujeres y a otros muchos grupos vulnerados socialmente. Es decir, los derechos humanos desde la Revolución francesa surgieron con un fuerte sesgo androcéntrico.

También se reconocen los procesos históricos donde incluso organizaciones de derechos humanos se han resistido a incorporar la agenda de los derechos humanos de las mujeres o han mostrado serias contradicciones; de ello se ha ocupado Roxana Arroyo (2006) al entrevistar a integrantes del movimiento de derechos humanos y al movimiento feminista de varios países del continente. Sus resultados revelan dos movimientos con concepciones de derechos humanos distintas, con agendas, alianzas, financiamientos y estrategias de acción diferentes.

Otra expresión del feminismo es el radical, que hallamos en la década de 1970, vinculado con mujeres de los movimientos de emancipación que surgieron en ese tiempo. Para algunas, brota de la relación entre la teoría y la praxis enlazando las relaciones de poder que estructuran la familia y la sexualidad. Destacan dos características: la defensa del igualitarismo y el rechazo de la jerarquía entre las propias mujeres. Algunas de las feministas guanajuatenses vivieron de cerca esa etapa y construyeron su aproximación a los derechos humanos desde allí.

Las mujeres padecen una opresión específica por ser mujeres, existe un sistema de dominación específico: el patriarcado,[8] que ha sido definido como:

> Un sistema que justifica la dominación sobre la base de una supuesta inferioridad biológica de las mujeres. Tiene su origen histórico en la familia, cuya jefatura ejerce el padre y se proyecta a todo el orden social. Existen también un conjunto de instituciones de la sociedad política y civil que se articulan para mantener y reforzar el consenso expresado en un orden social, económico, cultural, religioso y político, que determina que las mujeres como categoría social siempre estarán subordinadas a los hombres, aunque pueda ser que una o varias mujeres tengan poder, hasta mucho poder, o que todas las mujeres ejerzan cierto tipo de poder

---

[8] Éste es un término antiguo. En su sentido inicial no hacía referencia a la cuestión del dominio generalizado de los hombres sobre las mujeres, no fue hasta que lo retomaron las feministas que se le dio este significado. Por lo anterior, el uso del término se ha problematizado, sin embargo, autoras como Carole Pateman destacan la importancia de contar con él, ya que ha permitido que se nombre y se visibilice ese sistema social que subordina y discrimina a las mujeres de manera sistemática.

como lo es el poder que ejercen las madres sobre los y las hijas (JASS Interregional, 2012:20).

El feminismo posmoderno representa una radicalización de la idea de diferencia, el rechazo de la diferencia como categoría general capaz de involucrar a las mujeres frente a los hombres, cuestionando la deconstrucción de las nociones generalizadoras y de universalidad, incluida la de mujer como sujeto único. Para Celia Amorós, el feminismo necesita nuevas claves integradoras para comprender las implicaciones de la globalización económica, lo que refiere como la "economía doméstica fuera del hogar" (empleos mal pagados, carencia de derechos, etcétera).

Defensoras guanajuatenses

Se realizaron entrevistas semiestructuradas a tres defensoras guanajuatenses que han realizado una labor significativa en la defensa de los derechos humanos de las mujeres en el Estado. Actualmente las tres forman parte de asociaciones civiles reconocidas y comprometidas con la lucha feminista. A continuación se presentan algunas de sus reflexiones. Las tres mujeres entrevistadas se identifican como defensoras de derechos humanos de las mujeres. Sin embargo coincide que la apropiación de dicha identidad no surge de modo paralelo al comienzo de sus acciones de defensa, sino hasta después de entrar en contacto con el término y de reflexionar de manera específica sobre él.

Previamente algunas se consideraban como sindicalistas, activistas, feministas e incluso sencillamente ciudadanas interesadas en la transformación de sus realidades. No fue hasta que de forma colectiva, ya sea en redes con otras mujeres o a través de la reflexión con colegas y en organizaciones no gubernamentales que se empiezan a identificar como tales:

> Yo creo que ahora cuando empezamos a estudiar, a conocer la declaración de personas defensoras y defensores, y que defender los derechos humanos era un derecho, entonces empiezo como a concebirme y llamarme así, como una defensora de derechos humanos.

Sí me considero defensora. Totalmente… es algo que lo he aprendido…, que las defensoras no son solamente las abogadas o quienes saben de leyes… sino que una defensora es quien visibiliza, quien exige…

Vemos entonces que algunas de ellas han adoptado esta identidad en un tiempo relativamente reciente, ya sea cuando se discutió la "Declaración de personas defensoras"[9] a finales de la década de 1990 o bien con la formación de la Red Nacional de Defensoras de Derechos Humanos en 2010.

Las tres entrevistadas se consideran feministas, sin embargo una de ellas señala abiertamente que su identidad principal es ser feminista y después defensora de derechos humanos, mencionando que para ella la identidad como defensora es más colectiva que personal: "Sí claro, sí me considero defensora de los derechos humanos de las mujeres… porque me parece que es una posición política importante, pero yo me considero primero feminista… pero no como yo feminista, activista [y defensora] sino como una identidad colectiva…"

Ella misma señala que hay dos categorías de feministas, las institucionales que buscan cambiar al gobierno desde dentro (a las que considera más tradicionales) y quienes realizan su trabajo desde la sociedad civil construyendo ciudadanía con otras mujeres.

Un elemento compartido de la identidad de defensoras tiene que ver con la indignación personal que les produce aquello que experimentan o que observan en sus entornos. Es decir, hay una fuerte carga emocional y subjetiva que parte desde una concepción horizontal, no se convierten en defensoras por "ayudar a otros" sino porque se vive como una lucha compartida de la que se sienten parte:

Yo creo que la defensa de los derechos humanos nace del dolor y de la transformación de ese dolor en dignidad, en potencia… en valor.

Creo que a mí siempre me ha dolido esa parte, ver cómo se van suicidando los jóvenes, ver cómo se abusa de las mujeres, se las viola, las asaltan, y… me daba como mucho coraje, me motivaba a hacer cosas,

---

[9] "Declaración sobre el derecho y el deber de los individuos, los grupos y las instituciones de promover y proteger los derechos humanos y las libertades fundamentales universalmente reconocidos". Distr. GENERAL A/RES/53/144 8 de marzo de 1999, ONU.

desde pensar por qué se permitían esas cosas… no era un tema lejano a mí.

Del mismo modo, la identidad de defensora es una que las acompaña de manera permanente: "Para mí es eso, es una opción vital, el ser defensora yo no lo veo como un trabajo, lo vivo en todos lados". El deseo de luchar en específico por los derechos humanos de las mujeres parte también de una reflexión asociada a sus experiencias de vida y del darse cuenta de cómo, incluso en el plano simbólico, la imagen de las mujeres es constantemente devaluada: "no es posible que sigamos siempre regateando la dignidad y la humanidad de las mujeres".

Otro elemento que las hace reconocer la necesidad de abordar la defensa de los derechos humanos de las mujeres es la exclusión, invisibilización y normalización que existe de la violencia en contra de ellas. Exclusión y desprestigio que viene incluso de parte de sus mismos compañeros en ambientes supuestamente progresistas o de izquierda. Con frecuencia los mismos roles y estereotipos de género presentes en la cultura permean a los colectivos y se generan conductas discriminatorias contra las mujeres:

Nosotras empezamos a organizar a las mujeres, porque pues había mucha vida sindical, pero cuando decíamos "ah, pues que la reunión sea en otro horario" o en las asambleas a las mujeres las dejaban como "la secretaria de actas" y "la secretaria de finanzas", se subían a hablar y todo mundo les chiflaba…

A mí me ha marcado bastante el saber que las comunidades desprotegen a las mujeres, por eso es como la lucha al reconocimiento de las mujeres ¿no?… debemos de reconocer… la vulnerabilidad de las mujeres en los espacios, y no se reconoce. Se culpa a las mujeres por ser abusadas, se culpa a las mujeres por ser violadas… se culpa a las mujeres por salir temprano de sus casas, se culpa a las mujeres porque salen a trabajar y porque dejan a los hijos solos, y se culpa a las mujeres por el índice de violencia, o sea los hijos son drogadictos, son rateros, son asesinos, pues entonces en las comunidades hay malas mujeres.

No nos sentíamos incluidas en el mundo de los derechos humanos y siempre teníamos que hacer la especificación de que los DH de las mujeres también son derechos humanos.

Un aspecto a resaltar es la resistencia que se suscita en muchos hombres cuando se plantean las problemáticas de género que sufren las mujeres, se intenta minimizar su importancia a la vez que se pretenden diluir las luchas diciendo que hay otros temas más importantes, que hay que "salvaguardar el proyecto más grande", o bien diciendo que al abordar de manera explícita los derechos de las mujeres se están generando divisiones en el interior y segregando más al movimiento. Generalmente no se duda en reconocer que distintas problemáticas sociales requieren soluciones específicas, sin embargo cuando se trata de visibilizar las cuestiones de género, principalmente las que afectan a las mujeres, las resistencias se hacen presentes y se busca homogeneizar la lucha, lo que tiene como consecuencia la invisibilización de asuntos específicos.

Lo anterior es algo experimentado por las mismas defensoras, por un lado los compañeros no las tomaban en serio, se devaluaba su trabajo, su persona, su voz no era escuchada, pero por el otro se les acusaba de crear divisiones, de promover separaciones, es decir, los temas de género son siempre considerados como secundarios, como poco importantes, como si la violencia y subordinación en la que se encuentra la mitad de la población fuera un tema intrascendente. Todo esto tiene que ver con la construcción androcéntrica de la realidad, el parámetro bajo el que se mide a las personas es el masculino, y toda cosa que no afecte directamente a ellos es secundaria y no es parte de ese proyecto oficial, "legítimo".

Por otro lado, a pesar de las dificultades también ha habido elementos positivos como consecuencia de la lucha de las defensoras, señalan entre otras cosas la creciente conciencia social donde se reconoce la importancia de trabajar por los derechos humanos de las mujeres. También desde organizaciones y redes ha crecido la conciencia de la necesidad de visibilizar las violaciones a los derechos humanos de las mujeres.

La Red se sorprende [de que] había mucho trabajo, mucha información... pero que no había ni siquiera un grupo de derechos humanos de las mujeres. Hacemos el informe y... también incluso proponemos que se cambie el nombre de la Red.[10] La Red en la presentación de la Agenda[11] hace un reconocimiento público de la invisibilización que había de los derechos de las mujeres.

Lo anterior da cuenta de algunos elementos relevantes que tienen que ver con la construcción de la identidad como defensoras de derechos humanos, en particular de los derechos humanos de las mujeres; así como de la relación entre compañeras y compañeros en el interior de los colectivos o movimientos. Sin embargo hay otro elemento importante que es la relación entre las defensoras y el Estado. Algunas de ellas señalan que es imprescindible mostrarse firmes en la visibilización de las violaciones a derechos humanos e incluso consideran este elemento como necesario para los defensoras y las defensoras.

Tener una voz clara, una posición de denuncia... los derechos humanos no son neutrales, entonces asumirse como defensora de derechos humanos implica estar del lado de las víctimas, no importa dónde estés... parte de la defensa también implica el señalamiento de quién es el perpetrador o violador, y que pues es el Estado.

Como se ha dicho, Guanajuato es una de las entidades más conservadoras del país, paradójicamente las defensoras mantienen posiciones críticas pero creativas y propositivas frente al contexto.

Lo anterior es reconocido por ellas mismas, coincidiendo con Vaggione (2005) acerca de que la mayor restricción a los derechos de las mujeres se hace visible en los derechos sexuales y reproductivos. Por otro lado, aunque coinciden en que el conservadurismo que viene del Estado es muy fuerte, señalan que la sociedad tiene la capacidad de reflexionar de otras maneras y que vale la pena visibilizar otros modos de pensar, otros puntos de vista que no son únicamente los conservadores.

---

[10] Se incluye el femenino en el nombre de la Red Nacional de Organismos Civiles de Derechos Humanos: Todos los Derechos para Todas y Todos (REDTDTT).

[11] Se refiere a la Agenda de Derechos Humanos, construida por las organizaciones pertenecientes a la REDTDTT de 2006, <http://redtdt.org.mx/wp-content/uploads/2015/01/Agenda-REDTDT-06.pdf>.

Si bien no niegan la ofensiva del Estado y los grupos conservadores contra el avance de las mujeres y contra los derechos sexuales y reproductivos en particular, sí señalan que esta oposición ha visibilizado las posiciones de las organizaciones y de las activistas a favor del avance de las mujeres.

Respecto a la institucionalización de la perspectiva de género y de derechos humanos las defensoras perciben que aún hay mucho por hacer. Una de ellas señala que alrededor de la década de 1990 los diversos colectivos feministas, tanto a nivel estatal como nacional, impulsaron la creación de los Institutos de las Mujeres, sin embargo la percepción es que no están cumpliendo las funciones para los que fueron creados, que era la de promover la transversalización[12] de la perspectiva de género en todos los niveles y ámbitos de gobierno.

> Sí lo impulsamos decididamente porque creíamos que era necesario un instituto fuerte, autónomo, con capacidad técnica, financiera, con personas que también fueran reconocidas y que tuvieran capacidad de negociación política, solidez de argumentos, credibilidad para que se pudiera transversalizar... Y yo creo que se van desvirtuando en el camino las instituciones y que pues los institutos no nacieron fortalecidos y que al final del día están sirviendo al gobernador.

Si bien exponen que los institutos realizan algunas funciones y ofrecen algunos servicios a la población, realmente siguen sin responder a sus objetivos.

> Entonces el instituto pareciera que una oficina pequeñita, con cinco personas y con 10 pesos compite y tiene que hacer toda la política de transversalización frente a todas las dependencias, creo que esa es una tensión que finalmente no termina de resolverse.

---

[12] El término transversalización de la perspectiva de género surge a finales de los ochenta y principios de los noventa del siglo XX. Consiste en la incorporación de la perspectiva de género en todo el proceso de elaboración e instauración de las políticas públicas. El objetivo principal es que mediante la incorporación de dicha perspectiva se atiendan de manera integral las problemáticas que sufren principalmente las mujeres y que no sean relegadas como problemas secundarios. Esto implicaría que las políticas públicas en materia social, de transporte, vivienda, economía, etcétera, se hagan contemplando a la totalidad de la población, reconociendo y eliminando los elementos sociales, culturales, políticos, económicos y otros que excluyen y sitúan a las mujeres en posiciones de desventaja.

Otro aspecto importante, además de que los institutos de las mujeres no cumplen con su objetivo principal y de sus limitaciones en términos materiales y humanos, es el hecho de que sus intervenciones parecen quedarse en el nivel de las necesidades prácticas y no abordan de manera suficiente e integral las necesidades estratégicas de la población femenina.[13] Pareciera que los institutos, al mismo tiempo que muchos programas sociales, se limitan a otorgar apoyos o a generar proyectos productivos que si bien ayudan e inciden en la parte económica de las mujeres, sólo sirven para que puedan "salir del paso".

Siguen siendo programas asistencialistas donde se está acostumbrando a las personas a la pasividad, a no ser dignas de otro tipo de educación, de otro tipo de vida. Sino que seguimos en lo mismo. Van y te dejan algunas herramientas de trabajo que te mantienen en el mismo lugar, no hay como otro crecimiento.

Tomando esto en consideración, lo que se deja ver es que persisten limitaciones severas en lo que se refiere al respeto y garantía plena de los derechos humanos de las mujeres por parte del Estado. Las defensoras siguen reivindicando la necesidad de luchar por ellos y de visibilizar las omisiones del Estado.

Algunos de los retos mencionados por ellas tienen que ver con la articulación dentro de los mismos movimientos feministas o de derechos humanos, y por otro con el reconocimiento de su labor como defensoras por parte del Estado. Por lo que mencionan que las articula-

---

[13] Se les llama necesidades prácticas de las mujeres a aquellas que se derivan de la situación que éstas ocupan en la jerarquía social y que están asociadas a sus roles de género. Por ejemplo, al ser las mujeres quienes tradicionalmente se ocupan de la crianza y las tareas del hogar, sus intereses o necesidades prácticas tendrán que ver con dicho ámbito, como la necesidad de servicios de guardería y un mejor salario para cubrir las necesidades de los o las hijas. Por otro lado, las necesidades estratégicas son aquellas que tienen que ver con modificar la posición de las mujeres en la jerarquía social. Tiene que ver con el logro de cambios mucho más profundos y estructurales. Para que una política o programa sea realmente adecuada debería contemplar ambas necesidades. Sin embargo, lo que se ve es que la mayoría se enfocan en las necesidades prácticas, de modo que aunque las mujeres puedan mejorar en alguna medida su situación económica o puedan resolver la crianza de sus hijos(as), su posición social derivada de su condición de género sigue igual, pues no hay un replanteamiento de los roles de género, las jerarquías, etcétera, de una manera profunda y trascendental.

ciones entre las mismas feministas y defensoras es un aspecto vital que se ha descuidado mucho en tiempos recientes "Ninguna es auto-suficiente, nos necesitamos unas con otras". La articulación es clave para poder avanzar, pues como ha señalado una de ellas, "en Guana-juato los primeros 20 años, yo diría, nos dedicamos a detener retroce-sos más que a avanzar".

Para estas defensoras los derechos humanos no pueden ser neutra-les, tienen que estar del lado de las víctimas, "vivir para los derechos humanos" en palabras de Haba, y especialmente para los de las muje-res más vulnerables. Asumirse como defensoras, dar la cara, exigir al Estado que cumpla sus responsabilidades y ser reconocidas como ta-les por la sociedad y por el Estado. Para ellas la exigencia al Estado es un elemento clave, pues es éste el responsable de promoverlos, respe-tarlos, protegerlos y garantizarlos, tal como se establece en el artículo 1° de la Constitución Mexicana.

Destacan la importancia que tiene el hecho de conocer la Reforma Constitucional: "Es una reforma muy muy potente, que apenas empe-zamos a ver algunas de sus muchas posibilidades".[14] Tienen claro que el pleno goce de los derechos humanos debe ser una cuestión vigente día con día, pues las posturas tibias y de tolerancia a las omisiones o violaciones de estos van permitiendo silenciosamente los retrocesos y ataques a la dignidad humana.

Como se ha dicho, apenas hace dos décadas se reconoció explíci-tamente en el derecho internacional de los derechos humanos que los derechos humanos de las mujeres son derechos plenos. Sería intere-sante profundizar en cómo la transición o la suma de la identidad fe-minista a la de defensora de derechos humanos de las mujeres, es para algunas explicitar una posición política ya que pone en el centro la lu-cha de las mujeres en el movimiento de los derechos humanos; aun-

---

[14] En junio de 2011 se publicó la Reforma Constitucional en materia de derechos hu-manos. Esta Reforma es estimada por muchos como la más importante que ha tenido la Constitución desde su creación en 1917. En ella se reconocen los derechos humanos de todas las personas en el territorio nacional y se establecen las obligaciones del Estado res-pecto a los derechos humanos, entre otras cosas. Un aspecto fundamental es que los tratados internacionales ratificados por México se ponen al mismo nivel que la Constitución mexi-cana, siendo la obligación de las autoridades tomarlos en cuenta al momento de realizar interpretaciones. En caso de que hubiera discordancia entre la Constitución y algún tratado internacional, se debe considerar aquel que provea de mayores derechos a las personas, a esto se le llama principio propersona.

que se reconoce que no todas las feministas se asumen como defensoras de los derechos humanos.

De lo anterior podemos ver algunas coincidencias entre las formas en que estas mujeres se viven y se piensan como defensoras. No obstante, esta identidad tiene una fuerte carga política y al igual que cualquier otra identidad no es homogénea ni monolítica. No es esencial y está influida también por aspectos como la clase y la etnia, por mencionar algunos. A partir de las entrevistas se puede señalar que la identidad de "defensora" tiene más que ver con el "sujeto de derecho" propuesto por Diane Lamoureux (2010), donde el término se sitúa en el plano de lo político y no de lo ontológico, de manera que no es necesario delimitar una base ontológica que justifique cierta capacidad de acción. De ahí que aludimos a una postura política que no busca esencializar ni encasillar a estas personas.

Finalmente, las defensoras consideran que su labor es invaluable para la democracia y la sociedad en general, pues a través de sus acciones "hacen un aporte de esperanza, de dignidad y de que es posible", pues su trabajo no se limita a un diálogo unilateral entre ellas y el Estado, sino que genera también organización colectiva a través de la cual las personas se movilizan y van exigiendo y ganando mejores condiciones de vida.

A manera de conclusiones

Coincide en las tres entrevistadas que la identidad de defensoras fue apropiada por ellas años después de haber comenzado su activismo, poco después de haber entrado en contacto con el término y con la Declaración de personas defensoras. Aunque queda en evidencia que el asumirse como defensoras conlleva un impacto desde lo subjetivo pero principalmente desde lo político, ya que la palabra visibiliza y da legitimidad a una serie de acciones, pues todas ellas señalan haber sido desprestigiadas por sus labores de activismo al ser llamadas locas, metiches, sin qué hacer.[15]

---

[15] Cabe resaltar lo generizado y estereotipado de estos insultos, pues el ser metiche, loca, histérica etcétera, son aspectos que tradicionalmente se atribuyen a las mujeres.

Entonces resulta que la apropiación hecha por ellas de la identidad de defensoras y el reconocimiento del Estado de ésta, da legitimidad y provee de un respaldo social que las protege de la invisibilización y devaluación de su trabajo; de ahí la importancia que tiene su identidad y el reconocimiento del Estado y de la sociedad de su labor. Es decir, la importancia de valorar y reivindicar la identidad de "defensora" tiene que ver con una cuestión política de visibilidad y legitimidad de la defensa de los derechos humanos de las mujeres, y no con una pretensión de homogeneizarlas bajo una etiqueta única.

Es notable la existencia de similitudes entre las posturas de las entrevistadas respecto a la institucionalización de los derechos humanos de las mujeres y entre las posturas de los y las autoras citadas. Destaca la similitud entre lo dicho por ellas y por Vaggione (2005) acerca de la obstrucción que difunden algunas religiones, principalmente la católica, en el alcance pleno de los derechos de las mujeres, más en los sexuales y reproductivos. También coinciden con lo dicho por Castañeda (2014) sobre el limitado efecto que el concepto de género ha tenido para las instituciones públicas y, con lo expuesto por Medina y Hoechli (2012), acerca del incumplimiento que ha tenido el Estado en la integración de los derechos humanos (en general y en particular de las mujeres) a la vida institucional y social, siendo dicho incumplimiento más por simulación que por una negación explícita.

Finalmente, es necesario destacar que las defensoras (y defensores) de derechos humanos realizan una labor fundamental que hace posible el avance a sociedades más justas, dignas y humanas. En especial resaltamos el papel de las defensoras de derechos humanos de las mujeres, pues a pesar de los avances estamos lejos de lograr una igualdad sustantiva.[16]

Será interesante continuar la reflexión sobre las identidades de las defensoras proyectando su vínculo con otros movimientos sociales,

---

[16] Por igualdad sustantiva se entiende aquella que es real, vivida en la práctica, contraria a la igualdad formal que está presente únicamente en las leyes. El término igualdad no tiene que ver con el hecho de que mujeres y hombres sean idénticos, sino con la igualdad de derechos y oportunidades. Autoras como Alda Facio o Martha Minow han señalado que el concepto de igualdad contempla las diferencias e incluso que para lograrla a veces será necesario un trato distinto, y en otras un trato igual. Cabe resaltar que el término equidad es mucho más ambiguo, no figura en los tratados internacionales y fue adoptado por los gobiernos de derecha.

su análisis frente a la institucionalización de los derechos humanos (sobre todo el derecho a defender derechos humanos) y su agenda de acción social y política.

Bibliografía

Azaola, Garrido Elena, 2012, "La violencia de hoy, las violencias de siempre", en *Desacatos*, Centro de Investigaciones y Estudios Superiores en Antropología Social, núm. 40, pp. 13-32.

Castañeda, Salgado Martha Patricia, 2014, "Investigación feminista: caracterización y prospectiva", en Edgar Montiel (ed. y coord.), *Pensar un mundo durable para todos*, Lima y Guatemala, UNESCO, Universidad Mayor de San Marcos, pp. 151-164.

De Sousa, Santos Boaventura, 2003, *La caída del Angelus Novus: ensayos para una nueva teoría social y una nueva práctica política*, ILSA.

Lamoureux, Diane, 2010, "Femeninos singulares y femeninos plurales", en Bastida P. Rodríguez C. (ed.), *Nación, diversidad y género: perspectivas críticas*, Barcelona, Anthropos, pp. 41-62.

González, Edgar, 2001, *La última cruzada de los cristeros de Fox*, Grijalbo Mondadori.

_____, 2011, Orígenes de la ultraderecha: grupos secretos en la década de 1940, Revista *Contralínea*, <http://contralinea.info/archivo-revista/index.php/2011/05/01/origenes-de-la-ultraderecha-grupos-secretos-en-la-decada-de-1940/>, consulta: 20 de abril de 2015.

Haba, Enrique, 2003, "¿De qué viven los que hablan de derechos humanos?", en *DOXA: Cuadernos de filosofía del derecho*, Departamento de Filosofía del Derecho Universidad de Alicante, vol. 26, pp. 869-885.

Jass Interregional, 2012, Diccionario de la Transgresión Feminista. <https://www.justassociates.org/es/publicaciones/diccionario-transgresion-feminista>, consulta: 9 de abril de 2015.

Massolo, Alejandra, 1992, *Por amor y coraje: mujeres en movimientos urbanos de la Ciudad de México*, México, El Colegio de México, Programa Interdisciplinario de Estudios de la Mujer.

Medina, Andrea, *Hoechli Theres*, Jass, Consorcio Oaxaca y Red Mesa de Mujeres de Ciudad Juárez (coords.).

_____, 2012, "Defensoras de derechos humanos en México. Diagnóstico 2010-2011 sobre las condiciones y riesgos que enfrentan en el ejercicio de su trabajo", en Peace Brigades International, <http://www.pbi-mexico.org/fileadmin/user_files/projects/mexico/files/Reports/1201Defensoras_RedNacional.pdf>, consulta: 26 de abril de 2015.

Organización De Las Naciones Unidas (ONU), 1993, "Vienna Declaration and Programme of Action, Adopted by the World Conference on Human Rights in Vienna on 25 June 1993", <http://www.ohchr.org/EN/ProfessionalInterest/Pages/Vienna.aspx>, consulta: 26 de abril de 2015.

_____, 2003, Diagnóstico sobre la situación de los derechos humanos en México. Oficina del Alto Comisionado para los Derechos Humanos de la ONU, <http://www.hchr.org.mx/images/doc_pub/8diagnosticocompleto.pdf>, consulta: 26 de abril de 2015.

Reyes, Cruz Berenice, 2013, "Origen y desarrollo del movimiento feminista en Guanajuato, 1960-2000", tesis de maestría en Historia, Estudios Históricos Interdisciplinarios, Universidad de Guanajuato.

Rochefort, Florence, 2010, *Laicidad, feminismos y globalización*, 1a. ed., Marie Paule Simone, traductora, México, Universidad Nacional Autónoma de México/ El Colegio de México, A. C.

Vaggione, Juan, 2005, "Entre reactivos y disidentes. Desandando las fronteras entre lo religioso y lo secular", en Biblioteca Jurídica Virtual del Instituto de Investigaciones Jurídicas de la UNAM, <http://biblio.juridicas.unam.mx/libros/6/2512/6.pdf>, consulta: 26 de abril de 2015.

MOVILIDAD URBANA Y PARTICIPACIÓN SOCIAL. CASO ZONA METROPOLITANA DE LA COMARCA LAGUNERA, MÉXICO

Salvador Sánchez Pérez

Introducción

La Comarca Lagunera se localiza en centro-norte de México. Está integrada por 15 municipios, cinco en el estado de Coahuila, 10 en el estado de Durango. Debe su nombre al hecho de ser la región donde desembocaban los ríos interiores Nazas y Aguanaval, que por esa razón formaban una serie de lagunas y encharcamientos en un área muy extensa, así hasta la "domesticación" de los ríos en las presas Francisco Zarco y Lázaro Cárdenas, a mediados del siglo pasado (Corona, 2005: 17).

Mientras que su zona metropolitana está constituida por los municipios de Torreón y Matamoros, en Coahuila y Ciudad Lerdo y Gómez Palacio en Durango (INEGI, 2004). Torreón destaca por su influencia y es la ciudad más poblada, cuenta con 639 629 habitantes. Gómez Palacio es un asentamiento principalmente industrial, mientras que Lerdo se caracteriza más bien por su apacibilidad y buen clima, finalmente Matamoros es el municipio más rural. La población total en la Zona Metropolitana, según el censo nacional, 2010 es 1 215 817 (INEGI, 2010).

El clima es en esta región extremo con temperaturas alrededor de 35°C en promedio en verano. Se trata de una región clasificada como semidesierto (Santibañez, 1992: 25).

En este artículo se parte del concepto de sociedad civil para explorar sus posibilidades, vicisitudes e implicaciones en un caso concreto, a saber, los movimientos ciclistas que se han dado a partir de 2010. El procedimiento seguido ha sido investigar la pluralidad de iniciativas que en el tema se han dado en la zona, analizar las estrategias que han empleado para el logro de sus objetivos y evaluar la eficacia lograda para modular las acciones del aparato administrativo local. El movimiento ciclista que se ha generado aquí es diverso y plural. No todas las iniciativas buscan transformar la ciudad, no todos los grupos se plantean hacer política ciudadana, hay quien sólo ocupa la calle en bicicleta por diversión y entretenimiento. Ha sido necesario un proceso reflexivo para distinguir las pretensiones de cada proyecto. En perspectiva, parece que no ha habido suficiente eficacia para posicionar el mensaje específico de política ciudadana en el espacio público, eso se discute al final de este trabajo.

Para conocer las diferentes dinámicas se realizó observación participada en algunas "pedaleadas" o "rodadas". Este acercamiento inicial permitió una primera caracterización de las iniciativas. En una segunda fase se realizó una entrevista semiestructurada a los líderes de las cinco ideas más visibles del movimiento ciclista, así se clasificó a los movimientos a partir de la comprensión que tienen sobre el uso de la bicicleta.

Hay quien la entiende como deporte, David Lavín de un colectivo sin nombre fue el informante directo para este trabajo. Oscar Conte y Faruk Sabag fueron abordados como parte de las iniciativas que sin reivindicar causa, promueven el uso de la bicicleta. Finalmente Laura Cepeda, de Bicionarias Laguna y Francisco Valdés, de Ruedas del desierto, nos informaron cada uno de su actividad dentro de la movilidad urbana en el siglo XXI.

La información obtenida con estos actores se procesó desde el esquema teórico de Cohen y Arato (2000), para los movimientos sociales contemporáneos. El trabajo tiene la siguiente estructura, en la primera parte se presenta la base del ejercicio de las libertades en una sociedad como posibilidad de organización en cualquier colectividad. Luego se dibujan algunos rasgos del contexto local que se inserta en dinamismos sociales más amplios, o sea, la globalización del conflicto (Banco Mundial, 2011) para designar la extensión de la violencia en múltiples regiones del hemisferio. En el otro extremo, pero es el caso también de los dinamismos globales, la tendencia a recuperar en lo posible la escala humana para las ciudades y la conciencia del cuidado que merece el planeta y que es tarea para cada uno: la aspiración por alcanzar una ciudad sustentable (ONU-Habitat, 2009).

De esta manera se caracteriza con cierto detalle las cinco iniciativas que forman parte de este estudio y el despliegue de las estrategias ofensiva y defensiva de Cohen y Arato (2000) del movimiento ciclista en la región. Las conclusiones apuntan a un logro nimio de las pretensiones que como movimiento declaran los actores, pero a la vez a una expansión sin precedente del ejercicio de las libertades como del espacio público.

El ejercicio de las libertades y la capacidad de asociación

En las sociedades contemporáneas los nuevos movimientos sociales están llamados a ser los portadores de los potenciales de la modernidad cultural. El horizonte es un mundo liberal, globalizado, capitalista, multicultural y posmarxista. Lo nuevo que estos movimientos sociales traen consigo es un planteamiento "realista" para vivir la vida de otro modo en las condiciones sistémicas que, en cualquier caso, se nos imponen a todos los habitantes del mundo occidental.

En la teoría pero también en la práctica social estas expresiones ya masivas, circunscritas a núcleos bien localizados, han encontrado su lugar en la categoría "sociedad civil". Esta última es una categoría multisemántica que ha atravesado un enriquecedor debate como concepto (cfr. Olvera, 2001). Se ha empleado para explicar aquellos dinamismos en las sociedades contemporáneas que pugnan por rebasar el horizonte del mero funcionalismo, en una época donde la utopía no pasa sus mejores momentos. Cohen y Arato son los autores que han desarrollado una teoría sistemática en este tema (Cohen y Arato, 2000).

La categoría que trabajan se enmarca en el aparato teórico habermasiano de la acción comunicativa (Habermas, 1981) y su concreción institucionalizada (Habermas, 1992). Postura que asumen en conjunto, pero con detalles antes los cuales toman distancia cuando así les parece conveniente para acentuar el potencial modernizador para las sociedades contemporáneas de tal concepto por consiguiente éste es el aparato conceptual que se asume en este trabajo.

La sociedad civil queda definida como: "Esa trama asociativa no-estatal y no-económica, de base voluntaria, que ancla las estructuras comunicativas del espacio de la opinión pública en la componente del mundo de la vida, que (junto con la cultura y con la personalidad) es la sociedad" (Habermas, 1992: 447).

Los autores sostienen que el ejercicio de las libertades es la única base posible para la configuración de cualquier asociación:

> La libertad de asociación y el derecho a fundar asociaciones y sociedades definen, junto con la libertad de opinión, un espacio para asociaciones libres que intervienen en el proceso de formación de la opinión pública, tratan de temas de interés general y representando vicariamente a grupos (o a asuntos e intereses) subrepresentados o difícilmente organizables, que persiguen fines culturales, religiosos o humanitarios, que forman sociedades confesionales, etcétera (Habermas, 1992: 448).

Cuando este piso de libertades no existe, la asociación no tiene lugar. Los autores evocan, como ejemplo, a las sociedades en las cuales se desarrolló el socialismo burocrático. Mientras no hubo espacio para el ejercicio de las libertades ningún intento asociativo tuvo lugar. Como sea, no basta que las libertades estén constitucionalmente garantizadas. Es fundamental, para el desarrollo de procesos organizativos, su ejercicio normal, ordinario y cotidiano. Clave también es la existencia y funcionamiento de la esfera de la vida privada.

Es decir, una sociedad civil vigorosa:

> Sólo puede formarse en un mundo de la vida ya racionalizado. Pues si no, surgen movimientos populistas, que defienden ciegamente contenidos de tradición endurecidos y anquilosados de un mundo de la vida amenazado por la modernización capitalista. Éstos son tan antidemocráticos en sus formas de movilización, como modernos en sus objetivos (Habermas, 1992: 452).

Esto quiere decir que para el surgimiento, desarrollo y conservación de una sociedad civil vigorosa es necesario un ejercicio cotidiano, ordinario y natural de las libertades. El marco más amplio es la habermasiana noción bidimensional de sociedad como sistema y como mundo de la vida (Habermas, 1992). Lo que está a la base es el poder comunicativo dado en el espacio público, ubicado a la vez en el mundo de la vida. En una concepción de esta naturaleza, se entiende que el aparato administrativo, aunque necesario, es meramente funcional. Nota teórica de amplias implicaciones para analizar la operación de la dinámica de las sociedades existentes.

El gusto por andar en bicicleta

El origen del movimiento ciclista en la zona metropolitana de la Comarca Lagunera, se inscribe en la dinámica global de recuperar las ciudades a través de la adaptación de un entorno urbano que le devuelva a éstas sus dimensiones humanas. En este caso concreto, el surgimiento de este movimiento se da en el contexto también global de violencia social generalizada a causa de disputas entre el narcotráfico.

En estas latitudes el movimiento ciclista es diverso y plural. De este modo se caracterizan las diferentes iniciativas y las etapas por las que han pasado éstas como organización. Cada una tiene su propia historia, el único nexo común es el gusto por andar en bicicleta. Se cierra con un balance para analizar la articulación entre los grupos a partir de lo que se reconoce en común.

La ciudad es nuestra

El uso de la bicicleta como medio de transporte se inscribe en el marco de iniciativas que, en diferentes partes del mundo, se dieron para recuperar el sentido originario de las ciudades. Éstas fueron concebidas como espacio para satisfacer los requerimientos de la colectividad al hacer posible la vida. La teoría al respecto no existe, antes bien, se trata de un proceso que se está realizando ante nuestros ojos. De ahí el recurso a recuperar casos históricos de ciudades implicadas en estos procesos.

Por ejemplo, se tiene a Barcelona donde se ha desarrollado el modelo de "la ciudad posible". En el centro de esta propuesta se ubica a la calidad de vida, se constata que en las ciudades del mundo occidental contemporáneo las prisas, la inseguridad y la competitividad han llegado a ser el contexto cotidiano del entorno urbano (Jiménez, 2000).

Es el caso también de Seattle, ciudad que tiene ya trayectoria en autoconstruirse como ciudad sustentable (por ejemplo City of Seattle, 2005), incluso exsten recomendaciones para aplicarlas en otras latitudes (US EPA Region 2, 2009), hay otros casos como Zouk Mosbeh en Líbano (El Asmar, J. P., *et ai*., 2012).

Con respecto a continuar la racionalidad de seguir meramente la lógica de mercado fue cada vez más inviable tanto para personas como para ciudades. Por ello, a lo largo del siglo XX emergió, aunque lentamente, con vigor la idea del desarrollo sustentable. Concepto definido en el Informe Brundtland, publicado por las Naciones Unidas a mediados de la década de 1980, como: "...la capacidad de satisfacer las necesidades del presente sin comprometer la capacidad de las futuras generaciones de satisfacer las suyas" (Word Comission Environment and Development, 1987: 41).

Esta aspiración, junto con el desarrollo de ciudades con crecimiento urbano planeado y bajo esquemas de transporte colectivo, pretende que los recursos no renovables se usen de forma racional y los renovables se utilicen también con discreción. Y más, porque este enfoque implica una visión diferente de ubicarse en la vida, así la energía ha de usarse de forma racional, los desechos domésticos se incorporen al ciclo de vida urbano y de esta manera no perjudiquen al medio ambiente. En síntesis, que se "reduzca la huella ecológica de las ciudades" (ONU-Habitat, 2009: 2).

Más o menos, en esta tónica, plantea Ruedas del desierto, uno de los colectivos abordados, sus inicios. Así lo recuperan: "A principios de abril de 2011 nos empezamos a ver una serie de personas que éramos muchos de nosotros desconocidos, entre nosotros, pero que queríamos impulsar el ciclismo como medio de transporte... El Paseo Colón había empezado como una cosa novedosa, de abrir las calles a la gente y a las bicicletas".

Entonces el inicio no fue casual, hay una decisión clara y explícita de asumir la ciudad como espacio propio, no como uno ajeno. Con la conciencia también que se trata de un proceso complejo que no inicia de cero, antes bien es una propuesta de ciudad que nunca dejó de tener ciclistas entres sus habitantes, pero que sin embargo estos eran invisibles, dice Francisco Valdés:

> Ya teníamos esta vena reivindicativa de lo que debe hacer el ciclismo. De que hay miles de ciclistas en nuestra ciudad, que nadie veía, que no hay inversiones para su movilidad. Es decir que se discriminaba, pura y llanamente. Una discriminación que no se aleja mucho de las discriminaciones que conocemos. Hay también discriminación por medio de transporte.

La otra mitad de la historia corresponde al ambiente de "violencia" asentado en la región, como producto de las disputas entre bandas del narcotráfico. Nadie sabe a ciencia cierto las causas o motivaciones que se juegan de trasfondo, aunque a la vez circulan muchas hipótesis en la dinámica de ofrecer explicaciones del significado de esos acontecimientos.

Lo que se hizo patente fue la violencia generalizada entre el 2010 y el 2011, cuando en la Zona Metropolitana las balaceras, desaparecidos, secuestros, robos, etc., llegaron a ser parte de la vida cotidiana de los habitantes de esta localidad.

Es la manifestación local de un fenómeno que el Banco Mundial ha reconocido como global. El "Informe del Banco Mundial 2011" (Banco Mundial, 2011) aborda mecanismos para hacer frente a ciclos repetidos de violencia, en un dinamismo que ahí se denomina: "La globalización del conflicto". Sostiene Zoelick, presidente del grupo y presentador del documento, la tesis básica de que las cinco premisas que hace en el documento van de la mano y se tienen que echar a andar de manera simultánea, abordarlas de manera sucesiva sería completamente inútil.

La primera es darle legitimidad a los sistemas sociales, como condición indispensable para lograr la estabilidad. Es decir, que la sociedad funcione en su conjunto, que el gobierno haga su trabajo, que el mercado proporcione los bienes necesarios, que haya mecanismos de cohesión social. Hace falta tender conexiones entre la seguridad ciudadana y la social, como segundo elemento. Las instituciones deben sanearse y hacerlas funcionar con mayor agilidad. Pero hay que mirar al contexto, así trabajar con los pares, cuarta premisa, y trabajar también la dimensión global en que se asientan las sociedades, quinta y final. (Banco Mundial, 2011)

Aunque el argumento es compuesto, lo que en síntesis quiere expresar es que la globalización tiene no sólo efectos positivos, sino también estos otros, es decir, se trata de fenómenos globales, tanto los altos niveles de desigualdad así como la onda baja del capitalismo. El texto los presenta como alternativas de acción, señalando, aunque implícitamente, que las causas no son sino en el mismo talante: globales.

Para describir el modo local en que se vivía este contexto, dejamos la voz a, Óscar Conte, del colectivo Tres pueblos bicicleteros, que comenta:

> Nos tocó la época turbulenta de La Laguna, nosotros salíamos los miércoles. La ciudad estaba en estado de sitio, las calles estaban vacías. En el grupo íbamos de retén en retén, de policías y de militares. Una vez nos paró frente al Siglo de Torreón un retén con bolsas de arena, con tanquetas, y nos dicen: "Ustedes ¿qué están haciendo?" Respondemos: "Estamos recorriendo nuestra ciudad, no podemos dejarla en manos de otra gente".

Ilustración dramática del panorama. Esas son las dos vertientes que se trazan en los orígenes del movimiento ciclista en la Comarca Lagunera. Su desarrollo siguió desde entonces diferentes visiones, es lo que se narra en el siguiente apartado.

"Vamos a las bicis"

La respuesta local, en las cuatro ciudades de la Zona Metropolitana de la Comarca Lagunera a estos dinamismos globales fue vigorosa. Se echaron a andar diferentes iniciativas para andar en bicicleta. Prácticamente toda la semana había opciones para pedalear o rodar, como se le denominó generalizadamente a esta actividad.

La diversidad no sólo era en número, sino en opciones fundamentales. La pluralidad es una de las cuatro notas que Cohen y Arato señalan como características básicas de la sociedad civil. Las diferentes iniciativas se expresan con libertad para colocar sus argumentos en el espacio público, demandas nacidas en la vida cotidiana, todo dentro del marco legal establecido. (Cohen y Arato, 2000: 409)

Y en efecto, las iniciativas no tenían en común sino el gusto por la bicicleta. En todo lo demás eran diferentes. Una cierta clasificación de ellas puede realizarse desde las motivaciones declaradas e implícitas por las que se reunían y ejercían presencia social. Enseguida se intenta un ejercicio de clasificación y se encuentran tres grupos de ellas: deporte, recreación y reivindicación.

El primer impulso que caracterizamos acerca de los colectivos ciclistas, es quienes lo ven como una forma de deporte. Aunque esta perspectiva no tiene importancia para los fines del presente trabajo, como sea nos acercamos a ellos para describir algunas de sus características centrales. David Lavín fue aquí nuestro principal informante.

El grupo no tiene nombre ni líder, se reúnen por eventos específicos. Se trata de un encuentro de amigos. La suya no es una única iniciativa, son varios grupos y son muy activos. Se reúnen principalmente el fin de semana, sábado o domingo. Se dirigen hacia los cerros de Torreón, van a San Pedro de las Colonias, localidad a 20 km, o bien, hacen viajes largos, por ejemplo a Mazatlán en recorridos que hacen en dos jornadas. En ocasiones recorren la ciudad pero con velocidad. Usan ropa especializada, sus bicicletas son de marca. Como todo deporte, éste también implica disciplina, dedicación, entrega.

Una segunda visión que se ha extendido entiende la bicicleta como pretexto para el encuentro, recreación y convivencia. En esta categoría han surgido subclasificaciones, así hay grupos para mujeres, niños y deportistas. El colectivo más emblemático es Laguna Bikes. Faruk Sabag, el líder y promotor de este colectivo fue nuestro principal informante.

Tres pueblos bicicleteros es otra iniciativa que se inscribe bien en esta perspectiva, Óscar Conte también fue entrevistado. El acercamiento permite reforzar algunas particularidades y contrastar otras. Claro que hay otros grupos que pertenecen a este espacio, aunque ellos ya no fueron entrevistados para este informe.

Laguna Bikes es el grupo más numeroso. Es prácticamente quien más ha logrado por hacer visibles a los ciclistas, es a la vez probablemente quien mayor confusión ha provocado. Su discurso sostiene, una noción que parece generalizada y casi de sentido común, que como el clima de la región no se presta para circular en bicicleta, ha optado por hacer las "pedaleadas" cuando ya ha caído el sol. El mensaje es que la bicicleta es una moda y tiene únicamente un uso recreativo. Todavía más, el éxito de Laguna Bikes tiene estrecha relación con su alianza con la cerveza Tecate, empresa que financia pantallas, bicicletas y otros artículos para rifar el día de la "rodada", gancho empleado para hacerse de seguidores.

Finalmente, una tercera manera de ver la bicicleta como la oportunidad para reivindicar una visión nueva –diferente de ciudad. El punto de partida es la condición en la que actualmente se encuentran las ciudades, por ello sostienen que es necesario la creación de un marco legal, pero a la vez de infraestructura para su ejercicio. Esta es la visión que sostienen Bicionarias y Ruedas del desierto, se trata de un ejercicio de reivindicación. Laura Cepeda de Bicionarias, fue aquí nuestra informante, mientras que por Ruedas del desierto fue entrevistado Francisco Valdés Peresgasga.

Estas dos son las iniciativas locales que están alineadas a los principios de movilidad urbana que se van gestionando globalmente. Se adscriben a los principios generados por la asociación ITDP.[1] El reglamento de movilidad aprobado en los cuatro municipios metropolitanos, se debe prácticamente a la propuesta de dicho organismo internacional.

Esta iniciativa comparte principios con Bicitekas, movimiento civil en la ciudad de México, emblemático en el tema a nivel nacional. Ellos realizan activismo político por medio de acciones creativas, pero efectivas para dinamizar el espacio público y exigir políticas públicas favorables a la bicicleta. En síntesis, el gusto por andar en bicicleta es lo único que une a estos colectivos. Su visión de mundo, los objetivos que persiguen, las estrategias que emplean, los separan. En ocasiones, la distinción no parece clara ni para ellos, menos para el ciudadano promedio.

Una mirada más detenida reconoce el aporte de cada proyecto, ahí entran las coincidencias y también las diferencias. En este sentido lo común une pero lo propio separa. Las diferencias son irreconciliables. "Vamos a las bicis", el título de este apartado, sirve como cliché que se usa generalizadamente, pero que enmascara, por lo menos di-

---

[1] Instituto de Políticas para el Transporte y el Desarrollo (ITDP, por sus siglas en inglés) fundado en 1985. Es una organización internacional sin fines de lucro que promueve el transporte sustentable y equitativo a nivel global.

simula lo específico de cada iniciativa. Distinción borrada que aprovechan los gobiernos locales y el capital.

No es deporte, es un medio de transporte

Los movimientos sociales se distinguen de aquellas iniciativas que simplemente hacen uso de los foros para una doble estrategia: la ofensiva y la defensiva. En este apartado se aborda el modo cómo los movimientos ciclistas ya descrito despliegan dichas estrategias.

La estrategia ofensiva: visibilizar y movilizar

El objetivo último de las movilizaciones ciclistas, aquél por el cual se pueden considerar parte de los movimientos sociales contemporáneos, es transformar la ciudad, recuperar para ella las dimensiones humanas que progresivamente fue perdiendo. Modificar la ciudad implica su transformación en términos de ciudad sustentable, el desarrollo de una comprensión urbana policéntrica, la edificación o adaptación de edificios y vivienda alineados según criterios de ahorro de energía y del reciclaje de recursos naturales, un diseño incluyente y global para movilidad y así por el estilo, es decir, supone necesariamente el desarrollo de toda una infraestructura que refleje esta nueva concepción (ONU-Habitat, 2009).

Una acción tan simple e inofensiva en apariencia como salir a pasear en bicicleta en las noches tiene estas implicaciones. "Pedalear" ha sido la estrategia más visible pero no la única. No se trata de un acto voluntarista y automático, antes bien el objetivo es provocar un cambio en el estado de ánimo de la gente para que ésta a la vez module al sistema político para desplegar los cambios legales y de infraestructura necesarios para aplicar tal visión.

Se trata de visibilizar para la sociedad en amplio, aspectos nuevos no contemplados hasta el momento, así como movilizar al sistema administrativo para establecer las medidas necesarias. Dice Habermas que el ejercicio de una estrategia ofensiva ocurre cuando los movimientos sociales:

...tratan de poner sobre la mesa temas cuya relevancia afecta a la sociedad global, de definir problemas y de hacer contribuciones a la solución de esos problemas, de suministrar nuevas informaciones, de interpretar de otro modo los valores, de movilizar buenas razones, de denunciar las malas, con el fin de provocar una revulsión en los estados de ánimo y en la manera de ver las cosas, que cale en una amplia mayoría, que introduzca cambios en los parámetros de la formación de la voluntad política organizada y ejerza presión sobre los parlamentos, los tribunales, y los gobiernos en favor de determinadas políticas (Habermas, 1992: 451).

Así las pedaleadas, y de nuevo la estrategia más visible pero no la única, fueron parte del activismo urbano. De sus inicios, narra Francisco Valdés, de Ruedas del desierto:

[...] ...a las poca semanas nos dimos cuenta que muchos colectivos parecidos al nuestro en otras partes de México organizaba paseos nocturnos los miércoles y decidimos hacer el paseo los miércoles, saliendo de Torreón Jardín, y fue como empezamos. Al principio un poco temerosos por la situación de inseguridad pero también por la responsabilidad que era llevar a un grupo –docenas de desconocidos– por una calle y que nos fuera a pasar algo.

Pedalear en las calles de la ciudad no se hace por el simple gozo que se provoca como actividad lúdica, aunque haya mucho de eso, sino para provocar modificar el estado de ánimo de la sociedad que permita ver a la ciudad, a partir del uso de la bicicleta, de otra manera. Continúa Francisco Valdés:

Ya teníamos esta vena reivindicativa de lo que debe hacer el ciclismo. De que hay miles de ciclistas en nuestra ciudad, que nadie veía, que no hay inversiones para su movilidad. Es decir que se discriminaba, pura y llanamente. Una discriminación que no se aleja mucho de las discriminaciones que conocemos, hay también una discriminación por medio de transporte. El que a los ciclistas urbanos nos hagamos invisibles es parte de esa discriminación.

Como movimiento social Ruedas del desierto ha tenido que aprender a argumentar en el espacio público y justificar sus acciones. El primer argumento que han debido refutar es aquel que ve a la bicicleta como un instrumento contra la modernidad. Hay quien afirma que el esfuerzo por llegar a ser ciudad ha sido descomunal como para regresar a las épocas de la bicicleta. Se trata justamente de la visión que ha hecho frente el concepto emergente de "desarrollo sustentable". De continuar con la lógica que se ha llevado hasta el presente, no se garantiza el futuro del planeta.

El segundo gran argumento que ha hecho frente el movimiento ciclista es el de la pertinencia de la bicicleta en las condiciones climáticas propias de la región, donde la temperatura promedio en verano es de 35 °C, condición que hace imposible cualquier intento serio de desplazarse de ordinario bajo esta modalidad. Argumento falaz, porque la gente ha usado la bicicleta para ir de su casa a la fábrica desde siempre. Lo contrario sí que es verdad. Las condiciones geográficas y climáticas son altamente propicias para la bicicleta. El terreno es prácticamente plano sin pendientes, además la poca lluvia de la región actúa a favor para la circulación en bicicleta.

Argumentar por el espacio público es proceso de aprendizaje, no siempre satisfactoriamente realizado. Dice Francisco Valdés:

> Me gustaría que nos distinguiéramos con mucho más claridad. Mucha gente que va a nuestros paseos, no va al paseo de Ruedas del desierto, "va a las bicis". Hay quien dice: "Es que ando acá en las bicis", seguramente esa persona podría andar sin problemas con cualquier otro grupo. Me gustaría que distinguieran a cada uno de los grupos, para entonces sí, tener una base más grande de donde organizarnos más y mejor.

Los paseos nocturnos han logrado hacer visibles a los ciclistas en la ciudad, incluyendo a esos otros, aquellos que siempre la han usado para trasladarse de su casa a su respectivo lugar de trabajo. Adicionalmente han logrado subir a la bicicleta a mucha gente. Muchos que nunca se hubieran subido a una de ellas, de no haber sido por ese movimiento.

Estrategia adecuada pero no la única. Con las limitaciones ya dichas, Ruedas del desierto organiza la Semana de la Movilidad Urbana en las fechas de su aniversario como movimiento. Mediante conferencias, proyección de videos, mesas redondas provocan la discusión de estos temas en paneles de expertos. Estrategias más agresivas no se han empleado.

El proceso para construir una nueva imagen de la bicicleta como medio de transporte en las condiciones propias de la región está en marcha. Las condiciones para provocar una opinión pública que masivamente exija la implantación de medidas que atiendan a esta visión de ciudad también.

La estrategia defensiva

Habermas señala que los movimientos sociales actúan defensivamente cuando

> "...tratan de mantener las estructuras asociativas existentes y las estructuras del espacio de opinión pública existente, de generar contraespacios públicos de tipo subcultural y contra-instituciones de tipo subcultural, de fijar nuevas identidades colectivas y de conquistar nuevos terrenos en forma de una ampliación de los derechos y de una reforma de las instituciones (Habermas, 1992: 451).

Esto es, cuando la sociedad se esfuerza por conservar, desarrollar y sostener la infraestructura comunicativa del mundo de la vida.

La estrategia defensiva funcionó principalmente cuando las calles eran ocupadas por la violencia, pero aun cuando ese momento fue superado la estrategia continúa ejerciéndose. Quizá se note con mayor fuerza en las expresiones de Bicionarias, sin embargo es una dinámica inherente y generalizada.

Así fue, como un desafío los ciclistas se lanzaron a las calles para reivindicar su uso. Tal como lo cuenta ahora Francisco Valdés, de Ruedas del desierto: "empezamos al principio un poco temerosos por la situación de inseguridad pero también por la responsabilidad que era llevar a un grupo-docenas de desconocidos por una calle que nos fuera a pasar algo..."

Una vez superada esta situación, Laura Cepeda comparte la experiencia de su iniciativa que bien cabe en la expansión de los derechos a través del movimiento ciclista desde una perspectiva de género. Bicionarias va construyendo espacios donde las mujeres participantes pueden recrearse como personas para crear afinidades, complicidades, solidaridades. Relata que

[…] por ejemplo, también invitamos mucho a las mujeres o sea de repente hay sábados en que somos puras mujeres y a lo mejor tres hombres.

Eso también está muy padre porque las mujeres no hacemos equipo, las mujeres es complicado, entre mujeres es complicado hacer comunidad. Acá esto me gusta mucho también, las mujeres por ejemplo señoras, solas, viudas, divorciadas ahí encuentran como un club al cual pertenecer, entonces eso también está muy padre, porque tú las ves y se siente parte de, eso también es parte. Las mujeres se animan mucho a venir con nosotros, porque se sienten bien recibidas.

En los tiempos de violencia social el movimiento ciclista funcionó como el pretexto para reivindicar y ejercer el derecho a recorrer la calle. Ahí, donde todas las otras oportunidades fueron cerradas, la gente se organizó. También, y lentamente, se ha ido creando en la práctica el concepto del ciclista urbano, proceso no terminado, quizá y a pesar de los esfuerzos incipientes. En una cultura autoritaria y poco acostumbrada al ejercicio ordinario de los derechos, el proceso es altamente significativo.

Una vez superada la época de violencia, quizás el espacio donde se manifiesta con mayor claridad la estrategia defensiva es en la rodada para mujeres: integración, comunidad, convivencia, reconocimiento entre pares, creación de solidaridades serían algunos de los frutos más significativos.

Hacer uso de los foros

El uso de estas estrategias, ofensiva y defensiva, caracteriza a los colectivos, iniciativas, organizaciones y movimientos que pudieran denominarse sociedad civil. Se les distingue de aquellos que únicamente hacen uso de los foros. No se trata solamente de ubicar a los grupos o proyectos que no plantean ninguna reivindicación, sino señalar que la existencia de este tipo de colectivos sirve para desdibujar el argumento que se coloca en el espacio público.

Todas las iniciativas son estandarizadas al medirlas con el mismo rasero. Situación que aprovechan los medios dinero y poder para neutralizar las demandas y justificar acciones. Recorrer la ciudad en bicicleta en las noches, las pedaleadas, fue el recurso más socorrido para visibilizar el movimiento ciclista. Esa acción fue reproducida por otros colectivos, pero ya sin ninguna estrategia para reivindicar nada.

Así Laguna Bikes se ufana de ser el colectivo más numeroso, a pesar de haber iniciado después. Habla Faruk Sabag, líder visible de este grupo:

> Movemos diez mil ciclistas al mes, se dice fácil, pero no cualquier gente los mueve. Te puedo decir, ahí hay vídeos en Facebook se pude constatar movemos diez mil gentes al mes. Hacemos mucho por la unión, convivencia, salud, ejercicio y rescatar nuestros espacios porque ya lo esperan como cuando juega El Santos.
>
> Más que nada el ambiente, la unión y la participación porque hemos elevado los valores de la familia. Es muy importante que se ha dado la participación.

Una empresa emblemática en la región, invita a los ciclistas a abrir su maratón con una rodada una semana antes del evento. No se comprometen con el movimiento, simplemente los incorporan. El gobierno municipal hace participar a los distintos movimientos para elaborar "por consenso" el reglamento de movilidad urbana. Gran protagonista de este proceso ha sido Laguna Bikes, por ejemplo.

El mensaje se hace difuso. Todos los movimientos parecen iguales, pedalean cada semana, algunos son hasta buena onda y rifan pantallas con boletos que se canjean en tiendas de conveniencia en la compra de cervezas de conocida marca. Al final, quienes sí reivindican la causa son presentados como aquellos que no entienden razones, como necios, intransigentes. Son descalificados y entonces se cumple la función desmovilizadora.

Ejercer influencia

Los actores están implicados con sus acciones en el proceso de ejercer influencia sobre el sistema político. Este es el fin último, para ello es su activismo desplegado. Entonces lo logrado hasta ahora ha sido la aprobación de un Reglamento Metropolitano de Movilidad Urbana y el compromiso del Gobierno del municipio de Torreón de asumir la iniciativa Visión Cero. Por el contrario, las obras de infraestructura son en extremo escasas, existen la ciclovía del bulevar Constitución en Torreón generada en la administración pasada y la señalización para circular en bicicleta sobre la avenida Miguel Alemán en Gómez Palacio, sólo eso, no más.

La movilización que hace Ruedas del desierto es limitada, así lo reconocen los protagonistas. Ésta es meramente intuitiva, hace falta su profesionalización. Dice Francisco Valdés:

> Me gustaría mayor profesionalización de los grupos. Necesitamos obtener ingresos transparentes y congruentes. La profesionalización te permite ir más allá y tener muchísima más actividad. Los que estamos en el colectivo no nos dedicamos de tiempo completo al activismo, eso limita para muchas cosas. Yo creo que hay que tirarle a una mayor profesionalización.
>
> Es como el juego de la serpiente que se muerde la cola. No consigues los fondos porque no hay quién los gestione. No se puede pagar a quien los gestione porque no hay fondos.

En este camino, el proceso de colocar los argumentos en el espacio público ha sido accidentado y gradual. Los actores sociales saben que su movilización no tiene otro objetivo, sino empujar las decisiones del aparato administrativo para destinar presupuesto y dedicar políticas públicas para transformar la ciudad. Pero además el contexto más amplio influye. Una sociedad civil con vitalidad suficiente sólo puede formarse en una sociedad acostumbrada al ejercicio de sus libertades. Como sociedad el ejercicio de las libertades está en pleno proceso de despliegue.

Si bien el activismo del movimiento Ruedas del desierto no ha impactado en la creación de infraestructura de movilidad urbana del siglo XXI, sí en la movilización social desplegada por estos colectivos, pues es aire fresco para la expansión del espacio público en la sociedad, para la discusión, intervención, apropiación de los temas de interés para la colectividad en su conjunto. Manifestarse públicamente para exigir los propios derechos enseña a la población a ejercer cotidianamente sus libertades a través del activismo y participación, así en las acciones concretas. Esto lo capta muy bien y así lo expresa Francisco Valdés, de Ruedas del desierto:

El mayor logro es (…) la profusión de grupos ciclistas. Antes de nosotros a nadie se la había ocurrido andar por bici, en bici en la ciudad, yo creo que es a partir de nuestra iniciativa del grupo Ruedas del desierto, que empezó a popularizarse y si quieres unos irán por convivir pero finalmente son bicis en la calle. Y bicis en la calle quiere decir que los automovilistas y la autoridad se dan cuenta que hay gente que se mueve en bici. Aunque antes ya había gente que se mueve en bici, pero eran albañiles y eran veladores, esos a nadie le importan.

El proceso en su conjunto pasa por uno mayor que implica la racionalización del mundo de la vida. De esta manera, deshechos los núcleos de tradición anquilosados, se liberará una energía para posibilitar una sociedad más libre. La gradualidad inconclusa del proceso se exhibe quizás en la imposibilidad del público en general para distinguir entre un movimiento reivindicatorio y otro que meramente usa los foros. Esta hipótesis puede explicar también la débil combatividad de los grupos. No siempre tienen claridad de aquello que se quiera reivindicar. Las acciones desplegadas suponen siempre una negociación, nunca una confrontación.

Ha hecho falta una política de alianzas con otros actores sociales y más, pero no nos engañemos. Quizá los resultados logrados son escasos para un observador externo. Mirando con más detenimiento son demasiados. Lograr la discusión abierta de asuntos públicos en una sociedad no acostumbrada a ejercer sus libertades es un asunto no menor.

Conclusiones

Una sociedad acostumbrada al ejercicio de las libertades es terreno fértil para el surgimiento de las asociaciones, lo contrario también es cierto, ahí donde se dificulta por diversos motivos el ejercer las libertades, aun cuando éstas sean constitucionalmente garantizadas, los ejercicios de articulación social serán también dificultosos.

Al elaborar el presente informe, gradualmente se fue diagnosticando que las dificultades que ha tenido el movimiento ciclista en la región asientan sus causas principalmente a este factor. Aunque las libertades están constitucionalmente garantizadas, su ejercicio no lo es de ordinario. El origen es doble: *1)* el autoritarismo y control social normalmente ejercidos en el sistema político mexicano, y *2)* Lo incipiente del proceso de racionalización de las bases culturales de esta colectividad. En este marco el ejercicio de reivindicación social ejercitado por los movimientos ciclistas es extraordinario, y camino hacia un horizonte que avanza decididamente en el proceso de racionalizar sus bases culturales.

Simultáneo al proceso, es la ventaja que los medios dinero y poder arrancan a estos incipientes intentos de organización social para desmovilizarlos o bien para sacar adelante los propios intereses. La estrategia de confrontación con el aparato administrativo no ha sido la opción de ningún colectivo. En este contexto y con una perspectiva negociadora, los argumentos no han logrado ser plenamente colocados en el espacio público.

Dicho así, el logro de sus objetivos parece escaso, pero el avance observado en el ejercicio de las libertades no es menor. El proceso ha de continuar.

Bibliografía

Banco Mundial, 2011, *Informe sobre el Desarrollo Mundial 2011. Conflicto, seguridad y desarrollo*, Washington, D.C., Banco Mundial.

City of Seattle, 2005, *Comprehensive Plan: Toward a Sustainable Seattle*, Seattle, Department of Planning & Development.

Corona Páez, Sergio Antonio, 2005, *La Comarca Lagunera, constructo cultural. Economía y fe en la configuración de una mentalidad multicentenaria*, Torreón, Universidad Iberoamericana Torreón.

Cohen, Jean L. y Arato, Andrew, 2000, *Sociedad civil y teoría política*, México, FCE.

El Asmar, Jean-Pierre, Ebohom, John Obas, Taki, Ahmad, 2012, "Bottom-up approach to sustainable urban development in Lebanon: The case of Zouk Mosbeh", *Sustainable Cities and Society* 2, pp. 37-44.

Jiménez Ortiz, José Miguel, 2000, *La ciudad posible. Economía de la calidad de vida*, Barcelona, Madrid, VII Jornadas de Economía Crítica en la Universidad Complutense de Madrid.

Habermas, Jürgen, 1981, *Teoría de la acción comunicativa I y II*, México, Taurus.

_____, 1992, *Facticidad y validez*, Madrid, Trotta.

INEGI, 2004, *Delimitación de zonas metropolitanas*, México, Secretaría de Desarrollo Social, Consejo Nacional de Población, Instituto Nacional de Estadística, Geografía e Informática.

_____, 2010, *Censo de Población y Vivienda* 2010, <http://www.inegi.org.mx/est/contenidos/proyectos/ccpv/cpv2010/Default.aspx>, actualización permanente, consulta: 15 abril de 2015.

Instituto de Políticas para el Transporte y el Desarrollo (ITDP, por sus siglas en inglés), Organismo fundado en 1985, <http://mexico.itdp.org/>, actualización: enero de 2015, consulta: 15 abril de 2015.

Olvera, Álvaro J. (coord.), 1989, *La sociedad civil: de la teoría a la realidad,* México, El Colegio de México, CES.

ONU-HABITAT, 2009, *Planificación de ciudades sostenibles: Orientaciones para políticas públicas. Informe Global Sobre Asentamientos Humanos*, Londres y Sterling, VA, Programa de las Naciones Unidas para los Asentamientos Humanos, ONU-HABITAT.

Santibáñez García, Ernesto, 1992, *La Comarca Lagunera. Ensayo monográfico*, Torreón, edición propia.

United States. Environmental protection agency Region 2, 2009, *Planning for a sustainable future. A guide for local governments,* Seattle, Office of Policy and Management and Public Affairs Division.

Word Comission On Environment And Envelopment, 1987, *Our common future. Report Brundland*, Nueva York, United Nations, <http://www.un-documents.net/our-common-future.pdf>, actualización permanente, consulta: 15 junio de 2015).

Déficit de la representación política y la participación en México*

Rubén Ibarra Reyes

> ...hoy no serían concebibles Estados liberales que no fuesen
> democráticos, ni Estados democráticos que no fuesen liberales.
> NORBERTO BOBBIO

Introducción

El reciente proceso electoral federal en 2015 dejó muchos elementos de análisis desde la perspectiva de la representación política en México, lo mismo que de la participación ciudadana. La escasa presencia de votantes en las urnas, que a pesar de apenas alcanzar 47%, las elecciones pasadas se configuran como las terceras con mayor afluencia después de 1991 y 1997, en las que acudieron poco más de 55% de los sufragantes enlistados. Es decir, en julio de 2015, votaron menos de cinco de cada 10 ciudadanos. El malestar no sólo se refleja en la abstención, también en la anulación o voto para candidato sin partido, que representó prácticamente 10% del total, es decir, 50% de lo que se requiere para anular la elección.

Otro elemento importante es la postulación de candidatos poco cercanos a la población, y en algunos casos más próximos a la farándula, al fútbol o a las grandes empresas de nuestro país incluyendo a

---

* Este trabajo forma parte del proyecto "Democracia y participación ciudadana en el contexto neoliberal". Varios fragmentos han sido previamente presentados en congresos o publicados en libros.

401

la televisión, que implica la decadencia de un sistema que se supondría, a estas alturas y con las reformas instituidas, debería estar en proceso de perfeccionamiento y especialización. Sí, para votar una ley, impulsar una reforma o sancionar una cuenta pública, entre otras tareas, se supone cierta capacidad y experiencia. Sin embargo, lejos de esto, en las listas de Representación Proporcional (RP) estuvieron presentes personajes que no cuentan con estas credenciales. El resultado: un déficit real del sistema político mexicano.

El otro elemento importante es la aparición de 125 aspirantes registrados sin partido, de los cuales, seis de los llamados "independientes" lograron el triunfo, entre los que destaca Jaime Rodríguez "El Bronco", quien a pesar de los múltiples obstáculos en la ley electoral, alcanzó la gubernatura en Nuevo León.

Así pues, candidatos sin respaldo de alguno de los 10 partidos registrados para participar en el proceso electoral se presentaron como aspirantes. En efecto, otro elemento importante es el pluripartidismo llevado a su máxima expresión en nuestro país. Coincidimos con Sartori en que los sistemas democráticos necesariamente son aquellos donde existe más de un partido político, de preferencia varios (Gómez Tagle, 1997: 147). Sin embargo, en el reciente proceso electoral contamos con tres partidos nuevos: Movimiento de Regeneración Nacional (MORENA), el Partido Encuentro Social (PES) y el Partido Humanista (PH). Este último con registro perdido junto con el Partido del Trabajo (PT).[1]

El primer postulado que podemos expresar es que la cantidad de partidos no son correspondientes con la cualificación de la democracia, ni siquiera de la participación electoral. Por el contrario, en el caso del reciente proceso, la izquierda partidista dividió el voto en el mejor de los casos entre tres ofertas diferentes. Así pues, aparecen algunas preguntas: ¿es funcional el actual régimen con la consolidación de una democracia participativa?, ¿está garantizada la participación ciudadana después de las reformas políticas erigidas? Desde la perspectiva ciudadana ¿qué avances o no se pueden encontrar en la construcción de ciudadanía en los años recientes?

---

[1] Aunque finalmente, la elección extraordinaria en el Distrito Federal número 1 del estado de Aguascalientes permitió al PT recuperar (o mantener) el registro.

Sobre esto y otras cosas intenta reflexionar el presente trabajo. Para lograrlo, lo hemos dividido en cinco apartados. En el primero de ellos, titulado "La democracia como ejercicio de poder", se expone de manera general el origen liberal de nuestro actual régimen, desde ahora cuestionamos su funcionalidad por encontrarse desde su nacimiento subordinado a decisiones económicas.

México es un país de enormes contrastes, por un lado tenemos grandes millonarios (apenas unos pocos), y por el otro, más de la mitad de la población en condiciones de pobreza, eso queda de manifiesto en el segundo apartado de nombre: "Democracia y discurso". La democracia y la participación, al igual que la lucha contra la pobreza se convierten en elementos discursivos desde el sistema dominante como banderas políticas.

"La reforma y la participación" es el título del tercer apartado, que intenta repensar de manera superficial la funcionalidad de la reforma 2012 y 2013 en materia electoral, sobre todo en lo que respecta en su carácter representativo. En nuestra postura, a pesar de que en los últimos 30 años se han impulsado múltiples reformas, el sistema sigue siendo excluyente y limitado, fundamentalmente, porque las propuestas nacen de los partidos políticos, dejando en claro, que no pondrán en riesgo sus intereses.

El cuarto apartado comienza con la epígrafe: "No hay duda que vivimos en un mundo injusto y peligroso", palabras de Pablo González Casanova, en una conferencia magistral el 14 de octubre de 2011, en el marco del Primer Congreso Latinoamericano de Ciencias Sociales, titulado Los Retos Políticos, Económicos y Sociales de Latinoamérica en el siglo XXI. Organizado por la UACS de la UAZ en la ciudad de Zacatecas. Sin lugar a dudas la sentencia lanzada por don Pablo es más que precisa en nuestra realidad actual. El ciudadano vive con esos temores que alcanzan incluso a las relaciones interpersonales.

En nuestra idea, no se puede concebir a una democracia sin la búsqueda incesante de bienestar, esto incluye a la seguridad. "Elementos desde la percepción ciudadana" es el nombre del apartado que reflexiona a partir del *Informe país*, estudio publicado recientemente por el Instituto Nacional Electoral sobre la ciudadanía en nuestro país, acerca de la percepción que tiene el mexicano de su entorno, las instituciones, los partidos y la democracia en general. Llama fuertemente la atención la desconfianza hacia los partidos políticos, el gobierno y la clase política en general.

La democracia como ejercicio de poder

Uno de los temas de mayor debate en el mundo moderno es el de la existencia y funcionalidad de la democracia. Más allá de la idea generalizada de que la democracia se puede definir como "el gobierno del pueblo", la discusión gira en torno a la forma en la que el ciudadano ejerce dicho poder, es decir, en la forma en que se gobierna o dicho más correctamente cómo se autogobierna. Es evidente que nos referimos a la democracia representativa, que encuentra su origen en la democracia liberal que tomó fuerza como forma ideológica en el siglo XIX.

A principios de la década de 1980, como rechazo al pensamiento keynesiano, aparece la nueva corriente teórico-filosófica a la que conocemos como neoliberalismo. La característica fundamental que encontramos en la democracia neoliberal representativa (que observa como calificativo más importante las elecciones), es que si bien es cierto promueve la elección de dirigentes y gobernantes, descubre ciertos aspectos excluyentes, como por ejemplo, que el elector elige de entre candidatos que, a su vez, son propuestos por partidos políticos que no siempre consideran la opinión del ciudadano.

Es decir, los partidos proponen a sus cuadros políticos (no siempre formados por ellos, en ocasiones, se trata de candidatos que han militado en más de una opción), no necesariamente formados en las bases partidistas y sociales, lo que impide al ciudadano tener control sobre quién podrá ser su referente a la hora de decidir su voto. El antecedente a este pensamiento político-económico al que llamamos neoliberalismo es el liberalismo. De manera breve podemos exponer que:[2] liberalismo y democracia son dos conceptos que se puede creer, son interdependientes, pero en su espíritu no es así, por el contrario son distintos e incluso pueden llegar a ser contradictorios. Cuando hablamos de li-

---

[2] Como decíamos en la introducción, un fragmento de lo que se presenta en este apartado toma como fundamento el libro *Marginación y comportamiento electoral, 1992-2001*, UAZ, 2006.

beralismo nos referimos también a "cierta democratización del Estado", pero no se trata de una democracia ideal, como la que postula la teoría igualitaria, donde todos los sujetos tienen igual número de oportunidades, sino de una democracia digamos parcial o limitada, que beneficia a unos cuantos, a las clases pudientes, la población tiene facultades que en el absolutismo no, pero la distancia entre las clases es aún muy amplia.

En esta lógica, la democracia es ejercida –y en buena medida utilizada– por una cúpula o clase dominante, que subordina los interés colectivos a los intereses individuales o de clase, haciendo más marcada la calidad clasista de la sociedad y limitando fuertemente la igualdad, como lo expone Bobbio cuando escribe: "... liberalismo e igualdad son valores antitéticos, en cuanto no se puede realizar uno sin limitar fuertemente el otro" (Bobbio, 2006: 41).

Los liberales pugnaron por la igualdad, pero no vista como la teoría democrática, ya que dicha igualdad se refería sólo a las clases pudientes, es decir, en la propiedad; en la democracia, la igualdad es un concepto más amplio en el sentido de que busca abarcar a todos los individuos. Esta es la causa por la que el liberalismo surgió de hecho en regímenes donde la apertura ciudadana no existía o era muy limitada.

En esta lógica, el rechazo al absolutismo o monarquía impulsadas principalmente por la obsoleta aristocracia, encuentra en el Estado liberal-democrático una salida. Así la democracia no sólo puede ser nivelada con el liberalismo, sino incluso la democracia puede ser vista como resultado del perfeccionamiento de un Estado liberal, "no sólo el liberalismo es compatible con la democracia, sino que la democracia puede ser considerada como el desarrollo natural del Estado liberal" (*Ibid.*). Sin olvidar el sentido utilitario del régimen, lo que permite su vigencia.

Democracia y discurso

La constante en el discurso gubernamental es el combate a la pobreza, en términos generales, la pobreza es el síntoma más grave de la exclusión social, ya que refleja de una manera clara el deterioro de las condiciones de vida de la población. Y además, representa la principal causa de violencia por la que atraviesa nuestra coyuntura actual.

En nuestra lógica, el combate a la delincuencia debe ser con un programa integral, no sólo con la persecución de los delitos. Y es evidente que la generación e impulso del empleo digno y bien remunerado, y la disminución real de la pobreza jugarían un papel fundamental.

La situación es grave no sólo por las altas cifras de pobreza que embargan todo país, sino por las pocas posibilidades que tienen amplios sectores poblacionales para al menos disminuir los embates de tal situación. Esta es la razón por la que la pobreza representa la bandera político-electoral y gubernamental más popular hoy en día.

De hecho, el primer programa que al menos los últimos cinco periodos presidenciales han impulsado tiene que ver con la pobreza. El actual gobierno de Enrique Peña Nieto lo tituló "Cruzada contra el hambre", en él se articulan diversas estrategas estratificando al territorio nacional por regiones.

En 2011, nuestro país, este México de terribles contrastes, cuenta de acuerdo con la revista *Forbes* ya con 11 hombres situados entre los más ricos del mundo, es decir, millonarios, lo que permite ver la injusta distribución de la riqueza y la polaridad social (Forbes, 2013).

Ahora bien, si a esto le agregamos los altos índices de desempleo, la situación es aún más grave. Poniendo en entredicho las cifras oficiales que el periodo de Felipe Calderón, el Centro de Análisis Multidisciplinario de la Universidad Nacional Autónoma de México (UNAM), reveló entre otras cosas lo siguiente (CAM-UNAM, 2013):

- En México hay 8 millones 671 mil personas desempleadas, 32.7% más que en el sexenio de Vicente Fox.
- La tasa general de desempleo supera el 15%, a diferencia del 5, promovida por organismos y medios oficiales del gobierno federal entre ellos el INEGI, tomando informes de la Encuesta Nacional de Ocupación y Empleo (ENOE).

Mediante la apertura electoral, el Estado busca contener el descontento que se origina de dicha exclusión, incorporando políticamente a la población. En la democracia moderna, el gobierno está ejercido por representantes elegidos por el pueblo, vía sufragio popular. Con la excepción que ya mencionamos de candidaturas "sin partido", los representantes provienen fundamentalmente de aquellos que postulan los partidos para ocupar un cargo de elección popular.

Sin embargo, se ha presentado un distanciamiento cada vez más significativo entre los representantes y los representados. Ni los partidos políticos ni los gobernantes logran cristalizar las aspiraciones fundamentales de la población quien los eligió para ese fin. Sus funciones giran en torno y en representación de intereses particulares o inherentes a una determinada fracción o grupo. "… en México la representación de intereses particulares domina sobre los intereses populares" (Loaeza, 1989: 36), lo que significa en buena medida la abstención racional del ciudadano, y sumando elementos de mala calificación de nuestra democracia, aludiendo a la clasificación de Morlino sobre la reciprocidad.

Así, "[...] el Estado se ha convertido en una corporación con intereses particulares se ha distanciado de las clases populares a las que pretendía representar" (*ibid.*). Obviamente, esto está estrechamente relacionado con el modelo económico impuesto, que promulga la reducción del gasto estatal tanto en su aspecto económico como social, lo que limita la transferencia de bienestar a las masas, dada la reducción del empleo y de subsidios a bienes y servicios básicos.

La reforma y la participación

La reforma político electoral de 2012 en nuestro país sentó las bases jurídicas que permiten la postulación de candidatos sin partido político a puestos de elección popular. Más recientemente, el 18 de abril de 2013, por votación favorable de 421 diputados quedó aprobado el dictamen. Es decir, se amplía la posibilidad de registro de aspirantes a ocupar cargos a ciudadanos que no militan en ningún partido.

Lo que nos obliga a reflexionar sobre lo siguiente: ¿es correcto llamar independiente a un aspirante que fue excluido por un partido político para ser su candidato? Es decir, en la mayoría de los casos, los registros de candidatura independiente son de exmilitantes, que al no lograr la inscripción por el partido han decidido hacerlo por esta vía, incluso, después de una trayectoria larga y de un retiro inmediato anterior.

Con excepción de Pedro Kumamoto Aguilar, diputado local electo en el Distrito 10 de Zapopan Jalisco, los demás candidatos encuentran problemas para esconder su pasado partidista en el tiempo reciente.

Es decir, si el concepto "independiente" hace referencia a aspirantes a un cargo de elección popular sin el respaldo de un partido, quizá la manera correcta de llamarles sería la de "candidatos sin partido", por lo que el ciudadano podría diferenciar entre los que no pertenecen a un partido en el registro, y los que no se han integrado a un partido en el pasado inmediato. Esta inquietud es motivada porque contradice el espíritu que origina la reforma política: la posibilidad de contar con candidatos emanados de la ciudadanía y no de los partidos, en razón al hartazgo que éstos han ocasionado.

En este sentido, la construcción de una ciudadanía sólida y la apropiación de una cultura política democrática no encuentran un campo fértil y quedan a la deriva de fenómenos que orientan la percepción del ciudadano y, a final de cuentas, su definición electoral. Es decir, bajo estas circunstancias, el voto se consolida como la única forma de participación ciudadana. Y además no es completamente racional, ya que al no ser el resultado de un proceso de construcción ciudadana es presa de intereses y formas poco democráticas como la compra o persuasión.

Hay una idea en la lógica romántica generalizada de que el origen data de la Grecia clásica, probablemente del pueblo de Atenas:[3] democracia o demokratia proviene de las palabras griegas *demos,* el pueblo, y *kratos,* gobierno. La democracia tiene como elemento fundamental la participación popular en las cuestiones de gobierno, es decir, se trata de un sistema político mediante el cual el pueblo decide la forma de gobierno que desea, ejerciendo de modo directo su soberanía. Dicha voluntad se manifiesta primordialmente con el voto y que éste representa la vía para hacer efectiva la participación de la población en la vida democrática del país.

Por *democracia participativa* entendemos la integración o asociación de los ciudadanos de una sociedad en la toma de decisiones, más

---

[3] Algo que resulta importante comentar, es que el propio origen de la palabra y los fundamentos teórico-filosóficos de la democracia son el resultado histórico de un pueblo racional y reflexivo. En la Grecia clásica hay dos pueblos predominantes pero al mismo tiempo polarizados por su propia vocación: uno, el espartano, dedicado a cultivar la fuerza física y el arte de la guerra como prioridad social y, el otro, el ateniense que considera a la cultura y la razón como el motivo primordial del desarrollo de la civilización. Es decir, la democracia en esta lógica tiene como propósito coadyuvar en la organización de una sociedad reflexiva, en la que se rechaza el uso de la fuerza, por el contrario, se apuesta por el raciocinio general.

allá de la representación (elección de gobernantes), para crear las políticas públicas acordes con las necesidades de desarrollo e incidir en la toma de decisiones de orden público, ésta debe ser organizada y con un sustento en el entramado institucional y legal que permita su orientación en el bien común, y sobre todo, que garantice la participación de los grupos minoritarios y subrepresentados. Esta dinámica gestaría una cultura política participativa de la sociedad, ya que mecanismos como el plebiscito, el referéndum y la rendición de cuentas de los gobernantes sería en un ambiente democrático.

La participación política de la sociedad en el sistema actual se limita a lo electoral, no existen las posibilidades de una democracia participativa, lo que hace que la sociedad no se integre al desarrollo de la democracia, ocasionando una cultura política poco participativa. Si a esto le agregamos que en nuestro país, la tan ansiada democratización está impedida por la aparición de sucesos que históricamente han marcado a nuestra sociedad, y que a final de cuentas influyen en la población para no hacer suya esta etapa política.

Es por esto, por lo que las campañas de educación cívica, de promoción de igualdad política, de promoción del voto, etcétera, ideadas y llevadas a cabo por partidos políticos, organismos e instituciones, universidades e incluso por los mismos institutos electorales no funcionan, es más, desde su nacimiento están destinadas al fracaso porque centran su objetivo en la divulgación de valores e ideales democráticos como la honorabilidad, el respeto y tolerancia a los demás, la honestidad, la legalidad, la verdad sobre todas las cosas y más, que en términos reales contradicen la cotidianidad de la vida política.

Hay una relación estrecha entre cultura política democrática y cultura política participativa, sin embargo, en nuestro sistema, la desconfianza de la sociedad ha llevado al ciudadano a adquirir una cultura política de poca participación, es decir, la participación ciudadana en la generación de definiciones de gobierno y por ende de políticas públicas es limitada; la última palabra es tomada por los partidos y por los gobernantes, que no siempre representan al pueblo. En realidad, el destino y lo que se hace en el país escapa al Congreso y al presidente, como escribe Samir Amin:

[...] se puede votar libremente lo que plazca; blanco, azul, rosa o rojo [anaranjado o amarillo]. De todos modos esto no tendrá ningún efecto, pues la suerte se decide en otra parte, fuera del ámbito del Parlamento, en el mercado. La sumisión de la democracia al mercado, y no su convergencia, encuentra su reflejo en el lenguaje político. La alternancia, cambiar las cabezas de lugar para seguir haciendo lo mismo, ha reemplazado a la alternativa, hacer otra cosa (Amin, Samir, "Más allá del capitalismo senil. Por un siglo xxi no-americano", *El Viejo Topo*, España, 2003, p. 59).

Elementos desde la percepción ciudadana

No hay duda, que vivimos en un mundo injusto y peligroso
PABLO GONZÁLEZ CASANOVA

La democracia de nuestro país enfrenta riesgos importantes, éstos a los que hace referencia Pablo González Casanova son de los más apremiantes. Según el *Informe país*, el instrumento más reciente que tenemos los mexicanos para conocer nuestra percepción sobre la calidad de la democracia y la construcción de la ciudadanía, uno de los verdaderos problemas de la consolidación de nuestra sociedad radica precisamente en la desconfianza generalizada del ciudadano. Tan sólo pensemos en la idea de democracia: el informe deja claro que cinco de cada 10 mexicanos piensan en la democracia como un régimen en el que "muchos participan y pocos ganan". Es decir, hay una lógica de emancipación o separación del ciudadano y el gobernante, y entre éste y los otros individuos. Esto se soporta con el hecho de que 7 de cada 10 mexicanos consideran que no se puede confiar abiertamente en todas las personas. Es decir, la crisis alcanza la relación interpersonal.

Es de destacar que para mejorar nuestra democracia es necesario el respeto y fortalecimiento de las instituciones, pero también de los órganos electorales autónomos. La crisis de credibilidad, de operatividad y de representatividad por la que atraviesan los partidos políticos no deben arrastrar a los Institutos electorales (en lo nacional y en lo local), por el contrario, éstos, deben ser elementos de consolidación de un régimen, que como hemos visto hasta ahora, desgraciadamente de origen, parece ser excluyente.

A qué nos referimos, a que los partidos y los diputados apenas gozan con 20% de la confianza ciudadana. Cifra que refleja la crisis de credibilidad que tienen ambas variables de la democracia representativa de nuestro país. En contraste, el ejército sigue a la cabeza como en la mayoría de los estudios sobre el tema. Llama la atención la dramática caída del gobierno federal, que en 2010 tenía 60% de aceptación y en 2013 apenas supera 35% (seguramente, con el caso de los estudiantes desaparecidos en Ayotzinapa la cifra debió sufrir cambios aún más negativos). Los maestros, el ejército y las iglesias son las únicas organizaciones que superan el 50% de aceptación en México, pero, apenas rozando el 60%. Casi 20 puntos abajo vienen las ONG.

Casi ocho de cada 10 mexicanos manifiestan haber visto descalificación por apariencia física, un número igual por clase social y siete de cada 10 por color de piel. Es decir, la dispersión social es manifiesta a través de la no integración de los ciudadanos a la vida democrática. La violencia aqueja a nuestra sociedad. Siete de cada 10 mexicanos consideran que el lugar en el que viven es inseguro. Grave si consideramos que el temor por perder la vida y/o el patrimonio significa un obstáculo real frente a la democracia, esa es de hecho una de las obligaciones más importantes que debe perseguir la democracia: la seguridad de las personas.

Esto no es sólo una cifra, es en realidad un elemento que afecta la vida cotidiana de los ciudadanos. Modifica conductas y hace cada día más difícil la democratización de la ciudadanía. Más fría la relación con nuestros semejantes. Según datos incorporados en el informe, cinco de cada 10 mexicanos piensa que ya no es seguro caminar después de las ocho de la noche por su colonia o barrio. Un número igual ya no permite a sus hijos salir a la calle solos. Y evidentemente, la confianza en la policía ha disminuido de manera drástica. Siete de cada 10 mexicanos no confía en las corporaciones del orden público.

Estas conductas se observan claramente en la apropiación de una cultura de la legalidad. Casi 7 de cada 10 mexicanos considera que en nuestro país, la ley se respeta poco o nada.

Reflexiones finales

*La democracia ha surgido de la idea de que si los hombres
son iguales en cualquier respecto, lo son en todos.*
ARISTÓTELES

En el último cuarto de siglo de vida política de nuestro país, se han discutido en el terreno electoral y partidista las formas y mecanismos idóneos para garantizar o al menos impulsar la participación ciudadana. Sin embargo, las reformas promovidas han garantizado la inclusión de sectores estrictamente políticos y, en el mejor de los casos, han fortalecido exclusivamente la cara representativa del régimen, es decir, se han cargado a la institucionalización de la democracia. Por ejemplo, el impulso a la creación de diputados plurinominales, senadores de primera minoría, la reelección o la facilitación para la creación de nuevos partidos que, si bien es cierto, permiten la integración de nuevas fuerzas políticas que estaban marginadas, el cauce es y sigue siendo institucional.

Lo mismo sucede o puede pasar con las candidaturas independientes. En nuestra idea, las formas de participación ciudadana son sumamente cerradas, incluso las electorales. A pesar de la reforma 2012 que faculta y promueve el registro de candidaturas independientes o ciudadanas, las estructuras y reglas del juego siguen siendo tradicionales y no se percibe que en el mediano plazo puedan cambiar.

Un factor que debe estudiarse es la abstención y la anulación del voto. En nuestra postura, el abstencionismo es un fenómeno que obedece a múltiples causas, entre ellas, al descontento social. Con lo que se configura una visión crítica de la democracia. Lo mismo pasa con la anulación del voto, aunque éste, al tratarse de una acción política contundente, infiere a un malestar con el sistema de partidos. Sí, cuando el ciudadano enfrenta su realidad con los llamados a votar, pesan más los excesos de los políticos y la carencia de bienes y servicios sobre todo de los que menos tienen.

Es por esto, por lo que las campañas de educación cívica, de promoción de igualdad política, de promoción del voto, etc., ideadas y llevadas a cabo por partidos, organismos e instituciones, universidades e incluso por los mismos institutos electorales no funcionan, es más, desde su nacimiento están destinadas al fracaso porque centran su objetivo en la divulgación de valores e ideales democráticos como la honorabilidad, el respeto y tolerancia a los demás, la honestidad, la legalidad, la verdad sobre todas las cosas, etc., y que en términos reales contradicen la cotidianidad de la vida política. En resumen, en nuestro sistema la desconfianza de la sociedad ha llevado al ciudadano a adquirir una cultura política de poca participación.

Ahora bien, como dijimos antes, no es lo mismo anular que abstenerse. En el caso del voto nulo tiene un tratamiento completamente distinto. Empezaremos diciendo que en realidad el abstencionismo o el voto nulo no tienen mayor repercusión en la vida democrática, salvo en los siguientes casos que han sido sumamente discutidos:

1. En el registro del partido. En el 2014, la Ley General de Partidos Políticos (LGPP, 2014), reformó su contenido, estimando el 3% como el umbral para mantener el registro de los partidos nacionales o locales, esto sucede después de descontar los votos nulos, es decir, se refiere a la "votación efectiva", por lo que con la nueva ley, los votos en blanco, por candidatos no registrados o anulados no tienen mayor trascendencia. Sin embargo, en esta lógica, el no dar el voto a un partido en riesgo puede hacer perder su registro.

2. En la asignación de recursos. La bolsa que se reparte entre los partidos políticos no cambia las prerrogativas que obtienen a causa del voto nulo o el voto por candidato no registrado. Si anulamos o no, ellos recibirán lo mismo.

3. La asignación de legisladores por el principio de RP. En la misma lógica del recurso económico, los diputados plurinominales son definidos como resultado de la votación efectiva, tanto para primera minoría como mayoría, la anulación o abstención no influye en el número de curules por partido.

4. El voto nulo o la abstención favorece al partido en el poder. Sí, en términos generales la ausencia de votantes o la anulación del sufragio favorece la posibilidad de que las estructuras del poder mediante la movilización, o el voto duro, aseguren el triunfo en las urnas. Sin embargo, afecta igual o quizá peor el pluripartidismo, por ejemplo: en la próxima elección federal en Zacatecas, en algunos distritos, el candidato a legislador del PRI tendrá

una votación muy parecida a la suma de los votos por los candidatos de la oposición.

Entonces, ¿participar, anular o abstenernos? Podemos discutir fórmulas y demás situaciones, no obstante, debemos ser claros en que la abstención no define ni propone absolutamente nada, incluso la lectura política que se le pueda dar es tan dispersa como las razones que llevaron al ciudadano a ausentarse. La anulación por el contrario, como ya dijimos en los puntos anteriores, no les quita nada a los partidos, tampoco les da (no genera ni dinero ni curules ni posiciones de ningún tipo), sí representa un mensaje político de hartazgo, cansancio y desconfianza al sistema político en general, a los partidos, a los gobernantes, a las instituciones y demás actores.

La concepción actual de democracia tiene su sustento en los procesos electorales, de ahí se determina si se es o no democrático. El objetivo de las elecciones es la designación popular de sus representantes, pero al parecer éstos olvidan rápidamente los intereses que deben representar. De ahí que, la democracia, sus alcances y funciones se limitan a construir electores no ciudadanos.

La política gubernamental es ineficiente y sobre todo electorera y con pocos alcances. En el mejor de los casos es pensada y diseñada para un sexenio o periodo gubernamental, lo que implica que sea débil en el combate real de la pobreza. Además, la evidente carencia de un programa integral que permita generar empleos dignos, bien remunerados y estables, formación y habilitación de los trabajadores, consolidación de un entramado jurídico e institucional menos severo y el diseño de estrategias demográficas, hacen del fenómeno de la pobreza un factor de uso político, perpetuando las necesidades e incrementando el abandono.

La respuesta no está en la clase política o al menos no se observa una definición seria. Conviene subrayar que si la pobreza es seguramente el tema más apremiante de la agenda social de México, uno esperaría encontrar propuestas de debate en las plataformas políticas de acción gubernativa en las que, como característica primordial, se encuentre un diagnóstico real de la situación por la que atraviesan los ciudadanos, esos que en términos políticos son sus representados, con lo que se pierde la función específica de la democracia representativa.

Los altos índices de abstencionismo electoral presumen el descontento social a la clase política y a las instituciones, principalmente a los partidos políticos. Por un lado, la participación política del ciudadano es limitada a lo electoral como ya dijimos, pero además el ciudadano casi sólo puede votar por candidatos postulados por estos institutos (a pesar de iniciativas para permitir el registro de candidatos ciudadanos, los candados legales y prácticos son severos y rígidos, lo que hace prácticamente imposible la competencia), lo que no concede la libre elección del ciudadano y con ello representa un impedimento en la construcción de ciudadanía.

La situación de marginación y vulnerabilidad en que se encuentra buena parte de la población, los hace presa fácil de la manipulación mediática y electoral, y representa un obstáculo serio tanto para la superación de dicha desventaja como en la construcción de una cultura política democrática y sólida, haciendo de esto un círculo vicioso difícil de romper.

Bibliografía

Acosta Reveles, Irma Lorena: *Influencia del neoliberalismo en la dialéctica del campesinado. El caso de México.* EUMED.NET Biblioteca Virtual. <http://www.eumed.net/libros/2006b/ilar/index.htm>.

Aguirre, Botello, Manuel, *La historia de un voto. 6 años después*, en <http://mexicomaxico.org/voto/4a/fox4ahtm>.

Amin, Samir, 2003, "Más allá del capitalismo senil. Por un siglo xxi no-americano", *El Viejo Topo*, España.

Borón, Atilio, 2000, *Tras el búho de Minerva. Mercado contra la democracia en el capitalismo de fin de siglo*, Argentina, FCE.

Bobbio, Norberto, 1989, *Liberalismo y democracia*, México, FCE.

Bueno Eramis y Dinis A José Eustaqui, 2009, *Pobreza y vulnerabilidad. Enfoques y perspectivas*, Brasil, ALAP.

Consejo Nacional de Evaluación de la Política de Desarrollo Social CONEVAL, en <http://www.coneval.gob.mx/medicion/Paginas/ Medición /Pobreza-2010.aspx>, consulta: el 22 de febrero de 2013.

Dahl, Robert, 1999, *La democracia, una guía para los ciudadanos*, España, Editorial Taurus.

Gómez Tagle, Silvia, 1997, "Los signos de la transición en México", en Esthela Gutiérrez Garza (coord.), *El debate nacional 2, escenarios de la democratización*, México, Editorial Diana.

Ibarra Reyes, Rubén, 2006, *Marginación y comportamiento electoral en Zacatecas 1992-2001*, Universidad Autónoma de Zacatecas y Gobierno del Estado de Zacatecas.

_____, 2009, *La crisis democrática*, UAZ.

Jiménez Ayala, René y Ocampo Alcántar, Rigoberto, 2005, *Cultura política, participación ciudadana y democracia*, México, Universidad Autónoma de Sinaloa, Consejo Estatal Electoral de Sinaloa, Publicaciones Cruz.

Loaeza, Soledad, 1989, *El llamado de las urnas*, México, Cal y Arena.

Macpherson, C. B., 1981, *La democracia liberal y su época*, España, Alianza Editorial.

Marx, Karl, 1977, *El capital*, México, Siglo XXI.

Marini, Ruy M., 1982, *Dialéctica de la dependencia*, México, Ediciones Era.

Nun, José, 2001, *Marginalidad y exclusión social*, Argentina, FCE.

Revista *Forbes*, en <http://www.forbes.com>, consulta: 22 de febrero de 2013.

AUTORES

Alberto J. Olvera

Doctor en Sociología por la Graduate Faculty of Political and Social Science de la New School for Social Research de Nueva York; se desempeña como profesor-investigador del Instituto de Investigaciones Histórico-Sociales de la Universidad Veracruzana. Miembro del Sistema Nacional de Investigadores (Nivel III) y de la Academia Mexicana de la Ciencia. Especialista en la sociedad civil (tanto desde una perspectiva teórica como en el análisis empírico del caso mexicano), así como en temas de participación ciudadana e innovación democrática en América Latina. <alberto.olverive@gmail.com>.

Alex Ricardo Caldera Ortega

Doctor en Investigación en Ciencias Sociales, Mención en Ciencia Política por la Facultad Latinoamericana de Ciencias Sociales (Flacso), Sede Académica México. Profesor-investigador del Departamento de Gestión Pública y Desarrollo del Campus León de la Universidad de Guanajuato (UG). Sus líneas de investigación incluyen procesos políticos en torno a la elaboración de políticas públicas, gestión del agua y desarrollo local. Es el responsable del Cuerpo Académico Transformaciones Sociales y Dinámicas Territoriales. Durante 2014 y 2015 fungió como coordinador académico del Seminario Cambio y Dinámicas Emergentes de América Latina de la UG. <arcaldera@ugto.mx>.

417

Armando Chaguaceda

Profesor-investigador de la División de Ciencias Sociales y Humanidades, Campus León, Universidad de Guanajuato, especialista en estudios de historia, teoría y sociología política latinoamericanas, con énfasis en los procesos de Cuba, Nicaragua y Venezuela. Doctor en Historia y Estudios Regionales, Universidad Veracruzana. <xarchano@gmail.com>.

Aquiles Omar Ávila Quijas

Profesor investigador del Departamento de Estudios Sociales de la División de Ciencias Sociales y Humanidades del Campus León de la Universidad de Guanajuato. Sus líneas de investigación incluyen historia política ligada a construcción de nación, agua y tierra en Guatemala. Doctor en Historia por el Colegio de México. <avilaquijas@ugto.mx>.

Carlos Durán Migliardi

Historiador y sociólogo chileno, doctor en Ciencias Sociales con mención en ciencia política Flacso México. Investigador asociado del Centro de Investigación en Sociedad y Políticas Públicas, CISPO, Universidad de Los Lagos, Santiago de Chile. <cdmigliardi@hotmail.com>.

Carlos Luis Sánchez y Sánchez

Doctor en Investigación en Ciencias Sociales con mención en Ciencia Política. Facultad Latinoamericana de Ciencias Sociales, sede México. Actualmente es consultor en materia de Opinión Pública y Comportamiento Electoral así como profesor en el Programa de Especializaciones de la División de Estudios de Posgrado de la Facultad de Ciencias Políticas y Sociales de la UNAM. <clsys31@yahoo.com.mx> y <@CarlosLuis74>.

Francisco Delgado

Director de Comunicación Estratégica del Centro de Investigaciones y Estudios Especializados (CIEES). Máster en comunicación con mención en opinión pública por la Facultad Latinoamericana de Ciencias Sociales, Flacso Sede Ecuador. Cursa un máster en Comunicación estratégica en la sociedad del riesgo por la Universitat Rovira i Virgili, en Cataluña-España. Es especialista en consultoría política y en investigación cualitativa para la implementación de políticas públicas con experiencia en Ecuador, México y España. <fdelgado@ciees.com.ec>.

Iraida Casique

Profesora Asociada a Tiempo Integral de la Universidad Simón Bolívar de Venezuela. Es Licenciada en Letras (UCAB, 1985), Magíster en Literatura Latinoamericana (USB 1994) y Ph.D en Literatura Latinoamericana (Rutgers University, 2003). Entre sus líneas de investigación e interés están la Literatura Venezolana y Latinoamericana del Siglo XX (modelos de intelectualidad, representaciones marginales, reconstrucción ficcional de la Historia y los imaginarios sociales); las Políticas Culturales y el rol del intelectual en la Venezuela actual (Revolución Bolivariana). <iraida.casique@gmail.com>.

Iria Puyosa

Investigadora y consultora en comunicación política, sociedad de la información, formación de opinión pública, estrategias de comunicación en la web y políticas públicas sobre internet. Desarrolla investigaciones sobre movimientos sociales en red, comunidades en la web, políticas gubernamentales sobre internet y discurso público. PhD de la Universidad de Michigan (2009). Formación de postgrado en investigación basada en encuestas (University of Michigan, 2005) y comunicación estratégica (UCAB, 1998). Docencia de posgrado en Comunicación Política & Web, Investigación de Opinión Pública en Entorno Digital, y Medios & Poder, en universidades de Venezuela, Colombia y Ecuador. Directora de la Maestría en Periodismo Digital de la UDLA (Ecuador). <iria.puyosa@udla.edu.ec>.

José del Tronco

Profesor Investigador de la Facultad Latinoamericana de Ciencias Sociales Sede México. Doctor con mención de honor en Ciencia Política por la Universidad Nacional Autónoma de México. Profesor e investigador de la Flacso México. Ha sido coordinador de la Maestría en Políticas Públicas Comparadas de la Facultad y del Observatorio Ciudadano de la Seguridad Escolar en México, realizado junto con el Programa Escuela Segura de la Secretaría de Educación Pública. Sus temas de investigación actuales son: Análisis de políticas públicas, Calidad de la representación en México y participación social en América Latina, Violencia escolar y políticas de infancia desde una perspectiva de derechos. <jdeltronco@flacso.edu.mx>.

José Raymundo Sandoval Bautista

Profesor de asignatura en la Universidad de Guanajuato y en la Universidad Iberoamericana León. Doctorante en Ciencias Políticas y Sociales por la UNAM. <jrsandoval@ugto.mx>.

Mariana del Carmen González Piña

Máster en Estudios de Género por la Universidad Autónoma de Madrid. Actualmente labora en el Centro de Derechos Humanos Victoria Díez, A.C. en León, Guanajuato. <marianagopi@gmail.com>.

Pablo Emilio Angarita Cañas

Doctor en Derechos Humanos y Desarrollo. Profesor Titular en la Facultad de Derecho y Ciencias Políticas, Universidad de Antioquia (Colombia). Cofundador e Investigador del Observatorio de Seguridad Humana de Medellín. Miembro del GT de Clacso "Paradojas de la seguridad ciudadana en América Latina". <pabloangarita@gmail.com>.

Lisandro Martín Devoto

UNAM, Programa de Becas Posdoctorales en la UNAM, becario del Instituto de Investigaciones Jurídicas. Doctor en Investigación en Ciencias Sociales con Mención en Ciencia Política por la Facultad

Latinoamericana de Ciencias Sociales (Flacso), sede México. Sus líneas de investigación incluyen: partidos políticos, sistemas de partidos y competencia partidista; representación, participación y deliberación; relaciones Estado-sociedad y partidos-sociedad; procesos democráticos e innovación democrática. <lisandro.devoto@gmail.com>

María Isabel Puerta R.
Politóloga. Magister en Ciencia Política y Administración Pública. Doctora en Ciencias Sociales, mención Estudios Culturales; profesora de Administración Pública y Gobernabilidad y Democracia. Universidad de Carabobo y Universidad Central de Venezuela. Miembro fundador del Grupo de Investigación en Política e Instituciones (GIPI). Miembro del Programa de Estímulo a la Innovación e Investigación (PEII) de Venezuela.

Rubén Ibarra Reyes
Doctor en Ciencia Política. Adscrito a la Unidad Académica de Ciencias Sociales de la Universidad Autónoma de Zacatecas. Miembro del Cuerpo Académico Consolidado "Población y Desarrollo". <ribarra_reyes@hotmail.com>.

Salvador Sánchez Pérez
Ingeniero Químico por la Universidad Autónoma de Tlaxcala, 1992. Licenciado en Ciencias Religiosas por la Universidad Iberoamericana Ciudad de México, 2005. Maestro en Filosofía Política por la Universidad de Guanajuato, 2008. Ha realizado trabajo promoción social. 2000-2010. Académico en la Universidades Iberoamericana de León (2004-2008) y desde 2010 a la fecha en la Universidad Iberoamericana Torreón. Su interés se ha centrado de manera empírica y teórica en desarrollos de la sociedad civil y la ciudadanía. <salvador.sanchez.sj@gmail.com>.

ÍNDICE

Presentación de la serie 7
Dr. Luis Fernando Macías García
Dr. Alex Ricardo Caldera Ortega

Introducción: Diversas miradas sobre el proceso
de democratización en América Latina 11

PRIMERA SECCIÓN
MIRADAS PANORÁMICAS DE AMÉRICA LATINA

El estudio empírico de la calidad de la democracia.
El caso del IID-Lat 21
Alex Ricardo Caldera Ortega

La calidad de la representación política en las democracias
latinoamericanas 45
José del Tronco

Desarrollo, Seguridad y Derechos Humanos.
La reinvención desde los invisibles 83
Pablo Emilio Angarita Cañas

SEGUNDA SECCIÓN.
REPASO DE CASOS NACIONALES LATINOAMERICANOS

El discurso de la transformación de la matriz productiva
y la legitimación de la Revolución Ciudadana (Ecuador) 109
Francisco Delgado
Iria Puyosa

La gobernabilidad democrática en Venezuela:
trayectorias y actualidad 137
María Isabel Puerta R.

El Estado bolivariano, las políticas culturales
y los intelectuales venezolanos. Relaciones
difíciles en un contexto polarizado 163
Iraida Casique y Armando Chaguaceda

Chile vuelve al vecindario: de la complacencia al malestar 187
Carlos Durán Migliardi

La construcción de la gobernabilidad
democrática en Guatemala. Un proceso ¿iniciado? 211
Aquiles Omar Ávila Quijas

TERCERA SECCIÓN
MÉXICO

La sociedad civil en México: entorno, actualidad
y perspectivas ··· 229
Alberto J. Olvera

Las relaciones entre el Estado y la sociedad
civil organizada en el nivel estatal:
los casos de Guanajuato y Veracruz 263
Lisandro Martín Devoto

El partidismo como indicador de reciprocidad
democrática. El caso de la Ciudad de México 299
Carlos Luis Sánchez y Sánchez

La democracia en un grupo de élite política.
El caso de León, Guanajuato 331
Carlos A. Montes de Oca E.

Defensoras de derechos humanos de las mujeres en
contextos conservadores: Reflexiones desde Guanajuato 359
José Raymundo Sandoval Bautista
Mariana del Carmen González Piña

Movilidad urbana y participación social. Caso Zona
Metropolitana de la Comarca Lagunera, México 381
Salvador Sánchez Pérez

Déficit de la representación política y la participación
en México 401
Rubén Ibarra Reyes

Autores 417

Colección
argumentos

editorial
fontamara

1. PSICOLOGÍA DEL ARTE
   Lev Semionóvich Vigotsky
2. LA MEMORIA DEL OLVIDO
   Patricia Corres Ayala
3. LAS FUNCIONES CORTICALES
   SUPERIORES DEL HOMBRE
   Alexandr Románovich Luria
4. ENSEÑAR HISTORIA
   Nuevas propuestas
   Julio Valderón Baruque, Antonio R. de las Heras,
   Julio Aróstegui Sánchez, Joan Pagès Blanch,
   Julio Rodríguez Frutos y Antonio Campuzano Ruiz
5. MANIFIESTO DEL PARTIDO COMUNISTA
   Karl Marx y Federico Engels
6. LA PAREJA O HASTA QUE LA MUERTE NOS
   SEPARE ¿UN SUEÑO IMPOSIBLE?
   María Teresa Döring (comp.)
7. LA EVOLUCIÓN DE LA MUJER
   Del clan matriarcal a la familia patriarcal
   Evelyn Reed
8. EDUCACIÓN Y DERECHO
   La administración de justicia del menor en México
   Juan de Dios González Ibarra
   y Ladislao Adrián Reyes Barragán
9. EL PENSAMIENTO POLÍTICO DE KARL MARX
   Robin Blackburn y Carol Johnson
10. CÓMO ENSEÑAR APRENDIENDO
    Investigación y exposición de temas académicos.
    Sugerencias a maestros y alumnos
    Francisco Camero Rodríguez
11. EL ORIGEN DE LA FAMILIA, LA PROPIEDAD
    PRIVADA Y EL ESTADO
    Federico Engels
12. DE TROYA A ÍTACA
    Figuras poéticas en La Iliada y La Odisea
    Jorge Arturo Ojeda
13. TEORÍA DE LA HISTORIA
    Agnes Heller
14. EPISTEMOLOGÍA ADMINISTRATIVA
    Juan de Dios González Ibarra
15. EL EMPIRISMO-PRAGMATISMO
    Crítica de la trayectoria de una filosofía dominante
    George Novack
16. INTRODUCCIÓN A LA CRÍTICA
    DEL DERECHO MODERNO (Esbozo)
    Oscar Correas
17. LAS ANTINOMIAS DE ANTONIO GRAMSCI
    Estado y revolución en Occidente
    Perry Anderson
18. LA CIENCIA DE LOS ALUMNOS
    Su utilización en la didáctica de la física y química
    José Hierrezuelo Moreno y Antonio Montero Moreno
19. TAO TE KING
    Lao-Tsê
20. EN UN LUGAR DE LA MANCHA
    Reflexiones sobre Don Quijote y Sancho Panza
    Roberto Reyes

21. EL MARQUÉS DE SADE
    Guillaume Apollinaire
22. BREVÍSIMA RELACIÓN
    DE LA DESTRUCCIÓN DE LAS INDIAS
    Fray Bartolomé de Las Casas
23. EL ARTE DEL DERECHO
    Juan de Dios González Ibarra
24. ESPACIOS Y TIEMPOS MÚLTIPLES
    Patricia Corres Ayala
25. EL ANTICRISTO
    Friedrich Nietzsche
26. INTRODUCCIÓN A LA FILOSOFÍA
    DEL DERECHO Y DE LA POLÍTICA
    Alfonso Madrid Espinoza (agotado)
27. LA GAYA CIENCIA
    Friedrich Nietzsche
28. LA PEDAGOGÍA OPERATORIA
    Un enfoque constructivista de la educación
    Montserrat Moreno (comp.)
29. EL ARTE DE LA GUERRA
    Nicolás Maquiavelo
30. RICARDO FLORES MAGÓN
    El Prometeo de los trabajadores mexicanos
    Francisco Camero Rodríguez
31. LA REPRODUCCIÓN
    Elementos para una teoría
    del sistema de enseñanza
    Pierre Bourdieu y Jean-Claude Passeron
32. CUAUHTÉMOC CONQUISTADOR
    Arturo Ríos Ruiz
33. CIENCIA, APRENDIZAJE
    Y COMUNICACIÓN
    Montserrat Moreno y equipo del IMIPAE
34. INTERFAZ BIOÉTICA
    Lizbeth Sagols
35. EL PERSONAJE GAY
    En la obra de Luis Zapata
    Óscar Eduardo Rodríguez
36. METODOLOGÍA JURÍDICA I
    Una introducción filosófica
    Oscar Correas
37. METODOLOGÍA JURÍDICA II
    Los saberes y las prácticas de los abogados
    Oscar Correas
38. ESTUDIOS SOBRE EL AMOR
    José Ortega y Gasset
39. EDUCACIÓN DE LA SEXUALIDAD
    A TRAVÉS DE CUENTOS
    Una alternativa para prevenir el VIH/SIDA
    Tirso Clemades
40. TRANSICIÓN A LA DEMOCRACIA
    EN MÉXICO
    Competencia partidista
    y reformas electorales 1977-2003
    Irma Méndez de Hoyos
41. ¿ÉTICA EN NIETZSCHE?
    Lizbeth Sagols

42 . TÉCNICA, CIENCIA
Y EPISTEMOLOGÍA LEGISLATIVAS
Juan de Dios González Ibarra
y Bernardo A. Sierra Becerra

43. OBRAS ESCOGIDAS
Georges Bataille

44. DESEMPEÑO ECONÓMICO
Y POLÍTICA SOCIAL EN AMÉRICA
LATINA Y EL CARIBE
Los retos de la equidad, el desarrollo y la ciudadanía
Ana Sojo / Andras Uthoff

45. ÉTICA Y ESTÉTICA DE LA PERVERSIÓN
Las desviaciones de la conducta sexual como
reestructura del universo
Janine Chasseguet-Smirgel

46. LA CIRCUNSTANCIA FRANQUISTA Y EL
FLORECIMIENTO ESPAÑOL EN MÉXICO
Derecho y Filosofía
Juan de Dios González Ibarra

47. ¿QUÉ ES UNA CONSTITUCIÓN?
Eduardo Pallares

48. LA ADMINISTRACIÓN DE JUSTICIA DEL
MENOR EN PROSPECTIVA
Ladislao Adrián Reyes Barragán
y Juan de Dios González Ibarra

49. METODOLOGÍA JURÍDICA EPISTÉMICA
Juan de Dios González Ibarra

50. TEMOR Y TEMBLOR
Sören A. Kierkegaard

51. MARXISMO Y LIBERTAD
Desde 1776 hasta nuestros días
Raya Dunayevskaya

52. ¿HACIA UNA GLOBALIZACIÓN TOTALITARIA?
José Luis Orozco (coord.)

53. LA NEGRITUD TERCERA RAÍZ MEXICANA
Juan de Dios González Ibarra

54. LOS ORÍGENES DE LA OPRESIÓN DE LA MUJER
Antoine Artous

55. LA ALTERNATIVA PEDAGÓGICA
Antonio Gramsci

56. INTRODUCCIÓN A LA LÓGICA JURÍDICA
Eduardo García Máynez

57. LA MATEMÁTICA DE PITÁGORAS A NEWTON
Lucio Lombardo Radice

58. CIENCIA, TRANSFERENCIA E INNOVACIÓN
TECNOLÓGICA EN ESTADOS UNIDOS,
LA UNIÓN EUROPEA Y JAPÓN EN LA ERA
DE LA GLOBALIZACIÓN
Francisco R. Dávila Aldás

59. IMPORTANCIA DE LA TEORÍA JURÍDICA PURA
Eduardo García Máynez

60. INTRODUCCIÓN A LA SOCIOLOGÍA JURÍDICA
Oscar Correas

61. MI HERMANA Y YO
Friedrich Nietzsche

62. LÓGICA DEL RACIOCINIO JURÍDICO
Eduardo García Máynez

63. LA MUNDIALIZACIÓN DE LA ÉTICA
Peter Kemp

64. FRANCIA Y ALEMANIA,
LOS FORJADORES DE LA UNIÓN EUROPEA,
SUS DIFICULTADES Y SUS ÉXITOS: 1975-2007
Francisco R. Dávila Aldás

65. CONSIDERACIONES ACERCA DEL PECADO,
EL DOLOR, LA ESPERANZA Y EL CAMINO
VERDADERO
Franz Kafka

66. IBSEN A LA MEXICANA
O de cómo recibió nuestro país al dramaturgo
más representado después de Shakespeare
Víctor Grovas Hajj

67. IMÁGENES GAY EN EL CINE MEXICANO
Tres décadas de joterío, 1970-1999
Bernard Schulz-Cruz

68. AUTONOMÍA Y PROCURACIÓN
DE JUSTICIA EN MORELOS
Juan de Dios González Ibarra
y David Irazoque Trejo

69. LA NUEVA CIENCIA Y FILOSOFÍA
DEL DERECHO
Análisis metodológico, filosófico y metafísico
sobre una teoría integracionista del derecho
María Isabel Jiménez Moles

70. ¿TRANSFORMAR AL HOMBRE?
Perspectivas éticas y científicas
Lizbeth Sagols (coord.)

71. RAZÓN Y EXPERIENCIA
EN LA PSICOLOGÍA
Patricia Corres Ayala

72. CONSEJOS A LOS MAESTROS JÓVENES
Célestin Freinet

73. ECCE HOMO
Friedrich Nietzsche

74. ASÍ HABLABA ZARATUSTRA
Friedrich Nietzsche

75. AFORISMOS
Hipócrates

76. TIPOLOGÍA DE LA PERSONALIDAD
Y NUMEROLOGÍA
Ady S. Pérez (agotado)

77. CÓMO SER LECTOR
Leer es comprender
Jean Foucambert

78. SOCIALIZACIÓN Y FAMILIA
Estudios sobre procesos psicológicos y sociales
Hans Oudhof van Barneveld,
Manuel de J. Morales Euzárraga
y Susana Silvia Zarza Villegas (coords.)

79. ¿COMUNICANDO DESAFECCIÓN?
La influencia de los medios en la cultura política
Óscar G. Luengo

80. ALTERIDAD Y TIEMPO EN EL SUJETO
Y LA HISTORIA
Patricia Corres Ayala

81. LA VUELTA DE ESPAÑA AL CORAZÓN DE
EUROPA Y SU ACELERADA
MODERNIZACIÓN
Francisco R. Dávila Aldás

82. ¿DEMOCRACIA O CONSTITUCIÓN?
El debate actual sobre el Estado de derecho
José Fabián Ruiz Valerio

83. TRABAJO Y NUEVA JUSTICIA LABORAL
SUSTANTIVA Y ADJETIVA
Juan de Dios González Ibarra
y Rafael Santoyo Velasco

84. EL NEOLIBERALISMO
De la utopía a la ideología
Omar Guerrero

85. LA ENCRUCIJADA DE LA ADOLESCENCIA
Psicología de la adolescencia normal
Manuel Isaías López Gómez

86. DIÁLOGOS TRANSDISCIPLINARIOS I
Arte y sociedad
Julio César Schara (comp.)

87. CURSO DE LINGÜÍSTICA GENERAL
Ferdinand de Saussure

88. LA UTOPÍA DE LA DEMOCRACIA
Filosofía política
Alfonso Madrid Espinoza

89. LOS PLANES DE TRABAJO
Célestin Freinet

90. LA REPÚBLICA DEL ESCÁNDALO
Política espectáculo, campaña negativa y
escándalo mediatico en las presidenciales mexicanas
Germán Espino Sánchez

91. DIRIGIENDO A VIKINGOS Y TROLLS
La iniciación teatral del joven Ibsen en Bergen
Víctor Grovas Hajj

92. EL DISEÑO DE LA INVESTIGACIÓN SOCIAL
Francisco Gomezjara y Nicolás Pérez

93. EL PAPEL DEL TRABAJO EN LA
TRANSFORMACIÓN DEL MONO EN HOMBRE
Friedrich Engels

94. HORIZONTES BIOÉTICOS DE LA
TECNOCIENCIA Y LA EUGENESIA
Lizbeth Sagols (coord.)

95. ÉTICA DE LA DIFERENCIA
Ensayo sobre Emmanuel Levinas
Patricia Corres Ayala

96. MERCADOTECNIA Y SOCIEDAD DE CONSUMO
José Sahuí Maldonado (coord.)

97. ESTADOS UNIDOS, LA EXPERIENCIA
DE LA LIBERTAD
Una reflexión filosófico-política
Suzanne Islas Azaïs

98. LA ODISEA PRAGMÁTICA
José Luis Orozco

99. LA CONQUISTA HUMANÍSTICA
DE LA NUEVA ESPAÑA
Juan de Dios González Ibarra

100. SOCIOLOGÍA DEL DERECHO
Y CRÍTICA JURÍDICA
Oscar Correas

101. POLÍTICOS INCUMPLIDOS
Y la esperanza del control democrático
Oswaldo Chacón Rojas

102. RIZOMA
Gilles Deleuze y Félix Guattari

103. LA INVESTIGACIÓN CIENTÍFICA
Filosofía, teoría y método
Francisco Camero Rodríguez

104. VIDAS BREVES
Suicidios y accidentes de niños
Marco Antonio Macías, Araceli Colín Cabrera,
Kuauhlaketzin Juárez y Araceli Rivera García

105. LA LOCURA ECOCIDA
Ecosofía psicoanalítica
Luis Tamayo

106. TÉCNICAS DE DESARROLLO
COMUNITARIO
Francisco Gomezjara

107. LA PARADOJA DEL COMEDIANTE
Denis Diderot

108. TEORÍA DEL DERECHO
Oscar Correas

109. UNAMUNO, MODERNO
Y ANTIMODERNO
Juan Carlos Moreno Romo (coord.)

110. DICCIONARIO FILOSÓFICO
Voltaire

111. LA JURISPRUDENCIA COMO SAPIENCIA
Juan de Dios González Ibarra
y Juan Carlos García Beltrán

112. LA UNIVERSALIDAD
DE LA HERMENÉUTICA
¿Pretensión o rasgo fundamental?
Marcelino Arias Sandi

113. MÁS ALLÁ DEL BIEN Y EL MAL
Friedrich Nietzsche

114. LA ATENCIÓN A LA SALUD EN MÉXICO
Gabriela Mendizábal Bermúdez (coord.)

115. TROTSKY
Viaje hacia el laberinto
Agustín Caso Raphael

116. VENTAJA COOPERATIVA
Y ORGANIZACIÓN SOLIDARIA
EN UN MUNDO COMPLEJO
Estrategias cooperativas frente
a la ambigüedad e incertidumbre
Alejandra Elizabeth Urbiola Solís (coord.)

117. MASCULINIDADES
Las facetas del hombre
Gerardo Guiza Lemus

118. TÓPICOS EN COMPORTAMIENTO
DEL CONSUMIDOR
Clara Escamilla Santana (coord.)

119. LÓGICA, RETÓRICA Y ARGUMENTACIÓN
PARA LOS JUICIOS ORALES
Juan de Dios González Ibarra
y José Luis Díaz Salazar

120. ADOLESCENTES ESCOLARIZADOS
Sus hábitos de actividad física y alimentación.
Un estudio comparativo en el noreste
de México *José Moral de la Rubia,*
José Luis Ybarra Sagarduy,
Javier Álvarez Bermúdez, Joel Zapata Salazar
y José González Tovar

121. IBSEN CONQUISTA EL MUNDO
El éxito internacional del padre
del teatro moderno
Víctor Grovas Hajj

122. LA EQUIDAD DE GÉNERO
EN LOS DERECHOS SOCIALES
Gabriela Mendizábal Bermúdez (coord.)

123. GUERRERO EN EL CONTEXTO
DE LAS REVOLUCIONES EN MÉXICO
Tomás Bustamante Álvarez,
Gil Arturo Ferrer Vicario
y Joel Iturio Nava (coords.)

124. DIÁLOGOS TRANSDISCIPLINARIOS II
Arte, literatura y sociedad
Julio César Schara (comp.)

125. UNIVERSIDAD Y EMPRESA
Los vínculos entre el conocimiento y la productividad
Vera Lúcia de Mendonça Silva

126. CUERPO Y PSICOANÁLISIS
*Martha Patricia E. Aguilar Medina
y Marco Antonio Macías López (coords.)*

127. LA EMPRESA EN MÉXICO
Teoría y práctica
*Joaquín Mercado Yebra
y Luz Marina Ibarra Uribe (coords.)*

128. DINERO DEL CRIMEN ORGANIZADO
Y FISCALIZACIÓN ELECTORAL
Oswaldo Chacón Rojas

129. ¿PARA QUÉ REFORMAR?
Los impactos de la reforma electoral del 2007
en los procesos Estatales en México
*Jesús Cantú Escalante
y José Fabián Ruiz Valerio (coords.)*

130. EL SUICIDIO
Émile Durkheim

131. IMAGEN VISUAL DE LAS ADICCIONES
Un estudio interpretativo
Ingrid Fugellie Gezan

132. TRABAJOS DEL PSICOANÁLISIS
Susana Rodríguez Márquez (comp.)

133. LA SABIDURÍA DE LA NOVELA
Héctor Ceballos Garibay

134. SABIDURÍA PRÁCTICA DE PAUL RICOEUR
Peter Kemp

135. PRAGMATISMO POLÍTICO:
LA DEMOCRACIA SIN FUNDAMENTOS
EN RICHARD RORTY.
[Análisis y revisión crítica de su Teoría Política]
Rafael Aguilera Portales

136. POLÍTICA, GOBIERNO Y SOCIEDAD CIVIL
José Fernández Santillán

137. LA PSIQUE ANTES DEL MEDIEVO
Patricia Corres Ayala

138. DEMOCRACIA FALLIDA, SEGURIDAD
FALLIDA
José Luis Orozco (coord.)

139. COMUNICACIÓN, POLÍTICA
Y CIUDADANÍA
Aportaciones actuales al estudio
de la comunicación política
Carlos Muñiz (coord.)

140. NIÑEZ DETENIDA, LOS DERECHOS DE LOS
NIÑOS, NIÑAS Y ADOLESCENTES MIGRANTES
EN LA FRONTERA MÉXICO-GUATEMALA
Diagnóstico y propuestas para pasar del control
migratorio a la protección integral de la niñez
Pablo Ceriani Cernadas (coord.)

141. REPENSAR EL DESARROLLO
Enfoques humanistas
*Alejandro Sahuí Maldonado
y Antonio de la Peña (coords.)*

142. EL PENSAMIENTO POLÍTICO
DE IGNACIO M. ALTAMIRANO
Ana María Cárabe

143. DEMOCRACIA, DERECHOS HUMANOS
Y VIOLENCIA DE GÉNERO
*Diana Rocío Espino Tapia
y Rafael Aguilera Portales (coords.)*

144. NORBERTO BOBBIO
Centenario
*Heriberto Galindo
y José Fernández Santillán (coords.)*

145. LOS PARTIDOS POLÍTICOS EN EL
ESTADO DE MÉXICO
Origen, desarrollos y perspectivas
*Francisco Reveles Vázquez
y Miguel Ángel Sánchez Ramos (coords.)*

146. ENTRE UTOPÍAS, SABERES Y EXCLUSIÓN
El debate educativo
*María Mayley Chang Chiu
y Jorge Mario Flores Osorio (coords.)*

147. ERÓTICA DE LA BANALIDAD
Simulaciones, abyecciones, eyaculaciones
Fabián Giménez Gatto

148. DERECHO PENAL ELECTORAL
Daniel Montero Zendejas

149. ABUELAS, MADRES Y NIETAS
Escolaridad y participación
ciudadana 1930-1990
Luz Marina Ibarra Uribe

150. ¿QUÉ ES LA BIOÉTICA?
Gilbert Hottois

151. PRIVATIZACIÓN, SEGURIDAD SOCIAL
Y RÉGIMEN POLÍTICO EN MÉXICO
Implicaciones sociopolíticas de la privatización
Miguel Guerrero Olvera

152. EL TEXTO LIBRE
Célestin Freinet

153. PEER GYNT ANTE OTRAS PIRÁMIDES
O andanzas mexicanas de un pícaro ibseniano
Víctor Grovas Hajj

154. EL TRABAJO Y LAS PENSIONES DE LOS
ACADÉMICOS EN LAS UNIVERSIDADES
EN EL SIGLO XXI
Gabriela Mendizábal Bermúdez (coord.)

155. PSICOANÁLISIS DE LAS
ORGANIZACIONES, BIOFEEDBACK,
BIORRETROALIMENTACIÓN
Y MUSICOTERAPIA
Pablo Guerrero Sánchez

156. EMILIO O DE LA EDUCACIÓN
Jean Jacques Rousseau

157. ¿CYBERREVOLUCIÓN EN LA POLÍTICA?
Mitos y verdades sobre la ciberpolítica 2.0
en México
Germán Espino Sánchez

158. TÓPICOS SOBRE LA REFORMA PENAL
DEL 2008
Julio Cabrera Dircio (coord.)

159. AVATARES DEL ESTUDIO DE LAS
ORGANIZACIONES Tomo 1
Perspectivas teóricas y metodológicas
*Claudia Gutiérrez Padilla,
Diana del Consuelo Caldera González
y José Armando Martínez Arrona (coords.)*

160. AVATARES DEL ESTUDIO DE LAS
ORGANIZACIONES Tomo 2
Estudios de caso *Claudia Gutiérrez Padilla,*
Diana del Consuelo Caldera González
y José Armando Martínez Arrona (coords.)

161. HUMANIDADES Y UNIVERSIDAD
La UNAM desde una intertextualidad humanística
Georgina Paulín, Julio Horta y Gabriel Siade

162. IDEAS E IDEALES DE ENRIQUE PEÑA NIETO
Heriberto M. Galindo Quiñones (comp.)

163. INTRODUCCIÓN A LA FILOSOFÍA ACTUAL
DE LA CIENCIA
José Luis Rolleri

164. CONSIDERACIONES SOBRE LA
SOCIEDAD CIVIL
Jaime Espejel Mena y Misael Flores Vega

165. ORGANIZACIONES DE LA SOCIEDAD
CIVIL Y FORTALECIMIENTO
Análisis y propuestas para el estado de Guanajuato
Diana Caldera González

166. LA ACCIÓN Y EL JUICIO MORAL
EN DAVID HUME
Alejandro Ordieres

167. METODOLOGÍA CURRICULAR
Un modelo para educación superior,
Seis experiencias universitarias
Luis Rodolfo Ibarra Rivas
y María del Carmen Días Mejía (coords.)

168. LAS RAZONES DEL VOTO EN EL
ESTADO DE MÉXICO
Un estudio teórico-práctico a la luz de la
elección del gobernador del 2011
José Martínez Vilchis

169. HAMBRE DE DIOS
Entre la filosofía, el cristianismo y nuestra difícil
y frágil laicidad. Con un capítulo dedicado
a Benedicto XVI: "En el corazón del escándalo"
Juan Carlos Moreno Romo

170. DOLOR Y SUFRIMIENTO
Carlos Gerardo Galindo Pérez (coord.)

171. ADOLESCENCIA
Y POSMODERNIDAD
Malestares, vacilaciones y objetos
María G. Reyes Olvera (coord.)

172. TRAYECTORIAS Y MIRADAS
Estudios en psicología y prácticas educativas
Luis Gregorio Iglesias Sahagún (coord.)

173. LOS SERES QUE SURCAN EL CIELO
NOCTURNO NOVOHISPANO
Brujas y demonios coloniales
Lourdes Somohano

174. CONSIDERACIONES SOBRE
LA DEMOCRACIA INTERNA EN
LOS PARTIDOS POLÍTICOS
Modelos de partidos y debates en torno
a su vida interna en México
Javier Arzuaga Magnoni

175. ESTUDIO JURÍDICO DE LAS REGLAS
DE CARÁCTER GENERAL EN MATERIA
DE COMERCIO EXTERIOR
Nohemí Bello Gallardo

176. LA RESPUESTA ORGANIZACIONAL
EN BUSCA DE UNA SOCIEDAD
MÁS INFLUYENTE
Nuevos avatares
Diana Caldera, Héctor Efraín Rodríguez
y Domingo Herrera González (coords.)

177. DIÁLOGOS TRANSDISCIPLINARIOS III
Arte, literatura y sociedad
Julio César Schara

178. LA INSATISFACCIÓN CON LA
DEMOCRACIA EN MÉXICO.
Política convencional, movimientos sociales
y tecnologías digitales
Germán Espino Sánchez (comp.)

179. ÉRASE UNA VEZ LA SUAVE PATRIA
Ventanas sobre la peste
Ramón Kuri Camacho

180. POLÍTICAS PÚBLICAS:
ENTRE LA TEORÍA Y LA PRÁCTICA
Miguel Guerrero Olvera
Alejandro García Garnica (coords.)

181. LOS FUNDAMENTOS POLÍTICO-
ADMINISTRATIVOS DE LA GOBERNANZA
Jaime Espejel Mena

182. LA RESPONSABILIDAD SOCIAL
DE LAS EMPRESAS
El caso de las organizaciones extranjeras
del sector comercio en el estado de Chiapas
Manuel de Jesús Mogel Liévano,
Hilario Laguna Caballero,
Julio Ismael Camacho Solís,
José Roberto Trejo Longoria
y Roger Irán Gordillo Rodas

183. MANUAL Y GUÍA DE RESPONSABILIDAD
SOCIAL DE LAS EMPRESAS
Manuel de Jesús Mogel Liévano,
Hilario Laguna Caballero,
Julio Ismael Camacho Solís,
José Roberto Trejo Longoria
y Roger Irán Gordillo Rodas

184. LA HOMOSEXUALIDAD
Un punto problemático en Sigmund Freud,
que se deslizó hacia su obra
Francisco Javier Rosales Álvarez

185. ¿QUÉ ES EL HUMANISMO Y PARA QUÉ LAS
HUMANIDADES EN LA ACTUALIDAD?
Francisco Camero Rodríguez

186. PROBLEMAS DE SALUD DE LOS
JORNALEROS MIGRATORIOS
EN GÜÉMEZ Y PADILLA
Simón Pedro Izcara Palacios

187. PROYECTO OBSERVATORIO DE MEDIOS
Y OPINIÓN PÚBLICA (P.A.)
José Fabián Ruiz Valerio
y Jesús Cantú (coords.)

188. EL RE-CURSO DEL MITO:
SUJETO Y FANTASMA
Paloma Bragdon

189. SIN TRAMPAS EN LA FE
Tratado del culto de Sor Juana
Roberto Reyes

190. MEDIOS DE COMUNICACIÓN
Y PREJUICIO HACIA LOS INDÍGENAS
Carlos Muñiz (coord.)

191. CULTURA ORGANIZACIONAL DE LA
CÁRCEL EN MÉXICO
Pablo Guerrero Sánchez

192. COHESIÓN SOCIAL, RAZÓN Y GOBERNANZA:
EL GOBIERNO DE LAS DIFERENCIAS
Miguel Guerrero Olvera

193. LÓGICA SIMBÓLICA PARA ABOGADOS
Juan de Dios González Ibarra
y José Luis Díaz Salazar

194. RENOVACIÓN DEL HUMANISMO
Y EMANCIPACIÓN ANTROPOLÓGICA
Hacia una metafísica del umbral a partir de la
filosofía de las formas simbólicas
Roberto Andrés González Hinojosa

195. LEY FEDERAL DEL TRABAJO
Con sus reformas al 30 de noviembre
de 2012 comentadas
Felipe de Jesús González Gutiérrez

196. ENTRE LA REDENCIÓN Y LA CONDUCCIÓN
EL COMBATE A LA POBREZA EN MÉXICO
1970-2012
Benito León Corona

197. SANTA CLARA DE ASÍS
Tesoro de la familia franciscana
Espiritualidad de Santa Clara
Fray Jesús Arredondo Marquina

198. EL SISTEMA ACUSATORIO ORAL
DE NAYARIT A DEBATE
Comentarios a la iniciativa de nuevo Código
de Procedimientos Penales del estado de Nayarit
Sergio Arnoldo Morán Navarro, Irina Cervantes Bravo
y Humberto Lomelí Payán (coords.)

199. EL BAILE DE LAS CABEZAS
Para una estética de la miseria corporal
Antonio Sustaíta

200. ADMINISTRACIÓN FINANCIERA
COMO ESTRATEGIA PARA LOGRAR
VENTAJAS COMPETITIVAS
EN LAS ORGANIZACIONES
Ignacio Almaraz (coord.)

201. LA REALIDAD DE LA COMUNICACIÓN
POLÍTICA
Relaciones de poder, actores y escenarios emergentes
Jorge Luis Castillo Durán, Angélica Mendieta Ramírez
y Fabiola Coutiño Osorio (coords.)

202. MÉXICO: ENTRE LA UTOPÍA Y LA UCRONÍA
Antonio Puig Escudero

203. ORIGEN Y FUNDACIÓN DEL DISEÑO MODERNO
Siglos XIX y XX
Ingrid Fugellie

204. RETRATO Y VISUALIDAD
Fabián Giménez Gatto, Alejandra Díaz Zepeda
y Ma. del Mar Marcos Carretero (coords.)

205. MANUAL DE INVESTIGACIÓN CUALITATIVA
Simón Pedro Izcara Palacios

206. LA ELECCIÓN PRESIDENCIAL DE MÉXICO 2012
Miradas divergentes
Martha Gloria Morales Garza
y Luis Alberto Fernández García (coords.)

207. ENVEJECIMIENTO POBLACIONAL
Y PROTECCIÓN SOCIAL. VOL II.
ESTUDIOS INTERNACIONALES
Gabriela Mendizábal (coord.)

208. LA PERSPECTIVA INTERNACIONAL
DE LOS PARTIDOS POLÍTICOS
EN MÉXICO
José Fernández Santillán

209. ESCULTURAS DE ESCOMBROS
Imágenes y palabras rotas en el mundo
contemporáneo
Antonio Sustaita

210. DERECHOS HUMANOS,
REFORMA CONSTITUCIONAL
Y GLOBALIZACIÓN
Héctor González Chévez (coord.)

211. LIBERTADES Y PARTICIPACIÓN
POLÍTICA
Desafíos para la consolidación
democrática en Guanajuato
Jesús Aguilar López (coord.)

212. HACIA LA PERSPECTIVA
ORGANIZACIONAL DE LA
POLÍTICA PÚBLICA
Recortes y orientaciones iniciales
Ayuzabet de la Rosa Alburquerque
y Julio César Contreras Manrique (coords.)

213. LAS POLÍTICAS PÚBLICAS ANTE
LA PLURALIDAD SOCIAL
Benito León Corona (coord.)

214. LA ÉTICA ANTE LA CRISIS ECOLÓGICA
Lizbeth Sagols

215. JESÚS REYES HEROLES:
VIGENCIA DE SUS IDEAS
Heriberto M. Galindo Quiñones (coord.)

216. EL DUELO
Cómo integrar la pérdida en nuestra
biografía y continuar viviendo plenamente
Gina Tarditi Ruiz
y Fernando Artigas Sabatés

217. INNOVACIÓN Y USO DE RECURSOS
LOCALES EN LA ELABORACIÓN DE
BLOQUES NUTRICIONALES PARA LA
GANADERÍA TROPICAL
René Pinto Ruiz,
Francisco Guevara Hernández,
Heriberto Gómez Castro,
Francisco J. Medina Jonapá
y Adalberto Hernández López

218. LA GENEALOGÍA DE LA MORAL
Un escrito polémico
Friedrich Nietzsche (P.A.)

219. LAS DOCTRINAS CONSERVADORAS
DEL PARTIDO ACCIÓN NACIONAL
La transición del falangismo
a la democracia cristiana
Héctor Gómez Peralta

220. SOBRE EL CUERPO
Ensayos sobre la estética
contemporánea
Caleb Olvera Romero

221. BIOÉTICA Y DONACIÓN
ALTRUISTA DE ÓRGANOS
Aciertos y problemas
Cruz Netzahualcóyotl Cardoso

222. LENGUA, MULTICULTURALIDAD
E IDENTIDAD
Estudios en contextos educativos mexicanos
*Jovanna Matilde Godínez Martínez
y Bertha Guadalupe Paredes Zepeda (coords.)*

223. ANTROPOLOGÍA DEL MÉTODO
Paloma Bragdon

224. COMUNICACIÓN: LAS TIC
Y LAS NUEVAS SOCIEDADES
*María Mirna Granat Ramos
Lucinda Sepúlveda García (coords.)*

225. COMUNICACIÓN: LA COMUNICACIÓN
SOCIALMENTE RESPONSABLE PARA EL
DESARROLLO Y EL CAMBIO EDUCATIVO
*María Mirna Granat Ramos
Lucinda Sepúlveda García (coords.)*

226. ERÓTICA DE SACHER-MASOCH
Una mirada psicoanalítica
Rosa Imelda De La Mora

227. AVANCES DISCIPLINARIOS EN EL CAMPO
DE LOS ESTUDIOS DE TRABAJO
*Marco Antonio Carrillo Pacheco
y Rolando Javier Salinas García (coords.)*

228. LA EXTRACOTIDIANIDAD
EN EL PROCESO ESCÉNICO
Reflexiones a partir de apuntes
sobre el Odin Teatret
Pamela S. Jiménez Draguicevic

229. INTRODUCCIÓN AL SADISMO SUPERYOICO
Cristina Ortega

230. BUSCANDO UNA IDENTIDAD
Breve historia de la ciencia política
en América Latina
Fernando Barrientos del Monte

231. FAMILIA Y CRIANZA EN MÉXICO
Entre el cambio y la continuidad
Oudhof van Barneveld y Erika Robles Estrada

232. PRACTIQUEMOS LOS VALORES
*María Elena García Garza
y Rosa Elena Ramírez García*

233. LO ESENCIAL EN EL DESARROLLO
SUSTENTABLE PARA JÓVENES
Y NO TAN JÓVENES
Evelyn Diez Martínez

234. SUSTENTABILIDAD Y GESTIÓN
EN LAS ORGANIZACIONES
Perspectivas teóricas e implicaciones prácticas
Carlos Armando Jacobo Hernández

235. LEGADO OCULTO
Recorriendo las vidas de Juana de Arco, Juana I
de Castilla y Sor Juana Inés de la Cruz, de la mano
de la historia, la filosofía y la psicología
Patricia Corres Ayala

236. LA ELECCIÓN PRESIDENCIAL DE 2012
Miradas desde el estado de México
*Ramiro Medrano González,
Joaquín Ordóñez Sedeño y
Alejandro Rafael Alvarado Granados (coords.)*

237. POR LOS MÁRGENES DE LO LITERARIO
La literatura ante otros discursos
Araceli Rodríguez López

238. SITUACIÓN ACTUAL DEL SECTOR
HOTELERO EN TIJUANA
Maria Ramona Valle Ascencio

239. ALTAZOR: ALQUIMIA Y REVELACIÓN
Óscar Wong

240. DESCARTES Y PASCAL
El trasfondo espiritual de la filosofía moderna
Francisco de Jesús Ángeles Cerón

241. MODERNIDAD, POSMODERNIDAD,
HIPERMODERNIDAD...
TRANSMODERNIDAD
Juan Carlos Moreno Romo (P.A.)

242. TRAMA Y URDIMBRE
Entre la investigación y la creación artística
Irma Fuentes Mata (coord.)

243. HERMENEUTICA JUSPOLÍTICA
Juan de Dios González Ibarra

244. LA REFORMA CONSTITUCIONAL
EN MATERIA DE DERECHOS HUMANOS
Y SU IMPACTO EN LA SOCIEDAD
*Julio Cabrera Dircio, Héctor González Chévez
y Daniel Montero Zendejas (coords.)*

245. ACTORES SOCIOPOLÍTICOS
DEL DESARROLLO URBANO
El caso del valle de México
*Gonzalo Alejandre Ramos,
Javier Piñeda Muñoz
y Yasmín Hernández Romero*

246. LA LINEA AMBIENTAL DEL DOCTORADO
INTERINSTITUCIONAL EN DERECHO
*Benjamín Revuelta Vaquero
y América Nieto del Valle*

247. LOS GOBERNADORES RETAN
A LA DEMOCRACIA
Los gobiernos de los estados someten
a los medios de comunicación locales
*Germán Espino Sánchez
y Efraín Mendoza Zaragoza (coords.) (P.A.)*

248. EL CANSANCIO CIUDADANO
DE LA CORRUPCIÓN EN MÉXICO
Instituciones líquidas y garantismo
*Juan de Dios Gonzáles Ibarrra
y Gerardo González Camarena*

249. 15 PERSONAJES EN BUSCA
DE OTRA ESCUELA
*Basil Bernstein, Élise Freinet, Paulo Freire,
Iván Illich, André Inizan, André Lapierre,
Michel Lobrot, Mario Lodi,
Lucio Lombardo Radice,
Gaston Mialaret, Jean Piaget,George Snyders,
Bogdan Suchodolski, Francesco Tonucci
y René Zazzo*

250. GOBIERNOS LOCALES
Y ESTUDIOS REGIONALES
Héctor Gómez Peralta

251. REVISIÓN TEÓRICA DEL CONCEPTO
DE ABANDONO
Una mirada multidisciplinaria
Gabriela Fuentes Reyes (coord.)

252. JÓVENES, INTERACCIONES Y PRÁCTICAS
SOCIOCOMUNICATIVAS
Dos estudios en contextos
educativos y multiculturales
Santiago Roger Acuña (coord.) (P.A.)

253. TELECOMUNICACIÓN Y RADIODIFUSIÓN
EN LA ENCRUCIJADA
Regulación, economía y cambio tecnológico
*María Elena Meneses, Jorge Bravo
y María Gabino (coords.)*

254. ESTADÍSTICA Y CIENCIA
Investigación cuantitativa en diversas disciplinas
Russell Bowater y Denise Gómez

255. POR UNA NUEVA ÉTICA DE LO PÚBLICO
EN MÉXICO
Experiencias sobre el impacto de la corrupción
en la eficiencia gubernamental
Enrique Cruz Martínez

256. MANUAL BÁSICO DE PROGRAMACIÓN CNC
PARA CENTROS DE MAQUINADO
José Abel Cervantes Cortez (P.A.)

257. NECRO NARCO ARTE
El arte como ejercicio político
en Teresa Margollones
Antonio Sustaita (P.A.)

258. ¿DOSCIENTOS AÑOS DE QUÉ?
O sobre nuestra ambigua relación
con la Modernidad
Juan Carlos Moreno Romo

259. TEMAS SELECTOS DE LA ALTA DIRECCIÓN
EN LA INDUSTRIA MANUFACTURERA
EN QUERÉTARO
Graciela Ayala Jiménez

260. CONGRESOS ESTATALES EN MÉXICO
Una revisión a partir de la producción legislativa
y la aprobación presupuestal
Fernando Patrón Sánchez

261. TRASTORNOS DEL DESARROLLO
Y PROBLEMAS DE APRENDIZAJE I
*Miriam Hume Figueroa
y Gabriela López Aymes*

262. TRASTORNOS DEL DESARROLLO
Y PROBLEMAS DE APRENDIZAJE II
Cuaderno para el alumno
*Miriam Hume Figueroa
y Gabriela López Aymes*

263. MIGRANTES, TRANSMIGRANTES,
DEPORTADOS Y DERECHOS HUMANOS
Un enfoque binacional
*Karla Lorena Andrade Rubio
y Simón Pedro Izcara Palacios (coords.)*

264. VOZ Y ACCIONES DE LOS
INVESTIGADORES DEL SNI.
Retos y propuestas
Angélica Mendieta Ramírez (P.A.)

265. NUEVAS VOCES DE LA DEMOCRACIA
EN MÉXICO
Mario Cruz Martínez (coord.)

266. EL TLATOANI DE CAPARROSO:
JOSÉ LÓPEZ PORTILLO, MÉXICO Y ESPAÑA
Carlos Sola Ayape

267. NUEVOS CONCEPTOS
EN LA CULTURA VIRTUAL...
Visualmiento / *Touch*-cultura
Vicente López-Velarde Fonseca

268. DIÁLOGOS TRANSDISCIPLINARIOS V
Diálogos con escritores
y pintores del siglo XX
Julio César Schara

269. GRUPO INFANTIL NATURAL - GRUPO
ANALÍTICO DE PADRES
Formación, investigación y práctica
Ana María del Rosario Asebey Morales

270. ...PORQUE NO PUEDO BAILAR CON
CAPA Y SIN CAPA NO PUEDO BAILAR...
Las metáforas como recurso para
comprender la mente infantil
Gabriela Calderón Roa

271. PSiCOANÁLISIS, CLÍNICA
Y SOCIEDAD
*Rosa Imelda De La Mora
y Raquel Ribeiro Toral (coords.)*

272. QUEER & CUIR
Políticas de lo irreal
Fernando I. Lanuza y Raúl M. Carrasco (comps.)

273. CALIDAD DE VIDA EN LA VEJEZ:
SU MEDICIÓN Y PROPUESTA
DE UN MODELO
José González Tovar

274. EMMANUEL LEVINAS:
La alteridad y la política
Patricia Corres Ayala

275. SURCANDO LA DEMOCRACIA:
México y sus realidades
*René Torres-Ruiz
Helena Varela Guinot (coords.)*

276. SUSTENTABILIDAD EN MÉXICO
*Iliana Rodríguez Santibáñez
José Fernández Santillán (coords.)*

277. DISERTACIONES JURÍDICAS
CONTEMPORÁNEAS
Gustavo Aguilera Izaguirre (coord.)

278. FILOSOFÍA Y DERECHOS HUMANOS:
HACIA LA JUSTICIA
María del Rosario Guerra González

279. NUEVAS FORMAS DE GESTIÓN
EN LAS ORGANIZACIONES
DEL SIGLO XXI
Diana Caldera (P. A.)

280. AUTOBIOGRAFÍA
DE UNA MUJER EMANCIPADA
La juventud y la moral sexual,
el comunismo y la familia
La forma de la oposición obrera
Alexandra Kollontai

281. FUNDAMENTOS DE LA
FILOSOFÍA DEL DERECHO
G. W. F. Hegel

282. ESTUDIOS SOBRE COMUNICACIÓN
POLÍTICA EN LATINOAMÉRICA
*Carlos Muñiz, Alma Rosa Saldiema,
Felipe de Jesús Maraño
y Laura Maldonado (coords.) (P. A.)*

283. PARTICIPACIÓN CIUDADANA Y
DEMOCRACIA EN EL ESTADO DE NUEVO LEÓN
Claire Wright y Verónica Ascención Cuevas Pérez
(coords.)(P. A.)

284. EJES TRANSVERSALES DE LAS RELACIONES
INTERNACIONALES, NEGOCIOS
INTERNACIONALES Y DIPLOMACIA
Gerardo Tamez González
Carlos Ernesto Teisser Zavala (P. A.)

285. MERCADOS Y ESTUDIOS REGIONALES
INTERNACIONALES *(P. A.)*

286. IMPROVISACIÓN
Proceso metodológico
Benito Cañada

287. LA ADMINISTRACIÓN DE LOS FONDOS
DE PENSIONES DE CAPITALIZACIÓN
INDIVIDUAL EN EL CONTEXTO MEXICANO
Felipe A. Pérez Sosa

288. ATENCIÓN A LA DIVERSIDAD
Y EDUCACIÓN INCLUSIVA.
Cuestiones teóricas y prácticas *Vol. I*
Gabriela López (P. A.)

289. CURA, FALANGISTA E INFORMANTE
DEL FRANQUISMO:
El viaje de Andrés María Mateo a México en 1947
Carlos Sola (P. A.)

290. POLÍTICAS PÚBLICAS Y PROGRAMAS
SOCIALES DIRIGIDOS A GRUPOS
VULNERABLES EN PUEBLA
Francisco José Rodríguez Escobedo

291. LA INTERVENCIÓN DEL EJÉRCITO EN
LA SEGURIDAD PÚBLICA INTERIOR
La alternativa adoptada para la salvaguarda de los
derechos y patrimonio de las personas en México
Juan Antonio Caballero Delgadillo

292. LAS ORGANIZACIONES CIVILES EN LOS
PROCESOS ELECTORALES EN MÉXICO
Alfonso León Pérez

293. EL TERCER SECTOR Y LAS ORGANIZACIONES
EN LA SOCIEDAD CIVIL EN MÉXICO
Las osc del Municipio de Puebla
Miriam Fonseca López

294. LA LECTURA COMO MISTERIO
Guía docente para el uso de preguntas
Javier González García

295. LAS REFORMAS CONSTITUCIONALES
Y SU IMPACTO EN EL MUNICIPIO
Julio Cabrera Dircio
Héctor González Chévez
Daniel A. Montero Zendejas (coords.)

296. DERECHO, MEDIO AMBIENTE
Y SUSTENTABILIDAD
Reflexiones y perspectivas
de una discusión compleja
Juan de Dios González, Juan Cajas
y Juan Carlos Bermúdez (coords.)

297. TERRITORIO Y POLÍTICA SOCIAL
SUBNACIONAL DE MÉXICO
Álvaro Fernando López Lara
Pilar Berrios
Pedro Humberto Moreno Salazar (coords.)

298. INNOVACIÓN PÚBLICA
Para que funcionarios públicos
y ciudadanos actúen con saberes cívicos
Freddy Mariñez

299. LIBRO DE TEXTO
PARA PENSIONES PRIVADAS
Denise Gómez Hernández

300. CONVENCIÓN SOBRE LOS DERECHOS
HUMANOS Y LA BIOMEDICINA
Análisis propositivo para
la adhesión de México
Manuel H. Ruiz de Chávez,
Sandra L. Carrizosa Guzmán,
Karla G. Sánchez Villanueva,
y Ana Flor Cadena Castillo

301. COYOTAJE Y MIGRACIÓN
INDOCUMENTADA
La teoría de la demanda laboral
Simón Pedro Izcara Palacios (P. A.)

302. OUTSOURCING
Juan Moisés Calleja García

303. LAS TEORÍAS ESPACIALES DEL
VOTO EN LATINOAMÉRICA
Luis Eduardo León Ganatios (P. A.)

304. PARTICIPACIÓN DELIBERATIVA,
PROCESOS LEGISLATIVOS
Y LEGITIMIDAD DEMOCRÁTICA
Un análisis de la Ley de participación
ciudadana en Coahuila
Gerardo Bonilla

305. EL MITO COMO OPERADOR
SIMBÓLICO VOL. I
Paloma Bragdon

306. DERECHOS HUMANOS EN EL
CONTEXTO DEL ESTADO MEXICANO:
Casos paradigmáticos
Alejandra Flores Martínez (P. A.)

307. EL LENGUAJE COTIDIANO DE LOS
ESTUDIANTES UNIVERSITARIOS:
Desde las voces de los actores
Graciela Lara

308. TECNOLOGÍA Y DESARROLLO
Graciela Lara

309. NARCOTRÁFICO, MEDIOS DE
COMUNICACIÓN Y OPINIÓN PÚBLICA
José Antonio Meyer Rodríguez

310. ARTE Y COGNICIÓN
Javier González

311. ALFABETIZACIÓN EMOCIONAL
A TRAVÉS DE LAS ARTES
Javier González García

312. LA LIBERTAD DE EXPRESIÓN COMO
REQUISITO ESENCIAL PARA LA
GARANTÍA DE LAS LIBERTADES
INFORMATIVAS
Luis Gerardo Rodríguez Lozano

313. LA CONFIGURACIÓN INDUSTRIAL DEL
SECTOR AEROESPACIAL EN EL ESTADO
DE QUERÉTARO, MÉXICO
Retos y posibilidades de desarrollo
Rolando Javier Salinas García (P. A.)

314. PENSAMIENTO Y ACCIÓN
EN TORNO A LA FAMILIA:
Modelos y competencias parentales
José Francisco Martínez Licona (P. A.)

315. AVANCES DE LA INTEGRACIÓN
EDUCATIVA / EDUCACIÓN INCLUSIVA
Y LA FORMACIÓN DOCENTE PARA LA
INCLUSIÓN EN MÉXICO
Ismael García Cedillo
Silvia Romero Contreras (P. A.)

316. AVANCES, PERSPECTIVAS Y RETOS EN EL
MARCO DE LA PSICOLOGÍA DE LA SALUD
Omar Sánchez-Armáss Capello
Godeleva Rosa Ortiz Viveros (P. A.)

317. APORTES DE LA PSICOLOGÍA
Y EDUCACIÓN EN LA PREVENCIÓN
PARA LA SALUD
Omar Sánchez-Armáss Capello
Godeleva Rosa Ortiz Viveros (P. A.)

318. ATENEO FUENTE:
La forja de un patrimonio escolar
María Candelaria Valdés Silva (P. A.)

319. LOS OLVIDADOS, LA DISCAPACIDAD INFANTIL
Jesús Acevedo Alemán (P. A.)

320. EL AMOR EN TIEMPOS DE EQUIDAD
El caso de las y los jóvenes de Coahuila
Jesús Acevedo Alemán (P. A.)

321. NO SOY YO, SOS VOS
Espacios exteriores
María Eugenia Molar Orozco (P. A.)

322. POLÍTICA SOCIAL, DESIGUALDAD Y POBREZA
El caso de México
Luis Gutiérrez Flores e Ignacio Llamas Huitrón (P. A.)

323. MIGRACIÓN INDOCUMENTADA
Y TRATA DE PERSONAS
Simón Pedro Izcara Palacios
Karla Lorena Andrade Rubio (Coords.)

324. MIRADAS CRÍTICAS A LA COMPLEJIDAD
DE LA VIOLENCIA UNIVERSITARIA
Graciela Sánchez Guevara
Irene Sánchez Guevara (Coords.)

325. MÁS ALLÁ DEL BIEN Y DEL MAL
Friedrich Nietzsche

326. LA CULTURA NORMATIVA HÑÄHÑU
Introducción al estudio del sistema de derecho
de una comunidad indígena en el Valle del Mezquital
Alejandro Santiago Monzalvo

327. LA CRISIS CAPITALISTA Y LOS DESAFÍOS
PARA EL PENSAMIENTO CRÍTICO
Rubén Ibarra Reyes (Coord.) (P. A.)

328. GOBERNABILIDAD Y NUEVOS DESAFÍOS
PARA EL DESARROLLO SOCIAL
Rubén Ibarra Reyes (Coord.) (P. A.)

329. INNOVACIÓN EDUCATIVA
Situaciones para el aprendizaje de las matemáticas
Evelia Reséndiz Balderas
María Guadalupe Simón Ramos (P. A.)

330. TRANSMIGRANTES CENTROAMERICANOS
EN TAMAULIPAS
Simón Pedro Izcara Palacios
Karla Lorena Andrade Rubio (Coords.)

331. GLOBALIZACIÓN: Auge y retroceso
Simón Pedro Izcara Palacios

332. GLOBALIZACIÓN Y DESARROLLO
Simón Pedro Izcara Palacios
Karla LorenaAndrade Rubio (Coords.)

333. LA HABITACIÓN DE LOS ESPEJOS:
Investigación y comunicación
en las ciencias sociales y humanas
Santiago Roger Acuña

334. INNOVACIÓN EN LA ENSEÑANZA
DE LAS CIENCIAS
Sergio Correa Gutiérrez

335. PERSPECTIVAS DE LOS DESAFÍOS DEL
ESTADO DE DERECHO EN EL MÉXICO
DEL SIGLO XXI
Enrique Cruz Martínez

336. PROBLEMÁTICAS Y POLÍTICAS
PÚBLICAS EN SINALOA
Rosalinda Gámez Gastélum,
Jesús Enrique Sánchez Zazueta (Coords.)

337. APUNTES SOBRE LA LIBERTAD
Daniel Cerna Álvarez (Coords.)

338. ALTERNANCIA POLÍTICA DE LAS
GUBERNATURAS EN MÉXICO
Orlando Espinosa Santiago

339. EL AGUA, UN DERECHO DE APROPIACIÓN
O UN SIMPLE DERECHO
Problemas jurídicos y materiales subyacentes
Jorge Serrano Ceballos

340. EL PAPA FRANCISCO:
Del conservadurismo al reformismo
Jorge Gutiérrez Chávez

341. PERSPECTIVAS ANALÍTICAS
SOBRE LA EXCLUSIÓN
Y LA VIOLENCIA EN EDUCACIÓN
Daniel Solís Domínguez (Coord.)

342. PROCESOS EDUCATIVOS Y
PERSPECTIVAS DE ESTUDIANTES EN
CONTEXTOS DE DESIGUALDAD

343. ACTORES SOCIALES
Ivy Jacaranda Jasso Martínez,
Brigitte Lamy y Vanessa Freitag (Coords.)

344. IDENTIDADES Y PATRIMONIOS
Encrucijadas entre lo material y lo intangible
Alejandro Martínez de la Rosa (Coord.)

345. CIUDADANÍA Y GRUPOS
VULNERABLES EN MÉXICO
Katya Rodríguez, Juan Russo
Carmen Rea Campos (coords.)

346. DESARROLLO DESDE LO LOCAL
Y DINÁMICAS TERRITORIALES
Juan Antonio Rodríguez González
Lorena del Carmen Álvarez Castañón
David Tagle Zamora
José Luiz Coronado Ramírez (Coords.)

347. DEMOCRACIA EN AMÉRICA
LATINA Y MÉXICO
Brechas entre lo ideal y lo real
Alex Ricardo Caldera Ortega,
Armando Chaguaceda Noriega (Coords.)

348. EDUCACIÓN Y SALUD
Evidencias y propuestas de investigación
en Sonora
Raquel García Flores,
Sonia Verónica Mortis Lozoya
Jesús Tánori Quintana
Teresa Iveth Sotelo Quiñonez (Coords.) (P. A.)
349. EL MITO COMO OPERADOR
SIMBÓLICO VOL. II
El origen del vínculo social
(mito y complejidad humana)
Paloma Bragdon (P. A.)
350. ORGANIZACIONES Y GLOBALIZACIÓN
Juan de Dios González Ibarra
Silvia Cartujano Escobar (Coords.) (P. A.)
351. CULTURA DE LA VIOLENCIA
Y FEMINICIDIO EN MÉXICO
Aidé Hernández García
Fabiola Coutiño Osorio (Coords.) (P. A.)

FUNDACIÓN COLOQUIO
JURÍDICO EUROPEO

editorial
fontamara
Madrid-México

Dirigida por
*Ernesto Garzón Valdés, Celestino Pardo,
Antonio Pau y Rodolfo Vázquez*

1. DERECHOS SOCIALES Y PONDERACIÓN
   Robert Alexy et al.
2. LA TEORÍA DEL DERECHO EN EL
   PARADIGMA CONSTITUCIONAL
   Luigi Ferrajoli, José Juan Moreso y Manuel Atienza
3. LAICISMO Y CONSTITUCIÓN
   Alfonso Ruiz Miguel y Rafael Navarro-Valls
4. NACIONALIDAD Y CIUDADANÍA
   Pietro Costa y Benito Aláez Corral
5. EL CARÁCTER VINCULANTE
   DE LA JURISPRUDENCIA
   Víctor Ferreres y Juan Antonio Xiol
6. CONSIDERACIONES SOBRE
   LA PRUEBA JUDICIAL
   *Michele Taruffo, Perfecto Andrés Ibáñez
   y Alfonso Candau Pérez*
7. LOS CONSEJOS DE
   GARANTÍA ESTATUTARIA
   Roberto Romboli y Marc Carrillo
8. GARANTISMO ESPURIO
   *Pedro Salazar Ugarte, Josep Aguiló Regla y Miguel
   Ángel Presno Linera*
9. PROBLEMAS LÓGICOS EN LA TEORÍA
   Y PRÁCTICA DEL DERECHO
   *Eugenio Bulygin, Manuel Atienza
   y Juan Carlos Bayón*
10. EL DERECHO A LA
    AUTODETERMINACIÓN INFORMATIVA
    *Pablo Lucas Murillo de la Cueva
    y José Luis Piñar Mañas*
11. CERTEZA Y PREDECIBILIDAD
    DE LAS RELACIONES JURÍDICAS
    *Francisco J. Laporta, Juan Ruiz Manero
    y Miguel Ángel Rodilla*
12. LA SUPREMA CORTE DE ESTADOS UNIDOS
    Y EL ABORTO
    *Ian Shapiro, Pablo de Lora Deltoro
    y Carmen Tomás-Valiente*
13. EL ERROR JUDICIAL. LA FORMACIÓN
    DE LOS JUECES
    *Jorge F. Malem Seña, F. Javier Ezquiaga Ganuzas
    y Perfecto Andrés Ibáñez*
14. ESTADO DE DERECHO
    Y DECISIONES JUDICIALES
    *María Cristina Redondo, José María Sauca
    y Perfecto Andrés Ibáñez*
15. ESTADO Y CULTURA
    Stefan Huster, Antonio Pau y María J. Roca
16. POSITIVISMO JURÍDICO
    Y NEOCONSTITUCIONALISMO
    *Paolo Comanducci, Mª Ángeles Ahumada
    y Daniel González Lagier*

17. DERECHO DE DAÑOS
    *Enrique Barros Bourie, Mª Paz García Rubio
    y Antonio M. Morales Moreno*
18. BASES TEÓRICAS DE LA
    INTERPRETACIÓN JURÍDICA
    *Aulis Aarnio, Manuel Atienza
    y Francisco J. Laporta*
19. DERECHOS HUMANOS:
    ¿INVENTO O DESCUBRIMIENTO?
    Agustín Squella y Nicolás López Calera
20. TERRORISMO Y DERECHOS
    FUNDAMENTALES
    *Stefan Huster, Ernesto Garzón Valdés
    y Fernando Molina*
21. LOS DEFENSORES
    DEL CONTRIBUYENTE
    *María Teresa Soler Roch,
    José Manuel Tejerizo López
    y Fernando Serrano Antón*
22. DEMOCRACIA, RELIGIÓN
    Y CONSTITUCIÓN
    *Rodolfo Vázquez, Alfonso Ruiz Miguel
    y Josep Mª Vilajosana Rubio*
23. EL JUEZ EN ROMA:
    FUNCIONES Y RESPONSABILIDADES
    *Carlo Venturini
    y Margarita Fuenteseca Degenefe*
24. PATRIMONIO MATRIMONIAL
    EN MATRIMONIOS NO INDISOLUBLES
    *Encarnación Roca Trías
    y Vicente Guilarte Gutiérrez*
25. LOS DESACUERDOS EN EL DERECHO
    *José Juan Moreso, Luis Prieto Sanchís
    y Jordi Ferrer Beltrán*
26. RETOS DE LA DOGMÁTICA
    CIVIL ESPAÑOLA
    *Jesús Delgado Echeverría
    y Joaquín Rams Albesa*
27. INMUNIDAD DEL PODER EN ITALIA
    Alessandro Pace y Perfecto Andrés Ibáñez
28. ESTUDIOS SOBRE RAWLS
    *Carlos Peña, Hugo Omar Seleme
    y Fernando Vallespín*
29. LOS DESAFÍOS DE LA DEMOCRACIA
    *Michael Baurmann, José Luis Martí
    y Pablo de Lora*
30. LA CUESTIÓN CUBANA
    EN LAS CORTES DE CÁDIZ
    Antonio-Filiu Franco y Clara Álvarez Alonso
31. AUTONOMÍA DEL PACIENTE,
    RESPONSABILIDAD PATRIMONIAL
    Y DERECHOS FUNDAMENTALES
    Juan Antonio Xiol y Francisco José Bastida

32. DERECHO Y MORAL:
UNA RELACIÓN DESNATURALIZADA
Andrés Ollero, Juan Antonio García Amado
y Cristina Hermida del Llano

33. HOMENAJE A FRANCISCO TOMÁS
Y VALIENTE
Ernesto Garzón Valdés, Pascual Sala Sánchez,
Francisco Rubio Llorente,
Marta Lorente Sariñena, Francisco Laporta,
Elías Díaz y Víctor Ferreres Comella

34. TENSIONES Y CONFLICTOS
SOBRE DERECHO
DE AUTOR EN EL SIGLO XXI.
Materiales para la reforma de la
Ley de Propiedad Intelectual
Carlos Rogel Vide y Eduardo Serrano Gómez

35. LA REFORMA
DEL RECURSO DE AMPARO
Marc Carrillo y Roberto Romboli

36. DEL PODER LEGAL A LOS PODERES
GLOBALES. LEGITIMIDAD Y MEDIDA
EN POLÍTICA
Pierangelo Schiera y Bartolomé Clavero

37. CIENCIA Y DERECHO:
LA NUEVA DIVISIÓN DE PODERES
José Esteve Pardo y Javier Tejada Palacios

38. DE LA BURBUJA INMOBILIARIA AL
DECRECIMIENTO: CAUSAS, EFECTOS
Y PERSPECTIVAS DE LA CRISIS
José Manuel Naredo y Carlos Taibo

39. EL DERECHO CONSTITUCIONAL
DE LA GLOBALIZACIÓN
Michael Stolleis, Andreas Paulus
e Ignacio Gutiérrez

40. LA ORGANIZACIÓN TERRITORIAL DEL
ESTADO EN ESPAÑA. DEL FRACASO
DE LA I REPÚBLICA A LA CRISIS DEL
ESTADO AUTONÓMICO (1873-2013)
Joaquín Varela Suanzes-Carpegna
y Santiago Muñoz Machado

41. LA RENUNCIABILIDAD
DE LOS DERECHOS FUNDAMENTALES
Y LAS LIBERTADES PÚBLICAS
Philippe Frumer e Ignacio Villaverde Menéndez

42. CONSTRUCCIÓN EUROPEA
Y TELEDEMOCRACIA
Antonio-Enrique Pérez Luño, Francesc de Carreras,
Temis Limberger y Rafael González-Tablas Sastre

43. PROPIEDAD: OTRAS PERSPECTIVAS
Paolo Grossi y Ángel M. López y López

44. CRISIS DE LA REPRESENTACIÓN Y NUEVAS
VÍAS DE PARTICIPACIÓN POLÍTICA
Cesare Pinelli y Miguel Presno

45. DEMOCRACIA CONSTITUCIONAL Y
PROHIBICIÓN DEL VELO ISLÁMICO
EN LOS ESPACIOS PÚBLICOS
Benito Aláez Corral y Juan José Ruiz Ruiz

46. DERECHO Y TECNOLOGÍAS
REPRODUCTIVAS
Glenn Cohen y Esther Farnos Amorós

47. LA CONCEPCIÓN REPUBLICANA
DE LA PROPIEDAD
Pablo Ruiz-Tagle y José Luis Martí

48. UNA PROPUESTA DE
FEDERALIZACIÓN
Francisco Rubio Llorente, Pere Navarro,
Joaquín Tornos Mas, Juan José Solozábal
Echavarría, Francesc de Carreras y
Francisco Caamaño Domínguez

49. LA LIBERTAD DE TESTAR:
EL PRINCIPIO DE IGUALDAD,
LA DIGNIDAD DE LA PERSONA
Y EL LIBRE DESARROLLO DE LA
PERSONALIDAD EN EL DERECHO
DE SUCESIONES
Teodora F. Torres García
y María Paz García Rubio

Esta obra se imprimió bajo el cuidado de Ediciones Coyoacán, S. A. de C. V.,
Av. Hidalgo No. 47-B, Colonia Del Carmen, Deleg. Coyoacán, 04100,
México D. F., en mayo de 2016
El tiraje fue de 1000 ejemplares más sobrantes para reposición.